La quête du tigre

La quête du tigre

Colleen Houck

Traduit de l'anglais par
Renée Thivierge

Éditeur : François Doucet
Traduction : Renée Thivierge
Révision linguistique : Nicolas Whiting
Correction d'épreuves : Nancy Coulombe, Catherine Vallée-Dumas
Conception de la couverture : Matthieu Fortin, Sylvie Valois
Illustration de la couverture : © Cliff Nielsen
Mise en pages : Sébastien Michaud
ISBN papier 978-2-89667-843-3
ISBN PDF numérique 978-2-89683-901-8
ISBN ePub 978-2-89683-902-5
Première impression : 2013
Dépôt légal : 2013
Bibliothèque et Archives nationales du Québec
Bibliothèque Nationale du Canada

Éditions AdA Inc.
1385, boul. Lionel-Boulet
Varennes, Québec, Canada, J3X 1P7
Téléphone : 450-929-0296
Télécopieur : 450-929-0220
www.ada-inc.com
info@ada-inc.com

Diffusion

Canada :	Éditions AdA Inc.
France :	D.G. Diffusion Z.I. des Bogues 31750 Escalquens — France Téléphone : 05.61.00.09.99
Suisse :	Transat — 23.42.77.40
Belgique :	D.G. Diffusion — 05.61.00.09.99

Imprimé au Canada

Participation de la SODEC.
Nous reconnaissons l'aide financière du gouvernement du Canada par l'entremise du Fonds du livre du Canada (FLC) pour nos activités d'édition.
Gouvernement du Québec — Programme de crédit d'impôt pour l'édition de livres — Gestion SODEC.

Catalogage avant publication de Bibliothèque et Archives nationales du Québec et Bibliothèque et Archives Canada

Houck, Colleen

La quête du tigre
Traduction de : Tiger's quest.
Pour les jeunes de 13 ans et plus.
ISBN 978-2-89667-843-3
I. Thivierge, Renée, 1942- . II. Titre.

PZ23.H68Qu 2013 j813'.6 C2013-940015-X

Pour mon mari, Brad —
la preuve qu'il existe vraiment des hommes
comme ça ici-bas.

Table des matières

Le métier à tisser du temps

Auteur inconnu

La vie de l'homme repose dans le métier à tisser du temps
En un motif qu'il ne voit pas,
Pendant que les tisserands travaillent et que les navettes filent
Jusqu'à l'aube de l'éternité.

Certaines navettes sont remplies de fils argentés
Et certaines de fils dorés,
Tandis que la plupart d'entre elles
Ne contiennent que des teintes sombres

Mais le tisserand observe d'un œil adroit
Chaque navette qui file en un aller-retour,
Et voit le motif si adroitement travaillé
Pendant que le métier se déplace avec lenteur et assurance.

Dieu a certainement planifié le motif :
Chaque fil, le sombre et le pâle,
Est choisi par Son habileté de maître
Et posé avec soin sur la toile.

Lui seul connaît sa beauté,
Et guide les navettes qui retiennent
Des fils peu séduisants
Autant que des fils dorés.

Tant que chaque métier ne se fera pas silencieux
Et que les navettes ne cesseront de virevolter,
Dieu ne révèlera le motif
Et n'expliquera la raison

Qui rendent si utiles les fils sombres
Entre les mains habiles du tisserand
Autant que les fils dorés et argentés
Pour le motif qu'Il a planifié.

PROLOGUE

Retour à la maison

Je m'accrochai au siège de cuir et je sentis mon cœur se briser en même temps que l'avion privé s'élevait dans le ciel, s'éloignant de l'Inde. Si je détachais ma ceinture, j'étais certaine que je m'enfoncerais à travers le plancher et que je tomberais à des milliers de mètres en chute libre dans la jungle, plus bas. Alors seulement me sentirais-je bien à nouveau. J'avais laissé mon cœur en Inde. Je pouvais sentir qu'il me manquait. Tout ce qui restait de moi, c'était une coquille évidée, engourdie et vide.

Le pire c'était… que tout cela était mon œuvre.

Comment avais-je pu tomber amoureuse ? Et avec quelqu'un de si… compliqué ? Je n'avais pas vu le temps passer durant les derniers mois. D'une certaine manière, j'avais quitté un emploi dans un cirque pour aller faire un voyage en Inde en compagnie d'un tigre — qui s'était avéré être un prince indien — et combattre des créatures immortelles afin de reconstituer une prophétie perdue. Maintenant, mon aventure était bien terminée, et j'étais seule.

Il était difficile de croire que quelques minutes plus tôt, j'avais dit au revoir à M. Kadam. Il n'avait pas dit grand-chose. Doucement, il m'avait caressé le dos alors que je le serrais fort dans mes bras, ne le laissant pas partir. Enfin,

M. Kadam s'était arraché de l'étau où je l'avais enfermé, avait marmonné quelques paroles rassurantes, et avait laissé son arrière-arrière-arrière-petite-fille, Nilima, s'occuper de moi.

Heureusement, Nilima respectait ma solitude dans l'avion. Je ne voulais la compagnie de personne. Elle m'avait apporté le dîner, mais je ne pouvais même pas penser à manger. Je suis certaine que c'était délicieux, mais j'avais l'impression de longer le bord d'une fosse de sables mouvants. D'une seconde à l'autre, je risquais de me faire aspirer vers le bas dans un abîme de désespoir. La dernière chose que je voulais, c'était de la nourriture. Je me sentais fourbue et sans vie, comme un papier d'emballage froissé après Noël.

Nilima enleva le repas de la table et essaya de me tenter avec ma boisson préférée – de l'eau citronnée glacée – mais je la laissai sur la table. Je fixai le verre pendant je ne sais combien de temps, observant l'humidité qui perlait à l'extérieur et qui descendait lentement, se rassemblant autour de la base.

Je tentai de dormir, pour tout oublier pendant au moins quelques heures, mais l'oubli sombre et paisible m'échappait. Je ne pouvais m'empêcher de penser à mon tigre blanc et à la malédiction dont il était victime depuis plusieurs centaines d'années pendant que je regardais fixement dans le vide. Je regardais le siège vacant de M. Kadam en face de moi, je regardais par la fenêtre, ou alors j'observais une lumière clignotante sur le mur. De temps en temps, je jetais un coup d'œil à ma main, traçant les contours du dessin au henné de Phet, désormais invisible.

Nilima revint avec un lecteur MP3 rempli de milliers de chansons. Plusieurs étaient jouées par des musiciens indiens, mais la plupart étaient américaines. Je fis défiler les pièces pour trouver les chansons les plus tristes qui parlaient de rupture. Posant les oreillettes dans mes oreilles, j'appuyai sur JOUER.

Je défis la fermeture à glissière de mon sac à dos pour récupérer la courtepointe de ma grand-mère, puis je me souvins que j'avais enveloppé Fanindra à l'intérieur. En soulevant les extrémités de la courtepointe, j'aperçus le serpent d'or, un cadeau de la déesse Durgâ elle-même, et je le posai à côté de moi sur l'accoudoir. Le bijou enchanté était enroulé et se reposait ; du moins, je le supposai. Frottant sa tête lisse et dorée, je murmurai : « Tu es tout ce que j'ai maintenant. »

Étendant la courtepointe sur mes jambes, je me penchai en arrière dans le fauteuil incliné, je fixai le plafond de l'avion et j'écoutai une chanson qui s'intitulait *One Last Cry*. Gardant le volume doux et bas, je déposai Fanindra sur mes genoux et je caressai ses anneaux luisants. La lueur verte des yeux de joyaux du serpent illumina doucement la cabine de l'avion et me réconforta pendant que la musique remplissait le vide qu'il y avait dans mon âme.

1

WOU

Après plusieurs heures abrutissantes, l'avion finit par atterrir à l'aéroport de Portland, en Oregon. Quand mes pieds touchèrent le tarmac, je détournai mon regard de l'aérogare pour jeter un coup d'œil sur le ciel couvert. Je fermai les yeux et je laissai la brise fraîche qui portait l'odeur de la forêt souffler sur moi. Une douce bruine se posa sur mes bras nus, probable dernier vestige d'une pluie récente. Il faisait bon d'être à la maison.

Prenant une profonde inspiration, je sentis l'Oregon me recentrer. J'en faisais partie comme il faisait partie de moi. C'était ma place. C'était là que j'avais grandi et où j'avais passé toute ma vie. Mes racines étaient ici. Mes parents et ma grand-mère avaient été enterrés ici. L'Oregon m'accueillait comme une enfant bien-aimée dans ses bras frais, faisant taire mes pensées tumultueuses et me promettant la paix à travers ses pins murmurants.

Nilima m'avait suivie dans l'escalier et attendait tranquillement pendant que j'absorbais l'environnement familier. J'entendis le bourdonnement d'un moteur rapide, et un cabriolet bleu cobalt apparut, tournant le coin du bâtiment. La voiture sport aux lignes fluides avait exactement la couleur de *ses* yeux.

M. Kadam a dû prendre des arrangements pour la voiture. Je levai les yeux au ciel en pensant à ses goûts dispendieux. M. Kadam pensait à chaque petit détail, et il le faisait toujours de fort belle manière. *Au moins, la voiture est une location,* songeai-je.

Je rangeai mes valises dans le coffre et je lus le nom à l'arrière : Porsche Boxster RS 60 Spyder. Je hochai la tête.

— Oh la vache, M. Kadam, murmurai-je, j'aurais été tout aussi heureuse de prendre la navette pour retourner à Salem.

— Je vous demande pardon? demanda poliment Nilima.

— Rien. Je suis tout simplement heureuse d'être rentrée.

Je refermai le coffre et je me laissai tomber sur le siège en cuir gris et bleu. Nous roulâmes en silence. Nilima savait exactement où elle allait, alors je ne pris même pas la peine de lui donner d'indications. Je me contentai de pencher la tête vers l'arrière et je regardai le ciel et le paysage verdoyant qui filait autour de nous.

Des voitures remplies de garçons nous dépassèrent. Les jeunes se mirent à siffler, admirant soit la beauté exotique de Nilima et ses longs cheveux noirs flottant au vent, soit la belle voiture. J'ignore ce qui avait inspiré les sifflements, mais je savais que ce n'était pas moi. Je portais mon T-shirt, mes espadrilles et un jean. Les mèches de mes cheveux brun doré s'emmêlaient à partir de ma tresse lâche et fouettaient mes yeux bruns bordés de rouge et mon visage strié de larmes. Des hommes âgés nous dépassèrent lentement également. Ils ne sifflèrent pas, mais ils appréciaient certainement la vue. Nilima se contenta de les ignorer, et je me détournai, pensant : *Je dois paraître aussi horrible que je me sens.*

Lorsque nous arrivâmes au centre-ville de Salem, nous passâmes devant le Marion Street Bridge, qui nous aurait conduites au-dessus de la Willamette River et sur l'autoroute 22 en direction des terres agricoles de Monmouth et de Dallas. Je tentai de dire à Nilima qu'elle avait raté un virage, mais elle se contenta de hausser les épaules et de répondre que nous allions prendre un raccourci.

— Bien sûr, dis-je sarcastiquement, que sont quelques minutes de plus dans un voyage qui a duré des jours ?

Nilima rejeta ses beaux cheveux vers l'arrière, me sourit et continua à rouler, effectuant des manœuvres compliquées à travers la circulation vers South Salem. C'était la première fois que je prenais ce chemin. C'était tout sauf un raccourci vers Dallas.

Nilima se dirigea vers une grande colline recouverte par la forêt. Nous serpentâmes lentement sur la magnifique route bordée d'arbres sur plusieurs kilomètres. J'aperçus des chemins de terre qui entraient dans la forêt où l'on apercevait des maisons ici et là, mais la zone avait été largement épargnée par l'homme. Je fus surprise de voir que la ville n'avait pas annexé cette zone pour construire à cet endroit. C'était vraiment charmant.

Ralentissant, Nilima emprunta un des chemins privés et le suivit encore plus haut sur la colline. Même après avoir dépassé plusieurs allées sinueuses, je ne voyais pas de maisons. À la fin de la route, nous nous arrêtâmes devant un duplex niché au milieu d'une forêt de pins.

Les deux côtés du duplex étaient identiques. Chacun comprenait deux étages avec un garage, et il y avait une petite cour commune. Chacun avait une grande baie vitrée qui donnait sur la forêt. Le revêtement de bois de la maison était brun cèdre et vert minuit, et le toit était recouvert de bardeaux gris-vert. D'une certaine façon, cela ressemblait à un chalet de ski.

Nilima fit doucement entrer la voiture dans le garage et coupa le moteur.

— Nous sommes à la maison, annonça-t-elle.

— À la maison ? Que voulez-vous dire ? N'allons-nous pas chez mes parents d'accueil ? demandai-je, de plus en plus perplexe.

Nilima me sourit avec bienveillance.

— Non, me répondit-elle doucement. C'est votre maison.

— Ma maison ? Qu'est-ce que vous racontez ? J'habite à Dallas. Qui habite ici ?

— C'est vous. Venez à l'intérieur, et je vous expliquerai.

Nous traversâmes une buanderie pour nous rendre dans la cuisine, qui était petite, mais où il y avait des rideaux jaune citron, des appareils ménagers neufs en acier inoxydable et des murs décorés au pochoir avec des images de citron. Nilima alla chercher deux bouteilles de cola diète au réfrigérateur.

Je laissai tomber mon sac à dos.

— Nilima, expliquez-moi ce qui se passe.

Elle ignora ma question. À la place, elle m'offrit une boisson gazeuse, que je refusai, et elle me demanda de la suivre.

Soupirant, j'enlevai mes espadrilles pour ne pas bousiller le tapis de peluche du duplex, et je la suivis au salon, qui était également petit, mais mignon. Nous nous assîmes sur un magnifique canapé de cuir châtaigne. Une grande bibliothèque invitante remplie de livres classiques cartonnés — qui avaient probablement coûté une fortune — se trouvait dans un coin de la pièce, tandis qu'une fenêtre ensoleillée et un grand téléviseur à écran plat monté au-dessus d'une armoire polie se disputaient aussi mon attention.

Nilima commença à fouiller parmi les papiers laissés sur une table à café.

— Kelsey, commença-t-elle, cette maison est à vous. Elle fait partie du paiement pour votre travail en Inde, cet été.

— Ce n'est pas comme si j'avais vraiment travaillé, Nilima.

— Votre travail était le plus essentiel de tous. Vous avez accompli beaucoup plus que n'importe lequel d'entre nous pouvait même espérer. Nous vous devons tous beaucoup, et ceci est notre humble façon de vous récompenser pour vos efforts. Vous avez surmonté d'énormes obstacles, et vous avez failli mourir. Nous vous en sommes tous très reconnaissants.

— Eh bien, taquinai-je, embarrassée, maintenant que vous l'expliquez de cette façon — mais, attendez ! Vous dites que cette maison *fait partie* de mon paiement ? Vous voulez dire qu'il y a plus ?

— Oui, dit-elle, en hochant la tête.

— Non. Je ne peux vraiment pas accepter ce cadeau. Déjà, une maison, c'est beaucoup trop — alors on laisse faire le reste ! C'est beaucoup plus que ce dont nous avions convenu. Je voulais juste un peu d'argent pour payer mes livres pour l'école. Il n'aurait pas dû faire ça.

— Kelsey, il a insisté.

— Eh bien, il devra « désinsister ». C'est trop, Nilima. Vraiment.

Elle soupira et regarda mon visage, qui affichait une inébranlable détermination.

— Il veut vraiment que vous l'ayez, Kelsey. Ça lui ferait plaisir.

— Eh bien, ce n'est pas pratique ! Comment s'attend-il à ce que je prenne le bus pour l'école à partir d'ici ? J'ai l'intention de m'inscrire à l'université, maintenant que je suis de retour à la maison, et cet endroit n'est pas exactement près des lignes d'autobus.

Nilima me regarda d'un air perplexe.

— Que voulez-vous dire par prendre le bus ? Je suppose que si vous voulez vraiment prendre le bus, vous pourrez conduire jusqu'à la station d'autobus.

— Conduire jusqu'à la station ? Cela n'a aucun sens.

— Eh bien, c'est ce que *vous* dites qui n'a pas de sens. Pourquoi ne pas simplement prendre votre voiture pour aller à l'université ?

— Ma voiture ? Quelle voiture ?

— Celle qui est dans le garage, bien sûr.

— Celle dans le… *Oh non !* Vous me faites marcher !

— Non, je ne plaisante pas. La Porsche vous appartient.

— *Oh non, ce n'est pas vrai* ! Savez-vous combien coûte cette voiture ? Pas question !

Je sortis mon téléphone portable et cherchai le numéro de téléphone de M. Kadam. Juste avant d'appuyer sur ENVOYER, je pensai à quelque chose qui m'arrêta dans mon élan.

— Y a-t-il autre chose que je devrais savoir ?

Nilima grimaça.

— Eh bien... il a également pris la liberté de vous inscrire à la Western Oregon University. Vos classes et vos livres ont déjà été payés. Vos livres sont sur le comptoir à côté de la liste des cours, d'un chandail des Western Wolves et d'une carte du campus.

— Il m'a inscrite à la WOU ? demandai-je, incrédule. J'avais l'intention de fréquenter le collège communautaire local et de travailler — pas d'aller à la WOU.

— Il a dû penser qu'une université serait plus à votre goût. Vous commencez les cours la semaine prochaine. Quant à travailler, vous le pouvez si vous le souhaitez, mais ce ne sera pas nécessaire. Il a également créé un compte bancaire pour vous. Votre nouvelle carte bancaire se trouve aussi sur le comptoir. N'oubliez pas de la signer au dos.

J'avalai ma salive.

— Et... euh... combien d'argent exactement y a-t-il dans ce compte bancaire ?

Nilima haussa les épaules.

— Je n'en ai aucune idée, mais je suis certaine que c'est suffisant pour couvrir vos frais de subsistance. Bien entendu, aucune de vos factures ne sera envoyée ici. Tout parviendra directement à un expert-comptable. La maison et la voiture sont prises en charge, de même que l'ensemble de vos frais d'études universitaires.

Elle glissa plusieurs formulaires dans ma direction, puis elle se rassit et but une gorgée de boisson gazeuse.

Stupéfaite, je demeurai assise, complètement immobile pendant une minute, et je me souvins alors de ma détermination de téléphoner à M. Kadam. J'ouvris mon téléphone et cherchai son numéro.

Nilima m'interrompit.

— Êtes-vous certaine de vouloir tout lui remettre, Mlle Kelsey ? Votre bonheur lui tient vraiment à cœur. Il veut que vous ayez tout ceci.

— Eh bien, M. Kadam doit savoir que je n'ai pas besoin de sa charité. Je vais tout simplement lui expliquer que le collège communautaire est plus que suffisant, et que ça ne me dérange pas d'habiter un dortoir et de prendre le bus.

Nilima se pencha vers moi.

— Mais, Kelsey, ce n'est pas M. Kadam qui a organisé tout cela.

— Quoi ? Si ce n'est pas M. Kadam, alors qui… *Oh !*

Je fermai mon téléphone. Il n'était pas question que je *l'*appelle, peu importe la raison.

— Alors *il* a mon bonheur vraiment à cœur, n'est-ce pas ?

Les sourcils arqués de Nilima se réunirent sous la confusion.

— Oui, je dirais que oui.

J'ai presque déchiré mon cœur en lambeaux pour le laisser. Il est en Inde, à 11 730 kilomètres d'ici, et il réussit toujours à trouver un moyen d'avoir une emprise sur moi.

— Très bien, grommelai-je à voix basse. De toute façon, il réussit toujours à obtenir ce qu'il veut. Il ne sert à rien d'essayer de le lui remettre. Il se contentera de concocter un présent encore plus important qui ne fera que compliquer encore plus notre relation.

Une voiture klaxonna à l'extérieur dans l'allée.

— Eh bien, c'est la voiture qui me ramène à l'aéroport.

Nilima se leva.

— Oh ! dit-elle. Oh ! J'avais presque oublié. C'est pour vous aussi.

Elle pressa un nouveau téléphone portable dans ma main, l'échangea adroitement avec mon vieux téléphone, et me serra rapidement dans ses bras avant de marcher vers la porte d'entrée.

— Mais, attendez ! Nilima !

— Ne vous inquiétez pas, Mlle Kelsey. Tout ira bien. Les formulaires dont vous avez besoin pour l'université se trouvent sur le comptoir de la cuisine. Il y a de la nourriture dans le réfrigérateur, et toutes vos affaires sont à l'étage. Si vous le désirez, vous pouvez prendre la voiture et rendre visite à votre famille d'accueil plus tard aujourd'hui. Ils attendent votre appel.

Elle se retourna, sortit gracieusement par la porte, et monta dans la voiture. Elle agita joyeusement la main à partir du siège passager. Je lui fis signe à mon tour et la regardai jusqu'à ce que l'élégante berline noire soit hors de vue. Soudain, j'étais toute seule dans une étrange maison entourée par la forêt calme.

Une fois Nilima partie, je décidai d'explorer l'endroit que j'allais maintenant appeler ma maison. Ouvrant le réfrigérateur, je constatai que les étagères étaient en effet bien garnies. Enlevant le bouchon d'une bouteille, je sirotai une boisson gazeuse et j'examinai le contenu des placards. Il y avait des verres et des assiettes, ainsi que des ustensiles de cuisine, des couverts et des casseroles. Par intuition, j'ouvris le tiroir du bas du réfrigérateur et je le trouvai rempli de citrons. De toute évidence, cette partie était l'œuvre de M. Kadam. L'homme attentionné savait que ce serait un réconfort pour moi de boire de l'eau citronnée.

Mais la touche de design intérieur de M. Kadam ne se limitait pas à la cuisine. La salle d'eau du bas était décorée en vert sauge et citron. Même le savon du distributeur était parfumé au citron.

Je déposai mes chaussures dans un panier en osier posé sur le carrelage de la salle de lavage, à côté d'un nouvel ensemble de laveuse et sécheuse à chargement frontal, puis je me dirigeai vers un petit bureau.

Mon ancien ordinateur était installé au milieu de la table, mais juste à côté, il y avait un ordinateur portable flambant neuf. Un fauteuil de cuir, des tiroirs et une tablette où étaient rangés du papier et d'autres fournitures complétaient le bureau.

Saisissant mon sac à dos, je me dirigeai à l'étage pour voir ma nouvelle chambre. Je vis un beau grand lit, couvert d'une épaisse courtepointe en duvet ivoire et d'oreillers aux accents pêche, qui était placé contre le mur, ainsi qu'un vieux coffre de bois qui était installé à côté. De confortables chaises de lecture pêche étaient installées dans le coin, face à la fenêtre donnant sur la forêt.

Une note qui se trouvait sur le lit me redonna immédiatement des forces.

Salut, Kelsey!
Bienvenue chez toi. Téléphone-nous dès que possible! Nous voulons entendre parler de ton voyage! Toutes tes affaires ont été rangées. Nous adorons ta nouvelle maison!
Avec amour,
Mike et Sarah

S'ajoutant à mon retour en Oregon, la lecture de la note de Mike et Sarah me remit les pieds sur terre. Leurs vies étaient normales. Ma vie avec eux était normale, et pour faire changement, il me serait agréable d'être entourée d'une famille normale et d'agir comme un être humain normal. Dormir sur le sol de la jungle, parler à des déesses indiennes, tomber amoureuse d'un… tigre – rien de tout cela n'était normal. Bien au contraire.

J'ouvris mon placard et je découvris que ma collection de rubans à cheveux et tous mes vêtements se trouvaient maintenant dans ma maison. Je touchai certaines choses que je n'avais pas vues depuis quelques mois. Lorsque j'ouvris l'autre côté du placard, je trouvai tous les nouveaux vêtements qui avaient été achetés pour moi en Inde, ainsi que plusieurs nouveaux articles encore rangés dans des sacs à vêtements.

Comment diable M. Kadam a-t-il réussi à faire livrer tous ces trucs ici avant mon arrivée? J'ai laissé toutes ces choses dans mon placard en Inde. Je refermai la porte sur les vêtements et mes souvenirs, déterminée à ne pas rouvrir ce côté du placard.

M'avançant vers la commode, j'ouvris mon tiroir du haut. Sarah avait arrangé mes chaussettes exactement comme je les aimais. Chaque paire de chaussettes – noires, blanches et de couleurs assorties – était enroulée en une boule et était bien ordonnée, le tout formant des rangées. Mais quand j'ouvris le tiroir suivant, mon sourire s'effaça. J'y trouvai les pyjamas soyeux que j'avais volontairement laissés en Inde.

Ma poitrine se mit à brûler pendant que je passais ma main sur le tissu soyeux, et je refermai résolument le tiroir. Me tournant pour quitter la chambre lumineuse et aérée, un détail me frappa tout d'un coup, et mon visage devint écarlate. Ma chambre était pêche et crème.

C'est probablement lui qui a choisi ces couleurs, devinai-je. *Un jour, il m'a dit que je sentais les pêches et la crème. J'imagine qu'il a trouvé un moyen de me le rappeler même à partir d'un autre continent. Comme si je pouvais oublier…*

Je lançai mon sac à dos sur le lit et je le regrettai instantanément, me rendant compte que Fanindra se trouvait toujours à l'intérieur. Après l'avoir sortie avec précaution et lui avoir présenté mes excuses, je caressai sa tête dorée et la déposai sur un oreiller. Je sortis mon nouveau téléphone portable de ma poche de jean. Comme tout le reste, le téléphone était un présent cher, et tout cela n'était vraiment pas nécessaire. C'était une conception de Prada. En ouvrant le téléphone, je m'attendais à voir *son* numéro de téléphone, mais ce ne fut pas le cas. En fait, les seuls numéros enregistrés sur le téléphone étaient ceux de M. Kadam et de mes parents adoptifs.

Je ne savais pas quelle émotion ressentir. Au début, je me sentais soulagée, puis je fus intriguée. Ensuite, je fus déçue. Une partie de moi aurait voulu qu'*il* me téléphone. *Juste pour savoir si j'étais bien arrivée.*

Un peu contrariée, j'appelai mes parents adoptifs et je leur dis que j'étais rentrée à la maison, que le vol m'avait fatiguée, et que j'irais souper chez eux le soir suivant. Raccrochant le téléphone, je fis une grimace, me demandant quel genre de surprise au tofu me serait réservée. Quel que soit le repas santé qui me serait offert, je serais heureuse de m'assoir avec eux et d'avoir la chance de les voir.

Je m'aventurai en bas, j'ouvris la chaîne stéréophonique, je me préparai une collation de tranches de pommes avec du beurre d'arachide, et je commençai à parcourir les formulaires d'université sur le comptoir. M. Kadam avait choisi des études internationales pour ma majeure, avec une mineure en histoire de l'art.

Je parcourus également mon horaire scolaire. Je ne sais comment, M. Kadam avait réussi à me placer, moi, une étudiante de première année, dans des cours de niveaux 300 et 400. De plus, il avait également réservé mes cours pour les semestres d'automne *et* d'hiver, et ce, même si l'inscription pour l'étape d'hiver n'était pas encore disponible.

WOU a probablement reçu un don très important de l'Inde, me dis-je avec un sourire narquois. *Je ne serais pas surprise de voir un nouveau bâtiment s'élever sur le campus cette année.*

Kelsey Hayes, Fiche d'identification 69428L7
Western Oregon University

Trimestre d'automne

Rédaction universitaire 115 (4 crédits). *Introduction à la rédaction d'une thèse.*

Première année de latin 101 (4 crédits). *Introduction au latin.*

Anthropologie 476 D Religions et rituels (4 crédits). *Étude des pratiques religieuses dans le monde. Présente l'observation religieuse du point de vue de l'anthropologie tout en se concentrant sur des sujets particuliers, incluant la possession par les esprits, le mysticisme, la sorcellerie, l'animisme, le culte des ancêtres et la magie. Examen de la fusion des principales religions du monde avec les croyances et les traditions locales.*

Géographie 315 Le sous-continent indien (4 crédits). *Un examen de l'Asie du Sud et de sa géographie où l'accent est mis sur l'Inde. Évaluation de la relation économique entre l'Inde et les autres nations ; étude des modèles, des problèmes et des défis reliés spécifiquement à la géographie ; et exploration de la diversité ethnique, religieuse et linguistique de son peuple, des points de vue historique et moderne.*

Trimestre d'hiver
Histoire de l'art 204 A Du préhistorique au romanesque (4 crédits). *Étude de toutes les formes d'art de cette période en mettant particulièrement l'accent sur leur pertinence historique et culturelle.*

Histoire 470 Les femmes dans la société indienne (4 crédits). *Un examen des femmes en Inde, de leurs systèmes de croyances, de leur place culturelle dans la société et de la mythologie qui leur est associée, passée et présente.*

Rédaction universitaire II 135 (4 crédits). *Cours de deuxième année développant l'aptitude à la rédaction de documents basés sur la recherche.*

Science politique 203 D Relations internationales (3 crédits). *Une comparaison des politiques et de questions concernant des groupes mondiaux ayant des intérêts similaires ou concurrentiels.*

C'est officiel. Je suis maintenant une étudiante universitaire. Eh bien, une étudiante universitaire et une personne qui conjure les anciennes malédictions indiennes à temps partiel, songeai-je, en pensant à la recherche continuelle de M. Kadam en Inde. Il serait difficile de me concentrer sur les cours, les enseignants et les travaux après tout ce qui m'était arrivé en Inde. C'était particulièrement bizarre de savoir que je devais tout simplement continuer et revenir à mon ancienne vie en Oregon, comme si de rien n'était. D'une certaine manière, mon ancienne vie ne semblait plus m'appartenir.

Heureusement, tous les cours de la WOU semblaient intéressants, en particulier ceux qui portaient sur la religion et la magie. M. Kadam avait sélectionné des sujets que j'aurais probablement moi-même choisis — à part le latin. Je me plissai le nez. Je n'avais jamais vraiment eu de talent pour l'apprentissage des langues. Je trouvais dommage que la WOU n'offre pas de cours de langue indienne. Il aurait été bon que j'apprenne l'hindi, surtout si je devais retourner en Inde pour affronter les trois autres tâches qui permettraient de conjurer la malédiction du tigre et qui étaient décrites dans la prophétie de Durgâ. Peut-être…

À ce moment précis, j'entendis à la radio *I Told You So* de Carrie Underwood. Les paroles de la chanson me firent pleurer. Essuyant une larme, je songeai au fait qu'*il* trouverait probablement *très bientôt* quelqu'un de nouveau. Si j'étais à sa place, je ne reprendrais pas quelqu'un comme moi. Il était trop douloureux de penser à lui, même pendant une minute. Je dissimulai mes souvenirs et les repliai dans un coin minuscule de mon cœur, après quoi je tentai de remplacer mes pensées douloureuses par d'autres, plus positives cette fois. Je pensai à mes études, à ma famille d'accueil et à mon retour en Oregon. J'empilai ces pensées comme des livres, les unes sur les autres, pour tenter de supprimer tout le reste.

Pour l'instant, c'était une distraction efficace que de penser à d'autres choses et à d'autres personnes. Mais je pouvais sentir son fantôme planant dans les calmes et sombres recoins de mon cœur, attendant que je sois seule ou que je baisse ma garde pour remplir à nouveau mon esprit de pensées de lui.

Je n'aurai qu'à m'occuper l'esprit, décidai-je. *C'est la seule façon dont je pourrai m'en sortir. J'étudierai comme une folle, je rendrai visite à des gens et… et je sortirai avec d'autres gars, et je resterai active et, ensuite, je serai trop fatiguée pour y penser. La vie continuera. La vie doit continuer.*

Lorsque je décidai de me mettre au lit, il était tard, et j'étais fatiguée. Tapotant Fanindra, je me glissai sous les draps et je m'endormis.

Le lendemain, mon nouveau téléphone cellulaire sonna. C'était M. Kadam, ce qui, étrangement, était à la fois excitant et décevant..

— Bonjour, Mlle Kelsey, dit-il joyeusement. Je suis tellement heureux de savoir que vous êtes arrivée saine et sauve chez vous. J'espère que tout est en ordre et à votre goût.

— Je ne m'attendais pas à tout ce que j'ai reçu, répondis-je. Je me sens extrêmement coupable par rapport à la maison, la voiture, la carte de crédit et les études.

— N'y pensez même pas. J'ai été heureux de tout organiser pour vous.

— Qu'est-ce qui se passe avec la prophétie ? lui demandai-je, la curiosité prenant le dessus sur moi. Avez-vous trouvé quelque chose ?

— Je cherche à traduire le reste du monolithe que vous avez découvert. J'ai envoyé quelqu'un au temple de Durgâ pour prendre des photos des trois autres piliers. Il semble que sur chaque pilier, un des quatre éléments — la terre, l'air, l'eau et le feu — est représenté.

— C'est logique, dis-je, me souvenant de la prophétie de Durgâ. Le premier pilier que nous avons trouvé doit avoir été lié à la terre, car il montre des agriculteurs offrant des fruits et des céréales. Par ailleurs, Kishkindhâ était une ville souterraine et le premier objet que Durgâ nous a demandé de trouver était le Fruit d'Or.

— Oui, eh bien, il s'avère qu'il y avait aussi un cinquième pilier qui a été détruit il y a longtemps. Il représentait l'élément de l'espace, ce qui est fréquent dans la religion hindoue.

— Eh bien, si quelqu'un peut comprendre ce qu'il faut ensuite faire, c'est vous. Merci d'avoir pris de mes nouvelles, ajoutai-je avant de lui promettre que nous nous reparlerions bientôt, et je raccrochai.

J'étudiai mes nouveaux manuels pendant cinq heures, puis je me dirigeai vers une boutique de jouets pour acheter des tigres empaillés orange et noir pour Rebecca et Sammy, étant donné que j'avais complètement oublié de leur rapporter quelque chose de l'Inde. Ignorant mon bon sens, je finis aussi par acheter un grand tigre blanc en peluche cher.

De retour à la maison, je pris le tigre autour de la taille et j'enfouis mon visage dans sa fourrure. Il était doux, mais il ne sentait pas vraiment bon. *Lui* sentait merveilleusement bon, comme le bois de santal et les cascades. Cet animal en peluche n'était qu'une réplique. Ses rayures étaient différentes, et ses yeux étaient vitreux — d'un bleu terne et sans vie. *Ses yeux à lui* étaient bleu cobalt.

Mais bon sang, qu'est-ce qui cloche chez moi ? Je n'aurais pas dû l'acheter. L'oublier n'en sera que plus difficile.

En chassant mes émotions, je sortis des vêtements de rechange et je me préparai à rendre visite à ma famille d'accueil.

Alors que je roulais à travers la ville, je pris le chemin le plus long pour éviter le Polk County Fairgrounds et d'autres souvenirs douloureux. Lorsque j'arrivai en face de la maison de Mike et de Sarah, la porte s'ouvrit toute grande. Mike se précipita vers moi… mais ne put résister à l'envie d'examiner la Porsche de plus près. Il passa devant moi et courut jusqu'à la voiture.

— Kelsey ! Puis-je ? demanda-t-il gentiment.

— Fais-toi plaisir, répondis-je en riant.

Le même bon vieux Mike, songeai-je, et je lui lançai les clés pour qu'il puisse lui-même faire le tour du pâté de maisons à plusieurs reprises.

Sarah posa son bras autour de ma taille et me guida vers la maison.

— Nous sommes tellement heureux de te voir ! Nous le sommes tous les deux ! cria-t-elle en fronçant les sourcils vers Mike, qui agita la main vers nous d'un air joyeux pendant qu'il reculait dans l'allée.

— Au début, quand tu es partie pour l'Inde, nous étions inquiets, car nous ne recevions pas beaucoup d'appels de toi, mais M. Kadam a téléphoné tous les deux jours et nous a expliqué ce que tu faisais. Il nous a dit à quel point tu étais occupée.

— Oh ? Et qu'a-t-il dit, exactement ? demandai-je, curieuse de connaître l'histoire qu'il avait inventée.

— Eh bien, c'est très excitant, n'est-ce pas ? Voyons voir. Il a parlé de ton nouvel emploi et a dit que tu serais stagiaire chaque été et que tu travaillerais avec lui sur différents projets de temps en temps. J'ignorais totalement que tu étais intéressée par les études internationales. C'est une majeure formidable. Très fascinante. Il a aussi ajouté que lorsque tu aurais obtenu ton diplôme, tu pourrais travailler à temps complet pour son entreprise. C'est une occasion fantastique !

Je lui souris.

— Oui, M. Kadam est génial. Je ne pouvais pas demander un meilleur patron. Il me traite plus comme une petite-fille que comme une employée, et il me gâte terriblement. Je veux dire, tu as vu la maison et la voiture, et puis il y a les études.

— Au téléphone, il nous a parlé très affectueusement de toi. Il a même admis qu'il en était venu à dépendre de toi. C'est un homme très gentil. Il insiste également pour dire que tu es... comment a-t-il dit... « un investissement qui aura d'importantes retombées dans l'avenir ».

Je jetai un regard plein de doute à Sarah.

— Eh bien, j'espère qu'il a raison à ce sujet.

Elle rit, puis elle devint sérieuse.

— Nous savons que tu es spéciale, Kelsey, et que tu mérites de grandes choses. Peut-être que c'est la façon que l'univers a trouvée pour équilibrer la perte de tes parents. Bien sûr, rien ne pourra prendre leur place.

Je hochai la tête. Elle était heureuse pour moi. Et c'était probablement un grand soulagement pour eux de savoir que mon avenir serait suffisamment assuré sur le plan financier pour que je puisse vivre confortablement par moi-même.

Sarah me serra dans ses bras et tira du four un plat avec une odeur bizarre. Elle le posa sur la table.

— Maintenant, mangeons ! dit-elle.

— Alors... qu'y a-t-il pour souper ? demandai-je en feignant l'enthousiasme.

— Une lasagne biologique de blé entier au tofu et aux épinards avec du fromage de soya et des graines de lin.

— Miam, j'ai hâte, dis-je, et je luttai pour garder un demi-sourire sur mon visage.

Je songeai naïvement au Fruit d'Or magique que j'avais laissé derrière moi en Inde. L'objet pouvait faire apparaître instantanément la nourriture la plus délicieuse. S'il se trouvait dans les mains de Sarah, même un repas santé aurait probablement bon goût. Je pris un morceau. *Bon, peut-être que non…*

Rebecca, six ans, et Samuel, âgé de quatre ans, accoururent dans la pièce et bondirent de tous côtés pour attirer mon attention. Je les embrassai tous les deux et je les orientai vers la table, après quoi je me regardai par la fenêtre pour voir si Mike était de retour. Il venait de garer la Porsche et était en train de marcher à reculons vers la porte avant, regardant fixement la voiture.

J'ouvris la porte.

— Euh, Mike, il est temps de souper.

— Bien sûr, bien sûr, répondit-il par-dessus son épaule, sans jamais quitter la voiture des yeux, j'arrive tout de suite.

Assise entre les enfants, je pris un morceau de lasagne pour chacun d'eux et j'en pris un petit morceau pour moi. Sarah leva le sourcil, et j'expliquai la petite taille de ma portion en disant que j'avais pris un repas copieux le midi. Mike finit par rentrer et commença à parler de la Porsche avec enthousiasme. Il demanda s'il pourrait emprunter la voiture un vendredi soir pour sortir avec Sarah.

— Bien sûr. Je vais même venir et garder les enfants pour vous.

Il rayonnait tandis que Sarah levait les yeux en l'air.

— Est-ce avec moi ou avec la voiture que tu veux sortir ? demanda-t-elle.

— Toi, bien sûr, ma chère. La voiture est juste un véhicule pour mettre en valeur la belle femme assise à côté de moi.

Sarah et moi nous regardâmes toutes les deux et nous ricanâmes.

— Pas mal, Mike, dis-je.

Après le souper, nous allâmes au salon, où je remis aux enfants leurs tigres. Ils se mirent à crier de joie et coururent tout autour en grognant l'un contre l'autre. Sarah et Mike me posèrent toutes sortes de questions au sujet de l'Inde, et je leur parlai des ruines de Hampi et de la maison de M. Kadam. Techniquement, ce n'était pas la sienne, mais ils n'avaient pas besoin de le savoir. Puis, ils voulurent savoir comment le tigre du cirque de M. Maurizio s'était adapté à sa nouvelle maison.

Je me figeai, mais seulement pour un instant, et je leur dis qu'il allait bien et qu'il semblait très heureux. Heureusement pour moi, M. Kadam leur avait expliqué que nous étions souvent en train d'explorer les ruines indiennes et de cataloguer des artefacts. Il avait dit que mon travail consistait à être son assistante, à tenir des dossiers sur ses découvertes et à prendre des notes, ce qui n'était pas trop loin de la vérité. Cela expliquait également pourquoi j'allais faire une mineure en histoire de l'art.

Il était amusant d'être avec eux, mais c'était aussi épuisant pour moi, parce que je devais m'assurer de ne pas laisser échapper des éléments en disant quelque chose de trop bizarre. Ils n'auraient jamais cru toutes les choses que j'avais vécues. Il m'arrivait parfois moi-même d'avoir du mal à y croire.

Sachant qu'ils se couchaient tôt, je rassemblai mes affaires et je leur dis bonne nuit. Je les serrai tous dans mes bras et leur promis de leur rendre visite à nouveau la semaine suivante.

À mon retour chez moi, je passai quelques heures à étudier, puis je pris une douche chaude. Sautant dans le lit dans ma chambre sombre, j'eus le souffle coupé lorsque ma main frôla de la fourrure. Puis, je me souvins de mon achat, je poussai le tigre de peluche en bas du lit, et je glissai ma main sous ma joue.

Je ne pouvais cesser de penser à *lui*. Je me demandais ce qu'il faisait en ce moment et s'il pensait à moi, ou s'il m'avait déjà oubliée. Marchait-il de long en large dans la jungle torride ? Était-il en train de se battre contre Kishan ? Retournerais-je un jour en Inde et en avais-je vraiment envie ? J'avais l'impression de jouer au chat et à la souris avec mes pensées. Chaque fois que j'attrapais une pensée, une autre faisait surface ailleurs. Je ne pouvais pas gagner : elles ne cessaient de surgir de mon subconscient. Soupirant, je tendis le bras, saisis la patte du tigre de peluche, et je le ramenai sur le lit. Enroulant mes bras autour de sa taille, j'enfouis mon nez dans sa fourrure et je m'endormis sur sa patte.

Wushu

Les jours suivants passèrent rapidement et sans incident, puis arriva le temps de commencer l'université. Je reçus les consignes concernant mes travaux trimestriels pour chaque cours, et je me rendis compte que mes expériences antérieures en Inde me seraient utiles. Je pourrais écrire sur Hampi pour mon travail de recherche sur une métropole indienne, discuter de la fleur de lotus comme symbole religieux en anthropologie, et faire mon travail final sur les religions du monde autour du thème de Durgâ. Le seul cours qui me semblait être un véritable défi était le cours de latin.

Je m'installai bientôt dans une routine confortable. Je voyais souvent Sarah et Mike, j'allais suivre mes cours, et je parlais à M. Kadam tous les vendredis. La première semaine, il m'aida avec un rapport oral sur le VUS contre la Nano, et avec sa vaste connaissance des voitures et ma description hallucinante de la conduite automobile en Inde, j'obtins la meilleure note de la classe. Ma tête était tellement occupée avec les travaux à remettre qu'il me restait très peu de temps pour me soucier de quoi que ce soit d'autre, ou pour penser à quelqu'un d'autre.

Un vendredi, un appel téléphonique me réserva une surprise intéressante. Après avoir discuté de l'université et de mon dernier exposé sur les conditions météorologiques dans l'Himalaya, M. Kadam aborda un nouveau sujet.

— Je vous ai inscrite à un autre cours, commença M. Kadam. Un cours que, d'après moi, vous aimerez beaucoup, mais qui prendra un peu plus de votre temps. Si vous êtes trop occupée, je comprendrai.

— En fait, ce serait probablement une bonne idée de suivre un autre cours, répondis-je, curieuse de savoir ce qu'il avait maintenant prévu pour moi.

— Merveilleux ! Je vous ai inscrite à un cours de wushu à Salem, expliqua M. Kadam. Les cours se donnent les lundis, mercredis et jeudis de 18 h 30 à 20 h

— Wushu ? Qu'est-ce que c'est ? Une sorte de langue indienne ? demandai-je en espérant que ce ne soit pas le cas.

M. Kadam se mit à rire.

— Oh, vous me manquez tellement ! Non, le wushu est une sorte d'art martial. Vous avez déjà dit que vous souhaitiez faire l'essai des arts martiaux, c'est exact ?

Je poussai un soupir de soulagement.

— Oh ! Oui, ça semble amusant. Je peux l'intégrer dans mon emploi du temps. Quand les cours commencent-ils ?

— Lundi prochain. Je m'attendais à ce que vous acceptiez, et je vous ai envoyé un colis contenant le matériel nécessaire. Vous pouvez vous attendre à ce qu'il arrive demain.

— M. Kadam, vous n'avez vraiment pas besoin de faire tout cela pour moi. Il faudrait que vous évitiez de m'envoyer autant de cadeaux, sinon je ne pourrai jamais vous rembourser ce que je vous dois.

— Mlle Kelsey, me réprimanda-t-il, il n'y a rien que je puisse faire qui puisse, même de loin, payer ma dette envers vous. S'il vous plaît, acceptez-les. Vous rendez le cœur d'un très vieil homme infiniment heureux.

Je me mis à rire.

— D'accord, M. Kadam, ne soyez pas si théâtral. J'accepterai si cela vous rend heureux. Mais en ce qui concerne la voiture, je ne suis pas tout à fait certaine.

— Nous verrons. Soit dit en passant, j'ai déchiffré quelques bribes du deuxième pilier. Cela concerne peut-être l'air, mais il est trop tôt pour tirer des conclusions. C'est l'une des raisons pour lesquelles je voudrais que vous appreniez le wushu. Cela vous aidera à développer un meilleur équilibre de l'esprit et du corps, ce qui peut s'avérer utile si votre prochaine aventure ne se déroule pas sur le sol.

— Eh bien, ça ne me dérange pas d'apprendre à me battre et à me défendre aussi. Le wushu aurait été pratique contre les kappas.

Je plaisantai et je poursuivis.

— Vos traductions sont-elles difficiles à faire ?

— Elles sont… très éprouvantes. Les marqueurs géographiques que j'ai traduits ne se situent pas sur le continent indien. À ce stade, je crains que les trois autres objets que nous recherchons puissent se trouver n'importe où dans le monde. Il se peut également que mon cerveau soit trop fatigué.

— Êtes-vous encore resté debout toute la nuit ? Il faut que vous dormiez. Préparez-vous du thé à la camomille et allez vous reposer un peu.

— Peut-être avez-vous raison. Peut-être que je me préparerai du thé et que je ferai un peu de lecture distrayante pour mon exposé sur l'Himalaya pour vous faire plaisir.

— Allez-y. La partie de repos, je veux dire. Vous me manquez.

— Vous me manquez aussi, Mlle Kelsey. Au revoir.

— Au revoir.

Pour la première fois depuis mon retour, je sentais monter l'adrénaline dans mon corps. Mais dès que je raccrochai le téléphone, je me sentis à nouveau déprimée. J'attendais nos appels téléphoniques hebdomadaires avec impatience, et j'étais toujours triste quand ils se terminaient. C'était le même genre de sentiment que j'éprouvais chaque année après Noël. L'excitation des fêtes s'accumulait pendant tout le mois, puis, lorsque les cadeaux avaient été ouverts, la nourriture consommée, et que les gens retournaient chacun de leur côté, je me sentais toujours mélancolique et envahie par un sentiment de perte.

Au fond, je savais que la véritable raison de ma tristesse, c'était qu'un seul présent m'intéressait. J'aurais souhaité qu'*il* me téléphone. Mais il ne le faisait pas. Et chaque semaine qui passait sans que j'entende sa voix détruisait mon espoir. Je savais que c'était moi qui avais quitté l'Inde pour qu'il puisse faire sa vie avec quelqu'un d'autre. J'aurais dû être heureuse pour lui. D'une certaine façon, je l'étais, mais je me sentais aussi anéantie.

J'avais le cafard du type les-vacances-sont-terminées-maintenant-il-est-temps-de-retourner-à-l'école. Il était mon présent ultime, mon miracle personnel, et j'avais tout gâché. Je l'avais abandonné. C'était comme gagner un laissez-passer pour rencontrer la vedette rock de vos rêves en coulisse et se contenter de remettre les billets à des œuvres de charité. C'était nul. Très nul.

Samedi, mon mystérieux colis de matériel d'arts martiaux arriva par courrier. Il était gros et lourd. Je le poussai dans le salon et j'attrapai mes ciseaux du bureau pour couper le ruban adhésif. À l'intérieur, je trouvai des pantalons d'entraînement et des T-shirts noirs et rouges, chacun portant le logo du studio d'arts martiaux Shing, qui montrait un homme qui donnait un coup de poing au visage, et un autre qui donnait un coup de pied vers l'abdomen de son adversaire.

J'en retirai aussi deux paires de chaussures et un ensemble constitué d'une veste et d'un pantalon de soie rouge. Sur la veste, il y avait des fermoirs brandebourg à l'avant et une ceinture noire. Je ne savais pas du tout quand ni comment il me faudrait porter cet ensemble, mais c'était joli.

Ce qui alourdissait la boîte, c'était l'assortiment d'armes que je découvris à l'intérieur. Il y avait plusieurs sabres, des crochets, des chaînes, un bâton à trois sections et plusieurs autres articles que je voyais pour la première fois.

Si M. Kadam espère me transformer en ninja, il sera très déçu, pensai-je, me souvenant comment j'étais restée figée sur place pendant l'attaque de la panthère. *Je me demande si M. Kadam a raison et si j'aurai besoin de ces habiletés. Je suppose qu'elles me seront utiles si je retourne en Inde et que je dois combattre tout ce qui veut m'empêcher d'atteindre le second présent de Durgâ.* Les poils de mon cou se dressèrent à cette pensée.

Le lundi, j'arrivai tôt à ma classe de latin et ma routine heureuse se heurta à un obstacle quand Artie, assistant de laboratoire de mon professeur de latin, s'approcha de mon bureau. Il se tenait très près de moi. Trop près. Je levai les yeux vers lui dans l'espoir que la conversation soit rapide pour qu'il sorte de mon espace personnel. Artie était le seul gars que j'avais vu depuis très longtemps être assez courageux pour porter un gilet avec un nœud papillon. Le plus triste, c'était que le gilet était trop petit. Il devait constamment le redescendre sur son ventre, qui était assez gros. Il avait l'allure d'un gars qui fréquentait un ancien collège qui sentait le moisi.

— Salut, Artie. Comment allez-vous ? demandai-je avec impatience.

Artie poussa ses lunettes épaisses avec son majeur jusqu'à l'arête de son nez et ouvrit rapidement son agenda. Il alla droit au but.

— Dites, vous êtes libre à 17 h, mercredi ?

Il restait là avec son crayon levé, et son double menton relevé contre son cou. Ses yeux bruns larmoyants fixèrent les miens alors qu'il attendait impatiemment ma réponse.

— Hum… bien sûr, je suppose. Le professeur a-t-il besoin de me rencontrer ?

Artie griffonna activement dans son agenda, déplaçant certaines entrées et en effaçant d'autres. Il ignora ma question. Puis, il referma le livre avec un bruit sourd, le mit sous son bras, et baissa brusquement son gilet brun vers la boucle de sa ceinture. Je tentai de ne pas avoir l'air de remarquer que le tissu remontait de lui-même de quelques centimètres.

Il me sourit mollement.

— Pas du tout. C'est à ce moment que je viendrai vous chercher pour notre rendez-vous.

Sans un mot de plus, Artie me contourna et se dirigea vers la porte.

Ai-je bien compris ? Que vient-il de se passer ?

— Artie, attendez. Que voulez-vous dire ?

Le cours était en train de commencer, et le gilet tourna le coin et disparut. Je me laissai tomber sur ma chaise, notre énigmatique conversation me rendant perplexe. *Peut-être qu'il ne voulait pas dire un rendez-vous dans le sens de sortir avec lui*, raisonnai-je. *Peut-être que sa définition d'un rendez-vous et la mienne sont différentes. Ça doit être ça. Mais mieux vaut m'en assurer.*

J'essayai en vain toute la journée d'attraper Artie dans le laboratoire. Mais des précisions sur le rendez-vous devraient attendre.

Mon premier cours de wushu avait lieu ce soir-là. Je mis le pantalon noir, un T-shirt blanc et des chaussures blanches. Je laissai le toit du cabriolet ouvert alors que je roulais à travers la forêt vers Salem. Tout mon corps était détendu alors que la brise fraîche du soir se déplaçait autour de moi. Le soleil qui venait juste de se coucher donnait aux nuages une teinte pourpre, rose et orange.

Le studio d'arts martiaux était vaste et occupait la moitié du bâtiment. J'allai flâner à l'arrière de la pièce. Un vaste espace ouvert était entouré de miroirs, et de grands tapis bleus couvraient le sol. Il y avait déjà cinq autres personnes. Trois jeunes hommes et une femme bien en forme étaient en train de se réchauffer sur un côté. S'étirant sur le plancher dans un autre coin, il y avait une femme d'âge moyen qui me rappelait ma mère. Elle me sourit, et je pus voir qu'elle était un peu effrayée, mais il y avait aussi une lueur de détermination dans ses yeux. Je m'assis à côté d'elle et je me penchai sur mes jambes.

— Salut, je suis Kelsey.

— Jennifer.

Elle souffla pour repousser la frange de son visage.

— Ravie de vous rencontrer.

Notre professeur arriva tranquillement dans le studio, accompagné d'un jeune homme. L'instructeur aux cheveux blancs semblait âgé, mais très fringant et très sérieux. Avec un fort accent, il se présenta comme Chu... quelque chose, mais il nous demanda de l'appeler Chuck. Le jeune homme à côté de lui était son petit-fils, Li, une version plus jeune de son grand-père. Ses cheveux noirs étaient courts, et il avait un grand corps sec et musclé, ainsi qu'un beau sourire.

Chuck commença la leçon par une brève allocution :

— Le wushu est un art martial chinois. Vous connaissez les moines de Shaolin ? Ils pratiquent le wushu. Le nom de mon studio est Shing, qui signifie « victoire ». À mesure que vous maîtriserez le wushu, vous aurez la chance de sentir la victoire. Connaissez-vous le mot kung-fu ?

Nous fîmes tous oui de la tête.

— Kung-fu signifie « savoir-faire ». Le kung-fu n'est pas un style d'arts martiaux. Cela signifie simplement que vous possédez une habileté. Peut-être une habileté en équitation ou en natation. Le wushu est un style. Dans le wushu, il y a des coups de pied, des étirements, de la gymnastique et des armes. Maintenant, pouvez-vous nommer des célébrités qui utilisent le wushu ?

Personne ne répondit.

— Jet Li, Bruce Lee et Jackie Chan se servent du wushu. Tout d'abord, je vous enseignerai les salutations. C'est ainsi que vous saluez votre professeur au début de chaque cours. Je dis : *Ni hao ma*? Et vous dites : *Wo hen hao.* Cela signifie : « Comment vas-tu ? » et « Je vais très bien ».

— *Ni hao ma*?

Nous répondîmes avec un *Huo... enne... awe,*

— *Wo... hen... hao.*

— *Wo hen hao.*

Chuck nous sourit.

— Très bien, classe ! Maintenant, nous allons commencer par quelques étirements.

Il nous guida à travers des étirements de mollets et de bras, et il nous encouragea à nous assoir sur le sol pour atteindre nos orteils. Il nous expliqua qu'il voulait que nous nous étirions plusieurs fois par jour pour devenir plus flexibles. Puis, il nous fit faire des grands écarts. Tout allait très bien pour quatre de mes camarades de classe, mais je me sentais mal pour Jennifer. Déjà, les simples étirements la rendaient à bout de souffle, et elle faisait un effort déterminé pour descendre le plus profondément possible dans les grands écarts.

Chuck sourit à tout le monde, y compris à son élève en difficulté, l'encourageant à continuer. Puis, il emmena son petit-fils à l'avant pour faire la démonstration de la première position sur laquelle il voulait que nous travaillions. Elle portait le nom de position du cavalier, et d'après ce que je pus voir, elle portait bien son nom. À partir de là, nous continuâmes avec la position de l'arc, qui me tua les muscles des mollets, et la position petit chat. La position à plat était la plus difficile. Les pieds demeuraient parallèles, mais le corps devait être tourné maladroitement sur le côté. La dernière position fut celle du repos, qui s'avéra ne pas être reposante du tout.

Pendant le reste du cours, nous pratiquâmes les cinq différentes positions. Li m'aida à placer mes pieds correctement et passa un moment à essayer de m'enseigner la position à plat, mais j'en fus toujours incapable. Il était très encourageant et il me souriait souvent.

Jennifer avait le visage rouge, mais semblait très heureuse lorsque le cours fut terminé. Le temps avait passé très vite. Faire de l'exercice m'avait fait beaucoup de bien, et j'avais hâte à mon prochain cours — qui avait lieu le même soir que mon rendez-vous avec Artie.

Mardi, je cherchai Artie dans le laboratoire de langues à trois reprises pour clarifier les choses et, je l'espérais, annuler le rendez-vous. Lorsque je le trouvai enfin, Artie fit tout un cinéma pour reprogrammer notre rendez-vous et tourna les pages de son agenda jusqu'à ce que je tombe en panne d'excuses. Je commençais à me sentir coupable et je décidai que je n'allais pas mourir si je sortais une seule fois avec ce type. Même si Artie ne m'inspirait aucun intérêt romantique, il pourrait finir par être un ami. J'acceptai donc une invitation plus tard dans le mois.

Les deux semaines suivantes se déroulèrent sans incident, mais je me trouvai bientôt dans une autre situation inhabituelle. Mon partenaire en anthropologie, Jason, me demanda de l'accompagner au match annuel de football de l'équipe de l'université.

Sa demande me surprit au plus haut point, puis il y eut un déclic dans mon cerveau, et je me rendis compte que j'avais raté tous les indices qu'il m'avait envoyés. Je regardais le monde à travers un film de pellicule de plastique. Mon esprit était tellement concentré sur le travail scolaire que j'avais supposé que lui aussi n'avait aucune autre intention que celle de travailler.

Jason semblait être un bon gars, mais il n'arrivait pas à la cheville de l'homme que j'avais laissé en Inde. Je dressai rapidement une liste mentale des caractéristiques de chacun d'eux, et Jason faisait chou blanc. Je savais qu'il était injuste de comparer les deux. *Personne* ne pouvait rivaliser avec *lui*. Pourtant, Jason ne m'excitait et ne m'effrayait pas, et il ne me rendait ni heureuse ni nerveuse. Mon cœur ne s'emballait pas. J'étais même incapable de dire s'il y avait la moindre chimie entre nous. Je me sentais tout simplement engourdie.

Il me faudra un jour tourner la page. Je dois passer à autre chose et essayer de sortir avec un garçon. Je me mordis la lèvre. *Il a probablement ruiné mes chances d'être heureuse avec qui que ce soit d'autre. Comment pourrais-je aimer un autre homme quand aucun autre homme ne se compare à lui ?*

Dégoûtée à l'idée de tourner en rond, je dis à Jason que j'aimerais bien l'accompagner au match de football. Cette perspective sembla le rendre très heureux, mais je craignis qu'il confonde mon enthousiasme à oublier le passé avec un quelconque intérêt pour lui.

Ce soir-là, pendant le cours de wushu, nous commençâmes à apprendre les coups de pieds. Il y en avait plusieurs types : le coup de pied de face, le coup de pied de côté, les coups circulaires intérieurs et extérieurs, et le coup de pied talon et paume. Mon préféré était le coup de pied combiné au coup de poing, qui me donnait l'impression d'être capable de frapper quelque chose.

Nous pratiquâmes les coups de pied toute la soirée jusqu'à ce que Chuck commence à nommer des coups de pied au hasard pour voir à quelle vitesse nous pouvions les exécuter. Pendant la dernière partie du cours, nous formâmes des équipes de deux, et je travaillai avec Jennifer. Li me demanda de faire la démonstration des coups de pied ; avant de continuer, il m'aida à positionner mes bras correctement et me guida dans la position appropriée. Bientôt, Li annonça que le cours était terminé. Je le remerciai et je pratiquai d'autres exercices par moi-même.

— Li t'aime beaucoup, murmura Jennifer d'un ton de conspiratrice quand j'eus terminé. J'ignore s'il trouvera le courage de faire quelque chose à ce sujet, mais c'est évident. Il t'observe continuellement. Que penses-tu de lui ?

— Je n'éprouve pas de sentiments pour lui. Il est gentil, mais je n'ai jamais pensé à lui de cette façon.

— *Oh.* Il y a quelqu'un d'autre.

Je fronçai les sourcils à cette pensée.

— *Non.* Il n'y en a plus.

— Oh, ma chérie, tu ne peux pas laisser la vie filer pendant que tu soignes un cœur brisé. Tu dois remonter sur le cheval et essayer à nouveau. La vie est trop courte pour vivre sans amour.

Je savais qu'elle était heureuse en ménage depuis 15 ans. Son mari était un homme doux et chauve qui l'adorait manifestement. Chaque soir, après le cours, il lui disait qu'elle paraissait incroyable et qu'elle devenait si mince qu'il ne pouvait plus la voir de côté, puis il lui donnait un baiser sur ses cheveux bruns bouclés et humides en lui ouvrant la porte de sa voiture. Si quelqu'un s'y connaissait en amour, c'était probablement Jennifer.

Je réfléchis à ce qu'elle m'avait dit. Je savais qu'elle avait raison. *Mais comment peut-on faire changer un cœur ?*

Jennifer me sourit avec bienveillance, ramassa ses affaires, et me serra l'épaule.

— Rendez-vous la semaine prochaine, Kelsey.

Je les saluai, son mari et elle, alors qu'ils partaient en voiture, et je fixai la rue sombre et vide pendant quelques minutes, perdue dans mes pensées. Lorsque je me retournai pour rassembler mes affaires, je remarquai que tout le monde était déjà parti. Li se tenait debout près de la porte d'entrée, attendant patiemment mon départ pour pouvoir verrouiller les portes.

— Désolée, Li. Je crois que j'ai perdu la notion du temps.

Il me sourit.

— Pas de problème.

Je ramassai ma serviette, mes clés de voiture et ma bouteille d'eau, puis je me dirigeai vers la porte.

— Hé, Kelsey, cria Li juste au moment où j'entrais dans ma voiture. Attendez. Je voulais vous inviter à une soirée de jeux. Un groupe de mes amis se réunit à l'Halloween pour jouer aux Colons de Catane. C'est un jeu du style construisez-votre-empire, et il y aura de la bonne nourriture. Ma grand-mère adore cuisiner. Voulez-vous m'accompagner ? Je peux vous enseigner à jouer.

— Euh.

Je n'avais pas de plans pour Halloween. Je savais que les enfants ne viendraient pas jusque chez moi parce que c'était beaucoup trop loin hors des sentiers battus. Aller chez Mike et Sarah ne semblait pas être le bon choix. Tous les enfants du voisinage évitaient leur maison parce qu'ils remettaient des friandises sans sucre et faisaient des discours aux parents sur les dangers d'un excès de bonbons.

Li était toujours là en attente d'une réponse, alors je lui en donnai une.

— Bien sûr, ça semble amusant.

Il me sourit.

— Fantastique ! À la prochaine !

En roulant vers la maison, je me sentais bizarre. Lorsque j'entrai par la porte, je jetai mon sac sur le canapé et je tirai une bouteille d'eau du réfrigérateur. Je montai, ouvris la porte du balcon de ma chambre, et je m'assis sur une chaise longue. Appuyant ma tête contre le dossier, je fixai les étoiles.

Trois rendez-vous. J'avais trois rendez-vous dans les deux prochaines semaines, et je n'avais hâte à aucun d'eux. Il y avait vraiment quelque chose qui n'allait pas chez moi.

3

Rendez-vous

RENDEZ-VOUS 1

Je ne pouvais pas croire que le moment de mon rendez-vous avec Artie était arrivé si vite. Je me rendis jusqu'au campus en voiture, je me garai, et je demeurai assise dans la voiture en marche. Je n'avais vraiment pas envie de sortir avec lui. Sa persévérance avait porté ses fruits, et je me doutais que ce n'était pas la première fois qu'il se servait de la même tactique.

Décidée à en finir avec le rendez-vous, je me dirigeai vers le laboratoire de langues. Artie se tenait là, regardant sa montre avec un colis brun sous le bras. Je m'approchai lentement de lui et je glissai mes mains dans les poches de mes jeans.

— Salut, Kelsey. Allez. Nous sommes en retard, me dit-il, et il commença à marcher rapidement dans le couloir. Je dois d'abord aller déposer un colis au bureau de poste pour une vieille amie.

Non seulement il était gros, mais il était également grand, et ses enjambées étaient plus longues que les miennes. Je devais presque jogger pour le suivre. Artie traversa le stationnement à grands pas, tourna sur le trottoir, et commença à se diriger vers la ville.

— Euh, ne devrions-nous pas prendre ta voiture ? demandai-je. Le bureau de poste est à deux kilomètres et demi.

— Oh, non. Je n'ai pas de voiture. Elles sont beaucoup trop chères.

J'ai bien fait d'apporter mes chaussures, pensai-je.

Artie marchait devant moi en silence, le corps raide. Je décidai que c'était probablement à moi de faire la conversation.

— Alors, pour qui est le colis ?

— C'est pour mon ancienne petite amie de l'école secondaire. Elle fréquente une autre école, et je tiens à rester en contact avec elle. Elle sort avec différentes personnes de temps en temps, tout comme moi, se vanta Artie. Je sors avec beaucoup de filles. Tu devrais voir mon agenda. J'ai des rendez-vous prévus pour plusieurs années.

Ce fut la plus longue marche de ma vie. J'essayai d'imaginer que je marchais dans la jungle indienne, mais il faisait trop froid. Le ciel était sombre et couvert, et un fort vent soufflait. Ce n'était pas une température pour marcher à l'extérieur. Je grelottais dans ma veste et je passai une moitié de mon temps à écouter Artie et l'autre moitié à admirer les maisons qui avaient été décorées pour Halloween.

Nous atteignîmes finalement le bureau de poste, où Artie entra pour expédier son colis. Je regardai les différents petits restaurants qui se trouvaient sur la rue principale et je me demandai dans lequel nous irions manger. Je mourais de faim. J'avais oublié de dîner parce que j'avais trop été absorbée par mes études. L'odeur de la cuisine chinoise qui sortait par la porte voisine était alléchante.

Lorsqu'Artie finit par sortir, j'avais vraiment froid. Je frappai dans mes mains et les frottai ensemble pour les réchauffer. Si j'avais su que nous serions dehors aussi longtemps, j'aurais apporté des gants. Il s'avéra qu'Artie avait une paire de gants en cuir dans sa poche, mais il les enfila sur ses propres mains.

Mon cerveau avide de punitions insista sur le fait qu'*il* m'aurait offert ses gants. Bon sang, il aurait enlevé sa chemise de sur son dos pour me la donner s'il avait cru que je puisse en avoir besoin.

— Alors, on va où ensuite ? demandai-je.

Mon regard fonça avec espoir vers le restaurant chinois.

— On retourne au campus. J'ai une bonne surprise pour toi.

Je tentai de plâtrer un sourire enthousiaste sur mon visage.

— C'est… fantastique.

Pendant la longue marche de retour au campus, Artie continua à parler de lui-même. Il parla de son enfance et de sa famille. Il décrivit tous les prix qu'il avait gagnés et la façon dont il avait été président de cinq clubs, y compris le club d'échecs. Il ne me posa pas une seule question sur moi. J'aurais été très surprise qu'il connaisse même mon nom de famille.

Mon esprit vagabonda vers une conversation avec un homme très différent.

J'entendais très clairement *sa* voix chaude et hypnotique. Soudain, je me retrouvai sous l'arbre où je lui avais fait mes adieux, l'arbre où j'avais regardé une dernière fois dans ses yeux bleu cobalt. Le vent froid et violent de l'Oregon disparut très loin, et je sentis la brise parfumée de l'été indien souffler doucement dans mes cheveux. La soirée nuageuse et grise s'estompait, et je regardais des étoiles scintillantes dans le ciel nocturne. Il toucha mon visage et me parla.

– *Kelsey, le fait est que… je suis amoureux de toi et je le suis depuis un certain temps. Je ne veux pas que tu partes. S'il te plaît. S'il te plaît. S'il te plaît. Dis-moi que tu resteras avec moi.*

Il était si magnifique, comme un ange guerrier envoyé du ciel. Comment avais-je pu tout lui refuser, surtout quand tout ce qu'il voulait, c'était moi ?

– *Je veux t'offrir quelque chose. C'est un bracelet de cheville. Ils sont très populaires ici, et je me le suis procuré pour que nous ne soyons plus jamais obligés de chercher une cloche.*

Ma cheville picota alors que je me souvenais de ses doigts qui la caressaient.

– *Kells… s'il te plaît. J'ai besoin de toi.*

Comment ai-je pu le quitter ?

Mon esprit revint brusquement au présent, et je m'efforçai de contenir les émotions fortes qui avaient fait surface lorsque je m'étais permis de penser à *lui*. Pendant qu'Artie ronronnait sur la façon dont il avait gagné le championnat des débats à lui tout seul, je me reprochai d'avoir laissé mes pensées me conduire dans un endroit dangereux. Mais la réalité, c'était que même si je remettais en question mon choix de partir, *il* n'avait pas téléphoné. Cela prouvait que j'avais pris la bonne décision, n'est-ce pas ? S'il m'aimait vraiment autant qu'il le disait, il m'aurait appelée. Il m'aurait poursuivie. Il serait venu me voir. Il avait besoin d'espace. J'avais eu raison de le quitter. Peut-être que maintenant, je pourrais commencer à guérir et le laisser partir.

Je tournai brusquement mon attention vers Artie et je fis un effort réel pour écouter ce qu'il disait. Cela ne faisait aucun doute dans mon esprit, Artie n'était pas le bon gars pour moi — ni pour n'importe quelle autre fille, d'ailleurs — mais cela ne voulait pas dire que j'étais à court d'options. Il y avait toujours ce rendez-vous avec Jason le lendemain et celui avec Li la semaine suivante.

Quand je revins sur le campus avec Artie, mon estomac grondait tellement fort qu'on aurait pu l'entendre dans un rayon de trois pâtés de maisons. J'espérai sérieusement que nous arriverions bientôt au café du campus pour manger.

Il me conduisit au centre de documentation et d'information de la bibliothèque de Hamersly, puis il demanda deux casques à la dame de l'accueil en lui donnant un bout de papier. Ensuite, il plaça deux chaises de bois en face d'un écran de télévision noir et blanc de 15 centimètres dans le coin de la section des médias.

— N'est-ce pas une bonne idée ? Nous pouvons regarder un film, et je n'ai même pas à dépenser un cent !

Il me souriait alors que je restais bouche bée.

— C'est brillant de ma part, ne crois-tu pas ?

— Oh, c'est vraiment brillant, répondis-je les lèvres pincées.

Ensuite, je me tus et je me mordis les lèvres pour ne pas lui retourner une réponse sarcastique. Croyait-il que les filles aimaient vraiment se faire traiter de cette façon ? Il n'est pas nécessaire qu'une sortie soit dispendieuse, ni même que de l'argent soit dépensé pour en faire un succès. Ce qui m'ennuyait, c'est qu'Artie était suffisant à propos de tout et qu'il ne croyait pas que les filles avec lesquelles il sortait avaient assez d'importance pour être écoutées. Je me sentais dégoûtée et affamée. Alors que le film commençait, il glissa de vieux écouteurs gris géants sur ses oreilles et m'indiqua de prendre les miens.

Je les dépoussiérai avec ma blouse, branchai le cordon dans le téléviseur et je plaçai bruyamment les écouteurs sur mes oreilles, très irritée de constater que je devrais rester là *pendant deux autres heures.* Le générique initial du film *Brigadoon* apparut sur l'écran, et j'envoyai des messages mentaux à Gene Kelly pour qu'il danse plus rapidement.

Après une heure de film, Artie décida de prendre une initiative. Il fixait toujours directement le petit écran du téléviseur quand il posa son bras lourd sur le dossier de ma chaise de bois.

Je le regardai du coin de l'œil. Il souriait légèrement. Je l'imaginai en train de cocher une tâche à faire dans son agenda.

√ Séduire la personne avec qui l'on sort en lui parlant des autres filles qu'on fréquente ;

√ Impressionner cette personne en lui parlant du nombre de prix que vous avez reçus ;

√ Ne pas dépenser de l'argent avec elle ;

√ L'emmener dans un centre de documentation et d'information pour regarder un film ringard ;

√ Glisser des commentaires sur votre frugalité ;

√ Poser votre bras autour d'elle exactement à mi-parcours du film.

Je me penchai en avant et je m'assis inconfortablement sur le bord de mon siège pendant toute la seconde moitié du film. Sous prétexte d'avoir besoin d'aller aux toilettes, je me levai. Il se leva lui aussi et se dirigea vers la réceptionniste. Alors que je passais, je l'entendis lui demander d'arrêter le film et de revenir un peu en arrière pour que nous puissions nous rappeler à quel endroit nous l'avions laissé.

Super ! Cinq minutes viennent de s'ajouter à cette expérience fantastique ! Je fis aussi vite que possible, car je craignais qu'il n'essaie de recommencer le film du début. J'eus l'idée de courir follement hors de l'immeuble, mais il pouvait voir la porte des toilettes de l'endroit où nous étions assis, et cela aurait été très impoli. J'étais déterminée à tout simplement subir cette dernière partie du film, pour *ensuite* courir jusqu'à la maison.

Enfin, *enfin,* le film se termina, et je me levai comme si quelqu'un venait de déclencher l'alarme à incendie.

— Alors, Artie. Eh bien, c'était génial. Ma voiture est garée juste à l'extérieur, alors je te verrai lundi, d'accord ? Merci pour la sortie.

Malheureusement, il n'avait pas compris mon signal, et il insista pour m'accompagner en marchant jusqu'à ma voiture. J'ouvris la porte et je coinçai rapidement mon corps derrière elle.

Il posa sa main sur la portière de la voiture et pencha son corps massif vers moi. Son nœud papillon était à quelques centimètres de mon nez. Il força un sourire maladroit et affecté sur son visage.

— Eh bien, j'ai passé un très bon moment et j'aimerais sortir avec toi la semaine prochaine, dit Artie, sans se laisser décourager. Que dirais-tu de vendredi prochain ?

Il vaut mieux tuer ceci dans l'œuf.

— Je ne peux pas. J'ai déjà prévu un autre rendez-vous.

Nullement découragé, il insista.

— Oh, dit-il, sans même cligner des yeux. Et samedi alors ?

Je cherchai désespérément une échappatoire.

— Euh… Je n'ai pas apporté mon agenda, alors je ne connais pas mon emploi à aussi long terme.

Il hocha la tête comme si c'était parfaitement logique.

— Écoute, Artie, j'ai un mal de tête terrible. Je te vois au laboratoire la semaine prochaine, d'accord ?

— D'accord, bien sûr. Je t'appellerai plus tard.

Je me glissai rapidement dans ma voiture et je refermai la porte. Je souris, sachant que je ne lui avais jamais donné mon numéro de téléphone, puis je traversai les rues tranquilles de Monmouth et je remontai la montagne vers ma paisible maison.

RENDEZ-VOUS 2

Lors de mon rendez-vous suivant, j'étais mieux préparée pour affronter la météo. Je portais mon chandail rouge de la WOU, et j'avais apporté un épais manteau et une écharpe de cachemire rouge, de même que des gants que je trouvai dans un tiroir. Normalement, j'aurais évité tout article qu'*il* avait acheté pour moi, mais je n'avais pas le temps d'aller en acheter d'autres ; et même si j'avais eu le temps, je les aurais achetés avec *son* argent de toute façon.

Je rejoignis Jason dans le stationnement du stade et je commençai immédiatement à dresser une liste de ses qualités. Il était mignon, un peu plus maigre et plus petit que la moyenne, mais il s'habillait décemment et il était intelligent. Appuyé contre sa vieille Corolla, il haussa les sourcils en état de choc quand il me vit sortir de la Porsche.

— Wow, Kelsey ! Beau bolide !

— Merci.

— Es-tu prête ?

— Ouais. Je te suis.

Nous avançâmes en traînant les pieds parmi la foule de gens qui se dirigeaient vers le terrain de football. La plupart portaient des chemises rouges ou des chemises des Western Wolves, mais, dispersés ici et là, il y avait aussi le blanc et le bleu marine de l'adversaire, la Western Washington University. Il y avait même quelques chapeaux vikings qui opinaient de la tête dans la foule. Jason me conduisit à un camion entouré par des couples en train de faire un pique-nique improvisé près des voitures. Un petit grill était rempli de saucisses fumées et de hamburgers.

— Hé, les gars ! Je veux vous présenter Kelsey. Nous nous sommes rencontrés dans notre cours d'anthropologie.

Plusieurs visages regardèrent par-dessus et autour de leurs voisins pour avoir un bon aperçu. Timidement, j'agitai la main vers eux.

— Salut.

J'entendis quelques « Salut ! » et « Heureux de te rencontrer », puis ils retournèrent à leurs conversations, oubliant notre présence. Jason me remplit une assiette et puis ouvrit une glacière.

— Hé, Kelsey, veux-tu une bière ?

Je fis signe que non.

— Une boisson gazeuse, s'il te plaît. Diète, si tu en as.

Il me tendit une boisson gazeuse glacée, se prit une bière, puis pointa deux chaises de jardin vides.

S'assoyant, il enfonça immédiatement la moitié de son hot-dog dans sa bouche et le mâcha bruyamment. C'était presque aussi désagréable à regarder que de voir un tigre manger. Heureusement pour moi, c'était tout de même un peu moins sanglant.

Beurk ! Qu'est-ce qui m'arrive ? Est-ce que je suis intentionnellement en train de chercher des choses qui m'agacent ? J'ai vraiment besoin de me détendre, sinon Jennifer aura raison, la vie passera sans que je la voie.

Je détournai le regard et je commençai à manger timidement.

— Alors, tu ne bois pas, hein, Kelsey ?

— Euh, je suppose que non. D'abord, je n'ai pas l'âge. Deuxièmement, l'alcool a perdu tout attrait pour moi quand mes parents ont été tués par un conducteur ivre, il y a quelques années.

— Oh. *Désolé.*

Il fit une grimace et poussa sa bière hors de vue sous la chaise.

Mentalement, je gémis. *Qu'est-ce que je suis en train de faire* ? Immédiatement, je m'excusai.

— Ça va, Jason. Désolée d'être aussi déprimante. Je promets que je serai beaucoup plus enjouée pendant le match.

— Pas de problème. N'y repense plus.

Il recommença à dévorer sa nourriture et à rire avec ses amis. Le problème, c'est que j'y repensai. Je savais que la mort de mes parents n'était pas quelque chose dont il fallait parler à un premier rendez-vous, mais… je savais qu'*il* aurait réagi très différemment de Jason. Peut-être était-ce parce qu'il y avait plus de 300 ans qui le séparaient de Jason. Ou peut-être que c'était parce qu'il n'était pas américain. C'était peut-être aussi parce qu'il avait également perdu ses parents. Ou peut-être était-ce parce qu'il était juste… parfait.

J'essayai d'arrêter d'y penser, mais je ne pouvais m'en empêcher. Je retournai en arrière à un moment où je m'étais réveillée d'un cauchemar qui impliquait la mort de mes parents, et il avait été là pour me consoler. Je pouvais encore sentir sa main essuyant les larmes qui coulaient sur mes joues en même temps qu'il me prenait sur ses genoux.

— *Chut, Kelsey. Je suis ici. Je ne te quitte pas,* priya. *Chut maintenant.* Mein Aapka raksha karunga. *Je veillerai sur toi,* priyatama. Il avait caressé mes cheveux et avait murmuré des mots apaisants jusqu'à ce que je sente le mauvais rêve s'estomper.

Depuis lors, j'avais eu le temps de traduire les mots que je ne comprenais pas en Inde. *Je suis avec toi. Je prendrai soin de toi. Ma bien-aimée. Ma chérie.* S'il était ici avec moi maintenant, il m'aurait prise dans ses bras ou sur ses genoux, et nous aurions été tristes ensemble. Il m'aurait caressé le dos et aurait compris ce que je ressentais.

Je me secouai. *Non, non. Peut-être une fois, mais ensuite il aurait continué sa vie. Il est parti maintenant, et ce qu'il aurait fait ou comment il aurait réagi n'est pas important. C'est terminé.*

Jason était en train de remplir son assiette à nouveau, et j'essayai de paraître intéressée et de participer à la conversation. Une demi-heure plus tard, nous nous levâmes tous et nous dirigeâmes vers le terrain de football.

C'était agréable d'être à l'extérieur dans l'air frais de l'automne, mais les bancs étaient froids, et j'avais le nez gelé. Le froid ne semblait pas déranger Jason et ses amis. Ils se levaient et applaudissaient beaucoup. J'essayai de faire comme eux, mais je ne savais jamais pour qui j'applaudissais. Le ballon était trop loin et trop petit pour que je le voie clairement. Je ne m'étais jamais beaucoup intéressée au football. Je préférais de beaucoup les films et les livres.

Je levai les yeux vers le tableau d'affichage. La première moitié de la partie était en train de se terminer. Deux minutes. Une minute. Vingt secondes. Bzzzz! Le chronomètre sonna, et les deux équipes sortirent du terrain en courant. Le défilé de la partie finale commença avec plusieurs voitures anciennes qui roulaient en bordure du terrain. De belles jeunes filles vêtues d'uniformes de mousseline et de soie étaient perchées sur les dossiers des sièges arrière et agitaient la main vers la foule.

Jason se joignit à tous les autres gars en sifflant et en criant son appréciation avec la foule en délire. Le parfum de bois de santal dériva sur les gradins, et une voix douce et soyeuse me chuchota à l'oreille : *Tu es plus belle que n'importe quelle femme ici.*

Je tournai rapidement la tête, mais *il* n'était pas derrière moi. Jason était encore debout et hurlait avec ses amis. Je m'effondrai sur mon siège. *Fantastique. Maintenant, j'ai des hallucinations.* Je plaçai mes doigts sur ma tête et j'appuyai en espérant que la pression *le* repousserait vers les recoins de mon esprit.

Lorsque la seconde moitié du jeu commença, je cessai de feindre l'enthousiasme. C'était le deuxième rendez-vous qui me transformait en sucette glacée. Mon corps avait lentement gelé sur le banc, et mes dents claquaient. Après le match, Jason me raccompagna à ma voiture et passa maladroitement un bras autour de mes épaules, me frottant pour me réchauffer, mais il frottait trop fort et il me faisait mal à l'épaule. Je ne pris même pas la peine de lui demander qui avait gagné.

— Hé, Kelsey, j'ai eu beaucoup de plaisir à apprendre à te connaître ce soir.

Avait-il vraiment appris à me connaître?

— Ouais, moi aussi.

— Donc, je peux te rappeler plus tard?

Je réfléchis pendant une minute. Jason n'était pas un *mauvais* gars, il était juste un gars. De toute façon, la première fois qu'on sort avec quelqu'un, on est souvent maladroit, alors je décidai de lui donner une autre chance.

— Oui, bien sûr. Tu sais où me trouver.

Je lui souris sans enthousiasme.

— C'est vrai. Je te vois en anthropologie lundi. Au revoir.

— Ouais. À bientôt.

Il retourna à son groupe d'amis excités, et je me demandai si nous avions quoi que ce soit en commun.

RENDEZ-VOUS 3

Avant que je ne m'en rende compte, Halloween était arrivée — et avec elle, mon rendez-vous avec Li.

Il y avait quelque chose à propos de Li qui me permettait de me sentir très à l'aise. Sa compagnie était plus amusante que celle de Jason, et j'admis avec beaucoup de difficulté qu'il était très possible que je me sente plus détendue avec Li parce qu'il me rappelait un peu l'homme que je tentais d'oublier.

À contrecœur, j'ouvris la porte du placard que je m'étais promis de ne jamais ouvrir, et je trouvai un haut orange brûlé à manches longues conçu pour ressembler à un manteau court. Il comportait une ceinture à nouer et des boutons de bois. Pour apparier avec le haut, il y avait une paire de jeans moulants en denim bleu foncé. Ils m'allaient parfaitement, comme s'ils avaient été conçus seulement pour moi. Une paire de bottes se trouvait au fond du sac, et après les avoir enfilées, je tournoyai devant le miroir. La tenue me faisait paraître grande, chic et… élégante, ce qui n'était pas habituel pour moi.

Je laissai mes cheveux tomber en cascade de vagues bouclées sur mon dos pour faire changement. M'appliquant un peu de rouge à lèvres abricot, je pris la voiture pour rencontrer Li au studio, en prenant soin de rouler plus lentement que d'habitude pour éviter les enfants qui faisaient la tournée des maisons.

Li était assis dans sa voiture, écoutant de la musique et hochant la tête de haut en bas. Dès qu'il me vit, il éteignit la radio et sortit de sa voiture.

Il me sourit.

— Wow, Kelsey ! Tu es magnifique !

Je ris naturellement avec lui.

— Merci, Li. C'est très gentil de ta part. Si tu es prêt à partir, je peux te suivre jusqu'à la maison de ta grand-mère.

Je me retournai pour marcher jusqu'à ma voiture, mais Li me dépassa en courant et m'ouvrit la porte.

— Ouf, un peu plus et je manquais mon coup !

Il me sourit à nouveau.

— Mon grand-père m'a appris à toujours ouvrir les portes aux dames.

— Oh. Eh bien, tu es un parfait gentleman.

Il baissa légèrement la tête et se mit à rire, puis il se dirigea vers sa voiture. Il s'assura de conduire lentement et vérifia souvent son rétroviseur pour s'assurer que je le suivais bien. Nous nous arrêtâmes dans un vieux quartier agréable.

— C'est la maison de mes grands-parents, expliqua Li tandis que nous entrions dans l'entrée. Nous nous réunissons toujours ici pour nos soirées de jeux, parce que c'est ici qu'il y a la plus grande table.

Li me prit la main et m'emmena dans une jolie cuisine qui sentait meilleur que n'importe quel restaurant chinois que j'avais visité. Une petite femme aux cheveux blancs était en train de regarder le contenu d'un cuiseur à riz. Quand elle releva la tête, je vis que ses lunettes étaient embuées.

— Kelsey, c'est grand-mère Zhi. Grand-mère Zhi, *huó* Kelsey.

Elle sourit, hocha la tête, et saisit mes doigts dans les siens.

— Bonsoir. Ravie de vous rencontrer.

Je lui rendis son sourire.

— Je suis aussi ravie de vous rencontrer.

Li trempa son doigt dans une casserole en train de mijoter, et elle prit une cuillère de bois et le frappa légèrement sur les jointures. Puis, elle s'adressa à lui en mandarin.

Il rit alors qu'elle faisait claquer sa langue.

— À plus tard, grand-mère.

Je la surpris en train de lui sourire avec fierté alors que nous sortions de la cuisine.

Je le suivis dans la salle à manger, où tous les meubles avaient été déplacés sur le côté pour faire de la place à une large table qui avait été allongée de quatre panneaux. Entassés autour de la table, plusieurs garçons asiatiques étaient en train d'avoir une discussion animée sur le placement des carreaux sur le plateau de jeu. Li m'entraîna vers le groupe.

— Hé, les gars. C'est Kelsey. Elle jouera avec nous ce soir.

Un gars remua les sourcils.

— Parfait, Li !

— Pas étonnant qu'il ait pris tant de temps.

— Tu as de la chance que Wen ait acheté les extensions.

Il y eut d'autres murmures et quelques chaises qui se déplaçaient. Je crus entendre un commentaire murmuré sur le fait d'emmener une fille à la fête, mais je ne pouvais dire qui avait parlé. Après quelques instants, tout le monde s'installa pour commencer la partie.

Li s'assit à côté de moi et me guida à travers le processus de jeu. Au début, j'ignorais si c'était une sage décision d'échanger du blé pour de la brique ou du minerai pour des moutons, mais je pouvais toujours me tourner vers Li pour obtenir de l'aide. Après quelques tours, je commençai à me sentir suffisamment confiante pour jouer par moi-même sans son aide. J'échangeai deux de mes colonies pour des villes, et tous les garçons se mirent à gémir.

Vers la fin du jeu, il était évident que le point final allait être une course entre un garçon du nom de Shen et moi. Il me taquina avec bonhomie, disant qu'il était tellement près que je n'y arriverais jamais. Je déposai un mouton, un minerai et du blé, et j'achetai une carte de développement. C'était une carte boni, la dernière de la partie.

— Je gagne !

Plusieurs des garçons grommelèrent au sujet de la chance du débutant et firent tout un spectacle pour compter tous mes points une fois de plus, simplement pour s'assurer que mon compte était exact. Je fus surprise de voir comment le temps avait passé. Mon estomac gronda pour me le rappeler.

Li se leva et s'étira.

— Il est temps de manger.

Sa grand-mère avait préparé un délicieux buffet. Les garçons remplirent leurs assiettes de riz frit, de dumplings, de boulettes de porc cuites à la vapeur, de sauté de légumes et de rouleaux impériaux aux crevettes miniatures. Li alla nous chercher des boissons gazeuses, et nous nous assîmes dans le salon.

D'une main experte, il cueillit sa boulette de porc avec des baguettes.

— Parle-moi de toi, Kelsey. Dis-moi ce que tu fais à part le wushu. Qu'as-tu fait cet été ?

— Oh, ça. Je… hum… j'ai travaillé en Inde comme stagiaire.

— Wow ! C'est incroyable ! Que faisais-tu ?

— En grande partie du catalogage et la tenue de registres de ruines, d'œuvres d'arts et de trucs historiques. Et *toi* ? Qu'as-*tu* fait cet été ?

Je lui retournai la question, désireuse d'éloigner son attention de l'Inde.

— La plupart du temps, je travaillais au studio pour grand-père. Je suis en train de mettre de l'argent de côté pour l'école de médecine. J'ai obtenu mon diplôme de premier cycle en biologie à la PSU.

Je fis vite le calcul, qui ne semblait pas se tenir debout.

— Quel âge as-tu, Li ?

Il sourit.

— Vingt-deux ans. J'ai suivi beaucoup de cours et aussi des cours d'été. En fait, tous les joueurs ici ce soir sont à l'université. Meii fait une majeure en chimie, Shen est en train d'étudier le génie informatique, Wen a obtenu son diplôme et il travaille sur sa maîtrise en analyse statistique et, enfin, il y a moi, en médecine.

— Eh bien, vous... vous concentrez certainement sur vos objectifs.

— En quoi est ta majeure, Kelsey ?

— Études internationales avec une mineure en histoire de l'art. En ce moment, j'étudie l'Inde, dis-je, avalant un autre dumpling. Mais peut-être que je devrai changer pour le wushu pour me débarrasser de toutes ces calories.

Li se mit à rire et prit mon assiette. Nous nous dirigeâmes vers la salle de jeux et je m'arrêtai pour regarder une photographie de Li et de son grand-père Chuck qui tenaient chacun trois trophées.

— Wow, donc le studio a remporté tous ces trophées ?

Li regarda la photo et rougit.

— Non, ils sont tous à moi. Je les ai gagnés dans un tournoi d'arts martiaux.

Je levai les sourcils de surprise.

— Je ne savais pas que tu étais *aussi* bon. C'est tout un exploit.

— Je suis sûr que mes grands-parents vont te raconter tout cela, dit Li, m'entraînant à nouveau vers la cuisine. Il n'y a rien qu'ils aiment mieux que de parler de leur postérité. N'est-ce pas, grand-mère Zhi ?

Li lui donna un baiser sur la joue et elle battit des mains pour le chasser loin de son eau de vaisselle.

Les gars avaient installé un nouveau jeu qui était beaucoup plus facile à apprendre. Je perdis, mais ce fut très amusant. Au moment de terminer le jeu, il était minuit passé. Li m'accompagna jusqu'à ma voiture dans le froid du soir étoilé.

— Merci d'être venue, Kelsey. J'ai passé un bon moment. Penses-tu que tu aimerais recommencer ? Nous nous réunissons toutes les deux semaines.

— Bien sûr. Ça me paraît amusant. Alors comme j'ai remporté le premier match, cela veut dire que tu iras plus doucement avec moi pendant le cours de wushu ? plaisantai-je.

— Oh que non. Quand tu gagnes, je suis plus exigeant avec toi.

— Rappelle-moi de perdre la prochaine fois, dis-je en riant. Qu'est-ce qui se passe quand *tu* gagnes ?

Il sourit.

— Je réfléchirai sérieusement à cette question.

Li recula et se tint sous la lumière du porche, me regardant partir en voiture.

Je grimpai péniblement dans mon lit et je me dis qu'avec le temps, je pourrais vraiment apprendre à aimer Li. Il était amusant et doux. Je ne ressentais rien d'autre que de l'amitié pour lui, mais peut-être que cela pourrait changer. La vie normale commençait… à redevenir normale. Je me roulai sur le côté, me pelotonnai contre la courtepointe de ma grand-mère et je poussai accidentellement mon tigre blanc en peluche en bas du lit.

Pendant un moment, je songeai à la laisser sur le plancher ou à le ranger dans le placard. Je restai immobile, en silence, à regarder le plafond tout en essayant de trouver la force d'esprit pour agir. Ma détermination ne dura que cinq minutes, et je me reprochai d'être faible. Me penchant pardessus le bord de lit, je ramassai mon tigre de peluche et le serrai contre ma poitrine, me confondant en excuses pour avoir même pensé à le laisser par terre.

Un cadeau de Noël

Maintenant que l'Halloween était passée, je tournai mon attention sur la préparation des examens de fin d'année et sur mes efforts pour éviter Artie. D'une manière ou d'une autre, il avait trouvé mon numéro de téléphone cellulaire et il me téléphonait religieusement tous les soirs à 17 h. Parfois, il m'attendait après la classe. Le gars ne semblait pas vouloir comprendre.

Je passai aussi beaucoup de temps à tenter de mettre de l'ordre dans mes sentiments pour Jason. Nous étions sortis ensemble à quelques autres occasions, mais j'avais toujours l'impression que nous étions sur deux longueurs d'onde différentes. Il croyait que Shakespeare, la poésie et les livres étaient ennuyeux, et j'avais de la difficulté à comprendre les différences subtiles entre les équipes universitaires et professionnelles. Je ne crois pas que notre incompatibilité mutuelle le dérangeait beaucoup. Au fond, je savais que ma relation avec Jason n'allait nulle part, mais il était inoffensif, et j'aimais toujours beaucoup être sa partenaire en classe.

Juste au moment où je pensais avoir compris le mécanisme des rencontres occasionnelles, Li décida de compliquer les choses. Nous étions en train de bavarder dans le studio lorsqu'il devint soudainement silencieux. Il se mit à rouler nerveusement sa bouteille d'eau d'avant en arrière entre ses paumes.

Enfin, il se mit à parler.

— Kelsey... je voulais te demander si ça te dirait de faire quelque chose avec moi. Seulement nous deux. Comme un vrai rendez-vous.

Mon esprit s'embrouilla.

— Oh, euh, oui, bien sûr, dis-je lentement. J'aime beaucoup passer du temps avec toi. Tu es très amusant et c'est facile de parler avec toi.

Il fit une grimace.

— Oui, mais est-ce que tu *m'aimes vraiment beaucoup,* ou est-ce que tu m'aimes juste... bien ?

Je réfléchis un instant pour trouver quoi répondre.

— Eh bien, pour être honnête avec toi, je pense que tu es génial, et je t'aime beaucoup. En fait, tu es au sommet de la liste de ceux que j'aime beaucoup. Mais, je ne sais pas si je peux avoir une relation sérieuse avec quelqu'un en ce moment. J'ai rompu avec quelqu'un tout récemment et ça fait encore mal.

— Oh. Il est difficile de surmonter de telles choses. Je comprends. Mais j'aimerais quand même te voir. Je veux dire, si tu veux sortir avec moi et si tu es prête à le faire.

Je réfléchis un moment.

— D'accord, je veux bien.

— Alors, que dirais-tu de commencer par un film d'arts martiaux ? Il y a un endroit qui présente de vieux films à minuit le vendredi soir. Aimerais-tu y aller ?

— D'accord, mais seulement si tu me promets de m'enseigner un des mouvements géniaux du film, ajoutai-je, heureuse de voir que nous avions réglé la question.

En quelque sorte, songeai-je alors que nous nous séparions.

Li et moi commençâmes à sortir ensemble en dehors des soirées de jeux et des cours. C'était un gentleman et nos sorties étaient toujours amusantes et intéressantes. Malgré toute cette attention, je me sentais seule. Ce n'était pas le genre de solitude que je pouvais soigner en fréquentant d'autres personnes. Mon âme se sentait seule. Le plus difficile, c'était la nuit, parce que je *le* sentais, même si un océan nous séparait. Une attache invisible entourait mon cœur et nous reliait l'un à l'autre. Son attirance implacable ne cessait d'exercer son influence sur moi. Peut-être qu'un jour, cette attache s'userait et finirait par se briser.

Les cours de wushu étaient parfaits pour évacuer une partie de la frustration que je ressentais dans ma vie. Les mouvements étaient précis et n'exigeaient aucune émotion, ce qui était un changement bienvenu. Je commençais à devenir plutôt habile dans cette discipline. Mes bras et mes jambes étaient plus définis et je me sentais aussi beaucoup plus forte. Si quelqu'un m'avait attaquée, j'aurais en fait été capable de le repousser, ce qui était une pensée stimulante. Qui avait besoin de la protection d'un tigre ? Il me suffisait de donner un coup de pied au visage de l'ennemi.

En tant qu'élèves, nous ne devions pas ruminer de telles pensées, mais la plupart des gens n'avaient pas eu à affronter des kappas et des singes immortels qui voulaient vous manger, comme cela avait été mon cas. Je me permettais donc de visualiser mes nombreux adversaires possibles et je leur donnais des coups de pied avec intensité. Même Li trouvait que mes coups de pied devenaient de plus en plus forts.

Li tint sa promesse et m'enseigna une action offensive du film. Il me laissa pratiquer sur lui, mais je manquai continuellement mon coup et nous tombâmes sur le tapis, entremêlés et riant.

— Kelsey, tu vas bien ? Je t'ai fait mal ?

Je ne pouvais m'arrêter de rire.

— Non, ça va bien. Mouvement génial, hein ?

Li était penché sur moi, son visage près du mien.

— Pas mal du tout. Maintenant, je t'ai juste où je te veux.

Tout à coup, le plaisir et l'ambiance lumineuse et heureuse furent remplacés par une tension lourde remplie d'attente. Il pencha son visage un peu plus près du mien, mais il hésita, observant ma réaction. Je me figeai et une vague de tristesse m'envahit. Je me tournai légèrement et je fermai les yeux. J'étais incapable de l'embrasser. L'idée était plaisante, mais ça ne me donnait pas la chair de poule. Comme si quelque chose n'allait pas.

— Je suis désolée, Li.

Il me caressa légèrement sous le menton.

— Ne t'inquiète pas. Allons prendre un lait frappé ; qu'est-ce que tu en dis ?

Son regard était un peu triste, mais il semblait déterminé à ramener de la légèreté entre nous, et il détourna rapidement mon attention vers d'autres choses.

M. Kadam brisa ma routine de rendez-vous avec de bonnes nouvelles. Il avait compris une section importante de la prophétie de Durgâ, et il souhaitait que je l'aide avec quelques recherches que j'étais plus que disposée à mener.

— Qu'avez-vous pour moi ? lui demandai-je en sortant un calepin.

— Les tests des quatre maisons. Plus précisément, on y parle d'une maison de gourdes, d'une maison de tentatrices et d'une maison de créatures ailées quelconques.

— Quel genre de créatures ailées ? demandai-je, la gorge serrée.

— Je n'en suis pas certain à ce stade.

— Qu'en est-il de la quatrième maison ?

— Il semble qu'il y ait deux maisons avec des animaux ailés, je crois que l'un d'eux pourrait être un oiseau quelconque, mais la prophétie fait également mention de métal ou de fer. L'autre animal ailé porte le symbole qui signifie « large » près de lui, et le même symbole se retrouve un peu plus loin dans la prophétie. J'aimerais que vous fassiez des recherches sur tous les mythes que vous pouvez trouver qui parlent du fait de passer à travers des maisons, ou de tests reliés à des maisons, et me laisser savoir ce que vous découvrirez.

— Je vous le ferai savoir.

— Très bien.

Le reste de la conversation tourna autour de choses banales et, même si j'étais heureuse qu'il m'ait incluse dans la recherche, j'avais l'estomac noué à l'idée de retourner en Inde. J'étais bien préparée au danger, à la magie et à l'étrange surnaturel, mais ce retour signifiait aussi que je devrais à nouveau *lui* faire face. J'étais habile lorsqu'il s'agissait d'exécuter les gestes habituels d'une vie ordinaire, mais sous la surface, là où je pouvais cacher mes sentiments les plus intimes, quelque chose faisait des remous. J'étais déconnectée, comme si je n'étais pas à ma place. L'Inde m'attirait, parfois doucement, parfois avec un rugissement, mais l'appel était constant, et il m'arrivait de me demander si je serais un jour capable de vivre à nouveau une vie normale.

L'Action de grâces était une fête de la dinde de tofu chez Sarah et Mike. Pendant le repas, je n'arrêtais pas de regarder leurs citrouilles festives et leurs courges en forme de corne d'abondance, tout en essayant de comprendre comment diable des gourdes aussi inoffensives pourraient se transformer en objets dangereux et quel rôle elles pourraient jouer dans la future quête. C'était une journée froide et pluvieuse, mais mes parents adoptifs avaient allumé le foyer qui flamboyait. Étonnamment, je me délectai vraiment de certains des plats de légumes. Mais je fus incapable d'apprécier la tarte sans sucre et sans gluten. Il me semblait tout simplement que ça n'allait pas.

— Alors, quoi de neuf ? Tu as envie de nous parler des beaux mecs que tu rencontres à l'université ? taquina Sarah.

Je levai les yeux de la tarte à la citrouille que j'étais en train de frapper avec soin à coups de fourchette.

— Euh, eh bien, je sors parfois avec des gars, admis-je timidement. Il y a ce gars nommé Li, et puis il y a Jason. Ce n'est rien de sérieux. Nous sommes seulement sortis ensemble à quelques reprises.

Sarah était ravie, et elle et Mike me harcelèrent en me posant beaucoup de questions auxquelles je n'avais vraiment pas envie de répondre.

Heureusement, Jennifer nous avait aussi invités, Li et moi, à son souper de l'Action de grâces, et je réussis à m'excuser et à partir de la maison de mes parents d'accueil tout en ayant suffisamment de temps pour faire le trajet jusque chez Jennifer. Elle habitait dans une belle maison à West Salem. J'avais apporté une tarte au citron meringuée, la première que j'avais essayé de préparer, et j'étais fière du résultat. J'avais laissé griller la meringue juste un peu trop longtemps, mais autrement, elle paraissait bien.

Le visage de Li s'illumina lorsqu'il me vit à la porte.

— Vous voyez ? Il suffit de briser l'os de la chance pour que votre vœu se réalise !

Il me confia qu'il avait déjà beaucoup mangé au souper de l'Action de grâces de sa famille, mais qu'il avait réservé une place pour ma tarte dans son estomac, et il fut fidèle à sa parole. Li mangea la moitié de ma tarte en une seule séance.

Jennifer avait également cuisiné une tarte à la citrouille, une tarte aux mûres, et un gâteau au fromage. Je pris un petit échantillon de chacun, et j'étais au paradis. Li gémit, se plaignant que son estomac était tellement rempli qu'il lui faudrait dormir sur place. Les enfants de Jennifer se mirent à sautiller à cette idée, délogeant accidentellement leurs chapeaux de pèlerin, mais ils se calmèrent immédiatement lorsqu'elle glissa le film *A Charlie Brown Thanksgiving* dans leur lecteur DVD.

J'étais en train d'aider Jennifer à nettoyer la cuisine quand elle demanda :

— Alors, comment ça va avec — elle soupira d'un air entendu — *Li* ?

— Euh, ça va très bien.

— Êtes-vous, tu sais, ensemble ?

— C'est difficile à dire. Je pense qu'il est trop tôt pour dire que nous sommes ensemble.

Elle recula un peu et fronça les sourcils en fixant l'eau de vaisselle.

— Est-ce toujours cet autre, celui dont tu ne me parles jamais, qui te retient ?

J'arrêtai soudainement de tenter d'essuyer son joli plat à dinde avec ma serviette humide.

— Je suis désolée si j'ai l'air de faire des cachoteries. Honnêtement, c'est seulement que c'est difficile de parler de lui. Que veux-tu savoir ?

— Hmm.

Elle prit une autre assiette, la lava et la plongea dans l'eau de rinçage.

— Eh bien, qui est-il ? Où est-il ? Pourquoi n'êtes-vous pas ensemble ?

— Eh bien… il est en Inde. Et nous ne sommes pas ensemble parce que…, murmurai-je, parce que… je l'ai laissé.

— Est-ce qu'il agissait *mal* avec toi ?

— Non, non. Rien de cela. Il était… parfait.

— Alors, il ne voulait pas que tu partes ?

— Non.

— Avait-il envie de venir avec toi ?

Le coin de ma bouche esquissa un petit sourire.

— J'ai dû le supplier de rester.

— Alors je ne comprends pas. Pourquoi l'as-tu laissé ?

— Il était trop... J'étais trop..., soupirai-je. C'est compliqué.

— L'aimais-tu ?

Je déposai l'assiette que j'avais essuyée depuis au moins cinq minutes et je tordis la serviette entre mes mains.

— Oui, répondis-je tranquillement.

— Et maintenant ?

— Et maintenant... quand je suis seule... j'ai parfois l'impression d'être incapable de respirer.

Elle hocha la tête et lava quelques plats de plus. L'argenterie tinta doucement dans l'eau pétillante. Elle inclina légèrement la tête.

— Quel est son nom ?

Je regardai vers la fenêtre de la cuisine d'un air maussade. Il faisait sombre dehors, et je pouvais voir mon reflet avec mes épaules affaissées et mes yeux sans vie.

— Ren. Il s'appelle Ren.

Prononcer son nom meurtrit mon cœur déjà brisé. Je sentis une larme couler sur ma joue et je levai les yeux à nouveau vers la fenêtre, juste à temps pour voir Li derrière moi dans le reflet.

Il se retourna et sortit de la pièce, mais j'avais eu le temps de voir son expression. Je l'avais blessé.

Jennifer tendit la main et me serra le bras.

— Va lui parler. Il est préférable de discuter rapidement des choses. Autrement, on fait des montagnes avec rien.

Cette situation m'apparaissait déjà comme une montagne, mais elle avait raison. Il fallait que je parle à Li.

Il avait déjà quitté la maison. Comme je ramassais mes choses et que je remerciais Jennifer, elle sortit rapidement de la cuisine et me fit un signe de la main.

Je me dirigeai vers la porte et je trouvai Li, appuyé contre sa voiture avec ses bras croisés sur sa poitrine.

— Li ?

— Oui ?

— Je suis désolée que tu aies dû entendre cela.

Il soupira profondément.

— Ce n'est pas grave. Tu m'avais prévenu avant de commencer que ça allait être difficile. Je suppose que je n'ai qu'une seule question.

— Oui ?

Il se tourna vers moi et me regarda droit dans les yeux.

— Es-tu toujours amoureuse de lui ?

— Je… Je pense que oui.

Je pus voir la tristesse sur son visage.

— Mais, Li, ce n'est pas grave. Il est parti. Il est sur un autre continent. S'il voulait vraiment être avec moi, il pourrait l'être, et il ne l'est pas. Il n'est pas là. Il ne m'a même pas téléphoné, en fait. J'ai seulement besoin… de temps. De temps. Un tout petit peu plus de temps… pour mettre ces sentiments de côté. Je veux en être capable.

Je tendis le bras et lui pris la main.

— C'est injuste pour toi, je le sais. Tu mérites de sortir avec quelqu'un qui n'a pas cette sorte de bagage.

— Kelsey, tout le monde a des bagages d'une sorte ou d'une autre.

Il donna un coup de pied sur le pneu de sa voiture.

— Je t'aime beaucoup et je veux que ce soit la même chose pour toi. Peut-être que ça marchera si nous ralentissons un peu. Si nous apprenons d'abord à être amis pour un moment.

— Ce serait suffisant pour toi ?

— Il va falloir que ça le soit. À part ne plus te voir, je n'ai pas d'autre option, et ce n'est pas un bon choix pour moi.

— Bon, alors, nous irons doucement.

Li me sourit et se pencha pour m'embrasser sur la joue.

— Tu vaux la peine qu'on t'attende, Kelsey. Et je te signale que le gars était fou de te laisser partir.

Même si j'avais emprunté des piles de livres de la bibliothèque et passé d'innombrables heures à faire des recherches en ligne, je n'avais toujours rien trouvé d'utile pour le test des quatre maisons. J'espérais que, dans cette partie de la quête, les créatures ailées seraient des papillons inoffensifs, mais je doutais que ce soit si facile. *Au moins, nous avons désormais un indice quant à la façon dont va s'intégrer le thème de l'air,* pensai-je.

Avec ma tête enfouie dans les livres la plupart du temps, l'Action de grâces mena rapidement à la saison de Noël. On pouvait apercevoir de brillantes décorations de Noël dans tous les quartiers et dans toutes les vitrines des magasins. Je continuai à sortir à la fois avec Li et Jason, et à la mi-décembre, Li m'emmena au mariage de son cousin.

Au cours des deux semaines précédentes, je m'étais dit à plusieurs reprises que je voulais vraiment que ça marche avec Li, que ce serait bien de lui ouvrir mon cœur. Je le trouvai très beau lorsqu'il vint me chercher. Il était vêtu d'un costume sombre, et mon cœur palpita en le voyant. Ce n'était peut-être pas de l'amour, mais au moins, j'étais heureuse d'être avec lui.

— Wow, Kelsey. Tu es magnifique !

J'avais plongé à nouveau dans le placard interdit et j'en avais sorti une robe de princesse pêche en satin et en organza. Le haut avait un corset ajusté qui s'ouvrait en une jupe pétale pêche en organza descendant jusqu'à la mi-mollet.

Le mariage eut lieu dans un club champêtre. Lorsque la cérémonie fut terminée, des danseurs-lions et des musiciens apparurent, et nous les suivîmes dans un défilé jusqu'à la réception. L'un des musiciens jouait de la mandoline. Elle ressemblait à la guitare qui était accrochée au mur de la salle de musique de M. Kadam.

Des parasols rouges, des éventails chinois et de l'origami de fantaisie décoraient la salle à manger, ce qui, expliqua Li, était la tradition lors de mariages chinois. Même la mariée portait une robe rouge, et au lieu de boîtes renfermant des présents, les invités offraient au couple des enveloppes rouges remplies d'argent.

Li pointa un groupe de garçons portant tous des costumes noirs avec des lunettes de soleil. Mes yeux s'agrandirent, et je dus réprimer un fou rire lorsque je me rendis compte que c'était notre groupe de jeu. Ils souriaient et agitaient la main vers moi. L'un d'eux avait une grande mallette menottée à son poignet.

— Pourquoi sont-ils habillés comme ça ? demandai-je. Et qu'y a-t-il dans la mallette ?

Il se mit à rire.

— Mille billets neufs d'un dollar. Ils vont passer les menottes au marié avec la mallette. C'est une plaisanterie. Mon cousin faisait partir de notre groupe de jeu jusqu'à ce qu'il soit trop occupé avec son travail. C'est le premier à se marier, alors il reçoit le porte-documents.

Nous nous frayâmes un chemin à travers la ligne de réception, et Li me présenta à son cousin et à sa nouvelle épouse. Elle était petite, très belle et semblait un peu timide. Ensuite, nous trouvâmes nos places à table, où nous fûmes bientôt rejoints par tous les amis de Li. Ils le taquinèrent parce qu'il ne portait pas ses lunettes de soleil.

La mariée et le marié procédèrent à une cérémonie élaborée d'allumage de bougies pour honorer leurs ancêtres, après quoi on servit le souper : du poisson pour symboliser l'abondance, un homard entier pour représenter la complétude, du canard laqué pour signifier la joie et le bonheur, de la soupe d'ailerons de requin qui apporte la richesse, des nouilles pour une longue vie et, enfin, une salade de concombres de mer pour l'harmonie conjugale. Li essaya de me faire goûter des petits pains sucrés aux graines de lotus qui symbolisaient la fertilité.

– Hum… merci, dis-je avec hésitation, mais je passerai mon tour pour le moment.

Après avoir reçu de bons vœux des deux côtés de la famille, le couple dansa sa première danse.

Li me serra la main et se leva.

– Kelsey, je peux ?

– Bien sûr.

Il me fit tourbillonner autour de la piste de danse avant que ses amis se mettent à l'interrompre. Je n'eus pas droit à plus d'une danse complète avec Li. Quelques danses plus tard, on apporta un gâteau à trois étages. L'intérieur était orange, et l'extérieur était décoré avec du glaçage nacré aux amandes et de magnifiques orchidées en sucre.

Quand Li me quitta ce soir-là, je me sentais heureuse. J'avais vraiment aimé faire partie de son monde. Je le serrai dans mes bras et je lui donnai un baiser sur la joue pour lui souhaiter bonne nuit, et il me sourit comme s'il venait tout juste de gagner un titre mondial d'arts martiaux.

Je passai le jour de Noël avec ma famille d'accueil. Sirotant un chocolat chaud, je regardais les enfants qui ouvraient leurs cadeaux. Sarah et Mike m'offrirent une tenue de jogging. Ils essayaient toujours de me transmettre leur passion de la course. Les enfants me donnèrent des gants et un foulard, dont je leur avais dit avoir désespérément besoin. J'avais envisagé de passer du temps avec eux ce matin-là, pour ensuite passer le reste de la journée avec Li, qui devait venir me chercher pour un rendez-vous d'après-midi à 14 h.

Son cadeau, une collection de films d'arts martiaux, était posé sur ma table à café dans le salon. J'avais déjà pris la décision que s'il n'avait pas essayé de m'embrasser à la fin du rendez-vous, ce serait moi qui le ferais. J'avais même accroché du gui devant ma porte. Une partie irrationnelle de mon esprit me disait qu'il était possible que la clé pour briser le lien que je ressentais toujours avec l'homme que j'avais quitté, ce soit d'embrasser Li. Je savais que ça ne serait probablement pas aussi simple, mais c'était la première étape.

Mes pensées dérivèrent vers mon rendez-vous. Les enfants jouaient avec leurs nouveaux jouets, et les adultes étaient assis près de l'arbre de Noël, écoutant des chants et parlant tranquillement quand la sonnette retentit.

– Sarah, attends-tu quelqu'un ? demandai-je en me levant pour aller répondre.

– C'est probablement le colis de M. Kadam. Il a dit que c'était censé être une surprise.

Je tournai le verrou et j'ouvris la porte.

Debout sur le perron, il y avait le plus bel homme de la planète. Mon cœur s'arrêta, puis se mit à galoper avec fracas dans ma poitrine. Des yeux bleu cobalt inquiets exploraient chaque trait de mon visage. Les lignes de tension et de stress disparurent de son expression, et il respira profondément, comme un homme qui était resté trop longtemps sous l'eau.

Maintenant satisfait, l'ange guerrier sourit doucement, gentiment, et tendit le bras avec hésitation pour toucher ma joue. Je sentis le lien entre nous envelopper solidement ses doigts autour de mon cœur et le serrer, nous rapprochant. Il m'entoura de ses bras, en hésitant d'abord, puis son front toucha le mien, et il écrasa mon corps contre le sien. Il me berça doucement et caressa mes cheveux. Soupirant, il ne murmura qu'un seul mot : *Kelsey*.

5

Retour

Enveloppée dans ses bras, j'écoutais mon cœur qui battait : il se gonflait et martelait dans ma poitrine. Comme le Grinch, mon cœur avait été réduit de deux tailles. Lorsque Ren me toucha, toutes les émotions que j'avais retenues débordèrent et inondèrent mon corps, remplissant lentement le vide.

Je me sentis m'épanouir et me développer avec une vigueur nouvelle. Ren était le soleil, et la tendresse qu'il me démontrait était une eau vivifiante. Une partie dormante de moi éclatait d'une vie palpitante, étirait ses doigts profondément pour bien prendre racine, ouvrant d'épaisses feuilles vertes et faisant courir des vrilles bouclées qui émergeaient et nous rapprochaient encore plus tous les deux.

Sarah m'appela de la cuisine, me rappelant que le monde existait en dehors de nous deux.

— Kelsey ? Kelsey ? Qui est-ce ?

M'accrochant de nouveau à la réalité, je reculai. Il me laissa partir, mais il glissa sa main le long de mon bras et entrelaça ses doigts avec les miens. J'étais muette. Ma bouche s'ouvrit pour répondre, mais j'étais incapable de former un seul mot.

Ren sentit ma détresse et annonça son arrivée.

— M. et Mme Neilson ?

Lorsqu'ils le virent, Mike et Sarah s'arrêtèrent tous les deux à mi-course. Ren leur lança un de ses sourires ravageurs et leur tendit la main.

— Bonjour. Je suis le petit-fils de M. Kadam, Ren.

Il serra chaleureusement la main de Mike et il tendit ensuite la main à Sarah. Lorsque Ren tourna son sourire vers elle, elle rougit, nerveuse comme une écolière. Je me sentais encore mieux de savoir que je n'étais pas la seule femme à perdre toute raison en sa présence. Il avait un effet hypnotique sur les femmes de tous les âges.

— Hein ? Ren, dit Mike. C'est une coïncidence. Hé, Kelsey, ce tigre que…

Je m'avançai précipitamment.

— Euh, ouais. Amusant, hein ?

Je levai les yeux vers Ren et je courbai mon pouce vers lui.

— Mais, Ren est en fait juste son surnom. Son prénom est… Al.

Je lui donnai un coup sur le bras.

— N'est-ce pas, Al ? Je le frappai sur le bras.

À la fois perplexe et amusé, il fronça les sourcils.

— En effet, Kelsey.

Il se tourna à nouveau vers Mike et Sarah.

— En fait, mon nom est Alagan, mais vous pouvez m'appeler Ren. Tout le monde le fait.

Pendant ce temps, Sarah avait repris son sang-froid.

– Eh bien, Ren. S'il vous plaît, entrez et venez rencontrer les enfants.

Il lui sourit à nouveau.

– J'en serais ravi.

Sarah répondit en étouffant un rire de jeune fille et en se tapotant les cheveux.

Ren se pencha pour ramasser plusieurs gros colis qu'il avait empilés près de la porte, tandis que je me dirigeais tout droit vers la salle familiale.

Pendant que Mike aidait Ren, Sarah vint me trouver.

– *Kelsey*, murmura-t-elle, quand l'as-tu rencontré ? Pendant une minute, je pensais que j'allais enfin rencontrer Li. Qu'est-ce qui se passe ?

Je regardai fixement l'arbre de Noël.

– C'est ce que j'aimerais savoir, marmonnai-je.

Les hommes entrèrent dans le salon, et Ren enleva son imperméable à chevrons aux tons charbon et le drapa sur une chaise. Il portait un jean et une chemise polo grise à manches longues qui collait à sa poitrine et à ses bras.

– Qui est Li ? demanda Ren.

J'en restai bouche bée.

– Comment as-tu…

Je me fermai rapidement la bouche. J'avais oublié son ouïe de tigre.

– Li est… hum… un type… que je connais.

Sarah haussa les sourcils, mais elle demeura silencieuse.

Ren me regarda attentivement, attendit poliment que je m'assoie, puis s'assit sur le canapé à mes côtés. Dès cet instant, les enfants se jetèrent sur lui.

— J'ai des cadeaux pour vous deux, dit-il d'un ton de conspirateur à Rebecca et à Sammy. Pouvez-vous les ouvrir ensemble ?

Les enfants hochèrent la tête avec sérieux, puis Ren se mit à rire et poussa une grande boîte vers eux. Ils l'ouvrirent frénétiquement et sortirent une série de livres du Dr Seuss. Au début, les livres me parurent étranges. J'en pris un de la série et je compris rapidement qu'il s'agissait de premières éditions.

— Tu t'es procuré des premières éditions ! *Pour des enfants ?* Chacun de ces livres vaut probablement des milliers de dollars !

Il repoussa mes cheveux derrière mon oreille et se pencha pour murmurer :

— Je t'en ai acheté une série toute pareille à la maison. Ne sois pas jalouse.

Mon visage devint rouge vif.

— Ce n'est pas ce que je voulais dire.

Il éclata de rire et se pencha pour ramasser le prochain cadeau. Mike passait son temps à jeter des coups d'œil par la fenêtre vers la voiture de Ren.

— Alors, Ren, je vois que vous avez là un Hummer.

Ren regarda Mike.

— Oui.

— Croyez-vous que vous pourriez m'emmener faire un tour à un moment donné ? Je veux dire, j'ai toujours voulu monter dans une de ces voitures.

Ren se frotta la mâchoire.

— Bien sûr, mais aujourd'hui, c'est impossible. Je dois m'installer dans ma nouvelle résidence.

— Oh... vous resterez ici pendant un moment ?

— C'est le plan, du moins pour le semestre. Je me suis inscrit à quelques cours de la Western Oregon University.

— Eh bien, c'est parfait ! Vous étudierez avec Kelsey.

Ren sourit.

— Oui, c'est vrai. Peut-être que nous nous croiserons à l'occasion.

Mike tourna à nouveau son attention vers la voiture avec un grand sourire sur son visage. Sarah me regardait attentivement. J'essayai de maintenir une expression neutre, mais, à l'intérieur, j'avais des tas de questions.

À quoi pense-t-il ? Rester ici ? Où ? Aller à l'université avec moi ? Que vais-je faire ? Pourquoi est-il ici ?

Ren glissa un gros colis vers Sarah et Mike.

— C'est pour vous deux.

Mike aida Sarah à l'ouvrir, et ils en tirèrent un mélangeur tout neuf avec tous les accessoires possibles et imaginables. Je n'aurais pas été surprise d'apprendre qu'il était possible de créer une sculpture de glace avec l'objet. Sarah commença à parler avec enthousiasme de toutes les pâtisseries biologiques sans blé qu'elle pourrait maintenant préparer.

Ren prit un petit colis et me le tendit.

— Celui-ci vient de M. Kadam.

Je l'ouvris et je découvris des exemplaires reliés en cuir de *Mahābhārata* de l'Inde, *Romance of the Three Kingdoms* de la Chine et *Le Dit du Gengi* du Japon, tous traduits en anglais. Il y avait aussi une courte lettre où il me souhaitait un joyeux Noël.

Je passai la main sur les couvertures de cuir, déposant soigneusement les volumes sur la table à côté de moi, et je me promis de lui téléphoner pour le remercier plus tard. Ren me tendit un autre cadeau.

— Celui-ci vient de Kishan.

Sarah leva les yeux de son mélangeur.

— Qui est Kishan ?

— Kishan est mon petit frère, répondit Ren.

Sarah me jeta un regard maternel exaspéré, auquel je répondis en haussant les épaules, penaude. Je ne lui avais jamais parlé de Ren ou de Kishan, et elle se demandait probablement comment j'avais pu ne pas me souvenir de quelqu'un comme lui. *Moi aussi, je me demanderais pourquoi j'avais été aussi muette à leur sujet.*

J'ouvris la boîte et je trouvai une petite boîte à bijoux Tiffany. À l'intérieur, il y avait un mince collier en or blanc. La carte avait été très soigneusement écrite à la main.

Hé, Kells,

Tu me manques.

Reviens bientôt.

J'ai imaginé que tu aimerais quelque chose de plus féminin pour porter avec mon amulette. Il y a aussi un cadeau supplémentaire dans la boîte, juste au cas où tu en aurais besoin.

Kishan

Je mis le collier de côté et je fouillai dans la boîte. Il y avait un petit cylindre enveloppé dans du papier de soie. Tandis que je le déroulais, un contenant métallique froid tomba dans ma main. Il contenait du gaz incapacitant. Kishan avait collé une photographie d'un tigre dans un cercle avec une barre oblique qui le traversait. Au sommet, en grosses lettres noires, il y avait les mots « Répulsif pour tigre ».

Je me mis à rire et Ren me prit le contenant. Après avoir lu l'étiquette, il jeta la canette dans la boîte. Baissant le bras, il prit un autre paquet.

— Celui-ci est de moi.

Ses paroles me calmèrent immédiatement. Je levai rapidement les yeux pour mesurer les expressions de Mike et de Sarah. Mike semblait ignorer totalement la tension que je ressentais, mais Sarah était plus à l'écoute et m'examinait attentivement. Je fermai les yeux pendant une seconde, priant pour que le contenu de la boîte ne suscite pas un milliard de questions auxquelles je devrais répondre.

Je glissai mes doigts sous le lourd papier d'emballage et ouvris le paquet. Glissant ma main à l'intérieur, je sentis du bois lisse et poli. Les enfants m'aidèrent à arracher le carton. À l'intérieur, il y avait une boîte à bijoux sculptée à la main.

Ren se pencha vers moi.

— Ouvre-la.

Je passai la main nerveusement sur le dessus de la boîte. La posant sur mes genoux, j'ouvris soigneusement le couvercle. À l'intérieur, il y avait de petits tiroirs doublés de velours, et à l'intérieur de chaque tiroir, il y avait un ruban à cheveux enroulé.

— Tu vois, tu peux sortir les segments.

Il leva la partie supérieure et la suivante. Il y avait cinq sections avec une quarantaine de rubans par section.

— Chaque ruban est différent. Il n'y a pas deux couleurs pareilles, et il y en a au moins un de chaque grand pays du monde.

— Ren, dis-je, abasourdie.

Je levai les yeux. Mike n'y voyait rien de mal. Il pensait probablement qu'une telle scène se déroulait quotidiennement. Sarah, quant à elle, regardait désormais Ren différemment. Son expression soupçonneuse et inquiète avait disparu.

— Eh bien, Ren, dit-elle, avec un petit sourire d'approbation sur son visage. Il semble que vous connaissiez assez bien Kelsey. Elle adore les rubans à cheveux.

Soudain, Sarah se racla bruyamment la gorge, se leva, et nous demanda de surveiller les enfants pendant qu'elle et Mike partaient faire une course rapide. Ils nous apportèrent deux tasses de chocolat chaud fumant et disparurent à l'étage revêtir leurs vêtements de jogging. Bien qu'ils fassent tout le temps de l'exercice, ils prenaient normalement une pause pour Noël. *Essaie-t-elle de nous donner à Ren et à moi un peu d'intimité ? Je ne suis pas certaine si je dois l'embrasser ou la supplier de rester.*

La boîte était toujours sur mes genoux, et j'étais en train de toucher distraitement un ruban lorsqu'ils partirent en joggant par la porte avec un signe de la main.

Ren tendit le bras et toucha ma main.

— Tu ne l'aimes pas ?

Je levai les yeux pour regarder ses yeux bleus.

— C'est le plus beau cadeau que j'ai reçu *de toute ma vie*, dis-je d'une voix rauque.

Il me fit un grand sourire, prit ma main, et déposa un doux baiser sur mes doigts.

— Maintenant, dit-il en se tournant vers les enfants. Qui aimerait se faire raconter une histoire ?

Rebecca et Sammy prirent un livre et grimpèrent sur les genoux de Ren. Il passa un bras autour de chacun d'eux.

— Je suis Sam. Sam je suis, lut-il d'une voix animée. Aimez-vous les œufs verts et le jambon ?

Il ne buta que sur un mot, « nulle part », mais les enfants l'aidèrent, et chaque fois par la suite, il réussit à le prononcer. J'étais impressionnée. M. Kadam devait lui avoir appris à lire l'anglais.

Ren convainquit Sammy de tenir le livre pour lui, et il m'attira plus près de lui avec son bras libre. Il me pressa contre son corps pour que ma tête repose sur son épaule. Pour me taquiner, il faisait traîner ses doigts de haut en bas sur mon bras.

Quand Mike et Sarah revinrent, je me levai brusquement et je commençai à rassembler mes affaires comme une femme qui avait les chaussures en feu. Je jetai un coup d'œil vers Ren, et je vis qu'il me regardait fixement, un peu amusé. Mike et Sarah nous remercièrent et m'aidèrent à emballer mes affaires dans ma voiture. Ren leur dit au revoir et m'attendit à l'extérieur.

Sarah me lança un regard qui signifiait clairement que j'avais des comptes à lui rendre, puis elle ferma la porte et nous laissa dans la froideur de décembre. Nous étions enfin seuls.

Ren enleva un gant et toucha mon visage avec ses doigts chauds.

— Rentre chez toi, Kells. Ne me pose pas de questions maintenant. Ce n'est pas le bon endroit. Nous aurons beaucoup de temps plus tard. Je te retrouve là-bas.

— Mais…

— Plus tard, *rajkumari*.

Il remit ses gants et se dirigea vers le Hummer.

Quand a-t-il appris à conduire ? Je fis demi-tour avec ma voiture et j'observai le Hummer dans mon rétroviseur jusqu'à ce que je tourne sur une route secondaire, et que je le perde de vue.

Des milliers de questions envahissaient mon cerveau, et j'en fis une liste sommaire pendant que je me dirigeais vers ma maison. Comme il y avait un peu de glace sur la route, je dus mettre de côté les questions brûlantes qui remplissaient mon cerveau et me concentrer sur ma conduite.

Lorsque je dépassai le virage et que j'aperçus ma maison, je remarquai qu'il y avait quelque chose de différent. Il me fallut une minute pour comprendre ce que c'était : il y avait des rideaux dans la fenêtre du duplex attenant. Quelqu'un y avait emménagé.

Je garai ma voiture dans le garage et je me dirigeai vers la porte d'entrée de l'autre maison. Je frappai, mais personne ne répondit. Tournant le bouton, je trouvai la porte débarrée. La maison était meublée presque de la même façon que la mienne, mais dans des couleurs plus foncées, plus masculines. Lorsque je vis la vieille mandoline reposant sur le canapé de cuir, mes soupçons furent confirmés. Ren y avait emménagé.

J'entrai dans la cuisine et je trouvai le garde-manger et le réfrigérateur vide. Je vis aussi que la moitié inférieure de la porte arrière avait été réaménagée avec une énorme trappe qui se balançait.

Hum… ça n'empêchera pas les cambrioleurs d'entrer. Ils pourraient entrer directement en rampant. Mais je suppose qu'ils auraient une surprise s'ils essayaient de voler quelque chose ici.

Je me précipitai vers ma maison, refermant la porte derrière moi. Je n'avais même pas pris la peine d'aller voir à l'étage ou de vérifier le placard pour voir si les vêtements griffés s'y trouvaient. Il n'y avait aucun doute dans mon esprit : Ren était mon nouveau voisin.

En fait, je venais tout juste d'enlever mes chaussures et mon manteau quand j'entendis ce qui ne pouvait être que le Hummer qui arrivait dans l'allée. Je le regardai par la fenêtre. C'était un bon conducteur. Il avait réussi à manœuvrer l'énorme véhicule entre les branches saillantes qui auraient pu endommager la peinture. Il gara le Hummer dans l'autre garage, et j'entendis le craquement de ses pas sur le chemin gelé alors qu'il se dirigeait vers ma porte d'entrée.

La laissant ouverte pour lui, je me dirigeai vers le salon, je m'assis dans mon fauteuil, les pieds repliés sous moi, et je croisai les bras sur ma poitrine. Je savais que les spécialistes du langage corporel disaient que c'était une pose défensive classique, mais je m'en fichais.

Je l'entendis fermer la porte, retirer son manteau, et l'accrocher dans le placard de l'entrée. Tournant le coin, Ren entra dans le salon. Il scruta mon visage pendant un bref instant, puis passa une main dans ses cheveux et s'assit devant moi. Ses cheveux étaient plus longs qu'ils ne l'avaient été en Inde. Des mèches noires soyeuses tombaient sur son front, et il les repoussa vers l'arrière comme si cela l'ennuyait. Il paraissait plus grand et plus musclé que dans mon souvenir. *Il doit mieux se nourrir qu'il n'avait l'habitude de le faire auparavant.*

Nous nous regardâmes l'un l'autre en silence pendant quelques secondes.

— Alors…, dis-je enfin, tu es mon nouveau voisin.

— Oui.

Il soupira doucement.

— Je ne pouvais plus rester loin de toi.

— Je ne pensais pas que tu faisais des efforts pour garder tes distances.

— C'est ce que tu m'avais demandé. J'ai essayé de respecter tes souhaits. Je voulais te donner le temps de réfléchir. De te vider la tête. De… d'écouter ton cœur.

J'ai certainement eu le temps de réfléchir. Malheureusement, mes pensées sont à peu près aussi confuses qu'elles pourraient l'être. Depuis que j'ai quitté l'Inde, j'ai été incapable de penser clairement. Et je n'ai pas écouté mon cœur depuis la fois où je me suis réveillée près de Ren à Kishkindhâ. Il y a des mois que je me suis coupée de mon cœur.

— Oh. Alors, tes sentiments n'ont pas… changé ?

— Mes sentiments sont plus forts qu'ils ne l'ont jamais été.

Ses yeux bleus examinaient mon visage. Il passa une main dans ses cheveux et se pencha en avant.

— Kelsey, tous les jours où tu étais loin de moi, c'était *atroce*. Ça me rendait fou. Si M. Kadam ne m'avait pas tenu occupé à chaque instant, j'aurais pris l'avion la semaine suivante. Je suis resté là patiemment chaque jour à suivre ses instructions, mais je n'étais un homme que pendant six heures. Comme tigre, j'ai usé une partie du tapis de ma chambre à force de faire les cent pas heure après heure. Il a failli sortir un fusil de safari pour me tirer dessus avec un tranquillisant. Il était impossible de m'apaiser. J'étais agité, j'étais un animal sauvage sans… sans sa compagne.

Je remuai et me déplaçai dans le fauteuil.

— J'ai dit à Kishan que j'avais besoin de retrouver mes aptitudes au combat pour qu'elles soient comparables à ce qu'elles étaient avant. Nous nous sommes battus sans cesse, autant comme hommes que comme bêtes. Nous nous sommes entraînés avec des armes, avec nos griffes, nos dents et les mains nues. Me battre avec lui est probablement la seule chose qui m'a permis de rester sain d'esprit. Je retombais chaque soir sur mon tapis, ensanglanté, épuisé et vidé. Mais, toujours… je pouvais te sentir.

» Tu étais à l'autre bout du monde, mais je me réveillais souvent avec ton parfum qui m'enveloppait. Je me languissais de toi, Kells. Peu importe à quel point Kishan me battait, il était incapable de diminuer la douleur de t'avoir perdue. Je rêvais de toi et je tendais la main pour te toucher, mais tu étais toujours hors de ma portée. Kadam n'arrêtait pas de me dire que c'était pour le mieux et que j'avais des choses à apprendre avant de venir en Oregon. Il avait probablement raison, mais je ne voulais pas l'entendre.

— Mais si tu voulais être avec moi alors… pourquoi n'as-tu pas téléphoné ?

— Je *voulais* le faire. J'étais torturé quand j'entendais ta voix lorsque tu téléphonais à Kadam, chaque semaine. Chaque fois, j'attendais tout près, en espérant que tu demanderais à me parler, mais tu ne l'as jamais fait. Je ne voulais pas faire pression sur toi. Je voulais respecter tes souhaits. Je voulais que ce soit *ta* décision.

Quelle ironie ! Il y avait eu tant de fois où j'avais voulu demander à lui parler, mais je n'avais pu me résoudre à le faire.

– Tu écoutais nos conversations téléphoniques ?

– Oui. J'ai une excellente ouïe, tu te souviens ?

– C'est vrai. Alors qu'est-ce... qui a changé ? Pourquoi venir ici maintenant ?

Ren se mit à rire de façon acerbe.

– C'est à cause de Kishan. Un jour, nous étions en train d'échanger des coups, et comme d'habitude, il me battait. À ce moment, je n'étais plus en compétition contre lui. Je *voulais* qu'il me blesse. Cela m'aidait. Soudain, il s'est arrêté. Il a tourné autour de moi et m'a regardé de haut en bas. Je suis resté là, attendant qu'il reprenne le combat. Puis il a sorti à nouveau son poing et m'a frappé de toutes ses forces.

» Je suis tout simplement resté là et j'ai encaissé le coup, ne prenant même pas la peine de me défendre. Encore une fois, il m'a frappé aussi fort qu'il a pu dans le ventre. Je me suis ressaisi, et je me suis tenu à nouveau devant lui, sans me soucier de la douleur. Il a rugi et s'est mis à crier après moi.

– Qu'a-t-il dit ?

– Beaucoup de choses que, pour la plupart, je préfère ne pas répéter. L'essentiel, c'était qu'il fallait que je m'en sorte et que si j'étais si malheureux, je n'avais qu'à me lever et agir.

– Oh.

– Il s'est moqué de moi, en disant que le puissant prince de l'empire Mujulaain, le Haut Protecteur du Peuple, le champion de la bataille des Cent Chevaux, l'héritier du trône, avait été vaincu par une jeune fille. Il a dit qu'il n'y avait rien de plus pathétique qu'un tigre tremblant en train de lécher ses plaies.

» Ce qu'il me disait alors ne me dérangeait pas. Je me fichais de tout jusqu'à ce qu'il me dise que nos parents auraient eu honte. Qu'ils avaient élevé un lâche ! C'est alors que j'ai pris une décision.

— La décision de venir ici.

— Oui. J'ai décidé que j'avais besoin d'être près de toi. J'ai décidé que, même si tout ce que tu voulais, c'était de l'amitié, je serais plus heureux ici que je l'étais en Inde sans toi.

Ren se leva, se mit à genoux à mes pieds, et me prit la main.

— J'ai décidé de te trouver, de me jeter à tes pieds, et de te prier d'avoir pitié de moi. Honnêtement, j'accepterai ce que tu décideras, Kelsey. Mais s'il te plaît, ne me demande pas de me séparer de toi encore une fois. Parce que… *je ne peux pas.*

Comment pourrais-je rester inflexible ? Les paroles de Ren pénétraient les fragiles barrières autour de mon cœur. J'avais mis en place une clôture de barbelés, mais les extrémités des barbelés étaient faites de guimauve. Il avait facilement réussi à se glisser à travers mes défenses. Ren toucha ma main de son front, et mon cœur de guimauve se mit à fondre.

Je mis mes bras autour de son cou, et je le serrai très fort.

— Un prince de l'Inde ne devrait jamais être obligé de se mettre à genoux pour prier pour quoi que ce soit, lui murmurai-je à l'oreille. Très bien. Tu peux rester.

Il soupira et me serra fort contre lui.

Je souris ironiquement.

— Après tout, je ne voudrais pas que la PETA me poursuivre pour mauvais traitement d'un tigre.

Il rit doucement.

— Attends ici, dit-il. Il se dirigea vers la porte qui reliait nos deux maisons.

Il revint avec un paquet orné de ruban rouge.

La boîte était longue, mince et noire. Je l'ouvris et j'y aperçus un bracelet. Sur la minuscule chaîne, il y avait un médaillon ovale en or blanc. À l'intérieur, il y avait deux images : Ren, le prince, et Ren, le tigre.

Je souris.

— Tu savais que je voulais aussi me souvenir du tigre.

Ren attacha le bijou à mon poignet et soupira.

— Oui. Même si je suis un peu jaloux de lui. Il arrive à passer beaucoup plus de temps avec toi que moi.

— Hmm. Eh bien, pas autant qu'avant. Il me manque.

Il grimaça.

— Crois-moi, tu auras la chance de le voir en abondance dans les semaines à venir.

Ses doigts chauds caressèrent mon bras et mon pouls commença à jouer du tambourin. Il tira mon bras jusqu'à la hauteur de ses yeux, examina la breloque, et déposa un baiser à l'intérieur de mon poignet.

— Alors, tu l'aimes ? demanda-t-il, ses yeux pétillant de malice.

— Oui. Merci. Mais…

Mon visage s'assombrit.

— Je ne t'ai rien acheté.

Il m'attira contre lui et entoura ma taille de ses bras.

— Tu m'as fait le plus beau cadeau de tous. Ce que tu m'as donné aujourd'hui, c'est le meilleur présent que je pouvais souhaiter.

Je me mis à rire.

— Dans ce cas, j'ai vraiment fait un lamentable travail d'emballage, le taquinai-je.

— Hmmm, tu as raison. Je ferais mieux de t'envelopper correctement.

Ren attrapa la courtepointe de ma grand-mère à l'arrière du fauteuil et m'enveloppa comme une momie. Je donnai des coups de pied et je poussai des petits cris alors qu'il me prenait dans ses bras et sur ses genoux.

— Lisons quelque chose, Kells. Je suis prêt pour une autre pièce de Shakespeare. J'ai essayé d'en lire une par moi-même, mais j'ai eu de la difficulté à prononcer les mots.

Je me raclai la gorge bruyamment à partir de mon cocon.

— Comme tu peux le voir, mon ravisseur, mes bras sont pris au piège.

Ren se pencha pour renifler mon oreille, puis, soudain, il se raidit.

— Il y a quelqu'un ici.

La sonnette retentit. Ren se leva, me déposa sur mes pieds, et me sortit de la couverture avant que je puisse cligner des yeux. Je restai là pendant un moment, étourdie et confuse. Ensuite, je rougis d'embarras.

— Qu'est-il arrivé à ton ouïe de tigre ? sifflai-je.

— J'ai été distrait, Kells, me dit-il en souriant. Tu peux difficilement m'en vouloir. Tu attends quelqu'un ?

— Li ! me souvins-je soudainement.

— Li ?

Je fis la grimace.

— Nous avons un… un *rendez-vous.*

Les yeux de Ren s'assombrirent.

— Tu as un *rendez-vous* ?

— Oui… répondis-je avec hésitation.

Des pensées concernant l'homme à côté de moi et celui à l'extérieur me traversèrent l'esprit. *Ren est de retour, mais qu'est-ce que cela signifie ? Que dois-je faire maintenant ?*

La sonnette retentit à nouveau. À tout le moins, je savais que je ne pouvais pas laisser Li debout à attendre dehors.

— Je dois y aller maintenant, dis-je en me tournant vers Ren pour lui expliquer. S'il te plaît, reste ici. Il y a des trucs pour faire des sandwiches au réfrigérateur pour le souper. Je reviendrai plus tard. S'il te plaît, sois patient. *Et… ne te… fâche pas.*

Ren croisa les bras sur sa poitrine et plissa les yeux.

— Si c'est ce que tu veux que je fasse. Je le ferai.

Je poussai un soupir de soulagement.

— Je te remercie. Je reviens dès que je peux.

Enfilant mes chaussures, je ramassai le coffret DVD emballé que j'avais acheté pour Li. Les lèvres serrées, Ren m'aida à mettre mon nouveau manteau blanc, puis il se dirigea d'un air furieux dans la cuisine. Il s'appuya contre le comptoir, les bras croisés sur sa poitrine et un sourcil levé. Je lui lançai un faible sourire suppliant, puis je me dirigeai vers la porte d'entrée.

Je sentis un pincement de culpabilité d'avoir un cadeau pour Li et non pour Ren, mais je l'écartai rapidement et j'ouvris la porte en agissant comme si rien d'étrange ne se passait.

– Salut, Li.

– Joyeux Noël, Kelsey, dit Li, ignorant complètement que tout dans ma vie avait de nouveau changé.

Mon rendez-vous avec Li ne se passa pas comme prévu. Nous étions censés aller voir un film d'arts martiaux et aller au souper de Noël de grand-mère Zhi. J'étais sombre, et mes pensées ne cessaient de dériver vers Ren. Il m'était difficile de me concentrer sur Li – ou sur quoi que ce soit.

– Qu'est-ce qui ne va pas, Kelsey ? Tu parais très silencieuse.

– Li, est-ce que cela te dérangerait si nous sautions le film et que nous allions souper plus tôt ? J'ai besoin de faire quelques appels en rentrant chez moi. Tu sais, pour dire joyeux Noël à des amis.

Li était déçu, mais il s'adapta à la situation, comme d'habitude.

– Oh. Bien sûr. Ce n'est pas un problème.

Ce n'était pas exactement un mensonge. J'avais l'intention de téléphoner à M. Kadam plus tard. Mais je ne me sentis pas moins coupable d'avoir modifié nos plans.

Chez grand-mère Zhi, les garçons étaient à mi-chemin d'un marathon de jeu qui durait toute la journée. Je jouai, mais j'étais distraite et je pris de mauvaises décisions stratégiques – tellement mauvaises que même les gars firent des commentaires.

– Qu'est-ce qui se passe avec toi ce soir, Kelsey ? demanda Wen. Tu ne me laisses jamais m'en tirer avec un coup comme ça.

Je lui souris.

– Je l'ignore. Peut-être la mélancolie de Noël.

J'étais sérieusement en train de perdre, alors Li m'attrapa la main et me conduisit à la salle de séjour pour ouvrir nos cadeaux. Li et moi échangeâmes nos cadeaux et les ouvrîmes en même temps.

Nous enlevâmes l'emballage, et nous nous mîmes à rire très fort et très longtemps. Nous avions acheté tous les deux le même présent. Il était bon de laisser aller un peu de la tension que j'avais accumulée.

— Apparemment, nous aimons tous les deux les DVD d'arts martiaux, dit Li avec un petit rire.

— Je suis désolée, Li. J'aurais dû y réfléchir un peu plus.

Il riait encore.

— Ne t'inquiète pas. C'est bon signe. Grand-mère Zhi dirait que dans la culture chinoise, cela représente de la chance. Cela signifie que nous sommes compatibles.

— Ouais, dis-je pensivement. Je suppose que oui.

Nous retournâmes au jeu après avoir mangé, et je jouai comme un robot tout en réfléchissant à ce qu'il avait dit. À bien des égards, il avait raison. Nous étions compatibles et probablement beaucoup mieux adaptés l'un à l'autre que Ren et moi. Comme Sarah et Mike, tous ces gens étaient normaux, une famille normale. Et Ren était… il ne l'était pas. Il était immortel et magnifique. Il était trop parfait.

Je pouvais facilement imaginer faire ma vie avec Li. Ce serait une vie facile et sans risque. Il serait médecin et mettrait en place un cabinet privé en banlieue. Nous aurions deux ou trois enfants et nous prendrions des vacances à Disneyland. Les enfants apprendraient tous le wushu et joueraient au football. Nous célébrerions les fêtes avec ses grands-parents, et nous rencontrerions ses amis et leurs épouses autour d'un barbecue.

Une vie avec Ren était plus difficile à imaginer. Il ne semblait pas que nous allions bien ensemble. C'était comme assortir Ken avec Fraisinette. Il avait besoin de Barbie. *Que ferait Ren en Oregon ? Trouverait-il un emploi ? Qu'écrirait-il sur son CV ? Haut Protecteur et ancien Prince de l'Inde ? Investirions-nous dans un espace à temps partagé dans un parc thématique d'animaux sauvages afin qu'il puisse être une attraction pendant les fins de semaine ?* Rien de tout cela n'avait de sens. Mais je ne pouvais plus nier mes sentiments pour lui – plus maintenant.

Il était malheureusement évident que mon cœur rebelle désirait Ren.

Même si j'essayais très fort de me convaincre de tomber amoureuse de Li, le nœud du problème, c'était que Ren m'attirait toujours. J'aimais beaucoup Li. Peut-être qu'un jour je pourrais même être amoureuse de lui. Je ne voulais vraiment pas le blesser. Ce n'était pas juste.

Que vais-je faire ?

Après une autre heure de jeu désastreux, Li me reconduisit à la maison. La soirée commençait à peine quand il entra dans l'allée. Je jetai un coup d'œil vers les fenêtres y cherchant une ombre familière, mais je ne vis rien. La maison était sombre. Li m'accompagna à la porte.

– Hé, mes yeux me trompent, ou est-ce qu'il y a du gui accroché là-haut ? dit Li en me serrant le coude.

Je levai les yeux vers le gui et je me souvins que j'avais décidé plus tôt d'embrasser Li ce soir. Cela semblait si loin. Maintenant, tout avait changé. *N'est-ce pas ? Et qu'en est-il de Ren ? Pourrions-nous vraiment être seulement des amis ? Devais-je tout risquer et tenter ma chance avec Ren, ou choisir quelque chose de sûr comme Li ? Comment pouvais-je choisir ?*

J'avais été silencieuse un long moment, et Li attendait patiemment ma réponse. Enfin, je me tournai vers lui.

— Oui, c'est exact, lui dis-je.

Je posai ma main sur sa joue et je l'embrassai doucement sur les lèvres. C'était agréable. Ce ne fut pas le baiser passionné que j'avais projeté, mais il en semblait quand même heureux. Il toucha brièvement mon visage et sourit. Le contact de Li était agréable. Sécuritaire. Mais, cela n'avait rien à voir à ce que j'avais ressenti avec Ren. Embrasser Li était un grain de poussière dans l'univers, une goutte d'eau à côté d'une chute d'eau en furie.

Comment peut-on vivre avec quelque chose d'aussi médiocre quand on a déjà vécu quelque chose de si exceptionnel ? Je suppose que l'on s'en contente et que l'on apprend à chérir ses souvenirs.

Je tournai la clé dans la serrure et j'ouvris légèrement la porte.

— Bonne nuit, Kelsey, cria joyeusement Li. Je te vois lundi.

Je le regardai repartir en voiture, puis j'entrai dans la maison pour faire face au prince indien qui m'attendait à l'intérieur.

Choix

Je franchis la porte d'entrée et je refermai la porte derrière moi, laissant mes yeux s'habituer à l'obscurité. Je me demandai si Ren était chez lui et s'il serait préférable que je mette les choses au clair avec lui ce soir.

J'entrai dans le salon et je haletai doucement quand je repérai la forme familière de mon tigre blanc aux yeux bleus, étendu sur le canapé de cuir. Ren leva la tête et regarda tout droit dans mon âme.

Les larmes me montèrent aux yeux. Je ne m'étais pas rendu compte que cette partie de lui, mon ami, m'avait tellement manqué. Je m'agenouillai devant le canapé, lançai mes bras autour de son cou, et pleurai de grosses larmes, les laissant se répandre le long de mes joues et sur sa fourrure blanche et douce. Je lui caressai la tête et le dos. Ren était ici. Finalement, il était avec moi. Je n'étais plus seule. Soudain, je compris que c'était ainsi qu'il avait dû se sentir en vivant sans moi pendant les derniers mois.

J'étouffai un sanglot.

— Ren, je… tu m'as tellement manqué. Je voulais te parler. Tu es mon meilleur ami. C'est seulement que je ne voulais pas t'empêcher de choisir. Peux-tu le comprendre ?

Mes bras étaient encore serrés autour de son cou quand je sentis qu'il était en train de changer. Son corps se transforma, puis ses bras étaient autour de moi et j'étais assise sur ses genoux. Sa chemise blanche était humide de mes larmes.

— Tu m'as manqué aussi, *iadala*, me dit-il en me serrant tout près de lui. Plus que tu ne pourrais le croire. Et je comprends les raisons de ton départ.

— Vraiment ? marmonnai-je contre sa chemise.

— Oui. Mais je veux aussi que tu comprennes quelque chose, Kells. Tu ne peux m'empêcher de choisir. C'est toi que j'ai choisie.

Je reniflai bruyamment.

— Mais, Ren…

Il appuya ma tête sur son épaule.

— Cet homme, Li. Tu l'as embrassé ?

Je hochai la tête sans rien dire contre sa poitrine. Il était inutile de le nier. Je savais qu'il devait avoir entendu à travers la porte.

— L'aimes-tu ?

— Je ressens de l'amitié et du respect pour lui, et je l'aime beaucoup, mais je ne dirais pas que je suis follement amoureuse de lui. Du moins pas encore.

— Alors, pourquoi l'as-tu embrassé ?

— Je l'ai embrassé pour… comparer, je suppose. Pour essayer de découvrir quels étaient mes véritables sentiments pour lui.

Ren me souleva et me déposa sur le canapé à côté de lui. Il semblait être intéressé par le sujet, et je ne pouvais comprendre pourquoi. Je m'attendais à ce qu'il soit en colère, mais il ne l'était pas du tout.

— Donc, pour toi, c'est en *sortant* avec quelqu'un que tu apprends si vous vous aimez l'un l'autre ?

— Oui, répondis-je avec hésitation.

— As-tu eu d'autres rendez-vous, ou est-ce le premier ?

— Tu veux dire avec Li ?

Il leva un sourcil.

— Y en a-t-il eu d'autres ?

— Oui, répondis-je en fronçant les sourcils.

— Combien ?

— Trois en tout — Li, Jason, et Artie. Bien qu'Artie ne compte pas vraiment. Ren, pourquoi toutes ces questions ? Où veux-tu en venir ?

— Je suis simplement curieux de connaître les rituels modernes de séduction. Qu'as-tu fait pendant ces rendez-vous ?

— Je suis allée voir des films, je suis sortie pour souper, j'ai assisté à un mariage avec Li, et j'ai vu une partie de football avec Jason.

— As-tu embrassé tous ces hommes ?

— Non ! Seulement Li, et c'était la première fois.

— Alors, Li est ton préféré.

Ren commença à marmonner pour lui-même. Se tournant pour me faire face, il prit mes mains dans les siennes.

— Kelsey, je pense que tu devrais continuer à sortir avec des gars.

— Quoi ? répondis-je, bouche bée.

— Je suis sérieux. J'y ai réfléchi pendant que tu étais partie. Tu as parlé de me donner des choix. Moi, j'ai fait le mien, mais tu n'as pas encore fait le tien.

— Ren, c'est de la folie ! Qu'est-ce que tu racontes ?

— Sors avec Li, ou Jason, ou qui tu veux, et je te promets que je ne ferai rien pour t'en empêcher. Mais je veux aussi une chance équitable. Je veux que tu sortes aussi avec *moi.*

— Je ne pense pas que tu comprennes ce que ça signifie de sortir avec quelqu'un, Ren. Je ne peux sortir avec trois ou quatre hommes pour toujours. L'idée de ces sorties, c'est que tu finis par devenir exclusif pour quelqu'un avec qui tu t'entends bien.

Il hocha la tête.

— Tu sors pour trouver la personne que tu aimes, Kelsey.

— Alors, bredouillai-je, que dois-je dire à Li ? « Soit dit en passant, Ren est de retour et il a pensé que ce serait génial que je sorte avec vous deux ? »

Il haussa les épaules.

— Si Li ne peut pas tolérer une compétition franche et honnête, alors il est préférable que tu le saches maintenant.

— Alors, je serai très mal à l'aise de suivre mes cours de wushu.

— Pourquoi ?

— C'est mon professeur.

Ren sourit.

— Très bien. Je t'accompagnerai. Je veux le rencontrer, et de toute façon, je pourrai profiter d'une bonne séance d'entraînement.

— Euh, Ren, c'est un cours de débutants. Ce n'est pas ta place, et je ne veux pas que tu te battes avec Li. J'aimerais vraiment que tu n'y ailles pas.

— J'agirai en parfait gentleman.

Il pencha la tête, m'examinant.

— As-tu peur que je sois le choix évident ?

— *Non,* lui répondis-je avec irritation. J'ai plus peur que tu l'écrases comme une punaise.

— Je ne ferais pas ça, Kelsey. En supposant que je veuille le faire, ce ne serait pas le moyen de gagner ton affection. Même moi, je sais cela. Alors, vas-tu sortir avec moi ?

— Sortir avec toi serait… *difficile.*

— Pourquoi est-ce plus facile de fréquenter d'autres hommes que moi ? Et ne me répète pas l'explication du radis. C'est ridicule.

— Parce que, continuai-je tranquillement, si ça ne fonctionnait pas, je pourrais survivre sans ces autres hommes.

— *Iadala,* dit Ren en embrassant mes doigts et en me regardant tout droit dans les yeux, tu ne me perdras *jamais.* Donne-moi une chance, Kells. S'il te plaît.

Je soupirai et je regardai son beau visage.

— D'accord. Nous essaierons.

— Je te remercie.

Il se pencha en arrière contre le canapé, très content de lui.

— Tu n'as qu'à me traiter comme tous les autres gars.

Parfait. Pas de problème. Il s'agit tout simplement de traiter, comme s'il était juste un type ordinaire, l'homme le plus beau et le plus parfait de la terre qui, par hasard, est un ancien prince de l'Inde sur lequel pèse une malédiction et qui est devenu un tigre. Aucune fille avec le moindre bon sens ne pourrait le regarder – même sans connaître tout ce que je connais – et penser qu'il est comme tous les autres gars.

Il se pencha sur moi et m'embrassa rapidement sur la joue.

– Bonne nuit, *rajkumari*. Je t'appelle demain.

Le lendemain matin, le téléphone sonna beaucoup trop tôt. C'était Ren qui m'invitait à dîner – notre premier rendez-vous officiel.

Je bâillai, encore endormie.

– Où veux-tu manger ?

– Je n'en ai aucune idée. Que proposes-tu ?

– Habituellement, le gars a un endroit en tête avant de téléphoner, mais je te donnerai une chance cette fois-ci, étant donné que tu ne t'y connais pas dans les sorties et tout le reste. Je sais où nous devrions aller. Mets une tenue décontractée, et viens me chercher à 17 h 30. Mais tu peux venir me rendre visite plus tôt, si tu le souhaites.

– Je te verrai à 17 h 30, Kells.

Je m'affairai dans la maison une grande partie de la journée, regardant notre porte communicante, mais Ren demeurait obstinément de son côté. Je préparai même quelques biscuits aux pépites de chocolat, en espérant qu'il soit attiré par l'odeur et qu'il arrive plus tôt, mais cela ne fonctionna pas.

À exactement 17 h 30, il cogna à ma porte d'entrée. Quand je lui ouvris, il me tendit une rose et m'offrit son bras. Il était fabuleusement bien vêtu, surtout pour une sortie décontractée : il portait une chemise rayée à manches longues gris foncé avec un veston griffé en duvet.

À l'extérieur, Ren ouvrit la porte du Hummer. De l'air chaud soufflait des bouches de ventilation de la voiture alors qu'il glissait ses mains autour de ma taille et me soulevait jusqu'à mon siège. Il s'assura que ma ceinture était bien bouclée.

— Où allons-nous ? me demanda-t-il.

— Je te ferai découvrir la fierté du Nord-Ouest. Je t'emmène à Burgerville.

En route, Ren me parla de tout ce qu'il avait appris au cours des derniers mois, y compris la conduite automobile. Il me raconta une histoire amusante à propos de Kishan, qui s'était écrasé sur la fontaine avec la jeep, après quoi M. Kadam n'avait plus laissé Kishan s'approcher de la Rolls.

— M. Kadam m'a donné des leçons particulières sur tous les sujets imaginables, poursuivit Ren. J'ai étudié la politique moderne, l'histoire du monde, de la finance et des affaires. Apparemment, le fait de vivre depuis des siècles, s'additionnant aux sages investissements de M. Kadam, a porté ses fruits. Nous sommes très riches.

— Riches comment ?

— Suffisamment riches pour faire fonctionner notre propre pays.

J'eus le souffle coupé.

— M. Kadam a établi des relations partout dans le monde, poursuivit nonchalamment Ren. Ce sont des ressources très précieuses, et tu serais surprise de voir combien de gens importants lui doivent des faveurs.

— Des gens importants ? Comme qui ?

— Des généraux, des PDG, des politiciens de tous les grands pays du monde, la royauté et même des chefs religieux. Il a de *très* bonnes relations. Même si j'étais un homme pendant toute la journée et que je passais toutes mes heures éveillées avec lui, je ne réussirais jamais à amasser la somme de connaissances qu'il a acquises au fil des ans. Il était déjà un brillant conseiller pour mon père mais, maintenant, il n'est rien de moins qu'un génie. Aucune récompense sur la terre ne pourrait le dédommager pour sa fidélité envers nous. Je souhaite seulement qu'il y ait un moyen de lui exprimer nos remerciements de façon appropriée.

Une fois dans le stationnement du restaurant, Ren m'offrit son bras, que je pris.

— Être immortel a son prix, lui dis-je. M. Kadam semble très solitaire, et c'est là quelque chose que vous partagez tous les trois. Vous êtes liés les uns aux autres, comme une famille. Personne ne peut comprendre ce que tu as traversé plus que Kishan et M. Kadam. Je crois que la meilleure chose que tu puisses faire pour le remercier, c'est de lui rendre la même sorte de loyauté. Il considère que toi et Kishan êtes ses fils, et la meilleure façon pour un fils d'honorer son père, c'est d'être le genre d'homme qui le rend fier.

Ren s'arrêta, sourit et se pencha pour embrasser ma joue.

— Tu es une femme très sage, *rajkumari*. C'est un excellent conseil.

Quand nous arrivâmes à la caisse du Burgerville, Ren me laissa commander en premier et commanda ensuite sept énormes sandwiches, trois portions de frites, une grande boisson gazeuse et un énorme lait frappé aux mûres. Quand la dame lui demanda si c'était pour apporter, il hocha la tête, confus, et lui dit que nous mangerions à l'intérieur. Je me mis à rire, et j'expliquai à la dame qu'il avait *très* faim.

À la distributrice de boissons gazeuses, Ren goûta à plusieurs essences et finit par choisir une racinette. Il était très divertissant de le voir découvrir de nouvelles saveurs et de nouveaux aliments.

Au cours du souper, nous parlâmes de mes études et de mon projet de recherche inachevé pour M. Kadam sur l'air, les créatures ailées et le test des quatre maisons. Je lui parlai aussi de Jason et de mon horrible sortie avec Artie. Ren fronça les sourcils ; il avait de la difficulté à comprendre pourquoi quelqu'un serait sorti de son plein gré avec Artie.

— En fait, comme il l'a fait avec moi, il trompe les filles pour les amener à sortir avec lui, expliquai-je. Il porte des jugements à l'excès et il est obsédé par lui-même.

— Hum.

Ren déballa son dernier sandwich et se mit à le fixer, l'examinant.

Je me mis à rire.

— Tu n'as plus faim, Tigre ? Il serait dommage de ne pas savourer ton lait frappé aux mûres. C'est *vraiment* le meilleur au pays.

Il récupéra une autre paille et la planta dans la partie supérieure du lait frappé.

— Allez, partage avec moi.

J'en pris une gorgée, et Ren se pencha et en aspira environ un tiers en une seule grande gorgée. Puis, il me sourit.

— Je croyais que tu avais dit que tu ne partagerais jamais plus de lait frappé avec moi.

Je le taquinai avec une consternation moqueuse.

– Oh, non ! Tu as raison. Eh bien, celui-ci ne compte pas. Je parlais à la meilleure moitié de toi, celle du tigre. Donc, ma promesse est toujours valable.

– Non, tu as certainement manqué à ta promesse. Et ma moitié tigre n'est certainement pas ma meilleure moitié. Cela ne fait que me motiver un peu plus pour te prouver que tu as tort.

Après le dîner, nous nous dirigeâmes vers un parc à proximité pour faire une promenade. Ren alla chercher une couverture dans le coffre.

– Suis-je autorisé à te donner la main pendant un premier rendez-vous ? demanda Ren.

– Tu me tiens toujours la main.

– Mais pas pendant un rendez-vous.

Je levai les yeux au ciel, mais je lui tendis la main. Nous nous promenâmes pendant un certain temps dans le parc, et il me posa beaucoup de questions au sujet de l'Amérique, de son histoire et de sa culture. Il était facile de parler avec lui. Tout était nouveau et tout le fascinait.

Nous nous arrêtâmes près d'un étang. Ren s'assit, m'attira contre sa poitrine et me prit dans ses bras.

– C'est juste pour essayer de te garder au chaud, dit-il sur la défensive, alors que je lui lançais un regard entendu.

– C'est le plus vieux truc du monde, monsieur, lui dis-je en ricanant.

Ren se mit à rire et frotta ses lèvres contre mon oreille.

– Quels autres trucs devrai-je essayer sur toi ?

– D'une manière ou d'une autre, je pense que tu vas les découvrir par toi-même.

Même si je l'avais taquiné, être près de lui me gardait au chaud et nous parlâmes et regardâmes l'eau et le clair de lune pendant des heures.

Ren voulut savoir tout ce que j'avais fait depuis que j'avais quitté l'Inde. Il voulait voir Silver Falls, se rendre au Festival Shakespeare, aller au cinéma et faire l'essai de tous les restaurants de la ville. Après qu'il eut fini de m'interroger sur les choses à faire et les endroits à visiter en Oregon, le ton de la conversation changea.

Il me serra plus fort.

— Tu m'as manqué.

— Tu m'as manqué aussi.

— Rien n'était plus pareil après ton départ. L'étincelle de vie avait disparu de la maison. Tout le monde le sentait. Je n'étais pas le seul à qui tu manquais. Même Kadam était silencieux. Kishan ne cessait de dire que le monde moderne n'avait rien à lui offrir et il menaçait souvent de partir. Mais je l'ai surpris à plus d'une occasion à écouter aux portes au moment de tes appels téléphoniques.

— Je ne voulais pas vous rendre la vie plus difficile. J'espérais vous faciliter les choses. Faire en sorte que votre nouvelle acclimatation dans le monde soit un peu moins compliquée.

— Tu ne me compliques pas la vie. Tu la simplifies. Quand tu es près de moi, je sais exactement où je devrais être — à tes côtés. Après ton départ, j'ai passé mon temps à tourner en rond en cercles confus. Ma vie était déséquilibrée. Je n'avais plus de but.

— Je suis ton Ritalin, hein ?

— Qu'est-ce que c'est ?

— C'est un médicament qui aide les gens à mieux se concentrer.

— Cela semble plutôt juste.

Il se leva et me souleva dans ses bras.

— N'oublie pas, me dit-il, j'ai besoin de doses fréquentes.

Je ris et lui donnai un baiser rapide sur la joue. Ren me remit sur mes pieds, et nous revînmes au Hummer avec son bras autour de mes épaules.

Je me sentais bien. Pour la première fois depuis des mois, j'avais l'impression d'être entière et heureuse.

— *Shubharatri*, Kells, me dit-il en me ramenant vers ma porte.

— Qu'est-ce que ça veut dire ?

Il me lança un de ces sourires qui font faiblir les genoux et déposa un long baiser sur la paume de ma main.

— Ça veut dire bonne nuit.

Confuse et un peu frustrée, j'allai me coucher.

Confuse et un peu frustrée, voilà comment je me sentais en général quand je sortais avec Ren. J'aurais voulu être beaucoup plus souvent avec lui, mais il semblait déterminé à passer par ce qu'il appelait les *pratiques coutumières de rendez-vous*. Cela signifiait me laisser à moi-même, sauf si nous avions prévu un rendez-vous. Il ne me laissait même pas le voir comme tigre.

Chaque jour, il téléphonait pour voir si j'étais disponible. Puis, il me demandait de sortir pour aller au cinéma, au restaurant, prendre un chocolat chaud, ou encore bouquiner dans une librairie. Quand il déterminait que le rendez-vous était terminé, il partait. Il disparaissait complètement, et je n'arrivais même pas à apercevoir sa version rayée le reste de la journée. Il refusait également de m'embrasser, puisqu'il estimait avoir beaucoup de rattrapage à faire. Même s'il était de l'autre côté du mur, mon tigre me manquait.

Nous commençâmes à lire *Othello* ensemble. Ren aimait vraiment le personnage d'Othello, jusqu'à ce qu'il soit trompé par Iago.

— Othello a détruit son amour et celui de Desdémone, tout comme l'a fait Roméo. Cela n'a rien à voir avec Iago, commenta Ren d'un air pensif. Othello ne faisait pas confiance à sa femme. Si seulement il lui avait demandé ce qui était arrivé à son mouchoir ou comment elle se sentait par rapport à Cassio, il aurait appris la vérité.

— Othello et Desdémone ne se connaissaient pas depuis très longtemps, répliquai-je. Peut-être qu'ils n'étaient pas vraiment *amoureux*. Peut-être que leur seul lien réel était maintenu à travers les histoires qu'il racontait et ses aventures passionnantes. Ce n'est pas différent de toi, si je peux me permettre.

Ren était étendu avec sa tête sur mes genoux. Il se mit à jouer avec mes doigts, réfléchissant pendant une minute.

— Est-ce pour cela que tu es avec moi, Kelsey? demanda-t-il timidement. Pour l'aventure? Est-ce que tu t'ennuies assise ici à lire avec moi, alors que nous pourrions être en randonnée en Inde à la recherche d'objets magiques et lutter contre des démons?

Je réfléchis un moment.

— Non. J'aime être avec toi, même si on ne fait que manger du maïs soufflé et lire.

Il grogna et m'embrassa les doigts.

— Très bien.

Je repris la lecture, mais il se leva brusquement et me traîna dans la cuisine avec une soudaine envie d'apprendre à préparer du maïs soufflé au four à micro-ondes.

Un après-midi, j'éprouvai une envie si désespérée de voir mon tigre que je décidai d'aller le trouver sans rendez-vous officiel. Je frappai à notre porte communicante et devant l'absence de réponse, j'entrai dans le salon de Ren. Quelques colis non ouverts étaient empilés sur son comptoir, mais à part cela, la maison donnait une impression de vide. Je montai l'escalier.

— Ren ? appelai-je, mais je ne reçus toujours pas de réponse.

Où peut-il être ? songeai-je en passant ma tête dans le bureau de Ren. Son ordinateur portable était ouvert et l'écran affichait trois fenêtres.

M'installant dans son confortable fauteuil de bureau en cuir, je me rendis compte que la première fenêtre était le site d'un magasin de vêtements griffés très chers, et que la seconde indiquait un lien vers les rituels de séduction à travers les âges. Sur la troisième fenêtre, il y avait une chaîne de courriels de M. Kadam. Je me sentais un peu coupable de lire les messages de Ren, mais ils étaient si courts qu'avant même de m'en rendre compte, je les avais déjà tous lus.

De : masteratarms@rajaramcorp.com
Pour : whttgr@rajaramcorp.com
Objet : Documents
Ren,
La question des documents est résolue.
Kadam

De : masteratarms@rajaramcorp.com
À : whttgr@rajaramcorp.com
Objet : Transfert
Ren,
À la suite de ta demande, j'ai joint un fichier en cas d'urgence.
Kadam

Documents ? Transfert ? Qu'est-ce qu'ils font ? Je fis glisser le curseur de la souris sur la pièce jointe. Mon doigt sur le bouton, j'hésitai, me demandant si j'étais vraiment prête à me laisser envahir par la curiosité, lorsqu'une voix me fit sursauter.

— C'est une bonne idée de demander la permission avant de fouiner dans des documents personnels, tu ne crois pas ? demanda Ren d'un air décontracté.

Je réduis la fenêtre et je me levai brusquement. Il remplissait la porte d'entrée du bureau, s'appuyant contre une de ses épaules tandis qu'il avait les bras croisés sur sa poitrine.

— Je… je venais pour te chercher et j'ai été distraite, marmonnai-je.

— Je vois.

Il ferma doucement son ordinateur portable et appuya sa hanche contre le bureau, m'examinant.

— Je dirais que tu as trouvé plus que ce que tu cherchais.

Je fixai mes lacets pendant quelques secondes, mais je trouvai rapidement une étincelle d'agacement pour apaiser ma culpabilité et je levai la tête.

— M'as-tu caché des choses ?

— Non.

— Eh bien, y a-t-il ici quelque chose d'important dont tu ne me parles pas ?

— Non, répéta-t-il.

— Promets-le-moi, dis-je doucement, promets-le-moi sous serment royal.

Il prit mes mains dans les siennes, et me regarda dans les yeux.

— En tant que prince de l'empire Mujulaain, je te promets qu'il n'y a rien ici pour t'inquiéter. Si tu es inquiète, pose des questions à Kadam.

Il pencha sa tête un peu plus près.

— Mais ce que je veux vraiment, c'est ta confiance. Je n'en abuserai pas, Kelsey.

— Tu ferais mieux, répondis-je en lui donnant un petit coup sur la poitrine.

Il ramena mes doigts sur ses lèvres, me distrayant suffisamment pour que le sujet perde soudainement la plus grande partie de son importance.

— Promis, dit-il doucement ; et il me reconduisit vers ma maison.

L'hébétement romantique se dissipa rapidement après son départ, et je commençai à ressentir de la colère en reconnaissant qu'il lui suffisait de me toucher pour que je me plie à sa volonté.

Le lundi après Noël, les classes de wushu recommencèrent, et je n'avais absolument aucune idée de ce que j'allais dire à Li. Cette fois, Ren décida de tirer sa révérence pour que je puisse parler à Li en premier. Pendant toute la séance, j'étais incapable de me concentrer, et je fis un effort sans enthousiasme pour apprendre les positions de mains. Je n'arrivais pas à me rappeler des noms. Les seules dont je pouvais me souvenir étaient celles de la griffe d'aigle et du singe.

Après le cours, il était temps de faire face à la musique. *Que vais-je dire ? Il va me détester.*

— Li, il faudrait qu'on parle.

— D'accord.

Il sourit.

Il était heureux et insouciant, mais moi, c'était tout le contraire. Je me sentais tellement nerveuse que je dus m'asseoir sur mes mains pour qu'elles ne tremblent pas.

Li étendit ses longues jambes sur le tapis et se redressa contre le mur à côté de moi. Prenant une longue gorgée d'eau, il essuya ensuite sa bouche.

— Alors, qu'est-ce qui se passe, Kelsey ?

— Humm... Je ne suis pas vraiment sûre de savoir comment le dire, alors je pense que je vais simplement cracher le morceau. Ren est de retour.

— Oh. Je me demandais quand il allait se manifester. J'ai pensé qu'il ne resterait pas loin de toi pour toujours. Donc, tu es en train de rompre avec moi, dit-il d'un ton neutre.

— Eh bien, non, pas exactement. Tu vois, Ren voudrait que je continue à sortir avec toi, mais il veut aussi sortir avec moi.

— Quoi ? Quel genre de type voudrait... attends... donc tu n'es pas en train de rompre avec moi ?

— Non, me dépêchai-je d'expliquer. Mais je comprendrais si tu ne voulais plus faire partie du décor. Il pense que je devrais sortir avec vous deux pour ensuite faire un choix.

— Eh bien, comme c'est… généreux de sa part. Et toi, comment te sens-tu là-dedans ?

Je posai ma main sur son bras.

— J'ai accepté de faire un essai, mais je lui ai expliqué que sortir avec deux types en même temps n'est pas la façon habituelle de faire les choses et que tu n'accepterais jamais.

— Alors qu'est-ce qu'il a dit ?

Je soupirai.

— Il a dit que si tu n'étais pas capable de t'engager dans une compétition honnête, il serait préférable que je le sache tout de suite.

Les mains de Li se serrèrent pour former un poing.

— S'il croit que je me contenterai d'abandonner la partie et de m'éloigner, alors il a tort ! C'est effectivement une compétition honnête.

— Tu plaisantes ? Tu te moques de moi, n'est-ce pas ?

— Mon grand-père m'a appris à me fixer des objectifs pour ensuite me battre pour les atteindre, et il n'est pas question que je te laisse partir sans me battre. Un jeune homme qui n'a pas suffisamment de prévoyance pour reconnaître la fille avec qui il veut être et pour la poursuivre activement ne la mérite pas.

Je clignai des yeux. Li et Ren avaient été taillés dans la même étoffe, même s'ils étaient nés à des siècles d'intervalle.

— Donc, continua-t-il, il est ici en ville ?

— Pas exactement, soupirai-je, c'est mon nouveau voisin.

— Je comprends. Alors, il a déjà un avantage de proximité.

— On dirait que vous avez tous les deux décidé de prendre le château d'assaut, marmonnai-je avec ironie.

Il ignora mon commentaire, ou alors ne l'entendit tout simplement pas. Il m'aida distraitement à me lever et m'accompagna jusqu'à ma voiture.

— Oh, ajoutai-je, alors que Li se penchait sur ma fenêtre ouverte, et il veut aussi assister à une classe de wushu.

Li frappa dans ses mains et se mit à rire.

— Excellent ! Alors nous verrons vraiment de quoi l'homme est fait. Emmène-le demain ! Dis-lui que par faveur spéciale, je renoncerai même aux frais de cours.

— Mais, Li, il n'est pas à mon niveau.

— Encore mieux ! Le débutant a besoin d'apprendre une chose ou deux !

— Non, tu as mal compris. Il...

Li m'embrassa très fort sur les lèvres, ce qui effectivement me fit taire. Il me sourit et ferma la porte avant que je ne puisse terminer ma réponse. Agitant la main, il disparut dans l'obscurité du studio.

Le lendemain, je trouvai une note rédigée avec soin, collée avec du ruban adhésif à la bouteille de jus d'orange à l'intérieur du réfrigérateur.

De toutes les formes de prudence, la prudence en amour est peut-être celle qui est la plus fatale au vrai bonheur.

— *Bertrand Russell*

Je soupirai, décollai la note de la bouteille de jus d'orange et la serrai dans mon journal. Je téléphonai à Ren, car il ne semblait pas vouloir me voir autrement que pendant les rendez-vous planifiés. Je l'informai qu'il avait été invité au cours de wushu, puis je lui dis carrément ce que je pensais de cette idée. Il repoussa mes appréhensions, et il déclara que Li serait un excellent rival et qu'il avait hâte de le rencontrer.

Exaspérée, je renonçai à le faire changer d'idée et je raccrochai brusquement. Il rappela à plusieurs reprises ce jour-là, mais j'ignorai le téléphone et je pris un long bain moussant.

Ce soir-là, Ren sortit le Hummer du garage et vint me chercher. Je n'avais vraiment, vraiment, *vraiment* pas envie d'être dans la même pièce que Li et Ren, et je ne pouvais m'empêcher d'être reconnaissante du fait que nous ne soyons pas assez avancés dans le wushu pour utiliser des armes.

Son corps remplissait le cadre de porte.

— Tu es prête ? J'ai hâte d'aller à mon premier cours.

Mon silence maussade ne semblait pas du tout le dérouter, et pendant notre trajet en voiture, il parla de commencer les cours à la WOU.

Nous arrivâmes quelques minutes en retard. Le cours avait déjà commencé, et Jennifer était en train de faire des réchauffements dans le coin. Ren marchait avec confiance à côté de moi. Gardant les yeux baissés, je me hâtai d'entrer, laissai tomber mon sac sur le sol et enlevai mon manteau.

Je jetai un coup d'œil à Jennifer, qui s'étirait les jambes sur le plancher. Elle s'arrêta à mi-chemin d'un étirement pour regarder Ren. Ses yeux lui sortaient pratiquement des orbites. Les yeux de Li passèrent par-dessus ma tête et se fixèrent sur Ren, qui lui rendit son regard avec audace, comme s'il était en train d'évaluer ses faiblesses.

Ren enleva sa veste, ce qui suscita une sorte de grincement de la part de Jennifer, qui était maintenant totalement concentrée sur les biceps or et bronze de Ren. Son T-shirt ajusté sur ses muscles montrait ses bras et sa poitrine parfaitement développés.

— Pour l'amour du ciel, Ren ! lui sifflai-je calmement. Tu vas donner des palpitations cardiaques aux femmes !

Il leva les sourcils comme s'il ne comprenait pas.

— Kells, qu'est-ce que tu racontes ?

— Toi, alors ! Tu es trop…

Je renonçai, dégoûtée.

— Peu importe.

Je me raclai la gorge.

— Désolée d'interrompre votre cours, Li. Salut tout le monde, c'est mon invité, Ren. Il nous rend visite de l'Inde.

La bouche de Jennifer s'ouvrit en un grand « Oh ! » silencieux.

Li me lança un regard interrogateur pendant un moment avant de retourner à ses affaires. Il nous guida à travers les formes et les sortes de coups de pied, et il semblait tout à fait irrité de voir que Ren connaissait chaque mouvement. Li nous ordonna de faire équipe et décida que Ren serait le partenaire de Jennifer, alors qu'il travaillerait avec moi.

Ren se tourna vers Jennifer avec bonhomie, et elle rougit des pieds à la racine de ses cheveux. Nous pratiquâmes les renversements. Li fit une démonstration avec moi et demanda alors à tous de faire un essai. Ren parlait déjà confortablement avec Jennifer, la guidant doucement à travers les mouvements et lui donnant des conseils et des indications. D'une certaine manière, il l'avait rapidement mise à l'aise. Il était très charmant et très doux. Quand elle essaya de le faire tomber, il tomba de façon spectaculaire et se frotta le cou, la faisant éclater de rire.

Je souris. *Ouais*, pensai-je, *il a aussi cet effet sur moi.*

J'étais heureuse qu'il soit gentil avec mon amie. Tout à coup, je me retrouvai allongée sur le dos, regardant fixement les lampes fluorescentes. Pendant que j'étais en train de regarder Ren et Jennifer, Li m'avait retournée durement. Je n'avais pas vraiment mal, j'étais juste un peu surprise. L'expression déterminée de Li se transforma immédiatement en regret.

— Je suis tellement désolé, Kelsey. T'ai-je fait mal ? Je ne le voulais pas.

Avant qu'il puisse terminer ses excuses, Li se fit projeter sur le tapis à quelques mètres. Ren se mit à genoux au-dessus de moi.

— Est-ce qu'il t'a blessée, Kells ? Tu vas bien ?

— Ren ! Sifflai-je, en colère et mal à l'aise. Je vais bien ! Li ne m'a pas blessée. Je ne faisais tout simplement pas attention. C'est ce qui s'est passé.

— Il aurait dû être plus prudent, grogna Ren.

— Je vais bien, murmurai-je doucement. Et *vraiment* ! Étais-tu obligé de le lancer à l'autre bout de la salle ?

Il grogna et m'aida à me relever.

Li se dépêcha de revenir, ignorant Ren.

— Ça va, Kelsey ?

Je posai ma main sur son bras

— Je vais bien. Ne vous en faites pas. C'était de ma faute si j'étais distraite.

— Oui. *Distraite.*

Ses yeux se déplacèrent brièvement vers Ren.

— Bon jeté, mais je voudrais te voir essayer de le refaire.

Ren lui fit un large sourire.

— N'importe quand.

Li lui rendit subtilement son sourire et plissa les yeux.

— Plus tard, alors.

Je me tenais près de Jennifer, qui tremblait d'excitation. Elle ouvrit la bouche pour poser la première de ce que je savais être des centaines de questions, et je levai un doigt en l'air.

— Patiente un peu. Je veux juste terminer le cours. Ensuite, je te promets que je t'expliquerai ce qui se passe.

— Promis ? articula-t-elle.

Je hochai la tête.

Jennifer passa le reste de l'heure à nous observer avec vigilance, Ren, Li et moi. Je pouvais voir tourner les mécanismes de son cerveau alors qu'elle écoutait attentivement toutes les remarques et catégorisait probablement chaque regard et contact occasionnel. Li nous guida à travers des positions de mains simples pour le reste de l'heure, puis le cours fut brusquement terminé. Ren et Li semblaient s'être lancés dans un concours pour voir qui des deux regarderait l'autre fixement le plus longtemps. Les deux avaient les bras croisés sur la poitrine, s'évaluant froidement. J'accompagnai Jen à la porte.

Elle me serra le bras.

— Ton Ren est merveilleux. Et absolument délicieux. Je peux comprendre pourquoi tu as eu du mal à le laisser partir. Si j'avais quelques années de moins et que je n'étais pas mariée, je l'enfermerais avec moi et j'avalerais la clé. Que vas-tu faire ?

— Ren veut que je sorte avec chacun des deux.

La bouche de Jennifer s'ouvrit toute grande.

— Mais je n'ai pas encore pris de décision, me hâtai-je d'ajouter.

— C'est tellement excitant ! C'est mieux que mon feuilleton préféré. Bonne chance, Kelsey. Rendez-vous lundi.

Alors que Ren et moi étions en train de rouler vers la maison, je lui demandai :

— Qu'est-ce que vous vous êtes dit, Li et toi ?

— Je vais continuer à suivre les cours de wushu, mais je dois payer des frais que Li a intentionnellement fixés à une somme exorbitante, croyant que je ne pourrais pas me le permettre.

— Je n'aime pas cette situation. Je me sens comme un enfant au centre d'une lutte hostile pour une garde partagée.

— Tu peux sortir avec chacun de nous, répondit-il doucement, ou tu peux rompre avec Li maintenant. Mais pour être juste, tu devrais donner au moins une semaine à Li.

— Ha ! Qu'est-ce qui te fait penser que je te choisirai ? Li est aussi un bon gars !

Ren se frotta la mâchoire.

— Oui, dit-il calmement. Je crois qu'il l'est.

Ce commentaire me surprit, et j'y réfléchis pendant tout le trajet de retour. En arrivant chez moi, Ren m'aida à sortir de la voiture et disparut comme d'habitude.

Sortir avec Li, Ren et Jason en même temps était absolument ridicule. C'était comme être entouré de chevaliers qui joutaient pour les faveurs d'une fille. Pendant qu'ils piétinaient le sol en armure de combat, aiguisaient leurs lances et se préparaient à monter à cheval, je réfléchis à mes options. En fin de compte, j'avais toujours le choix. Je pouvais choisir le gagnant, le perdant ou aucun d'entre eux. La bonne nouvelle, c'est que cela me donnait un peu de temps.

Je pouvais comprendre l'idée d'une rivalité romantique du point de vue de Ren, au moins un peu. Au siècle où il avait vécu, il est probable que les hommes se battaient pour les femmes, et l'instinct de Ren le tigre lui suggérait probablement de chasser les autres mâles. Ce à quoi je ne m'étais pas attendue, c'était la réaction de Li. *Qui aurait cru qu'il s'en soucierait autant ?* pensai-je. *Si Li s'était contenté de rompre avec moi, mon rôle dans cette petite production aurait été plus facile. Peut-être qu'ils s'entre-tueront tous les deux dans le processus et qu'à la fin, tout le monde mourra, comme dans Hamlet.*

Lorsque nous arrivâmes au cours de wushu, le jeudi, Li et Ren semblaient avoir conclu un accord tacite selon lequel ils ne devaient pas se regarder. Les élèves de la classe les regardaient prudemment, mais comme il ne se passait rien, tout le monde finit par s'installer. Ni Li ni Ren ne se jumelèrent avec moi.

Li fit tout son possible pour m'emmener prendre de bons soupers et pour planifier des pique-niques élaborés. Ren était content de venir me voir et de lire en ma compagnie, ou alors de regarder des films en salle. Le maïs soufflé salé-sucré devint sa collation favorite, et il s'avéra être un expert pour le préparer. Nous regardâmes de vieux films et il me posa des centaines de questions. Il aimait une variété de films, particulièrement *Star Wars*. Il aimait Luke et croyait que Han Solo était plutôt un mauvais garçon.

— Il n'est pas digne de la princesse Leia, dit-il ; cela me donna une meilleure compréhension de son personnage de chevalier-en-armure-étincelante.

Le vendredi soir, Ren et moi étions sur le point de regarder un autre film quand je me souvins que j'avais prévu un rendez-vous avec Jason. Je dis à Ren qu'il pouvait regarder le film sans moi. Ren grogna, puis ramassa son sac de maïs soufflé et se dirigea vers le four à micro-ondes.

Quand je revins en bas, vêtue d'une robe bleu foncé avec des chaussures à lanières et mes cheveux défrisés, Ren se leva brusquement et laissa tomber son bol de maïs soufflé sur le sol.

— Pourquoi es-tu habillée comme ça ? Où vas-tu ?

— Jason m'emmène à une pièce de théâtre à Portland. D'ailleurs, je croyais que tu avais une sorte de politique de non-ingérence chevaleresque au sujet de mes sorties.

— Quand tu t'habilles de cette manière, je peux faire toutes les interventions que je veux.

La sonnette retentit, et lorsque j'ouvris la porte, Ren se déplaça brusquement derrière moi pour m'aider à mettre mon manteau. Jason se déplaça d'avant en arrière, mal à l'aise. Ses yeux filèrent vers Ren.

— Euh, Jason, c'est mon ami, Ren. Il est en visite de l'Inde.

Ren lui tendit la main et lui fit un sourire abrasif.

— Prends bien soin de *ma copine*, Jason.

Il y avait un très implicite « sinon… » attaché à la fin de la phrase. Jason déglutit.

— Euh, euh. C'est certain.

Je poussai Ren pour qu'il retourne dans la maison et je lui fermai la porte au nez. En fait, je me sentais soulagée d'être avec Jason. Je ne sentais pas la pression intense que j'éprouvais maintenant avec Li et Ren. Non pas qu'ils faisaient de la pression sur moi. Ren, en particulier, semblait avoir une patience infinie. Je supposai que c'était dû à sa moitié tigre.

Jason m'emmena voir *Le Roi lion*. Les costumes et les accessoires étaient incroyables, et pour une fraction de seconde, j'aurais voulu que Ren m'accompagne au lieu de Jason. Ren aurait aimé voir comment tous les animaux avaient été dépeints.

Après le spectacle, la foule se déversa sur le trottoir. Les gens se promenaient tranquillement dans tous les sens dans la rue, forçant les voitures à avancer par à-coups dangereux alors qu'elles essayaient de se faufiler autour des clients du théâtre. Une dame âgée qui avait laissé tomber son programme de théâtre dans la rue se pencha pour le ramasser quand, tout à coup, une voiture tourna le coin.

Sans réfléchir, je courus devant la femme et fis signe à la voiture de s'arrêter. Le conducteur freina, mais pas assez vite. Mes chaussures à lanières se prirent dans une fissure de la chaussée tandis que j'essayais de m'éloigner. La voiture me heurta légèrement, et je tombai sur le sol.

Jason courut vers moi pour m'aider, et le conducteur sortit de sa voiture. Je n'étais pas gravement blessée. Ma robe et ma fierté étaient endommagées, mais sinon, je n'avais que quelques égratignures et des ecchymoses. Un photographe de théâtre accourut pour prendre des photos. Jason posa avec moi dans ma robe déchirée et mon visage maculé, et il lui donna mon nom, disant que j'étais une héroïne pour avoir sauvé la vieille dame.

Enlevant ma chaussure à lanière, totalement dégoûtée, je me dirigeai vers la voiture. Jason parlait avec enthousiasme de l'accident et croyait que ma photographie avait de bonnes chances d'être publiée dans le magazine du théâtre.

Tout le long du retour, il parla du prochain semestre et de la dernière fête à laquelle il avait assisté. Lorsqu'il s'arrêta devant ma maison, il ne m'ouvrit pas la porte. Je soupirai en songeant : *La chevalerie est à peu près morte chez cette génération.* Jason ne cessait de regarder ma robe déchirée et de jeter des coups d'œil aux fenêtres. Il était probablement terrifié à l'idée que Ren s'en prenne à lui pour ne pas avoir pris mieux soin de moi. Je me retournai dans mon siège pour lui faire face.

— Jason, il faut que nous parlions.

— Bien sûr. Que se passe-t-il ?

— Je pense que nous devrions cesser de sortir ensemble, lui dis-je doucement. Nous n'avons pas beaucoup de choses en commun. Mais je tiens à ce que nous restions des amis.

— Y a-t-il quelqu'un d'autre ?

Ses yeux se précipitèrent à nouveau vers la porte d'entrée.

— En quelque sorte.

— Euh, euh. Eh bien, si tu changes d'avis, je serai là.

— Merci, Jason. Tu es un bon gars.

Un peu lâche, mais agréable.

Je lui dis au revoir en l'embrassant sur la joue, et il repartit d'assez bonne humeur.

Ce n'était pas si mal. Je sais que je ne m'en sortirai pas si facilement la prochaine fois.

J'entrai dans la maison et je trouvai une autre note déposée sur le comptoir de la cuisine à côté d'un petit bol rempli de maïs soufflé.

Tu ne perds jamais en aimant.
Tu perds toujours en te retenant d'aimer.

— *Barbara DeAngelis*

Je vois un thème se développer ici. Attrapant une boisson gazeuse et le bol de maïs soufflé, je gravis lentement l'escalier en transportant mes chaussures à lanières brisées.

Un d'abattu. Et il en reste un autre.

De retour en classe

Le lendemain matin, Ren m'appela pour savoir si nous pouvions prendre le petit déjeuner ensemble. J'acceptai et je raccrochai le téléphone. Mon corps était un peu endolori à cause de ma chute; j'avalai donc quelques comprimés d'aspirine et je pris une douche chaude.

L'odeur de crêpes brûlées flottait dans l'escalier. Je rejoignis Ren dans la cuisine. Il faisait grésiller du bacon sur la cuisinière et était en train de préparer des œufs brouillés dans un grand bol. Mon tablier à volants était attaché autour de sa taille. C'était tout un spectacle.

— J'aurais pu t'aider, Ren, dis-je en retirant sa crêpe brûlée de la plaque chauffante.

— Je voulais te faire une surprise.

— C'est toute une surprise, dis-je en riant et en m'appropriant la cuisinière. Pourquoi y a-t-il du beurre d'arachide?

— Des crêpes au beurre d'arachide et aux bananes, bien sûr.

— Vraiment ? demandai-je en riant. Et comment en es-tu arrivé à cette création ?

— Essais et erreurs.

— D'accord, acquiesçai-je. Mais tu dois aussi essayer mes crêpes avec des pépites de chocolat.

— Marché conclu.

Quand j'eus préparé une pile de crêpes suffisamment haute pour satisfaire Ren, nous nous assîmes pour manger. Il prit une grosse bouchée de ses crêpes.

— Eh bien ? Qu'en penses-tu ?

— Excellent. Mais elles seraient encore meilleures avec du beurre d'arachide et des bananes.

Je tendis la main pour prendre le sirop, révélant sans le vouloir la longue ecchymose violacée sur mon bras. Ren me toucha le bras avec précaution.

— Qu'est-ce que c'est ? Qu'est-ce qui t'est arrivé ?

— Quoi ? Oh… ça. J'ai essayé d'empêcher une vieille dame de se faire frapper par une voiture qui arrivait vers elle, et c'est moi qui me suis fait cogner à la place. Je suis tombée.

Ren sauta immédiatement de son tabouret et m'examina avec soin, tâtant mes os et faisant bouger mes articulations.

— Où as-tu mal ?

— Ren ! Vraiment, je vais bien. Ce ne sont que quelques coupures et des éraflures. Aïe ! N'appuie pas là !

Je lui donnai une tape pour qu'il s'éloigne.

— Arrête, Ren ! Tu n'es pas mon médecin. Ce sont seulement quelques bosses et des contusions simples. Par ailleurs, Jason était là avec moi.

— S'est-il aussi fait frapper par la voiture ?

— Non.

— Alors il n'était pas là avec toi. La prochaine fois que je le verrai, il recevra quelques bosses et des contusions correspondantes pour qu'il puisse ressentir de l'empathie.

— Ren, arrête de faire des menaces. Et ce n'est pas grave parce que, de toute façon, je lui ai dit que je ne voulais plus sortir avec lui.

Ren sourit, visiblement satisfait.

— Très bien. Mais le garçon a tout de même besoin d'apprendre certaines choses.

— Eh bien, tu n'es pas l'homme qui est responsable de lui enseigner ces choses, et simplement pour cette raison, j'ai le droit de choisir le film. J'ai l'intention de choisir le film le plus rose que je puisse trouver.

Il grogna, marmonna quelque chose à propos de ses rivaux, des ecchymoses et des filles, puis il retourna à ses crêpes. Après le petit déjeuner, Ren m'aida à nettoyer la cuisine, mais j'étais encore fâchée contre monsieur-qui aimait-me-dire-quoi-faire. J'insérai le film et je m'assis à côté de lui avec un grand sourire sur mon visage, puis j'attendis qu'il se tortille. Le thème initial de *La mélodie du bonheur* commença à jouer, d'abord doucement, puis de plus en plus fort. Je riais, sachant qu'il souffrirait pour les prochaines heures. Cependant… Ren adora le film. Il passa son bras autour de mes épaules et joua avec le ruban à l'extrémité de ma tresse. Il fredonna tout au long de *Edelweiss* et de *My Favorite Things.*

Il arrêta le film en plein milieu, prit sa mandoline et commença à jouer la chanson. La mandoline avait un son plus exotique que la guitare du film.

— C'est magnifique ! m'écriai-je. Depuis quand en joues-tu ?

— J'ai recommencé à jouer après ton départ. J'ai toujours eu une bonne oreille pour la musique, et ma mère me demandait souvent de jouer pour elle.

— Mais tu as appris cette chanson très rapidement. L'avais-tu déjà entendue avant ?

— Non, mais j'ai toujours été capable d'entendre les notes et de savoir comment les jouer.

Il commença à jouer *My Favorite Things,* et la chanson se transforma pour devenir un air triste, mais beau. Je fermai les yeux, j'appuyai ma tête contre le canapé, et je laissai la musique m'emmener en voyage. La chanson, d'abord sombre, sinistre et désolée, se changea en quelque chose de doux et rempli d'espoir. J'avais l'impression que mon cœur battait au rythme de la chanson. Des émotions m'envahissaient à mesure que l'histoire se déroulait. La fin était mélancolique et triste. J'eus l'impression que mon cœur se brisait. Et c'est là qu'il s'arrêta.

J'ouvris les yeux en les faisant cligner.

— Qu'est-ce que c'était ? C'est la première fois que j'entends une telle chose.

Ren soupira et déposa soigneusement la mandoline sur la table.

— Je l'ai écrite après ton départ.

— C'est toi qui l'as écrite ?

— Oui. Elle s'intitule « Kelsey ». C'est à propos de toi… de nous. C'est notre histoire ensemble.

— Mais elle se termine tristement.

Il passa une main dans ses cheveux.

— C'est ce que je ressentais quand tu m'as quitté.

— Oh. Eh bien, notre histoire n'est pas tout à fait terminée, maintenant, n'est-ce pas ?

Je me glissai vers Ren et j'enroulai mes bras autour de son cou.

Il me serra très fort, pressant son visage contre mon cou, murmurant mon nom.

— Non, dit-il. Ce n'est *certainement* pas encore terminé.

Je caressai ses cheveux, les enlevant de son front.

— C'est magnifique, Ren.

Il me tenait très près de lui. Mon cœur se mit à battre plus vite. Je regardai ses yeux bleu vif, puis ses lèvres parfaitement sculptées, et je voulus qu'il m'embrasse. Il plongea sa tête plus près, mais il s'arrêta juste avant de me toucher. Il examina mon expression, leva un sourcil et se détourna.

— Qu'y a-t-il ? demandai-je.

Il soupira et repoussa une mèche de mes cheveux derrière mon oreille.

— Je ne vais pas t'embrasser pendant que nous sortons ensemble. Je veux que tu aies la tête claire quand tu me choisiras. Tu deviens toute faible quand je te touche, encore plus quand je t'embrasse. Je refuse d'en profiter. Une promesse faite dans un moment de passion ne dure pas, et je ne veux pas que tu aies des doutes ou des regrets si tu décides de vivre ta vie avec moi.

— Attends une minute, haletai-je, incrédule. Si je comprends bien, tu ne m'embrasseras pas parce que tu crois que tes baisers me mettent en état d'ivresse et que cela m'empêchera de penser correctement ? Que je serais incapable de prendre une décision éclairée si j'étais en train de me pâmer de passion pour toi ?

Il hocha prudemment la tête.

— Est-ce que tout cela provient de tes études archaïques sur la séduction ? Parce que beaucoup de ces suggestions sont dépassées quand il est question de sortir avec quelqu'un.

– Je le sais, Kelsey.

Il passa une main dans ses cheveux.

– En aucune façon, je ne veux faire de pression sur toi pour que tu me choisisses.

En colère, je sautai du sofa et me mis à marcher en rond.

– C'est la chose la plus folle que j'aie entendue de toute ma vie.

Je me rendis dans la cuisine pour prendre une boisson gazeuse et je me rendis compte que je n'étais pas seulement choquée, mais qu'une partie de ma colère venait du fait qu'il n'était pas trop loin de la vérité. Effectivement, dès qu'il me touchait, mes genoux faiblissaient.

Je me sentis soudain comme un pion dans l'un des jeux de société de Li. *Eh bien, on peut être deux* à *jouer à ce jeu.* Je décidai de riposter. *S'il doit y avoir une guerre pour mon affection, alors pourquoi ne pourrais-je pas moi aussi être une combattante ? Les filles ont un arsenal d'armes unique,* songeai-je alors que je planifiais ma stratégie de combat. À partir de ce moment, je décidai que j'allais tester la résistance de Ren. Je m'arrangerais pour que Ren m'embrasse.

Je mis tout de suite mon plan à exécution. Nous retournâmes au film, et je pressai ma tête contre l'épaule de Ren, mes lèvres à quelques centimètres des siennes, et je traçai de petits cercles sur le dos de sa main. Mon agressivité le rendait nerveux. Il continua à se contracter et à se déplacer, mais il ne lâcha pas ni ne s'éloigna.

Après le film, Ren annonça soudainement que notre rendez-vous était terminé. Cela me plut beaucoup.

L'équilibre des forces avait changé. Je fis traîner mes doigts sur son biceps musclé et je traçai ensuite de petits cœurs sur son avant-bras en faisant la moue.

— Tes heures comme homme sont si courtes. Ne veux-tu pas être avec moi ?

Il toucha mon visage.

— Encore plus que je veux respirer.

Je ne pus m'en empêcher ; je me laissai tomber vers lui.

Il m'attrapa et me secoua doucement.

— Je ne vais pas t'embrasser, Kelsey. Je ne veux pas que tu sois confuse quand viendra le moment de choisir avec qui tu veux être. Bien sûr, si tu choisissais de m'embrasser, je ne me battrais pas beaucoup.

— Ha ! râlai-je en m'écartant de lui. Eh bien, tu attendras longtemps pour ça, monsieur.

Je posai mes poings sur mes hanches, et je me mis à rire.

— Ce doit être une nouvelle consternante pour un homme qui obtient toujours ce qu'il veut.

Il glissa ses mains autour de ma taille et m'attira contre sa poitrine, puis il plongea ses lèvres à quelques centimètres des miennes. *Pas... ce que je veux... le plus.*

Il hésita un instant, attendant que je cède, mais je ne le fis pas. J'étais déterminée à obtenir qu'il m'embrasse le premier. Au lieu de cela, je lui souris et j'attendis. Nous nous étions engagés dans une lutte silencieuse et compétitive.

Enfin, il s'éloigna de moi.

— Tu es vraiment trop tentante, Kelsey. Le rendez-vous est terminé.

Soudainement, rien au monde n'était aussi important pour moi que de gagner ce rapport de forces avec Ren.

Me penchant encore plus vers lui, je fis battre mes cils innocemment et, de la voix la plus séduisante que je pus trouver, je lui demandai timidement :

— Es-tu *absolument* certain de devoir partir ?

Je sentis ses bras se serrer et son pouls s'accélérer. Il prit ma joue avec sa main. Espérant le pousser à bout, je plaçai ma main sur la sienne et déposai un baiser sur sa paume chaude. Taquinant sa paume avec mes lèvres, je l'entendis retenir son souffle. *Je ne savais pas qu'il réagissait ainsi à mon contact. Ce sera plus facile que je ne le pensais.*

Je lui serrai légèrement le bras et je me dirigeai vers l'escalier, sentant son regard sur moi. Faisant de mon mieux pour emprunter l'identité de Scarlett O'Hara, je me tournai une dernière fois.

— Eh bien… Tigre, si tu changes d'avis, tu sais où me trouver.

Je fis traîner mes doigts sur la rampe et je continuai de monter l'escalier.

Malheureusement, il ne me suivit pas. J'avais imaginé Ren dans le rôle de Rhett Butler et, n'étant pas en mesure de se maîtriser dans mon scénario, il me balançait dans ses bras et me transportait dans les escaliers dans une démonstration de passion fantastique. Mais Ren me lança une expression amusée et partit, refermant doucement la porte derrière lui.

Zut ! Il a plus de maîtrise de soi que je le pensais.

Ce n'était pas important. C'était juste un incident de parcours. Je passai le reste de la journée à faire du remue-méninges. *Comment prendre par surprise un tigre très ancien et très alerte ? Utiliser ses faiblesses : la nourriture, les ruses féminines, la poésie et la surprotection. Le pauvre gars n'a aucune chance.*

Le lendemain matin, j'ouvris la section autrefois interdite du placard. J'en sortis un chandail à torsades bleu marine, une jupe imprimée, une ceinture mince et des bottes hautes marron. Je défrisai mes cheveux et portai une attention particulière à mon maquillage, notamment en appliquant du brillant à lèvres pêche.

Ensuite, je préparai un sandwich Dagwood géant pour Ren — et je piquai une note d'amour sur le dessus. *On peut être deux à jouer au jeu de la poésie*, pensai-je, satisfaite de mon geste.

L'âme qui peut parler à travers les yeux peut aussi embrasser d'un regard.

— Gustavo Adolfo Becquer

Lorsqu'il revint me chercher pour m'emmener à l'école, il me regarda de la tête aux pieds.

— Tu es magnifique, Kells, mais ça ne marchera pas. Je sais ce que tu essaies de faire.

Il m'aida à mettre mon manteau.

— J'ignore de quoi tu parles, répondis-je d'un ton innocent. Qu'est-ce qui ne va pas marcher ?

— Tu essaies de m'inciter à t'embrasser.

— Une fille ne devrait pas livrer *tous* ses secrets, n'est-ce pas ? lui dis-je en souriant d'un air sage.

Il se pencha tout près de moi, posa ses lèvres contre mon oreille et murmura d'une voix veloutée :

— Parfait, Kells. Garde tes secrets. Mais je te surveille. Peu importe ce que tu crois être en train d'essayer de faire, ça ne fonctionnera pas. Moi aussi, j'ai quelques trucs dans ma manche.

Ren me laissa seule tout l'après-midi. Je cachai une autre note dans son sac de sport alors qu'il sortait de la voiture avant le wushu.

L'âme rencontre l'âme sur les lèvres des amants.

— Percy Bysshe Shelley

J'étais assise sur le plancher, occupée à faire des étirements, lorsque je le vis tirer la note de son sac. Il la parcourut quelques fois, puis leva les yeux et capta mon regard. Je croisai son regard chaud avec un sourire innocent et j'agitai joyeusement la main vers Jennifer alors qu'elle traversait la pièce.

Une fois de retour dans le garage de la maison, Ren ouvrit la porte pour moi. Mais, au lieu de m'aider à sortir, il se pencha vers moi et grogna doucement. Ses lèvres frôlèrent la peau sensible sous mon oreille. Sa voix était séduisante, dangereuse.

— Je te préviens, Kelsey. Je suis un homme *extrêmement* patient. J'ai beaucoup appris en attendant l'ennemi. Ma vie comme tigre m'a appris que la persistance et la diligence finissent *toujours* par payer. Considère-toi comme prévenue, *priyatama*. Je suis à la chasse. J'ai capté ton parfum, et je ne me laisserai pas dériver de ma course.

Il recula et il tendit la main pour m'aider. Je l'ignorai et je me dirigeai vers ma maison, le dos raide et les jambes tremblantes. J'entendis son doux rire dans la brise alors qu'il disparaissait vers son côté de la maison.

Il me rendait folle. J'étais tentée de défoncer la porte et me jeter sur lui, mais je refusai de céder. Cette fois-ci, moi aussi j'allais l'appâter. C'est *lui* qui mendierait pour la clémence, pas moi.

Je découvris bientôt que le rapport de forces entre Ren et moi avait poussé Li au coin le plus éloigné de mon esprit. Chaque fois que j'étais avec Li, mon esprit dérivait au loin, faisant des plans pour séduire Ren. C'était tellement évident que même Li le remarqua.

— La Terre à Kelsey. Vas-tu reconnaître mon existence, maintenant ? me demanda Li d'un air tendu, un soir pendant la projection de l'un de ses films préférés d'arts martiaux.

— Que veux-tu dire ?

Kelsey, depuis la semaine dernière, tu fonctionnes comme un robot. Tu n'es pas présente du tout.

— Eh bien… j'ai recommencé mes cours à l'université, et mes travaux me distraient.

— Ce ne sont pas tes travaux, Kelsey. C'est *lui*.

En un instant, je ressentis du remords. Li n'avait rien fait de mal, et à tout le moins, je devrais lui prêter attention.

— Je suis désolée, Li. Je ne savais pas que j'étais en train de t'ignorer. Tu as absolument raison. Aujourd'hui, je suis à toi à cent pour cent. Explique-moi encore une fois pourquoi ce film d'arts martiaux est un classique.

Li examina mon visage pendant une minute, puis il se mit à expliquer le premier film de Jackie Chan, *L'ombre du serpent*. J'étais vraiment intéressée, et il sembla apaisé.

Le reste de la soirée se déroula en douceur, mais je me sentais coupable à propos de Li. Je ne lui donnais pas l'attention qu'il méritait. Pire encore, j'aurais souhaité que Ren regarde le film avec nous.

Ce soir-là, lorsque je rentrai tard de ma sortie, je fixai une note sur notre porte communicante du côté de Ren.

Un jour, il attira
D'un long baiser mon âme tout entière
À travers mes lèvres, tout comme le soleil boit la rosée.
— Alfred Lord Tennyson

Ren ne m'avait pas embrassée depuis trois semaines, et je songeai que j'étais en train de faiblir beaucoup plus que lui. J'avais essayé tout ce à quoi je pouvais penser, et je n'avais pas même obtenu un petit mordillement sur mes lèvres-appâts. Tous mes efforts des dernières semaines avaient été faits en vain. J'étais maintenant propriétaire de toute une collection de rouges et de brillants à lèvres et je les avais tous essayés, sans effet.

Pendant le cours de wushu, il sortit une autre note de son sac, la parcourut, et leva un sourcil dans ma direction.

Celle-ci était la plus excessive de celles que je lui avais données, et je l'avais délibérément gardée pour la fin. C'était ma dernière tentative.

Donne-moi un baiser, et à ce baiser, ajoutes-en
Vingt autres ;
Ensuite, à ces vingt, ajoute une centaine d'autres :
Un millier à ces cent : alors continue à me donner
Des baisers,
Pour faire de ces milliers un million.
Triple ce million, et quand cela sera fait,
Recommençons, comme la toute première fois.

— Robert Herrick

Ren demeura silencieux, mais il me regarda avec une expression intense, ardente. Je lui retournai hardiment son regard, et je sentis un lien chaud, brûlant entre nous. Un lien qui nous connectait et brûlait un trou dans mon cœur, même si nous nous trouvions sur des côtés opposés de la pièce. Je ne pouvais détacher mes yeux de lui, et il paraissait en proie à la même détresse.

Soudain, Li annonça que nous referions des renversements, ce qu'il avait évité de faire depuis notre première séance avec Ren. Cette fois-ci, Li et Ren allaient faire la démonstration des mouvements pour le reste d'entre nous.

Li nous demanda de tous nous asseoir contre le mur. À contrecœur, Ren rompit le contact visuel avec moi et s'avança pour faire face à son adversaire.

Les deux hommes tournèrent en cercles. Li fit le premier pas, un coup de pied circulaire à revers pour épater et pour se rapprocher, mais Ren le bloqua gracieusement. Li déplaça son poids sur une jambe et balança sa jambe libre derrière le genou de Ren tout en lui donnant un coup de poing sur la poitrine. Ren se déplaça vers la droite, de sorte que Li ne put le faire trébucher, et Ren se servit de sa paume pour bloquer le coup de poing. Ensuite, Li exécuta une manœuvre complexe de tire-bouchon, posa une main sur le sol et attaqua avec un coup de pied en ciseaux. Ren attrapa le pied de Li et le tordit, jetant brutalement Li par terre sur son estomac. En colère, Li roula sur le sol et répliqua avec une série de coups de poing. Ren le bloqua en haut, en bas et même en arrière, neutralisant efficacement les attaques de Li.

Li se rendait compte qu'il n'allait nulle part. Il feignit un coup de poing pour agripper le bras de Ren et tira fort pour arriver à donner un coup de pied vers l'arrière, vers le visage de Ren, mais Ren le déséquilibra, et Li tomba à nouveau sur le tapis. Il se releva en se propulsant dans les airs et se plaça pour faire face à Ren, et de nouveau, ils tournèrent en cercles.

— Veux-tu vraiment continuer ? demanda Ren. Tu as prouvé être un bon combattant.

— Je ne cherche pas à prouver quoi que ce soit.

Il sourit.

— Je voulais juste t'empêcher de reluquer ma copine.

Il exécuta de rapides doubles coups de poing sur la poitrine de Ren. Ren saisit simplement les poignets de Li et les tordit vers l'extérieur. Li hurla et s'éloigna. Il revint avec un coup de pied avant au visage de Ren.

Ren attrapa le talon de Li.

— Elle n'a pas encore décidé de qui elle sera la copine.

Il leva les bras et lança Li, le renversant la tête en bas.

— Mais si j'étais un homme qui fait des paris, je ne te donnerais pas de très bonnes chances.

Je haletai d'indignation et de honte. Ren se tourna vers moi. Voyant qu'il était distrait, Li attrapa le bras de Ren par-derrière et leva en poussant, un mouvement qui aurait immobilisé la plupart des gens. Sans perdre un instant, Ren courut vers le haut du mur, toujours sous l'emprise de Li, et se renversa au-dessus de lui dans les airs.

Quand il atterrit, il fit tournoyer ses poignets, inversant efficacement leur position. Les coudes de Li étaient maintenant pointés dans les airs tandis que Ren les poussait légèrement vers le bas. Lorsque Li haleta de douleur, Ren le laissa rapidement partir. Li pivota et essaya à nouveau de frapper les jambes de Ren pour lui faire perdre l'équilibre, mais Ren bondit, se tourna et coinça facilement Li au sol.

Jennifer me regarda nerveusement et m'attrapa la main. Li était furieux. Il s'essuya la bouche et cracha.

— Permets-moi de m'occuper moi-même de mes chances de gagner.

Il se retourna et donna un coup de pied qui entra en contact avec la poitrine de Ren. L'impact les fit reculer tous les deux.

— Au moins, je ne l'ai pas laissée partir au loin.

Les mouvements étaient maintenant trop rapides pour que je puisse les discerner. Je vis des coups de poing, des blocages de bras, des pas en arrière avec pivot, des coups de pied de côté, des jeux de pieds et des blocages de coups de pied.

Puis, Ren courut vers Li et exécuta un saut périlleux compliqué dans les airs en position repliée, double torsion, et il passa par-dessus Li complètement dans les airs. Alors qu'il descendait, il posa la main sur le dos de Li et se servit de son élan pour pousser Li à plat sur le visage contre le tapis. La classe se mit à applaudir et à acclamer.

Ren pressa sa main contre le dos de Li, le tenant immobile, et gronda doucement.

— Non. Mais tu vas le faire. Elle est à moi.

Ren le laissa se lever et Li devint un taureau furieux. La sueur coulait sur son visage et il respirait fort. Il attaqua encore plus violemment qu'avant, et Ren intensifia aussi un peu son jeu. Li finit par atteindre Ren avec quelques coups de poing. J'étais mortifiée de voir qu'ils se battaient pour *moi*. Publiquement. Mais, en même temps, je ne pouvais détacher mes yeux du combat.

Li possédait des aptitudes qu'il ne fallait pas sous-estimer. Il était visiblement très qualifié. Cependant, il y avait tout un monde entre lui et Ren. C'était presque comme s'ils se déplaçaient à deux vitesses différentes.

Je regardai Ren combattre. En fait, il aurait été impossible pour moi de regarder ailleurs. Chaque mouvement était une belle étude de la forme de combat qu'il employait. J'étais fascinée par la maîtrise calculée et la puissance qu'il affichait. Il était tout simplement magnifique. Un combattant digne du tigre qu'il était souvent.

J'étais furieuse qu'il ait eu l'audace de me revendiquer lui appartenant devant tout le monde. Pourtant, en même temps, j'étais secrètement heureuse qu'il me désire aussi farouchement. C'était vraiment un ange guerrier. *Mon ange guerrier,* songeai-je, possessive.

Après une quinzaine de minutes de dur combat où personne ne semblait gagner, Li, haletant très fort, renvoya la classe.

Je tentai de lui parler, mais il me fit signe de partir d'un revers de la main et attrapa une serviette pour se couvrir la tête.

La semaine suivante, Li ne me téléphona pas et ne me demanda pas de sortir avec lui. Après le cours de wushu du vendredi, il demanda à me parler et dit à Ren qu'il me ramènerait à la maison. Ren hocha la tête et sortit tranquillement. Depuis le combat, ils agissaient l'un envers l'autre de façon étrangement civilisée.

Li s'assit et tapota le tapis à côté de lui.

— Kelsey, il faut que je te demande quelque chose, et je veux que tu répondes honnêtement.

— D'accord.

— Pourquoi as-tu quitté Ren ?

Je me déplaçai, mal à l'aise.

— Je l'ai quitté parce que... nous ne sommes pas faits l'un pour l'autre.

— Que veux-tu dire ?

Je demeurai silencieuse pendant un moment.

— Il y a plusieurs raisons, répondis-je ensuite. Mais la principale, c'est que... c'est difficile à expliquer. Tout d'abord, il est d'une grande beauté, et je ne le... suis pas. Il est également très riche. En fait, il est d'ascendance royale. Il est d'une culture différente, d'un milieu différent, et il n'est pas sorti avec beaucoup de femmes, et…

— Mais, Kelsey, nous deux, nous sommes également issus de cultures et de milieux différents, et ça ne te dérange pas. Sa famille ne t'aime pas ?

— Non. Ses parents sont décédés. Son frère m'aime beaucoup.

Je tordis mes mains sur mes genoux.

— Je suppose que cela se résume pour moi à penser qu'il va se réveiller et comprendre que je ne suis pas une princesse. Je crois qu'il sera déçu s'il me choisit. C'est juste une question de temps avant qu'il ne s'en rende compte et me laisse pour quelqu'un d'autre, quelqu'un de mieux.

Li se tourna vers moi, le visage incrédule.

— Alors, tu es en train de me dire que la raison pour laquelle tu l'as laissé, c'est parce que tu croyais qu'il était trop bon pour toi ?

— Essentiellement, oui. Il se serait lui-même pris au piège avec moi, et il n'aurait pas été heureux.

— Quand il était avec toi, a-t-il déjà agi comme s'il était malheureux ?

— Non.

— Kelsey, dit-il d'un ton réfléchi, même si ça me tue de te dire cela, Ren me semble être une personne très prudente et réfléchie. Au cours de notre combat, j'ai employé tous les coups bas et toutes les compétences à ma disposition, et il m'a à peine remis mes coups. Il avait manifestement l'avantage. Ses compétences sont au-delà de tout ce que j'ai vu auparavant. C'est comme s'il avait étudié avec tous les maîtres anciens.

C'est probablement ce qu'il a fait.

— Pendant notre combat, il a même pris les coups pour que je ne me blesse pas. Cela montre non seulement une habileté incroyable, mais une prévoyance incroyable.

Je haussai les épaules.

— Je savais déjà qu'il était un bon combattant.

— Non, tu ne comprends pas ce que je suis en train de te dire. Pour parfaire des compétences comme ça, pour se battre comme ça, il faut de la discipline. Il aurait pu me clouer au sol, mais il ne l'a pas fait.

Il rit ironiquement.

— La moitié du temps, il ne me regardait même pas ! C'est toi qu'il regardait, soucieux de ta réaction. Il ne faisait même pas attention à l'homme qui essayait vraiment de le tuer.

— Que veux-tu dire, Li ?

— Je suis en train de t'expliquer que cet homme est désespérément amoureux de toi. C'est évident pour moi et pour tout le monde. Et si tu l'aimes, tu dois le lui dire. Tes craintes qu'il te laisse ne sont pas fondées. Comme je l'ai dit, c'est le genre d'homme qui prend des décisions et qui s'y tient. Il n'y a rien en lui qui me fait penser qu'il est autre chose que sincère.

— Mais…

Li prit mes mains dans les siennes et me regarda dans les yeux.

— Kelsey. Tout ce qu'il voit, c'est *toi.*

Je baissai les yeux vers mes mains.

— Et quant à ne pas être assez bonne pour lui, c'est en fait le contraire. Il n'est pas assez bon pour toi.

— Tu dis ça seulement pour que je me sente mieux.

— Non. Non, je ne dis pas ça à la légère. Tu es incroyable et douce et jolie, et il aurait de la chance de t'avoir.

— Li, pourquoi fais-tu cela ?

— Parce que... j'apprécie sincèrement ce mec. Je le respecte. Et parce que je peux voir que tes sentiments pour lui sont beaucoup plus forts que tes sentiments pour moi. Tu es plus heureuse avec lui.

— Je suis aussi heureuse avec toi.

— Oui, mais ce n'est pas la même chose. Retourne vers lui, Kelsey. Manifestement, tu l'aimes. Dis-le-lui. Donne-lui une chance.

Il ricana doucement.

— Mais il ne faut pas que tu oublies de lui dire que j'aurais gagné, mais que je lui ai laissé la place.

Il tendit le bras et m'enveloppa dans une étreinte d'ours.

— Tu vas me manquer, Kelsey.

Quelque chose en moi cliqua, et mon point de vue se modifia tout à coup. Il était temps de laisser partir Li. Ce n'était pas juste de continuer à lui faire subir ça. Mon cœur ne lui appartiendrait jamais ; au fond, je le savais depuis un bon moment. Je m'en étais servie comme d'une béquille affective. Toute ma relation avec lui n'était qu'une excuse pour que je puisse constamment remettre à plus tard mon face à face avec Ren. Que je finisse par me retrouver ou non avec Ren, je savais que ce devait être la fin pour Li et moi.

Remplie d'émotion, je le serrai à mon tour dans mes bras.

— Tu vas me manquer aussi. Tu as été bon pour moi et bon avec moi. Je ne t'oublierai pas. Remercie les gars de m'avoir appris à jouer.

— C'est sûr. Allez, viens.

Il se leva, m'aida à me lever, et m'embrassa doucement sur la joue.

— Allez, je t'emmène chez toi. Kelsey ?

— Oui ?

— Si jamais il te quitte, dis-lui qu'il aura affaire à moi.

Je ris tristement.

— Je suis désolée de t'avoir fait subir cela, Li.

Il haussa les épaules.

— Tu le vaux bien. J'ai le vague sentiment que si je t'avais forcé la main quand il s'est présenté, tu l'aurais choisi de toute façon. Au moins, de cette façon, je suis arrivé à être avec toi plus longtemps.

— Ce n'était pas juste pour toi.

— Quelqu'un n'a-t-il pas dit un jour qu'en amour comme à la guerre, tout est permis ? C'était un peu d'amour mélangé avec un peu de guerre. Je n'aurais manqué ça pour rien au monde.

Je pris sa main dans les miennes et la pressai.

— Un jour, tu rendras une femme très heureuse, Li. Et j'espère que ce jour te trouvera bientôt.

— Eh bien, si jamais tu as une sœur jumelle quelque part, envoie-la-moi.

Je me mis à rire, mais j'avais envie de pleurer.

Li me reconduisit à la maison. Nous étions tous les deux silencieux, et je pensai à ce qu'il m'avait dit. Il avait raison. Ren était quelqu'un de prudent, une personne réfléchie. Il avait eu des siècles pour réfléchir à ce qu'il voulait. Et pour une raison ou pour une autre, c'est moi qu'il voulait. Je savais qu'au fond il m'aimait et qu'il ne me quitterait jamais.

Je savais aussi que si j'avais choisi quelqu'un d'autre, il aurait toujours été là pour prendre soin de moi si j'avais eu besoin de lui.

Mes sentiments pour lui n'avaient jamais été remis en question. Li avait raison. Je devais le lui dire. Lui dire que j'avais fait mon choix.

Cela faisait déjà plusieurs semaines que j'essayais délibérément de séduire Ren, et maintenant que j'allais enfin obtenir ce que je voulais… j'étais nerveuse. Ma résolution vacillait. Je me sentais tout à coup vulnérable, fragile. Mes pensées étaient incohérentes et dispersées. *Que devrais-je dire ?*

Lorsqu'il arrêta la voiture, Li me laissa sortir et m'encouragea une fois de plus.

— Dis-le-lui, Kelsey.

Il m'enlaça brièvement, puis il repartit. Je restai devant la porte pendant de trop nombreuses minutes à penser à ce que j'allais dire.

La porte s'ouvrit, et Ren sortit pour venir se tenir à côté de moi. Ses pieds étaient nus, et il portait encore son T-shirt sans manches et le pantalon blanc pour le wushu. Il regarda fixement mon visage et soupira avec tristesse.

— Me dire quoi, Kells ?

— Tu as entendu cela, n'est-ce pas ? lui demandai-je d'une voix guindée.

— Oui.

Son visage était tendu, prudent. Je me rendis soudainement compte qu'il croyait que j'allais choisir Li.

Il passa une main dans ses cheveux.

— Qu'est-ce que tu veux me dire ?

— J'aimerais te dire que j'ai fait mon choix.

— C'est ce que je pensais.

Je levai les bras et les mis autour de son cou, mais il restait rigide et inflexible. Je me levai sur la pointe des pieds pour me rapprocher encore plus. Il soupira, tendit ses bras autour de moi et me souleva. Il garda mon corps serré contre sa poitrine solide comme le roc, tandis que mes pieds planaient plusieurs centimètres dans les airs. Je lui parlai doucement à l'oreille.

— Je t'ai choisi.

Il se figea sur place… puis il rejeta sa tête en arrière pour regarder mon visage.

— Alors, Li…

— Li n'est plus de la partie.

Il me lança un sourire éclatant qui illumina la nuit noire.

— Alors nous…

— Pouvons être ensemble.

J'approchai sa tête et je l'embrassai doucement. Il recula pour étudier mon visage, surpris, puis il m'enferma hermétiquement dans ses bras et m'embrassa à son tour. Mais ce n'était pas un baiser tendre et doux. C'était un baiser chaud, fusionnel, ardent.

Il y a différents types de baisers. Il y a le baiser passionné d'adieu — comme celui que Rhett a donné à Scarlett lorsqu'il est parti pour la guerre. Il y a le baiser qui veut dire je-ne-peux-vraiment-être-avec-toi-mais-je-veux-être-avec-toi — comme celui de Superman et Lois Lane. Il y a aussi le premier baiser — celui qui est doux et hésitant, chaleureux et vulnérable. Et puis il y a le baiser de la possession — et c'était ainsi que Ren m'embrassait maintenant.

Ce baiser allait au-delà de la passion, au-delà du désir. Son baiser était rempli de convoitise, de besoin et d'amour, comme tous ces autres baisers. Mais il était également rempli de promesses et d'engagements, dont certains semblaient doux et tendres, alors que d'autres étaient dangereux et excitants. Ren s'emparait de moi. Il me réclamait avec insistance.

Il me saisit hardiment comme le tigre qui capture sa proie. Il n'y avait pas d'échappatoire. Et je n'en voulais pas. Je serais volontiers morte entre ses griffes. Je lui appartenais, et il s'assurait que je le sache. Mon cœur éclata en mille superbes fleurs, toutes des lys tigrés. Et avec une certitude plus puissante que tout ce que j'avais ressenti auparavant, je savais que nous nous appartenions.

Il leva finalement la tête et murmura contre mes lèvres.

— Il était plus que temps, femme.

8

Jalousie

Ren m'embrassa à nouveau et glissa un bras sous mes genoux. Il réussit à me transporter dans la maison et donna un coup de pied pour fermer la porte, tout cela sans jamais enlever ses lèvres de sur les miennes. J'avais enfin obtenu mon moment Rhett Butler. Il se baissa dans le fauteuil, me blottit contre lui en me posant sur ses genoux, attrapa ma courtepointe, et la disposa autour de moi.

Il m'embrassa partout, sur mes cheveux, mon cou, mon front, mes joues... mais il revenait toujours à mes lèvres, comme si elles étaient le centre de son univers. Je soupirai doucement et me délectai du déferlement de ses baisers — des baisers où je me noyais, des baisers doux, des baisers voluptueux, des baisers qui duraient une seule seconde et des baisers qui duraient une éternité. Il était facile de croire que mon ange guerrier m'avait capturée et m'avait emmenée au ciel.

Un grondement sourd résonna dans sa poitrine.

Je me reculai en riant.

— Es-tu en train de grogner contre moi ?

Il rit doucement, tourna mon ruban à cheveux autour de ses doigts et tira doucement, desserrant ma natte. Mordant doucement mon oreille, il murmura une menace.

— Ça fait trois semaines que tu me rends fou. Tu as de la chance que je me contente de grogner.

Il fit traîner de longs baisers le long de mon cou.

— Est-ce que cela signifie que tu seras ici plus souvent ?

Il parla en remuant ses lèvres contre ma gorge.

— Chaque minute de la journée.

— Oh. Alors… tu n'étais pas tout simplement en train de m'éviter ?

Il posa son doigt sous mon menton et tourna mon visage vers le sien.

— Je ne t'aurais *jamais* évitée par exprès, Kells.

Du bout des doigts, il caressa le côté de mon cou et ma clavicule, me distrayant.

— Mais tu l'as fait.

— C'était malheureusement nécessaire. Je ne voulais pas faire de pression sur toi, alors je me suis éloigné, mais j'ai toujours été proche. Je pouvais t'entendre.

Il pressa son visage dans mes cheveux en cascades et soupira.

— Je pouvais sentir ton odeur de pêche et de crème qui me rend complètement fou. Mais je ne me serais pas permis de te voir, à moins que tu acceptes un rendez-vous, bien entendu. Quand tu as commencé à faire exprès pour me tenter, j'ai pensé que je finirais par perdre la raison.

— Ah ah ! Alors, tu as été tenté.

— Tu étais la pire sorte de *pralobhana*, tentation. Je t'aurais eue pendant un moment, mais j'aurais fini par te perdre. Il a fallu toutes mes forces pour m'empêcher de t'attraper et t'emporter.

C'était étrange. Maintenant que j'admettais à voix haute que je voulais être avec lui, je ne me sentais pas du tout timide ou hésitante. Je me sentais… libérée. *Joyeuse.* Je plantai des dizaines de baisers sur ses joues, son front, son nez et enfin sur ses lèvres ciselées. Il restait assis, immobile, pendant que je traçais son visage avec le bout de mes doigts. Nous nous regardâmes pendant un long moment, ses beaux yeux de cobalt fixés sur mes yeux bruns. Ren souriait, et mon cœur bondissait, sachant que dans toute sa perfection, il m'appartenait.

Je glissai mes mains de ses épaules pour les faire remonter dans ses cheveux, que j'enlevai de son front.

– Je t'aime, Ren, lui dis-je doucement. Je t'ai toujours aimé.

Son sourire s'élargit. Il me serra plus fort en me pelotonnant dans ses bras et chuchota mon nom.

– Je t'aime, ma *kamana.* Si j'avais su que tu étais le prix que j'obtiendrais après avoir été en captivité pendant des siècles, je l'aurais endurée avec joie.

– Que veut dire *kamana* ?

– Cela signifie « le magnifique souhait que je désire plus que tous les autres ».

– Humm.

Je pressai mes lèvres contre son cou et inhalai sa chaleureuse odeur de bois de santal.

Ren ?

– Oui ?

Il tordit ses doigts dans mes cheveux.

— Je suis désolée d'avoir été aussi idiote. Tout est ma faute. J'ai perdu beaucoup de temps. Peux-tu me pardonner ?

Ses doigts s'arrêtèrent dans mes cheveux.

— Il n'y a rien à pardonner. Je t'ai trop pressée. Je ne t'ai pas fait la cour. Je ne t'ai pas dit les bonnes choses.

— Non, crois-moi. Tu as dit toutes les bonnes choses. Je pense seulement que je n'étais pas prête à les entendre ou à les croire.

— J'aurais dû savoir qu'il ne fallait pas te précipiter. Je n'étais pas assez patient, et un tigre qui n'est pas patient ne réussit pas à obtenir son repas.

Je me mis à rire.

— Savais-tu que j'avais commencé à éprouver des sentiments pour toi avant même que tu ne saches que j'étais un homme ? Tu te souviens quand je me suis mis à courir frénétiquement au cours d'un spectacle au cirque ?

— Oui.

— Je croyais que tu étais partie. Matt avait parlé avec son père et lui avait dit que l'une des nouvelles filles était partie. Je pensais qu'ils parlaient de toi. Il fallait que je sache si tu étais toujours là. Ce jour-là, tu n'es pas venue près de ma cage, et je me suis senti désemparé, abattu. J'étais incapable de me calmer , puis je t'ai aperçue dans le public.

— Eh bien, je suis ici, maintenant, et je ne te laisserai pas, Tigre.

Il grogna, me serra contre lui et me taquina.

— Non, *tu ne me laisseras pas*. Je ne te quitterai plus jamais des yeux. Maintenant, à propos de tous ces poèmes que tu m'as offerts… je crois qu'il y en a certains qui méritent d'être étudiés plus en profondeur.

— Je suis tout à fait d'accord.

Il m'embrassa à nouveau. C'était doux et lent. Ses mains prirent mon visage, et j'eus l'impression que mon cœur basculait dans ma poitrine. Il se recula, embrassa les coins de ma bouche, puis il soupira profondément. Nous nous blottîmes l'un contre l'autre jusqu'à ce que son heure soit venue.

Le lendemain soir, je préparai un souper spécial pour Ren. Lorsque les célèbres coquilles farcies de ma mère furent prêtes, Ren s'en prit une portion géante, transperça une coquille, et mâcha joyeusement.

— C'est l'une des meilleures choses que j'aie mangées. En fait, c'est en deuxième position, juste après le beurre d'arachide, *chittaharini*.

— Je suis content que tu aimes la recette de ma maman. Hé, tu ne m'as jamais dit ce que *chittaharini* signifiait.

Il embrassa mes doigts.

— Cela signifie « celle qui captive mon esprit ».

— Et *iadala* ?

— « Très chère ».

— Comment dis-tu « je t'aime » ?

— *Mujhe tumse pyarhai.*

— Comment dis-tu « je suis amoureuse » ?

Il se mit à rire.

— Tu peux dire *anurakta*, ce qui signifie que « tu commences à t'enticher ou à t'attacher ». Ou tu peux dire que tu es *kaamaart*, ce qui signifie que « tu es une jeune femme ivre d'amour ou éperdument amoureuse ». Je préfère la seconde définition.

Je souris.

— Oui. Je suis certaine que tu aimerais crier sur tous les toits que je suis ivre d'amour pour toi. Comment dit-on « mon petit ami est très beau » ?

— *Mera sakha sundara.*

Je tamponnai mes lèvres avec une serviette et lui demandai s'il voulait m'aider à préparer le dessert. Ren tira ma chaise et me suivit dans la cuisine. J'étais très consciente de sa proximité, d'autant plus qu'il ne cessait de trouver des raisons pour me toucher. Lorsqu'il alla ranger le sucre, il me caressa le bras. Lorsqu'il tendit le bras pour déposer la vanille sur le comptoir, il me caressa le cou. J'en étais arrivée au point où je commençais à laisser tomber des objets.

— Ren, tu me distrais. Donne-moi un peu d'espace pour que je puisse finir de préparer la pâte.

Il fit ce que je lui demandais, mais il demeura suffisamment près de moi pour que je sois obligée de me frotter contre lui quand je rangeais les ingrédients. Je façonnai les biscuits, puis je les déposai sur une plaque.

— Ils seront prêts dans 15 minutes, annonçai-je.

Il saisit mon bras et m'attira contre lui. La prochaine chose que je sus, fut que la minuterie se mit à sonner et je sursautai. D'une manière ou d'une autre, j'avais fini par atterrir sur le comptoir de la cuisine, prise dans une étreinte passionnée. J'avais une de mes mains dans ses cheveux ; ses mèches soyeuses se tordaient autour de mes doigts pendant que mon autre main tordait une partie de sa chemise griffée. Elle était maintenant terriblement froissée. Mortifiée devant mon manque de maîtrise, je lâchai prise.

— Désolée pour ta chemise, balbutiai-je.

Il saisit ma main, déposa un baiser sur ma paume, puis il sourit malicieusement.

— Pas moi.

Je le repoussai et je sautai en bas du comptoir.

— Tu es dangereux, mon ami, dis-je en appuyant sur sa poitrine avec mon doigt.

— Ce n'est pas de ma faute si tu es sous mon emprise, dit-il en souriant.

Je lui jetai un coup d'œil, mais il ne semblait pas du tout décontenancé ; il était bien trop content de lui. Je sortis les biscuits chauds du four et je me retournai pour prendre le lait. Lorsque je lui tendis un verre, il avait déjà avalé un biscuit très chaud et il en était à son deuxième.

— Ils sont délicieux ! Qu'est-ce que c'est ?

— Des biscuits aux doubles pépites de chocolat avec garniture de beurre d'arachide.

— C'est la deuxième meilleure chose que j'aie goûtée.

— Tu as dit la même chose au souper, dis-je en riant.

— J'ai récemment réajusté le classement.

— Alors qu'est-ce qui est maintenant au premier rang ? Est-ce que ce sont encore les crêpes au beurre d'arachide ?

— Non, c'est toi. Mais c'est proche.

Il cessa de sourire.

— C'est maintenant le temps pour moi de changer, Kells.

Je sentis un léger tremblement passer à travers son bras. Il me déposa sur mes pieds, m'embrassa doucement une fois de plus, puis reprit sa forme de tigre. Il se déplaça vers les escaliers, gravit les marches en deux enjambées, puis il se dirigea vers ma chambre.

Ren s'installa confortablement sur le tapis près de mon lit. Dans la salle de bain, j'enfilai mon pyjama. Après m'être brossé les dents, je m'agenouillai à côté de lui sur le plancher.

— *Mujhe tumse pyarhai* Ren, murmurai-je en posant mes bras autour de son cou. Il commença à ronronner pendant que je tirais ma couverture sur moi. Je n'avais pas vu sa moitié tigre depuis qu'il s'était présenté chez Sarah et Mike le jour de Noël, et il me manquait.

J'enveloppai mes bras autour de lui et je caressai sa douce fourrure. Je me blottis à côté de lui sur le plancher en me servant de ses pattes molles comme d'un oreiller, et je m'endormis, me sentant en paix pour la première fois depuis mon départ de l'Inde.

Le samedi, je me réveillai dans mon lit, blottie contre mon tigre blanc en peluche. Ren était assis à cheval sur une chaise avec la tête posée sur ses bras, me regardant. Je gémis et je me cachai sous la couverture.

Il ramassa le tigre jouet et se mit à rire.

— Bonjour, marmotte. Tu sais, si tu voulais dormir avec un tigre, tout ce que tu avais à faire, c'était de le demander. Quand l'as-tu acheté ?

— La première semaine où je suis arrivée ici.

Il sourit.

— Alors, je te manquais ?

Je soupirai et souris.

— Comme l'eau aurait manqué à un poisson.

— Il est bon de savoir que je suis si nécessaire à ta survie.

Il s'agenouilla près du lit et enleva mes cheveux de mon visage.

— T'ai-je déjà dit que tu étais absolument magnifique le matin ?

— Pas du tout, répondis-je en riant. Mes cheveux sont en désordre, et je suis en pyjama.

— J'aime te regarder quand tu te réveilles. Tu soupires et tu commences à te tortiller. Tu roules d'un côté et de l'autre à quelques reprises et, en général, tu marmonnes quelque chose à mon sujet.

Il sourit.

Je m'appuyai sur mon coude.

— Alors je parle dans mon sommeil, hein ? Eh bien, c'est embarrassant.

— Ça me plaît. Ensuite, tu ouvres les yeux et tu me souris, même quand je suis un tigre.

— Quelle fille ne sourirait pas quand tu es la première chose qu'elle voit ? C'est comme se réveiller le matin de Noël et recevoir le plus beau cadeau du monde.

Il rit et m'embrassa sur la joue.

— Je veux aller voir Silver Falls aujourd'hui. Alors, grande paresseuse, sors de ton lit. Je t'attendrai en bas.

En route vers la chute, nous nous arrêtâmes chez White's à Salem, un petit resto qui était dans les affaires depuis des décennies. Ren ordonna un Large Mess, leur spécialité : pommes de terre rissolées, œufs, saucisses, bacon et sauce, tout cela mélangé ensemble dans une grande pile. Je n'avais jamais vu quelqu'un le terminer, mais Ren avala le tout rapidement, puis il me vola aussi ma rôtie.

— Tu as tout un appétit, commentai-je. Ne manges-tu pas à la maison ?

Il haussa les épaules.

— M. Kadam a mis en place un service d'épicerie, mais tout ce que je sais faire, c'est du maïs soufflé et des sandwiches.

— Tu aurais dû m'en parler. J'aurai cuisiné plus souvent pour toi.

Il prit ma main et la baisa.

— Je voulais t'occuper autrement.

La route était belle. Sur les deux côtés de la route sinueuse, des kilomètres et des kilomètres de plantations d'arbres de Noël montaient vers une campagne boisée et vallonnée.

Nous passâmes la journée à faire de la randonnée vers South Falls, Winter Falls et Middle North Falls, et nous nous dirigions vers trois autres cascades. Il faisait froid, et j'avais oublié mes gants. Ren retira immédiatement une paire de gants de la poche de sa veste et les glissa sur mes mains. Ils étaient trop grands, mais ils étaient doublés et chauds. Le geste me ramena à mon horrible rendez-vous avec Artie. Ren et Artie étaient aussi différents que la nuit l'était du jour.

Nous étions en train de discuter de la différence entre les forêts de l'Inde et les forêts de l'Oregon, lorsque j'eus une pensée et que j'interrompis Ren :

— Ren, pendant tout ce temps où je sortais avec Li, n'étais-tu pas même un tout petit peu jaloux ?

— J'étais extrêmement jaloux. Je voyais rouge chaque fois que quelqu'un t'approchait.

— Ça ne paraissait vraiment pas.

— Je suis presque devenu fou furieux. Je ne pouvais pas penser clairement. Quand un autre mec s'approche de toi, j'ai tout simplement envie de le déchirer avec mes griffes.

Même si je l'apprécie — comme Li, par exemple. Et surtout si je ne l'aime pas — comme Jason.

— Il n'y a aucune raison pour que tu sois jaloux.

— Je ne le suis plus, *maintenant*. Jason s'est retiré, et j'ai une dette de reconnaissance envers Li pour t'avoir finalement amenée à reconnaître tes sentiments.

— Oui, c'est vrai, tu as une dette. Par ailleurs, il a dit que si jamais tu me quittes, tu auras affaire à lui.

Il sourit.

— Cela n'arrivera jamais.

En passant devant une clairière, je remarquai qu'il pointait son nez en l'air.

— Qu'est-ce que tu sens ?

— Humm, je sens l'ours, le lion de montagne, le cerf, plusieurs chiens, beaucoup d'écureuils, des chevaux, des poissons, de l'eau, des plantes, des arbres, des fleurs et toi.

— Ça ne te dérange pas d'avoir un odorat aussi puissant ?

— Non. Tu apprends à ne pas y faire attention et à te concentrer sur ce que tu veux sentir. C'est la même chose pour l'ouïe. Si je me concentre, je peux entendre de petites créatures creuser des souterrains, mais je me contente de les ignorer.

Nous arrivâmes à Double Falls, et il me conduisit vers une roche moussue qui servait de point d'observation. Je tremblais, mes dents claquaient, même avec ma veste et ses gants. Ren enleva rapidement sa veste et la plaça autour de moi, puis il me tira vers l'arrière contre sa poitrine et m'enveloppa de ses bras. Je sentais ses cheveux soyeux sur mon visage alors qu'il appuyait sa tête près de ma joue.

— C'est presque aussi beau que toi, *priya*. C'est tellement mieux que d'avoir à se soucier des kappas qui nous chassent ou des arbres à aiguilles.

Je tournai la tête et je l'embrassai sur la joue.

— Il y a une chose qui me manque à propos de Kishkindhâ.

— Vraiment ? Qu'est-ce que c'est ? Laisse-moi deviner. Nos querelles te manquent.

— Se quereller avec toi est amusant, mais se réconcilier, c'est encore mieux. Mais ce n'est pas de cela que je m'ennuie. Je m'ennuie de ne pas t'avoir tout le temps auprès de moi comme un homme. Ne te méprends pas. J'aime le tigre en toi, mais ce serait bien d'avoir une relation normale.

Il soupira et me serra la taille.

— J'ignore si nous aurons un jour une relation normale.

Il demeura silencieux pendant une minute.

— Même si j'aime être un homme, il y a une partie de moi qui veut courir librement dans la forêt.

Je ris de l'intérieur des couches profondes de sa veste.

— Je peux juste imaginer l'expression sur le visage du gardien du parc quand les randonneurs lui diront qu'un tigre blanc était en train de courir à travers les arbres.

Au cours des semaines suivantes, nous tombâmes dans une routine. D'un commun accord, nous avions décidé de suspendre les cours de wushu, et je dus passer une demi-heure au téléphone pour consoler Jennifer et pour l'encourager à continuer sans moi.

Ren voulait continuellement être près de moi, même quand il était un tigre. Il aimait s'étendre le long de mes jambes quand je m'assoyais sur le plancher et que j'étudiais.

Le soir, il jouait de sa mandoline ou pratiquait sur la nouvelle guitare qu'il avait achetée. Parfois, il chantait pour moi. Sa voix était douce et profonde avec une résonance chaleureuse et chantante. Lorsqu'il chantait, son accent était plus prononcé et je trouvais cela *très* hypnotique. Sa voix seule était suffisamment puissante, mais lorsqu'il chantait, j'entrais en transe. Il plaisantait souvent en disant que c'était la bête qui apaisait la fille sauvage avec de la musique.

Parfois, je ne faisais rien d'autre que de m'asseoir avec la tête de Ren sur mes genoux et le regarder dormir. Je caressais sa fourrure blanche et je sentais sa poitrine qui se soulevait et qui s'abaissait. Être un tigre faisait partie de ce qu'il était, et j'étais à l'aise avec cette situation. Mais maintenant que j'avais enfin admis qu'il m'aimait, j'étais envahie par le désir d'être avec lui.

C'était frustrant. Je voulais partager chaque moment avec lui. Je voulais écouter sa voix, sentir sa main dans la mienne et poser ma joue contre sa poitrine pendant qu'il me faisait la lecture. Nous étions ensemble, mais en même temps, nous ne l'étions pas vraiment. Ren passait la plus grande partie de sa vie sous forme humaine à l'école, ce qui nous laissait peu de temps pour développer notre relation. J'étais affamée de lui. Je pouvais lui parler, mais il ne pouvait me répondre. Rapidement, je devins experte en lecture des expressions de tigre.

Je me blottissais contre lui sur le plancher tous les soirs, et chaque soir, il me soulevait pour me mettre dans mon lit après que je me fus endormie. Nous faisions nos devoirs ensemble, regardions des films, terminâmes *Othello* et commençâmes *Hamlet*.

Nous demeurions également en contact constant avec M. Kadam. Quand je répondais au téléphone, il me parlait de l'école et de Nilima, et il me disait de ne pas m'inquiéter si ma recherche sur les tests reliés aux quatre maisons n'avait pas donné de résultats. Il était poli et il me posait des questions sur ma famille d'accueil, mais il demandait toujours de parler à Ren.

Je ne voulais pas écouter aux portes, mais il était évident qu'il se passait quelque chose quand ils conversaient à voix basse et qu'ils parlaient en hindi. De temps en temps, j'entendais des termes étranges : Yggdrasil, omphalos et la montagne de Noé. Quand il raccrochait, je demandais à Ren le sujet de leur conversation, mais il se contentait de me sourire et de me dire de ne pas m'inquiéter, ou alors qu'ils avaient discuté affaires, ou encore qu'ils étaient en conférence téléphonique avec des gens qui ne parlaient que le hindi. Je n'avais pas oublié le courriel de M. Kadam au sujet des documents, ni que j'avais soupçonné Ren de me cacher quelque chose, mais après l'appel, il était tellement spontané et si heureux d'être avec moi que je finissais par oublier mes soucis, du moins jusqu'à l'appel téléphonique suivant.

Ren commença à m'écrire de petits poèmes et des notes, et il les déposait dans mon sac pour que je les trouve pendant ma journée à l'université. Certains d'entre eux étaient des poèmes célèbres, alors que d'autres étaient les siens. Je les insérais dans mon journal et je conservais une copie de mes deux favoris, que je traînais toujours avec moi.

Vous savez que vous êtes amoureux
quand vous voyez le monde dans ses yeux
et ses yeux partout dans le monde.

— David Levesque

Si un roi possédait une perle sans prix,
Un joyau qu'il chérissait par-dessus tout,
Le cacherait-il?
Irait-il l'enterrer loin de la vue,
Craignant que d'autres le prennent?
Ou le montrerait-il fièrement,
L'incrustant dans une bague ou une couronne
Pour que le monde entier puisse voir sa beauté
Et comprendre la richesse qu'elle apporte dans sa vie?
Tu es ma perle sans prix.

— Ren

La lecture de ses pensées et de ses sentiments les plus intimes mis sur papier compensait presque le peu de temps passé ensemble alors qu'il n'était pas un tigre. Pas tout à fait. Mais presque.

Un jour, après mon cours d'histoire, Ren me surprit en emboîtant le pas derrière moi.

— Comment as-tu su où était ma classe ?

— Je suis sorti tôt aujourd'hui et j'ai suivi ta trace. C'était du gâteau, et parlant de gâteau, je n'ai pas oublié que tu m'as promis de me faire un gâteau aux pêches et à la crème fouettée.

— Je n'ai pas oublié non plus, dis-je en riant.

Nous nous dirigeâmes vers le laboratoire de linguistique pour retourner une vidéo que j'avais oubliée depuis longtemps.

Derrière le bureau de réception du laboratoire, il y avait Artie.

— Hé, Artie. Je ne fais que retourner une vidéo.

Il poussa ses lunettes sur le pont de son nez.

— Ah, oui. Je me demandais où était cette vidéo. C'est très en retard, Kelsey.

— Ouais. Désolée.

Il la glissa dans un casier vide. J'imaginai qu'il avait dû regarder le casier fixement, semaine après semaine, et que cela l'avait rendu lentement de plus en plus tendu.

— Au moins, je suis content que tu aies eu l'honnêteté de la retourner.

— Exact. Je suis tout à fait intègre. À bientôt, Artie.

— Attends, Kelsey. Tu n'as pas répondu à mes appels téléphoniques, donc je suppose que ton répondeur ne fonctionne pas. Ce sera difficile de te placer quelque part, mais je crois que je serai disponible mercredi prochain.

Il prit son crayon et son agenda, et il était déjà en train de griffonner mon nom. *Comment peut-il ignorer le très grand homme derrière moi ?*

— Regarde, Artie, maintenant je sors avec quelqu'un.

— Je ne crois pas que tu aies clairement réfléchi à la question, Kelsey. Notre sortie a été très spéciale, et j'ai vraiment senti une connexion entre nous. Je suis certain que si tu y repenses, tu verras que c'est avec *moi* que tu dois sortir.

Il jeta un bref coup d'œil vers Ren.

— Je suis *nettement* le meilleur choix.

— *Artie* ! lui dis-je, exaspérée.

Il remonta à nouveau ses lunettes et baissa les yeux vers moi, voulant me faire céder simplement en me fixant.

À ce moment, Ren s'interposa entre nous. Artie cessa à contrecœur de me regarder et regarda Ren avec dégoût. Les deux hommes étaient tellement différents que je ne pus m'empêcher de les comparer. Alors qu'Artie était mou, ventru et avait les joues flasques, Ren était mince avec une énorme poitrine et de très gros bras. Et, après avoir vu son torse incroyable sans chemise, je pouvais aussi bien me porter garante de ses abdominaux magnifiquement ciselés. Il aurait facilement pu écraser Artie.

Artie avait la peau très pâle et des bras poilus, un nez rouge et des yeux larmoyants. Il arrivait que les conductrices de voitures s'arrêtent littéralement pour regarder Ren lorsqu'il marchait sur la rue. C'était un Adonis or et bronze qui avait repris vie. J'avais souvent vu des filles trébucher sur le trottoir et se cogner contre des arbres quand il passait à côté d'elles. Aucune de ces caractéristiques ne décontenança Artie. Il avait confiance en lui au plus haut point. Hardiment, il tint bon, nullement amadoué par le côté impressionnant de Ren.

Artie s'exprima d'une voix nasale bourdonnante.

— Et qui êtes-vous ?

— Je suis l'homme avec lequel Kelsey sort.

L'expression d'Artie était empreinte d'incrédulité.

Il baissa les yeux vers moi près de l'épaule de Ren.

— Tu préférerais sortir avec ce... *barbare* plutôt qu'avec moi ? demanda-t-il d'un ton méprisant. Je t'ai peut-être mal jugée. De toute évidence, tu fais des choix discutables basés uniquement sur des impulsions lubriques. Je te croyais d'un calibre moral supérieur, Kelsey.

— Vraiment, Art..., commençai-je.

Ren colla son visage très près de celui d'Artie.

— Ne l'insultez plus jamais. La jeune dame a clairement fait connaître sa position. Si jamais j'entends dire que vous la persécutez, elle ou n'importe quelle autre jeune femme, je reviendrai et je rendrai votre vie *très* inconfortable.

Il donna un coup sur l'agenda d'Artie avec son doigt.

— Peut-être feriez-vous mieux de le noter afin de ne pas l'oublier. Vous devriez également vous souvenir que Kelsey ne sera jamais plus disponible. *Jamais.*

C'était la première fois que je voyais Ren ainsi. Son expression était meurtrière. Si j'avais été Artie, j'aurais tremblé dans mes chaussures. Mais comme à l'accoutumée, Artie était inconscient de tout, sauf de lui-même. Il n'avait pas vu le dangereux prédateur qui se cachait derrière les yeux de Ren. Les narines de Ren brûlaient. Ses yeux étaient fixés sur sa cible. Ses muscles étaient tendus. Il était prêt à bondir. Pour massacrer. Pour tuer.

Je posai ma main sur son bras, et le changement fut instantané. Il laissa échapper une respiration tendue, se détendit et glissa une main sur la mienne, la couvrant de la sienne.

Je lui serrai la main.

— Allez, viens. Partons.

Il ouvrit la porte de la voiture. Après s'être assuré que j'avais bien bouclé ma ceinture, il se pencha.

— Que dirais-tu d'un baiser ?

— Non. Ce n'était pas nécessaire que tu montres autant de jalousie. Après cela, tu ne mérites pas de baiser.

— Ah, mais toi, tu en mérites un.

Il sourit et m'embrassa avant que je change d'avis.

Sur le chemin de retour, il était calme.

— À quoi es-tu en train de penser, demandai-je ?

— Je pense que je devrais peut-être m'acheter un nœud papillon et un gilet, puisque tu sembles tellement les aimer.

Je me mis à rire et je lui donnai un coup sur le bras.

Plus tard cette semaine-là, j'aperçus Ren engagé dans une conversation sérieuse avec une jolie fille indienne. Il semblait un peu perturbé. J'étais en train de me demander qui était cette fille quand je sentis une main sur mon épaule. C'était Jason.

— Hé, Kelsey.

Il me rejoignit sur les marches et suivit mon regard.

— Des problèmes au paradis, hein ?

— Non, lui dis-je en riant. Alors qu'est-ce qui se passe avec toi ?

— Pas grand-chose, répondit-il, fouillant dans son sac à dos et en me tendant un magazine de théâtre. Voici une copie de cet article. Celui avec ta photographie.

Sur la couverture du magazine, il y avait une photo de Jason et moi debout à côté de la voiture. Ma main était posée sur le bras de la vieille dame alors qu'elle me remerciait. J'avais l'air horrible. *Comme si je venais de me faire frapper par une voiture.*

Jason se leva brusquement.

— Euh, tu peux le garder, Kelsey. On se voit plus tard, dit-il par-dessus son épaule tandis que Ren s'approchait.

Ren jeta un coup d'œil vers Jason.

— De quoi parliez-vous ?

— C'est drôle, je m'apprêtais à te poser la même question. Qui est cette fille ?

Il bougea inconfortablement.

— Allez, viens. Parlons un peu dans la voiture.

Après qu'il fut sorti du parc de stationnement, je croisai mes bras sur ma poitrine.

— Eh bien, qui est-elle ?

Devant mon ton, il fit une grimace.

— Elle s'appelle Amara.

J'attendis, mais il n'ajouta rien d'autre.

— *Et*… que voulait-elle ?

— Elle voulait le numéro de téléphone de mes parents… pour que ses parents puissent leur téléphoner.

— Pour quoi faire ?

— Pour arranger un mariage.

J'ouvris tout grand la bouche.

— Es-tu sérieux ?

Ren sourit.

— Kelsey. Es-tu *jalouse* ?

— Tu peux parier que je suis jalouse. Tu m'appartiens !

Il embrassa mes doigts.

— J'aime que tu sois jalouse. Je lui ai dit que je suis déjà pris, alors ne t'inquiète pas, ma *prema*.

— C'est vraiment bizarre, Ren. Comment peut-elle vouloir proposer un mariage alors vous ne vous connaissez même pas ?

— Elle n'a pas tout à fait proposé un mariage, elle a proposé l'idée du mariage. En général, les parents s'en occupent, mais en Amérique, les choses ont quelque peu changé. Maintenant, ce sont plutôt les parents qui filtrent les partenaires potentiels, et les enfants doivent choisir parmi leurs choix.

— Eh bien, ce n'est pas la première fois que tu vis une telle situation. Je veux dire, tu as déjà été fiancé pour te marier à Yesubaï. Avais-tu envie de l'épouser ? C'était tes parents qui l'avaient choisie spécialement pour toi, non ?

Il hésita.

— J'avais… accepté de me marier, répondit-il avec prudence, et je me réjouissais d'avoir une femme. J'espérais avoir un mariage heureux, comme celui de mes parents.

— Mais toi, est-ce que tu l'aurais choisie pour épouse ?

— Ça ne dépendait pas de moi.

Il sourit, essayant de me calmer.

— Mais si ça t'aide à te sentir mieux, je t'ai *effectivement* choisie, même si je ne cherchais pas vraiment quelqu'un.

Je n'avais toujours pas envie de changer de sujet.

— Alors, tu serais allé jusqu'au bout, même si tu ne la connaissais pas… ni d'Ève ni d'Adam ?

Il soupira.

— Dans la culture indienne, le mariage était et est encore différent. Quand tu te maries, tu essaies de faire en sorte que ta famille soit heureuse de te voir avec quelqu'un qui partage tes antécédents culturels et qui maintient les traditions et les coutumes importantes pour ta famille. Il y a beaucoup de choses à considérer, comme l'éducation, la richesse, la caste, la religion et le lieu de naissance.

— Alors, c'est comme filtrer les candidatures pour l'université ? Aurais-je été acceptée ?

Il se mit à rire.

— C'est difficile à dire. Certains parents croient que sortir avec une étrangère vous souille à jamais.

— Alors tu veux dire que simplement sortir avec une fille américaine te souille ? Qu'est-ce que tes parents auraient dit à notre sujet ?

— Mes parents ont vécu à une époque très différente.

— Quand même… ils n'auraient pas approuvé.

— D'une certaine façon, M. Kadam est comme un parent, et il t'approuve.

Je gémis.

— Ce n'est pas la même chose.

— Kelsey, mon père aimait ma mère, et elle n'était pas indienne. Sur le plan culturel, ils provenaient de milieux différents, et ils ont dû fusionner des traditions différentes, mais ils étaient heureux. Ils auraient été les premiers à nous comprendre. Tes parents m'auraient-ils aimé ?

— Ma mère t'aurait adoré, elle t'aurait préparé des biscuits au beurre d'arachide chaque semaine, et chaque fois qu'elle t'aurait vu, elle aurait ri nerveusement comme Sarah. Mon père, lui, croyait qu'aucun homme ne serait assez bien pour moi. Il aurait eu du mal à me laisser partir, mais il t'aurait aimé aussi.

Nous entrâmes dans le garage, et j'eus une vision soudaine de nous quatre assis dans la bibliothèque de mes parents à parler de nos livres préférés. Oui, ils auraient approuvé avec grande joie que j'aie choisi Ren.

Je souris un instant, puis je fronçai les sourcils.

— Je n'aime pas l'idée que d'autres filles te courent après.

— Maintenant, tu sais comment je me sentais. Au fait, qu'est-ce que Jason avait à te dire ?

— Oh. Il m'a donné ceci.

Alors que nous entrions dans la maison, je lui remis l'article. Ren s'assit tranquillement pendant que je nous préparais un casse-croûte. Il entra dans la cuisine avec une expression d'inquiétude sur son visage.

— Kelsey, quand cette photographie a-t-elle été prise ?

— Il y a environ un mois. Pourquoi ? Qu'est-ce qui ne va pas ?

— Peut-être rien. Je dois appeler Kadam.

Il alla téléphoner et se mit à parler rapidement en hindi. Je m'assis sur le canapé et je lui tins la main. Ils parlaient tous les deux très vite et Ren semblait très inquiet. La dernière chose qu'il dit concernait Kishan.

— Ren, dis-moi. Qu'est-ce qui se passe ?

— Ton nom et la photographie sont dans l'article. C'est une publication plutôt obscure, donc peut-être aurons-nous de la chance.

— Qu'est-ce que tu es en train de dire ?

— Nous craignons que Lokesh puisse te retrouver ici.

— Oh, lui répondis-je, confuse. Mais qu'en est-il de ma carte d'étudiant et de mon permis de conduire ?

— Nous les avons tous changés. M. Kadam a des relations influentes. Il s'est arrangé pour que tes dossiers ne correspondent pas à ton nom avec ta photo. Croyais-tu vraiment qu'il était capable de t'obtenir dans les règles un passeport en une semaine pour que tu ailles en Inde l'été dernier ?

— Je suppose que je n'y ai pas pensé.

Avec ces nouvelles informations, la tête commença à me tourner, et la vision que j'avais eue en Inde du magicien assoiffé de pouvoir me revint à l'esprit.

— Mais Ren, dis-je, soudainement inquiète, je suis inscrite à l'université sous mon nom, et il y a des dossiers sur moi dans le système de placement familial qui pourraient le mener à Sarah et Mike. Que faire s'il les trouve ?

— M. Kadam les a changés aussi. Les registres d'état disent officiellement que tu as été émancipée à 15 ans, et cette maison et toutes les factures qui y sont reliées vont dans un compte caché. Même mon permis de conduire est un faux, et je suis inscrit sous un nom différent. Kelsey Hayes va officiellement à la WOU, mais ta photo a été intervertie pour qu'on ne puisse pas te trouver. Nous n'avons laissé aucun dossier où ton nom est lié à ta photographie. Ce sont les documents qui étaient mentionnés dans le courriel que tu as vu sur mon ordinateur

— Et mon album de finissants de l'école secondaire ?

— Nous y avons vu. Nous t'avons effacée des registres officiels. Si quelqu'un contactait un camarade de classe de ton ancienne école secondaire avec un vieil album, on pourrait te retrouver, mais les chances que cela se produise sont presque inexistantes. Ils devraient vérifier toutes les écoles secondaires du pays, en supposant qu'ils sachent dans quel pays chercher.

— Alors tu crois que cet article signifie…

— Qu'il existe un document avec lequel il pourrait te retrouver.

— Pourquoi ne m'avez-vous pas parlé de tout ça avant ?

— Nous ne voulions pas t'inquiéter inutilement. Nous voulions te permettre de vivre une vie aussi normale que possible.

— Alors, qu'allons-nous faire maintenant ?

— J'espère qu'on pourra terminer le semestre, mais juste au cas, j'ai fait venir Kishan.

— Kishan va venir ici ?

— C'est un bon chasseur, et il peut m'aider à monter la garde. De plus, il sera moins distrait que moi.

— Oh.

Ren m'attira plus près de lui et me frotta le dos.

— Je ne laisserai rien t'arriver. Je te le promets.

— Mais que faire si quelque chose t'arrive à toi ? Qu'est-ce que je peux faire pour aider ?

— Kishan surveillera mes arrières pour que je puisse surveiller les tiens.

9

Kishan

Comme nous étions sans nouvelles de Lokesh et qu'il ne se produisait rien d'inhabituel, j'étais suffisamment détendue pour apprécier le bal annuel de la Saint-Valentin. La soirée serait amusante, et tous les bénéfices iraient au financement du musée Jensen Arctic.

Ren tira un sac de vêtements de ma garde-robe et l'accrocha sur la porte des toilettes.

— De quoi s'agit-il, Tigre ? Tu penses que tu peux maintenant choisir ce que je vais porter, hein ?

— Tu me plais toujours, peu importe ce que tu portes.

Il m'attira contre lui et me serra très fort.

— Mais j'ai envie de te voir dans cette robe. Peux-tu la porter ce soir ?

Je grognai.

— Tu veux sans doute que je porte cette robe parce que je ne l'ai pas portée pour sortir avec quelqu'un d'autre. Tu ne supportes pas la robe pêche maintenant parce que tu dis qu'elle a encore l'odeur de Li, même après qu'elle ait été nettoyée à sec.

— La robe pêche te va magnifiquement bien, et je l'ai choisie spécialement pour toi. Mais tu as raison. Elle me rappelle Li et ce soir, je veux que nous soyons seulement tous les deux.

Il m'embrassa sur la joue.

— Je viendrai te chercher pour souper dans deux heures. Ne me fais pas attendre trop longtemps.

— Promis.

Il toucha mon front avec le sien.

— Je déteste être séparé de toi, ajouta-t-il doucement.

Après son départ, je pris une douche chaude, j'enroulai une serviette autour de ma tête et j'enfilai un peignoir. Défaisant la fermeture à glissière du sac de vêtements, j'y trouvai une robe en mousseline de soie bordeaux avec une jupe trompette et des manches à double volant. C'était une robe de style portefeuille qui s'attachait sur le côté de ma taille. Une boîte sur le plancher contenait des chaussures rouges à lanières.

Je soupirai.

À quoi rime cette obsession des hommes pour les chaussures à lanières ?

Maintenant que j'avais un milliard de rouges à lèvres, j'en trouvai un qui allait parfaitement avec ma robe. Je passai un long moment à tourner mes cheveux en longues boucles avec un fer à friser, puis je les remontai avec des peignes sertis de bijoux, laissant quelques boucles lâches autour de mes oreilles. Je me maquillai, et j'eus même le temps de peindre mes doigts et mes orteils avec du vernis rouge correspondant.

Ren sonna à la porte, essayant d'être formel. Je l'ouvris et eus le souffle coupé. Mon ange guerrier portait une chemise d'un blanc éclatant, assortie d'un gilet gris et d'une cravate de satin rouge, avec un nœud régate de la même couleur que ma robe. Sa veste de smoking noire était jetée négligemment sur son épaule, et ses cheveux tombaient sur un de ses yeux de façon attrayante. Il ressemblait à un mannequin tout droit sorti des pages du magazine GQ.

Tout à coup, comparée à lui, j'eus l'impression d'être une petite fille en train de jouer à se déguiser. Je pouvais imaginer que toutes les filles à la danse voudraient tendre le bras et enlever ses cheveux de son front.

Ren sourit, et mon cœur tomba jusque dans mes chaussures, où il s'agita comme un poisson hors de l'eau. De derrière son dos, il sortit un bouquet de deux douzaines de roses rouges. Il entra et les déposa dans un vase d'eau qu'il avait déjà préparé.

— *Ren* ! Tu ne peux pas t'attendre à ce que je t'accompagne à une danse quand tu as l'air de… ça ! C'est déjà suffisamment problématique quand tu t'habilles *normalement* !

— Je n'ai aucune idée de ce dont tu parles, Kelsey.

Il tendit la main et tira légèrement sur une de mes boucles en spirale, la ramenant délicatement derrière mon oreille.

— Personne ne va même me remarquer debout à côté de toi. Tu es absolument adorable. Maintenant, puis-je te donner ton cadeau de Saint-Valentin ?

— Tu n'étais pas obligé de m'apporter quoi que ce soit d'autre, Ren. Crois-moi, tu es un présent suffisant.

Il tira une boîte à bijoux de sa poche et l'ouvrit pour moi. À l'intérieur se trouvait une paire de boucles d'oreille pendantes avec des diamants et rubis incrustés sur une étoile en or.

— Elles sont *magnifiques* ! murmurai-je.

Il m'aida à les sortir de la boîte. J'aimais la sensation de les sentir pendre à mes oreilles et taper sur mon visage quand je tournais la tête.

Je me hissai sur la pointe des pieds et je l'embrassai.

– Merci. Je les adore.

– Pourquoi est-ce que je vois un « mais » dans ton expression ?

– Le « mais », c'est que tu n'avais vraiment pas besoin de m'acheter des choses chères. Je suis parfaitement heureuse avec des choses normales, ordinaires, comme des... chaussettes.

Il se moqua.

– Des *chaussettes*, ce n'est vraiment pas un cadeau romantique. L'occasion est spéciale. Ne gâche pas ma soirée, Kells. Dis-moi seulement que tu m'aimes et que tu aimes les boucles d'oreille.

Je tendis mes bras et les enroulai autour de son cou, et je lui souris.

– Je t'aime. Et... j'adore mes boucles d'oreille.

Un sourire douloureusement superbe vint orner son visage, et mon cœur bondit à nouveau.

Je ramassai son cadeau sur le bureau et je le lui tendis.

– C'est assez moche si tu le compares aux boucles d'oreille et aux roses. En fait, il est assez difficile de faire des emplettes pour des tigres riches.

Il déchira l'emballage, pour y trouver mon piètre cadeau.

– Cela s'appelle *Le comte de Monte-Cristo,* lui expliquai-je. C'est l'histoire d'un homme qui a été faussement accusé et jeté en prison pendant très longtemps, puis qui s'évade et essaie de se venger de ses accusateurs. C'est un excellent récit qui me fait penser à toi, qui as été en captivité pendant des centaines d'années. J'ai pensé que nous pourrions prendre une pause de Shakespeare et peut-être le lire ensemble.

— C'est un cadeau parfait. Non seulement tu m'offres un nouveau morceau de littérature, que tu sais que j'aime beaucoup, mais tu me donnes aussi des heures et des heures de lecture en ta compagnie ; tu ne pouvais m'offrir un plus beau présent.

Avec des ciseaux, je coupai une rose rouge du bouquet et je la fixai à sa boutonnière, après quoi, nous nous mîmes en route pour le souper, qui avait été organisé dans une salle à manger privée.

— Un restaurant normal aurait été parfaitement bien pour moi, murmurai-je après que nous nous soyons assis et que nous ayons été servis par pas moins de trois serveurs personnels.

— Ce soir, des centaines d'hommes emmènent des centaines de petites amies dans des restaurants ordinaires. Ce n'est ni spécial ni privé. Je voulais t'avoir rien que pour moi.

Ren me prit la main et la baisa.

— C'est mon premier rendez-vous de Saint-Valentin avec la femme que j'aime. Je voulais te voir briller à la lumière des bougies. Parlant de…

Il tira une feuille de papier du revers de sa veste et me le tendit.

— Qu'est-ce que c'est ?

Je l'ouvris et reconnus son écriture.

— Tu m'as écrit un poème

— Oui, dit-il avec un sourire.

— Peux-tu me le lire ?

Il hocha la tête et prit la feuille. Il commença à parler, et le timbre de sa voix me réchauffa. Il lut…

J'ai allumé une bougie et j'ai regardé la flamme.
Elle dansait et se tordait,
Sauvage et sans entraves.
Elle me captivait et vacillait dans mes yeux.
Quand je passai ma main au-dessus d'elle,
Elle s'agita.
La flamme s'éleva plus haut, devint plus brûlante.
Lorsque je retirai ma main,
La chaleur diminua,
S'affaiblit, et s'éteignit.
Je tendis la main à nouveau pour savourer la brûlure.
Est-ce que cela roussirait et échauderait ?
Est-ce que cela pétillerait et brûlerait ?
Non ! Cela me chatouilla et me réchauffa,
Se consuma et brilla,
Enflammant mon corps et mon âme.
Elle était éblouissante, lumineuse, rayonnante,
La farouche rougeur de sa joue.

— *Ren*

Il baissa la tête, comme si les très belles paroles qu'il venait de dire l'avaient rendu mal à l'aise. Je me levai et je fis le tour de la table vers son côté. Je me frayai un chemin jusqu'à ses genoux et j'enroulai mes bras autour de son cou.

– C'est beau.

– Tu es belle.

– Je voudrais t'embrasser, mais je mettrais du rouge à lèvres partout sur toi. Et que dirait la serveuse ?

– Elle peut dire tout ce qu'elle veut.

– Le combat est perdu d'avance, n'est-ce pas ?

– Oui. J'ai l'intention de t'embrasser… beaucoup, avant la fin de cette soirée.

– Je vois. Alors il serait préférable que je m'y mette. N'est-ce pas ?

– Je n'hésiterais pas à dire que tu devrais le faire.

Nous nous embrassâmes, et j'étais tellement inconsciente de ce qui se passait autour de moi que je n'entendis pas la serveuse revenir. Mon visage se réchauffa et devint rouge vif.

Ren rit doucement.

– Ne t'inquiète pas. Je lui laisserai un bon pourboire.

La serveuse s'approcha de notre table alors que je m'enlevais maladroitement des genoux de Ren. Horrifiée, je me rendis compte que la moitié inférieure de son visage était barbouillée de rouge à lèvres rouge. Je ne pouvais qu'imaginer à quoi ressemblait mon visage. Ren ne s'en souciait pas du tout.

Je m'éloignai rapidement pour nettoyer mon visage et je lui demandai de commander le souper. À mon retour, la nourriture m'attendait. Ren se leva pour tirer ma chaise pendant que je m'assoyais, et il se pencha pour appuyer sa joue contre la mienne.

Je jouai distraitement avec mes boucles d'oreille. Ren le remarqua.

— Tu ne les aimes pas ?

— Je pense qu'elles sont adorables, mais je me sens vraiment coupable de te voir dépenser autant d'argent pour moi. Je crois que tu devrais les ramener au magasin demain. Peut-être qu'ils ne te demanderont que des frais de location.

— Nous en parlerons plus tard. Pour l'instant, je veux tout simplement te voir les porter.

Après le souper, nous prîmes la voiture pour nous rendre au bal. Ren m'entraîna sur la piste et me fit tourbillonner. Me tenant tout près de lui, il n'enleva jamais ses yeux de moi tandis qu'il me faisait tourner au son de la musique. Il était si beau, d'une beauté si distrayante que j'étais aussi incapable de détacher mon regard de lui.

Il se mit à fredonner au son d'une chanson appelée *Ma confession.*

— Cette chanson décrit ce que je ressens pour toi, dis-je comme dans un aveu. Il m'a fallu beaucoup de temps pour que je m'avoue mes sentiments pour toi, même à moi-même.

Il écouta plus attentivement les paroles, puis il sourit.

— Je savais ce que tu ressentais pour moi depuis notre baiser avant notre départ de Kishkindhâ. Celui qui t'a vraiment mise en colère.

— Oh, celui que tu croyais éclairant ?

— C'était éclairant. Parce que c'est là que j'ai *su*. J'ai su que tes sentiments envers moi étaient aussi forts que les miens envers toi. Tu ne peux embrasser un homme de cette façon si tu n'es pas amoureuse de lui, Kells.

Je tendis le bras pour jouer avec ses cheveux sur sa nuque.

– Alors c'est pour cette raison que tu étais si arrogant et si sûr de toi par la suite.

– Oui. Mais toute cette confiance en moi a disparu après ton départ.

Son expression devint grave. Il m'embrassa les doigts, pressant ma main sur sa poitrine.

– Promets-moi, dit-il en me regardant attentivement, que tu ne me quitteras plus jamais comme cela, Kelsey.

Je levai les yeux et fixai ses yeux bleu cobalt.

– Je te le promets. Je ne te quitterai *jamais* plus.

Ses lèvres caressèrent légèrement les miennes. Soudain, il sourit d'un air malicieux, me fit tourbillonner, puis il m'attira brusquement contre sa poitrine. Il glissa son bras derrière mon dos et me fit descendre lentement dans une plongée circulaire. Me relevant rapidement, nous commençâmes à danser au rythme du tango qui jouait, et Ren me manœuvra en douceur au rythme latin de la chanson.

Je savais que les gens étaient probablement en train de nous regarder, mais, à ce moment précis, cela ne me dérangeait pas. Il était capable d'exécuter les mouvements comme un expert, et ce même si je ne savais pas ce que je faisais. La danse était fougueuse et passionnée, et je succombai rapidement à Ren et à la cadence de la mélodie. Il m'enveloppa dans une couverture de sensations physiques et mentales, orchestrant la parfaite séduction.

Quand la chanson fut terminée, il dut me porter pendant quelques minutes, car mes jambes étaient devenues molles comme de la gélatine. Il rit et me caressa le cou, heureux de ma réaction.

La chanson changea pour une autre plus ordinaire, plus lente. Après avoir suffisamment récupéré de son offensive séduisante contre mes sens, je réussis à parler.

— Je croyais que ce genre de danse n'avait lieu que dans les films. Où as-tu appris à danser de cette manière ?

— Ma mère m'a enseigné plusieurs formes traditionnelles de danse, et, ensuite, j'ai appris plusieurs mouvements au cours des années par observation. M. Kadam m'a fait danser avec Nilima, qui est devenue ma partenaire d'entraînement.

Je fronçai les sourcils.

— Je n'aime vraiment pas l'idée que tu danses avec Nilima. Si tu veux pratiquer, enseigne-moi.

— Nilima est comme une sœur pour moi.

— Quand même.

— Bon, je promets de ne jamais danser à nouveau avec une autre femme.

Il sourit.

— Même si j'aime toujours te voir jalouse.

Nous recommençâmes à danser lentement, et je posai ma tête sur son épaule, je fermai les yeux et je me permis de profiter de la sensation d'être tenue par lui. La chanson était à peine rendue à la moitié quand je le sentis se raidir et que je le vis regarder derrière moi.

— Bien… bien… bien, interrompit une voix soyeuse et familière. La chaussure est sur l'autre pied, cette fois-ci. Je crois que c'est *ma* danse.

Je pivotai sur moi-même.

— Kishan ? Je suis si heureuse de te voir !

Je lançai mes bras autour de lui.

Le prince aux yeux d'or me serra dans ses bras, appuyant sa joue contre la mienne.

— Moi aussi je suis content de te voir, *bilauta*.

Mercenaires

Kishan recula pour avoir un bon aperçu de moi.

— Tu m'as manqué. Mon idiot de frère te traite-t-il bien ?

Il chuchota vers moi.

— As-tu eu besoin de te servir du répulsif pour tigre ?

Je me mis à rire.

— Ren me traite très bien, même si je lui ai offert un cadeau de Saint-Valentin plutôt modeste.

— Ah. De toute façon, il n'en mérite pas. Et que t'a-t-il donné ?

Je tendis le bras pour toucher une boucle d'oreille avec mon doigt.

— Ceci. Mais, elles sont trop somptueuses pour moi.

Kishan tendit la main et toucha légèrement une boucle d'oreille. Son regard de pirate désinvolte qui semblait dire je-suis-en-train-de-m'enfuir-avec-ta-femme-et-qu'as-tu-l'intention-de-faire-à-ce-sujet se transforma en un doux sourire qui souleva le coin de sa bouche.

— Maman aurait été d'accord, dit-il tranquillement.

— Tu veux dire qu'elles appartenaient à ta mère ?

Je me tournai vers Ren, et il acquiesça laconiquement.

— Ren, pourquoi ne m'en as-tu pas parlé ?

— Je ne voulais pas que tu te sentes obligée de les porter si tu ne les aimais pas, répondit-il d'un ton léger. Elles sont maintenant un peu démodées.

— Tu aurais dû me dire qu'elles venaient de ta mère.

Je glissai mon bras autour de son cou et l'embrassai doucement.

— Je te remercie de m'avoir offert quelque chose qui t'était si précieux.

Ren me serra fort et m'embrassa sur la joue.

J'entendis un soupir théâtral derrière nous.

— Beurk, je pense que je préférais le voir pleurnichard et découragé. C'est tout simplement insupportable.

— Qui t'a invité ici ? grogna doucement Ren.

— C'est toi.

— Oui, mais je ne t'ai pas parlé de ce bal. Comment nous as-tu trouvés ?

— Nous avons atterri à Salem, et j'ai trouvé l'invitation pour la danse à la maison. J'ai pensé que s'il y avait une fête, je devrais y être. J'imagine que toutes les jolies filles sont déjà prises. Peut-être que… je peux t'emprunter la tienne.

— Il faudra me passer sur le corps.

Kishan retroussa les manches de son chandail.

— Quand tu veux, grand frère. On va voir ce que tu as dans les tripes.

C'est le temps d'intervenir.

— Kishan, dis-je de ma voix la plus douce, nous sommes en quelque sorte au milieu d'un rendez-vous et, même si je suis *très* heureuse de te voir, est-ce que je peux te demander de rentrer à la maison maintenant ? Comme tu peux le voir, ce n'est pas tant une fête qu'une affaire de couples. Nous ne serons pas longtemps absents, et il y a des trucs pour faire des sandwiches et une assiette géante de biscuits à la maison. Ça ne t'ennuierait pas trop ? *S'il te plaît* ?

— Très bien. Je vais y aller. Mais c'est bien parce que *tu* me le demandes.

— Et toi, tu cherches les problèmes, répliqua Ren.

Kishan donna un petit coup sur l'oreille de Ren et se moqua.

— Parfait. Et nous verrons si je peux en trouver plus tard. Au revoir, Kelsey.

J'eus le très fort sentiment que ma main sur son bras était la seule chose qui retenait Ren de sauter sur son frère. Il observa Kishan jusqu'à ce qu'il soit hors de vue, mais même ensuite, il ne fut toujours pas capable de se détendre. Je tentai d'attirer son attention vers moi.

— Ren.

— Il prend trop de libertés. Peut-être que c'était une erreur de lui demander de venir ici.

— Tu lui fais confiance ?

— Ça dépend. Je lui fais confiance pour la plupart des choses. Sauf…

— Sauf ?

— Sauf pour toi.

— Oh. Eh bien, tu n'as pas à lui faire confiance par rapport à moi. Tu dois simplement me faire confiance.

Il se moqua.

— Kells…

— Je suis sérieuse.

Je posai mes mains sur les côtés de son visage pour qu'il me regarde.

— Je veux que tu comprennes quelque chose. Peut-être que Yesubaï l'a choisi, mais moi je t'ai choisi. Tu es celui que je veux. Pas Kishan.

Je soupirai.

— En fait, je me sens un peu désolée pour Kishan. Il a perdu la personne qu'il aimait. C'est pourquoi nous devons profiter au maximum de notre temps. On ne sait jamais quand la personne qu'on aime nous sera enlevée.

Il me serra près de lui pendant une minute et pressa sa joue sur la mienne alors que nous dansions une danse lente, sachant que je ne parlais plus de Kishan.

— Cela ne va pas nous arriver. Je ne vais pas te quitter. Je suis immortel, tu te souviens ?

Je souris du bout des lèvres.

— Ce n'est pas ce que je voulais dire.

— Je sais ce que tu veux dire, me taquina-t-il. Mais j'ai dû me battre contre trois hommes pour gagner ton affection, et je n'ai pas envie d'avoir aussi à m'en prendre à mon frère.

— Tu exagères, Tarzan, dis-je en riant. Tu n'as vraiment pas eu à combattre qui que ce soit, sauf peut-être Li. Tout ce temps-là, mon cœur t'appartenait, et tu le savais probablement.

— Que *je* le sache et que *tu* le saches sont deux choses différentes. J'ai été trop longtemps un tigre solitaire. Je mérite d'être heureux avec la femme que j'aime. Et je ne permettrai à personne de me la prendre, surtout pas Kishan.

Je lui lançai un coup d'œil. Il soupira et tourbillonna autour de moi.

— J'essaierai d'être plus patient avec Kishan, mais il sait exactement comment m'irriter. Il est extrêmement difficile de me maîtriser quand je suis avec lui, surtout quand il flirte avec toi.

— S'il te plaît, essaie. Pour l'amour de moi ?

— Pour l'amour de toi, je me soumettrais à une atroce torture, mais je ne peux supporter de le voir flirter avec toi.

— Je t'aime. Je lui dirai d'arrêter. Mais, pendant qu'il est en ville, essayez de ne pas vous battre, d'accord ? Pas de combats de tigre. N'oublie pas que tu as besoin de lui ici, d'accord ?

— Très bien, mais s'il continue à se jeter à tes pieds, tout est possible.

— Tu ne m'as pas répondu… que tu m'aimes aussi, dis-je doucement après un moment.

— Kelsey, « je suis immuable comme l'étoile du Nord, dont la permanente immobilité n'a pas de pareille dans le firmament ».

— César est mort, tu sais.

— J'espérais que tu ne la connaisses pas.

— Je les connais toutes, Shakespeare.

— Bon, alors je te dirai simplement que je t'aime. Il n'y a rien au monde de plus important pour moi que toi. Je ne suis heureux que lorsque tu es près de moi. Mon seul but est d'être ce que tu as besoin que je sois. Ce n'est pas de la poésie, mais cela vient de mon cœur. Ça fera l'affaire ?

Je souris de travers.

— Je crois que oui.

Nous ne restâmes pas longtemps à la danse, parce que l'humeur de Ren avait changé, et ce, malgré mes taquineries, mes baisers et mes déclarations d'amour. Il dansait avec moi, mais son esprit était ailleurs, et quand je lui dis que je voulais rentrer à la maison, il ne protesta pas.

Lorsque nous entrâmes dans l'allée, je remarquai que les lumières étaient allumées dans ma maison. Avant d'entrer, Ren m'enveloppa dans une douce étreinte et m'embrassa tendrement.

Il posa son front contre le mien.

— Ce n'est pas exactement de cette manière que j'avais planifié la fin de notre sortie romantique.

— Il te reste encore une autre heure.

Je souris et enroulai mes bras autour de son cou.

— Qu'avais-tu en tête ?

Il se mit à rire doucement.

— En fait, j'avais l'intention d'improviser à partir d'ici, mais avec Kishan autour, ce n'est pas ce qui va se passer.

Ren m'embrassa à nouveau, et nous entendîmes un commentaire étouffé, trop faible pour que je le comprenne. Ren arracha ses lèvres des miennes et grogna tranquillement. Il murmura quelque chose en hindi, et ouvrit la porte d'un air menaçant.

Kishan était en train de regarder la télévision tout en avalant une quantité incroyable de collations. Six sacs différents de bretzels, de maïs soufflé, de biscuits et autres friandises assorties étaient éparpillés sur la table basse, tous à moitié vides.

– C'est tout simplement insupportable, râla Kishan. Vous n'auriez pas pu finir de vous embrasser à la danse pour que je n'aie pas à entendre ?

Ren m'aida à enlever mon manteau avec un grondement irrité avant que je me dirige vers l'étage. Il me dit qu'il monterait le plus tôt possible, dès qu'il aurait installé Kishan. La partie *installé* me semblait inquiétante, mais je hochai la tête, remplie d'espoir. Au moins, ils allaient essayer d'être civilisés l'un envers l'autre.

Je glissais mon pyjama sur ma tête quand j'entendis Ren crier.

– Tu as mangé *tous* mes biscuits... au beurre... d'arachide ?

Je hochai la tête. *Le fait que deux tigres vivent si près l'un de l'autre sera un véritable casse-tête.*

N'entendant pas la réponse de Kishan, je décidai de les laisser régler les choses entre eux. Je rangeai soigneusement les boucles d'oreille en rubis au fond de ma boîte de rubans, pour les mettre en sécurité, et je m'interrogeai sur la mère de Ren et de Kishan. J'enlevai tout mon maquillage et je retirai les peignes de mes cheveux, laissant tomber les boucles souples en cascade le long de mon dos.

Je trouvai Ren assis sur mon lit, appuyé contre la tête de lit. Sa veste de smoking était jetée sur une chaise et sa cravate était détachée et pendait autour de son cou. Ses mains étaient cachées derrière sa tête et ses yeux étaient fermés.

Je grimpai sur ses genoux et l'embrassai sur la joue. Ses bras s'enroulèrent autour de moi et il m'attira tout près de lui, mais il garda les yeux fermés.

– J'essaierai d'être patient avec Kishan, Kelsey, mais ce sera difficile, très difficile.

— Je sais. Où dort-il ?

— Dans mon lit, dans l'autre maison.

— Et toi, où vas-tu dormir ?

Il ouvrit les yeux.

— Ici. Avec toi. Comme je le fais toujours.

— Humm… Ren, ne crois-tu pas que Kishan se fera des idées à propos de… *tu sais*, nous, ensemble ? *Ensemble* ?

— Eh bien, ne t'en fais pas. Il sait que nous ne le sommes pas.

— Ren. Es-tu en train de rougir ? dis-je en riant.

— Non. Je ne m'attendais pas à ce que nous abordions ce sujet de conversation.

— Tu es vraiment d'une autre époque, prince charmant. C'est une conversation plutôt importante, tu sais.

— Qu'arrive-t-il si je ne suis pas encore prêt à avoir cette conversation ?

— Vraiment ? Trois cent cinquante années ont passé et tu n'es pas prêt à avoir cette conversation ?

Il grogna doucement.

— Ne te méprends pas, Kells. Je suis plus que prêt à avoir cette conversation, mais nous ne l'aurons pas. Du moins, pas avant que la malédiction soit conjurée.

J'eus le souffle coupé.

— Ai-je bien entendu ? Es-tu en train de dire que nous ne pourrons pas être *ensemble* avant de nous faire pourchasser par des singes immortels et des démons au moins trois fois, ce qui pourrait prendre des *années* ?

— J'espère vraiment que ça ne prendra pas autant de temps. Mais, oui. C'est ce que je suis en train de dire.

— Et tu ne vas pas changer d'avis à ce sujet, n'est-ce pas ?

— Non.

— Fantastique ! Alors je deviendrai *vraiment* une vieille fille qui vit avec deux gros chats !

— Tu ne deviendras pas une vieille fille.

— Le temps que ça te prendra pour décider d'être avec moi, je le serai.

— Kelsey, es-tu en train de dire que tu es maintenant prête pour tout cela ?

— Probablement pas, mais peut-être dans un an ? Ou deux ans ? À la longue, je vais devenir folle.

— Ce ne sera pas facile pour moi non plus, Kells. M. Kadam est d'accord pour dire que c'est tout simplement trop dangereux. Ses descendants vivent des vies exceptionnellement longues, et il estime que l'amulette en est responsable. C'était une conversation maladroite et étrange, mais il nous a dit, à tous les deux, que ce serait préférable de ne pas prendre… de risques inutiles. Nous ignorons comment fonctionne l'amulette ou la malédiction, et jusqu'à ce que nous soyons à nouveau des hommes complets et entiers je ne peux pas risquer qu'il t'arrive quoi que ce soit.

— Ce n'est pas comme si M. Kadam avait tué sa femme, Ren.

— Non. Mais il n'était pas un tigre non plus.

— Tu as peur que nous ayons des chatons ? le taquinai-je.

— Ne plaisante même pas à ce sujet, dit Ren, le visage dur comme la pierre.

— Eh bien, qu'est-ce qui te fait peur ? Veux-tu suivre un cours ?

Je ne pus m'en empêcher. L'humour sarcastique de maman fit son entrée en scène.

— Non ! dit-il avec une grande consternation.

Je me mis à rire.

— Kelsey ! Tu ne prends pas cela au sérieux.

— Bien sûr que oui. Je suis simplement en train de parler de quelque chose qui me rend nerveuse, et j'ai l'habitude de réagir à la nervosité avec humour et sarcasme. Sérieusement, Ren, tu parles *d'années,* alors que je suis presque sur le point d'attaquer un homme assez séduisant *maintenant.*

Je soupirai.

— Crois-tu vraiment que ce serait dangereux ?

— La vérité, c'est que je l'ignore. Je ne sais pas comment la malédiction nous affectera. Et je ne veux pas te mettre en danger. Alors, peut-on attendre avant d'avoir cette conversation… au moins pendant un certain temps ?

— Oui, grommelai-je. Mais tu dois savoir que j'ai… de la difficulté à penser clairement quand je suis près de toi.

— Hum, dit-il, en pressant ses lèvres contre mon cou.

— En passant, ça ne m'aide pas.

Je soupirai.

— Je suppose que je devrai me contenter de prendre beaucoup de douches très froides.

— Toi et moi, marmonna Ren contre ma gorge. Avais-tu de la difficulté à penser clairement avec tes autres petits amis ?

— Quels petits amis ?

— Jason ou Li ?

— Je n'ai jamais vraiment pensé à Jason comme étant plus qu'un ami. Li était un bon ami avec du potentiel. Mmm… ce que tu fais là est agréable. C'étaient des gens intéressants que je voulais mieux connaître, mais pas des petits amis. Je ne les aimais pas comme je t'aime, et je ne me sentais pas ainsi avec eux.

Je grognai doucement.

— Pas comme ceci.

Il fit traîner des baisers le long de la ligne de ma mâchoire.

— Et avant eux ?

— Non. Il n'y a eu personne. Tu es mon premier… tout.

Il leva la tête et me gratifia de son sourire ravageur.

— Je suis particulièrement heureux et fou de joie de t'entendre dire cela.

Il rassembla mes cheveux sur mon épaule et pressa des baisers le long de l'arche de mon cou.

— Je tiens aussi à préciser, Kells, que toi aussi tu es ma toute première.

Je frissonnai. Soupirant, il m'embrassa tendrement et je me blottis contre sa poitrine.

Je jouai avec les boutons de sa chemise.

— Tu sais, ma mère m'a parlé de cela juste avant sa mort. Elle et papa espéraient que j'attendrais jusqu'au mariage, tout comme ils l'avaient fait.

— Pour moi, cela va de soi. Dans mon temps, dans mon pays, les relations sexuelles entre partenaires occasionnels, ça n'existait pas.

— Ah, taquinai-je, tu penses donc que nous sommes des partenaires occasionnels ?

— Non. Ce n'est pas le cas pour moi.

Il pencha la tête et regarda attentivement mon expression.

— Et toi ?

— Moi non plus.

— C'est bon à savoir.

Il se pencha, saisit ma couverture, et l'ajusta autour de nous.

— Ren ?

— Humm ?

— Que dirais-tu si je te disais que je voulais attendre, tu sais, jusqu'à…

Un sourire éclaira son beau visage.

— Jusqu'à… *quoi ?*

Je me mordis nerveusement la lèvre.

— Jusqu'à ce que… *tu sais.*

Il sourit encore plus.

— Est-ce une proposition ? Veux-tu le numéro de téléphone de M. Kadam pour que tu puisses lui demander son approbation ?

Je grognai.

— Tu aimerais bien, Roméo ! Mais sérieusement, Ren, si je voulais attendre, est-ce que ça te… dérangerait ?

Il posa ses mains sur les deux côtés de mon visage, et me regarda dans les yeux.

— Je t'attendrai à jamais, Kelsey, dit-il simplement.

Je soupirai.

— Tu dis toujours la bonne chose.

Je me pelotonnais confortablement contre lui quand une pensée ensommeillée émergea de mon cerveau et me poussa à m'asseoir.

— Attends une minute ! Ta première en tout, hein ? Ce n'est pas *exactement* vrai, n'est-ce pas ? M. Kadam m'a dit un jour qu'il était entré par effraction au Bain de la Reine à Hampi, ce qui était un rite de passage pour les jeunes hommes. Ne l'as-tu pas accompagné à Hampi à plusieurs occasions ?

Ren se figea.

— Et bien, techniquement parlant...

Je souris et je levai un sourcil moqueur.

— Oui, Ren ? Mon amour ? Tu disais ?

— Je disais que, techniquement parlant, oui, Kadam, Kishan et moi y sommes entrés par effraction. Mais nous ne nous sommes rendus qu'à la porte d'entrée, et tout le monde dormait. Nous n'avons rien vu.

Je lui donnai un coup sur la poitrine.

— Me dis-tu la vérité, Lancelot ?

— Je te dis absolument, à cent pour cent, la vérité.

— Alors si je pose la question à Kishan demain, il va corroborer ton histoire ?

— Bien sûr, marmonna-t-il calmement. Et s'il ne le fait pas, je lui donnerai un coup de poing au visage.

— Je t'ai entendu. Tu ferais mieux de me dire la vérité, Ren, et tu ne donneras pas de coup de poing au visage de Kishan.

— Je te taquine, Kells. Je le promets. Je n'ai jamais regardé quelqu'un à part toi depuis le jour où tu m'as fait la lecture pour la première fois devant ma cage au cirque. Tu es un cygne parmi les hirondelles.

— Charmante ligne, mais je crois que tu devrais consulter à nouveau ton guide pratique.

Il fronça les sourcils et ignora mon commentaire.

— De toute manière, en ce qui concerne Kishan, il mérite de se faire donner un coup de poing pour avoir mangé mes biscuits.

— Je t'en ferai d'autres demain, alors ne l'ennuie pas avec ça.

Je me mis à rire jusqu'à ce qu'il me force à me taire efficacement avec ses lèvres.

Le jour suivant, après la troisième omelette de Ren et la quatrième de Kishan, Ren annonça qu'il voulait reprendre les cours de wushu. Kishan frappa dans ses mains, montrant qu'il avait hâte de tabasser Ren.

Les frères louèrent un petit studio où nous pouvions être seuls et où Ren et lui pouvaient être mes tuteurs. Ils ne m'enseignèrent aucun nouveau mouvement ni de nouvelle position, mais ils me donnèrent un cours accéléré sur *Comment mettre son adversaire hors service 101*. Nous fûmes d'accord sur le fait qu'il serait bon que j'apprenne quelques mouvements défensifs au cas où Lokesh se présenterait, mais également à cause du risque de qui-sait-ce-qui-rôdera-autour-de-nous lors de la prochaine quête. Nous fîmes tous des étirements pendant quelques minutes, puis Ren commença ses leçons en utilisant Kishan comme sujet test.

— Première leçon. Si ton attaquant court vers toi, plie tes genoux et attends qu'il se rapproche. Ensuite, prends son bras, balance-toi autour de lui, et verrouille tes bras autour de sa gorge. S'il s'agit d'un grand gars, alors tire vers le sommet de sa gorge sous la mâchoire.

Kishan courut vers Ren et attaqua par-derrière, puis ce fut mon tour. Ren se mit à courir vers moi, et je lui attrapai le bras et sautai sur son dos. Je lançai mes bras autour de son cou dans une prise d'étranglement, puis je l'embrassai sur la joue avant de sauter sur le sol.

— Bien. Deuxième leçon. Si l'attaquant connaît mieux les arts martiaux que toi, ne te bats pas contre lui. Essaie juste de l'immobiliser. Vise son estomac ou son aine, et donne-lui un coup de poing ou un coup de pied aussi fort que tu en es capable.

Kishan attaqua de nouveau et commença un assaut complexe de mouvements d'arts martiaux. Je reconnus un saut coup de pied au visage avec son genou plié, et un coup de pied circulaire, mais il fit aussi plusieurs autres mouvements compliqués que je n'avais jamais vus auparavant. Ren garda ses distances, se déplaçant hors de la portée de Kishan, jusqu'à ce qu'il trouve une ouverture et lui donne un coup de poing dans l'estomac. Kishan se leva tout de suite et revint à nouveau vers lui. Cette fois, il se battit plus fort avec Ren, et c'est là que Ren donna un coup de poing vers le haut, s'arrêtant juste avant de neutraliser son frère.

— Si tu peux choisir l'un ou l'autre, choisis l'aine. C'est beaucoup plus efficace. Troisième leçon. Attaque-toi aux endroits fragiles. Ce sont les yeux, la pomme d'Adam, les oreilles, les tempes et le nez. Pour les yeux, creuse avec deux doigts, comme ça. Pour les oreilles, utilise les deux mains et frappe violemment les deux oreilles en même temps, aussi fort que tu en es capable. À part cela, il s'agit de donner un coup fort avec la main à plat et de côté.

Ren fit la démonstration de chaque mouvement, puis il me demanda de pratiquer sur lui. En fait, il voulait que je lui fasse mal, parce qu'il voulait que ce soit réaliste. Mais je ne pouvais m'y résoudre.

Kishan grogna et se leva, poussant Ren de côté.

— Elle ne va jamais apprendre de cette manière. Il faut qu'elle sente une attaque réelle.

— Non, tu es trop rude. Tu vas la blesser.

— Que crois-tu qu'ils lui feront?

Je posai mon bras sur Ren.

— Il a raison. Ce n'est pas grave. Laisse-le essayer.

Ren accepta avec réticence et se recula contre le mur.

Je me tins debout nerveusement, mon dos vers Kishan, attendant l'attaque. Il arriva vers moi, attrapa fort mon bras et me fit pivoter. Ses mains se dirigèrent vers ma gorge; il était en train de m'étrangler. J'entendis un grognement vicieux avant que Kishan se fasse jeter contre le mur du fond. Ren se tint devant moi touchant avec tendresse les empreintes rouges sur ma gorge.

— Je te l'avais dit! hurla-t-il à Kishan. Tu es trop rude! Elle aura des ecchymoses sur le cou!

— Il faut que ce soit rude pour être réaliste. Elle doit être prête.

— Ren, je vais bien. Laisse-le essayer à nouveau. Je dois me préparer afin de pouvoir penser clairement lors d'une attaque. Un jour, tu pourrais avoir besoin de moi pour te sauver.

Il me caressa doucement le cou, me regardant d'un air indécis. Finalement, il hocha la tête et s'éloigna.

Kishan courut vers l'autre côté et cria.

— Ne pense pas. Contente-toi de réagir.

Je me détournai pour attendre l'attaque. Kishan était silencieux. J'écoutai pour entendre le bruit de ses pas, mais je n'entendis rien. Soudain, ses bras étaient enroulés autour de moi à partir de l'arrière, me tenant très fort, et il se mit à me traîner. Il était trop fort. Il m'étouffait. Je me tortillai, luttai et tapai avec mes pieds, mais en vain.

Désespérée, j'aspirai une bouffée d'air, puis je cognai ma tête sur son menton. Ce fut douloureux. Très. Mais il relâcha suffisamment son étreinte pour que je me glisse hors de sa poigne et que je tombe sur le sol. Je me levai brusquement, j'enfonçai mon épaule dans son aine, et je frappai aussi fort que je le pouvais dans son estomac.

Kishan tomba au sol. Ren rit grassement et donna une tape dans le dos de son frère avant de revenir vers moi.

— C'est toi qui l'as demandé. *Ne pense pas. Contente-toi de réagir.* Bon sang ! J'aurais aimé avoir un appareil photo !

Je tremblais à cause de mon effort. J'y étais arrivée, mais je ne pensais pas sérieusement pouvoir m'occuper de plus d'un adversaire. Comment pourrais-je protéger Ren si je pouvais à peine me défendre ?

— Ça va aller pour Kishan ?

— Ça va aller. Donne-lui juste une minute.

Ren était ravi de ma petite victoire. Kishan se leva en grimaçant.

— C'était bien, Kelsey. Si j'avais été un homme normal, j'aurais été cloué au sol pendant au moins 20 minutes.

Je me sentais un peu étourdie.

— Euh, les gars ? Pouvons-nous arrêter pour aujourd'hui ? J'ai la tête qui tourne. Je pense que j'ai besoin d'une aspirine. Rappelez-vous, je ne récupère pas aussi vite que vous deux.

Ren se calma, me toucha la tête, et trouva une grosse bosse qui se formait. Il insista pour me transporter jusqu'à la voiture, même si j'étais parfaitement capable de marcher. Quand nous arrivâmes chez nous, il m'installa sur le canapé, donna un coup de poing dans le ventre de Kishan, juste pour marquer un point, et se rendit à la cuisine pour prendre un sac rempli de glace pour ma tête.

Après deux semaines de pratique, je commençais à avoir confiance en ma capacité de garder mon sang-froid pendant une attaque. À tour de rôle, Kishan et Ren commencèrent tous les deux à faire le tour des terrains la nuit, s'assurant que personne ne puisse s'y glisser et nous surprendre.

Je rangeai un sac à dos d'urgence, contenant des vêtements et autres articles dont je pourrais avoir besoin en cas d'urgence, sous le siège avant du camion noir GMC de Kishan. Je déposai ma courtepointe, mes documents de voyage, les boucles d'oreille en rubis et Fanindra dans le sac. Ren et Kishan le remplirent avec des devises de plusieurs pays différents et ajoutèrent aussi un sac de vêtements pour eux-mêmes. Ils garèrent le camion à un peu plus d'un kilomètre sur la route principale et le recouvrirent de branches pour le camoufler.

Je portais toujours mon amulette et le bracelet médaillon de Ren, mais j'étais inquiète pour ma boîte de rubans. Si nous devions quitter la ville rapidement, je ne voulais pas qu'il lui arrive quelque chose. Ren suggéra que nous fassions parvenir un colis à M. Kadam pour qu'il la garde en sécurité. Nous expédiâmes ma boîte de rubans et d'autres objets personnels irremplaçables en Inde.

Il était difficile de nous détendre, parce que nous sentions tous que quelque chose s'en venait dans notre direction. Kishan se joignait maintenant à nous pour des soirées cinéma et, habituellement, il mangeait tout le maïs soufflé, ce qui ennuyait Ren. La plupart du temps, le soir, nous restions à la maison, et je cuisinais. Kishan mangeait facilement deux fois plus que Ren, qui mangeait déjà beaucoup. Le livreur du Safeway devait probablement croire que nous gérions un gîte touristique, étant donné la quantité de nourriture que nous faisions livrer à la maison chaque semaine.

Un samedi de mars, je suggérai un voyage à Tillamook et à la plage. Le temps était censé être exceptionnellement chaud et ensoleillé. Il était très peu probable que la température reste la même, mais les plages de l'Oregon étaient belles, même sous la pluie. Dès la minute où je promis de la crème glacée au beurre d'arachide et au chocolat, Ren devint très favorable à l'idée.

Nous emballâmes les ingrédients nécessaires à la préparation de bouchées à la guimauve, ainsi que des vêtements de rechange à l'arrière de la jeep. Je conduisis jusqu'à Lincoln City et, ensuite, je tournai à droite sur l'autoroute 101 qui longeait la côte de l'Oregon. C'était un trajet agréable, et, lorsque j'ouvris un peu les fenêtres, les tigres se mirent le nez dehors pour sentir l'odeur de l'océan. Plus tard, j'arrêtai au centre des visiteurs de la Tillamook Cheese Factory et je me garai à l'endroit le plus éloigné de la foule.

— Je vous revois à l'intérieur, les gars.

J'enfilai une veste légère. Même si la météo prévoyait de la chaleur, le ciel était un peu couvert et le soleil ne perçait qu'occasionnellement les nuages gris. Le temps était venteux, mais il semblait peu probable qu'il pleuve avant tard dans la soirée. J'entrai dans le magasin et je passai en revue les différents fromages en vitrine.

Ren glissa sa main dans la mienne. Il portait un chandail bleu glacier à capuchon, avec une sorte de motif de dragon asiatique qui allait d'une épaule à l'autre.

Je levai le bras pour tracer le dragon.

— Où l'as-tu pris ?

Il haussa les épaules.

— Sur Internet. Je suis devenu un expert des achats sur Internet.

— Hum. Je l'aime bien.

Il leva un sourcil.

— Ah oui ?

— Ouais.

Je soupirai.

— Hum... nous ferions mieux de t'éloigner des crèmes glacées.

Il parut offensé.

— Pourquoi veux-tu m'éloigner des crèmes glacées ?

— Parce que tu es assez *chaud* pour les faire fondre, et, qu'ensuite, Kishan pleurerait. Les vendeuses de crèmes glacées t'ont déjà repéré.

— Eh bien, peut-être n'as-tu pas remarqué le jeune homme derrière le comptoir. Quand je suis entré, il était très mécontent.

— Tu mens.

— Non, je ne mens pas.

Je jetai un coup d'œil au type derrière la caisse, et il nous regardait *vraiment*.

— Il veut probablement s'assurer que nous ne sommes pas en train de goûter trop d'échantillons gratuits.

— Je ne crois pas, Kelsey.

Nous nous dirigions nonchalamment vers le comptoir de crèmes glacées quand je humai l'odeur des cornets gaufrés fraîchement cuisinés. Kishan commanda un triple cône avec des saveurs de gâteau au fromage aux bleuets, de chocolat à l'orange et de flotteur à la racinette.

– C'est un choix intéressant, Kishan.

Il me sourit par-dessus son cône géant et il prit une énorme bouchée de crème glacée à la racinette. Ren était à côté, mais il semblait avoir des ennuis.

– Je suis déchiré.

– Entre quoi et quoi ?

– Le beurre d'arachide au chocolat et les pêches à la crème.

– Tu adores le chocolat au beurre d'arachide. Ce devrait être un choix facile.

– Ah, c'est vrai, dit-il en se penchant pour chuchoter, mais j'aime encore mieux les pêches à la crème.

Il m'embrassa sur la joue et commanda une double portion de pêches à la crème.

Je commandai un double cône avec du beurre d'arachide dans le fond et mon préféré, Tillamook mudslide, sur le dessus, et je lui promis de lui réserver la seconde partie. J'ajoutai un grand carré de chocolat fondant au beurre d'arachide à la commande et je payai la facture.

À partir de là, il n'y avait qu'une courte distance en voiture vers la plage. Comme c'était couvert et encore assez frais, la plage était déserte. Il n'y avait que nous trois, avec les mouettes et le grondement de l'océan froid.

Les vagues d'eau glaciale bleu pierre se renversaient sur le sable gris ponce et aspergeaient les grands rochers noirs. C'était l'océan du Nord-Ouest : beau, frais et sombre. Très différent des plages du sud de la Californie ou de la Floride. Sur l'eau, au loin, un bateau de pêche dérivait lentement.

Ren étendit une large couverture et commença à faire un feu. Il obtint un brasier crépitant, et il vint me rejoindre sur la couverture. Nous mangeâmes, rîmes et parlâmes des différents styles d'arts martiaux : karaté, wushu, ninjutsu, kendi, aïkido, shaolin, muay thaï, tackwondo et kenpo.

Ren et Kishan discutèrent des formes particulières qu'il fallait utiliser selon la situation. Ils finirent par arrêter de parler et Ren m'invita à marcher le long de la plage avec lui. À coups de pied, nous enlevâmes nos chaussures et, nous tenant la main, nous marchâmes vers les rochers noirs à environ un kilomètre de là, tout en laissant l'eau froide lécher nos pieds.

— Aimes-tu l'océan ? demanda-t-il.

— J'aime le regarder ou y faire une croisière, mais j'ai peur d'y nager. Marcher dans l'eau, c'est bien, mais c'est tout.

— Pourquoi ? Je croyais que tu adorais les récits sur l'océan ?

— C'est vrai. Il y a des livres extraordinaires sur la mer : *Robinson Crusoé, Vingt mille lieues sous les mers, L'île au trésor* et *Moby Dick*.

— Alors, pourquoi as-tu peur ?

— Un seul mot. Requins.

— Les requins ?

— Oui. Apparemment, il faudrait que je te fasse regarder le film *Les dents de la mer*.

Je soupirai.

— Je sais que, statistiquement parlant, la plupart de ceux qui nagent à la plage ne se font pas dévorer par les requins, mais le simple fait que je ne peux rien voir dans l'eau me fait paniquer.

— Mais les piscines, c'est bien ?

— Oui. J'aime nager, mais j'ai vu trop de programmes télévisés du style *Semaine des requins* pour être à l'aise dans l'océan.

— Peut-être aurais-tu une autre impression si tu faisais de la plongée.

— Peut-être, mais j'en doute.

— J'aimerais essayer, un jour.

— Ne t'en prive pas.

— Tu sais, statistiquement parlant… toi, tu as beaucoup plus de chances de te faire dévorer par un tigre.

Il essaya de me prendre les bras, mais je m'élançai hors de sa portée et je me mis à rire.

— Pas si le tigre ne peut pas m'attraper.

Je me mis à courir aussi vite que je le pouvais et il rit, me pourchassant dans le sable en essayant de me saisir par les talons.

Il me laissa lui échapper pendant un certain temps, même si je savais qu'il pouvait m'atteindre à tout moment. Finalement, il me prit et me jeta sur son épaule.

— Allez, Tigre, l'eau est en train de monter, dis-je en riant, et nous avons laissé Kishan à lui-même pendant trop longtemps.

Il me ramena vers la couverture et m'y déposa.

Je sortis les guimauves à griller. Ren mit Kishan au défi de faire une course avec lui, en partant de la couverture jusqu'aux rochers et de retourner à la couverture.

— Allez, Kishan, le premier qui revient gagne.

— Qu'est-ce que je gagne ?

— Qu'est-ce que vous diriez de la première guimauve ?

Kishan hocha la tête.

— Pourquoi est-ce que le premier prix ne serait pas un baiser de Kelsey ?

Le visage de Ren s'assombrit.

— Euh, Kishan, risquai-je, je ne crois pas que ce soit une bonne idée.

Kishan persista.

— Ce n'est pas un problème, Kelsey. Il sera ainsi très motivé. À moins qu'il ait peur de perdre.

— Je ne perdrai pas, grogna Ren.

Kishan donna un coup sur la poitrine de Ren.

— Dans tes meilleurs jours, tu ne verrais même pas ma queue.

— Très bien. Faisons-le.

— Les gars, je ne crois pas…

— Allez !

Ils se mirent tous les deux à courir si vite qu'ils devinrent presque une image floue sur le sable. Mes guimauves oubliées, je me levai pour les regarder courir. Kishan était rapide comme l'éclair, mais Ren était aussi très rapide. Il se trouvait juste derrière Kishan. Lorsqu'ils tournèrent au rocher, Ren fit un virage plus serré, devançant Kishan d'environ un mètre, et il réussit à maintenir son avantage pour le retour. À mi-parcours, Kishan tendit le bras, attrapa le capuchon bleu du chandail de Ren, tira durement dessus et le poussa sur le sable.

Ren pivota et tomba, mais il se releva rapidement et fit un bond rapide, mû par la vengeance. Ses jambes bougeaient encore plus vite qu'il semblait possible de le faire. Le sable volait derrière lui à plusieurs mètres alors qu'il arrivait au niveau de Kishan. La course se termina avec Kishan en avance d'une trentaine de centimètres.

Ren était en colère. Kishan se mit à rire et poussa Ren de côté pour pouvoir réclamer son prix.

Je me levai sur la pointe des pieds et embrassai Kishan sur la joue. Ren semblait apaisé, et il commença à se détendre. Il ramassa une pierre et la jeta dans l'océan.

— Tu as seulement gagné parce que tu as triché, grommela-t-il.

— J'ai gagné parce que je sais comment gagner. Tricher n'est pas pertinent. Tu dois apprendre à faire ce qu'il faut pour gagner. Parlant de gagner, ce n'était pas le prix que j'avais en tête.

Il tendit la main et attrapa mon coude, puis il me retourna et me donna un baiser très théâtral. C'était beaucoup plus du spectacle que de la substance, mais Ren devint fou furieux.

— Laisse. La. Partir.

Après que Kishan m'eut ramenée à la verticale, je reculai d'un pas et Ren fonça comme un canon dans l'estomac de Kishan, mettant fin à ses éclats de rire et le renversant dans le sable. Ils roulèrent dans le sable, luttant et grognant l'un contre l'autre pendant les 10 minutes suivantes. Je décidai de ne pas intervenir. Il semblait que lutter et boxer l'un contre l'autre faisaient partie de leurs passe-temps préférés.

Quand ils finirent par cesser de se battre, nous mangeâmes tous des guimauves.

— Tu sais, dis-je en lissant les cheveux de Ren pour les enlever de son front, ça ne voulait rien dire pour lui. Il fait simplement exprès pour t'ennuyer.

— Oh, ça voulait dire quelque chose. Je te l'ai dit, s'il continue à manigancer de choses à ton sujet, alors tous les paris sont ouverts. Hé, c'est vraiment bon. Hummm, on pourrait y ajouter…

— Du beurre d'arachide ? lançâmes-nous tous les deux en même temps.

Il se mit à planter des baisers collants partout sur mon visage. Je me mis à rire et je m'éloignai en marchant rapidement. Il venait tout juste de sauter sur ses pieds pour m'attraper quand mon téléphone sonna. C'était Jason.

— Hé, Jason. Quoi de neuf ?

— J'ai juste pensé que tu aimerais savoir que des types étaient sur le campus hier et qu'ils posaient des questions à ton sujet. Ils ont dit qu'ils représentaient un bureau d'avocats et qu'ils avaient des nouvelles à propos du testament de tes parents

— Je vois. De quoi avaient-ils l'air ?

— De grands gars, des vêtements chers. Ils semblaient légitimes, mais je ne leur ai rien dit. J'ai pensé que je devais d'abord t'en parler.

— Merci de m'en avoir parlé, Jason. Tu as eu raison de ne rien leur dire.

— Tu as des ennuis, Kelsey ? Tout va bien ?

— Tout va bien. Ne t'inquiète pas.

— D'accord, à bientôt.

— Au revoir.

Je fermai mon téléphone et jetai un coup d'œil vers Ren. Il me regarda fixement à son tour et nous sûmes tous les deux. *Lokesh m'avait trouvée.* J'entendis Kishan qui parlait calmement et je me retournai pour voir qu'il était en train de parler au téléphone, sans doute avec M. Kadam.

Nous commençâmes immédiatement à emballer nos affaires. Soudain, l'atmosphère de la plage avait changé. Tout semblait maintenant sombre et sinistre, alors qu'auparavant, tout était amical et sûr. Le ciel donnait froid dans le dos et semblait de mauvais augure, et je grelottai dans la brise soudainement fraîche.

Ren et Kishan convinrent que si Jason n'avait rien dit aux hommes, il était peu probable qu'ils aient déjà trouvé notre maison. Nous décidâmes de rouler jusque chez nous, de régler quelques détails et de quitter l'Oregon.

En route, j'appelai Sara et Mike et je leur expliquai que je retournais immédiatement en Inde.

— M. Kadam a fait une découverte importante, et il a besoin de mon aide. Ren m'accompagnera. Je vous téléphonerai dès que j'aurai atterri.

J'appelai Jennifer et lui dis la même chose. Elle me dit que si je m'enfuyais avec Ren, je devais être franche avec elle. Elle finit par croire à l'histoire et dit qu'elle ferait parvenir l'information à Li. Je pris soin de ne pas mentionner la ville ni la durée de mon voyage. J'essayai d'être aussi vague que possible.

Après avoir raccroché, Ren m'assura que ma famille serait en sécurité. Il m'expliqua que M. Kadam avait préparé un voyage surprise pour Sarah, Mike et les enfants. Il leur avait organisé un voyage de trois semaines, toutes dépenses payées, à Hawaï, mais seulement s'ils partaient immédiatement. On leur dirait que le voyage était un prix offert par les fabricants de leurs chaussures de course préférées.

Pendant tout le trajet vers la maison, je passai mon temps à regarder dans les rétroviseurs, m'attendant à ce que des berlines noires arrivent et dévalent vers moi avec des hommes louches qui tiraient sur nous. Dire que j'avais peur aurait été un euphémisme. J'avais fait face à des démons et à des singes immortels, mais d'une certaine manière, c'était tout à fait différent de faire face aux méchants types du monde moderne. Je pouvais rationaliser les démons comme n'étant pas réels, et par conséquent, même s'ils me poursuivaient, ils ne représentaient pas vraiment une menace. Mais les hommes réels qui voulaient enlever, torturer, ou encore tuer des gens me semblaient beaucoup plus menaçants.

Lorsque nous arrivâmes chez moi, j'entrai dans le garage et j'attendis dans la voiture pendant que les frères inspectaient la maison. De retour au garage, une dizaine de minutes plus tard, Ren posa ses doigts sur ses lèvres et m'ouvrit doucement la porte. Il s'était changé et portait maintenant des vêtements sombres, de lourdes bottes et une veste noire.

— Que se passe-t-il ? articulai-je silencieusement.

— Des personnes sont entrées dans la maison, chuchota Ren. Leurs odeurs sont partout, mais ils n'ont rien pris. Il n'y a personne ici maintenant, alors monte rapidement mettre des vêtements sombres et mets de bonnes chaussures de course. Ensuite, rencontre-nous en bas. Kishan est en train de surveiller les portes. Nous allons passer par l'arrière de la maison, prendre le chemin à travers les bois jusqu'au camion de Kishan, puis nous diriger vers l'aéroport.

Je hochai la tête, me précipitai dans la maison et montai l'escalier. Je me lavai le visage, enfilai un jean foncé, un chandail noir à manches longues et mes espadrilles. J'attrapai ma veste et je les rencontrai en bas. Kishan prit la tête alors que nous traversions ma maison et celle de Ren à pas de loup.

Kishan et Ren s'étaient tous les deux armés des armes de ma boîte de wushu. Le bâton à trois sections fut plié et passé dans la ceinture de Kishan au bas de son dos, et Ren avait glissé une paire de couteaux saï à travers un passant de sa ceinture. Ren et moi continuâmes de suivre Kishan alors qu'il ouvrait la marche à l'extérieur de la maison et dans la forêt.

Il s'arrêtait souvent pour renifler l'air et regarder le sol. Il nous restait environ un kilomètre et demi à parcourir pour atteindre le camion. Chaque bruit, chaque craquement me faisait sursauter et pivoter constamment, m'attendant à une attaque. Je sentais une démangeaison entre mes omoplates, comme si nous étions surveillés.

Après environ cinq minutes, Kishan figea sur place. Il fit un geste pour que nous nous baissions et nous nous cachâmes derrière des fougères. Quelqu'un dans la forêt se déplaçait et suivait nos traces. Même moi je l'entendais, ce qui signifiait qu'il était près.

— Nous devons sortir d'ici. Quand je dirai « maintenant », partez. Quelques secondes tendues s'écoulèrent.

— Maintenant, murmura-t-il.

Il nous conduisit profondément dans la forêt à un rythme plus rapide. J'essayais de me déplacer aussi silencieusement que j'en étais capable, mais je craignais que la personne qui se trouvait derrière puisse m'entendre. Mes pieds ne semblaient pas trouver les bons endroits pour se poser ; je faisais souvent craquer des branches et je dérapais sur des endroits humides pendant que je courais. Nous arrivâmes dans une clairière et Kishan se figea, sifflant de nouveau.

— Guet-apens !

Nous rebroussâmes chemin. L'homme qui nous suivait nous attrapa et nous bloqua le chemin. Kishan courut vers lui, rétrécissant rapidement la distance. Alors qu'il n'était qu'à quelques pieds de lui, Kishan sortit son bâton et l'agita au-dessus de sa tête pour lui faire prendre de la vitesse. Je pensais que l'arme serait encombrante, mais entre les mains de Kishan, elle tournait comme les hélices d'un hélicoptère. En un clin d'œil, il fit tomber l'homme en frappant ses jambes, puis il fit un bond de géant, fit tournoyer son arme et asséna un coup sur le dos et la tête de l'homme. Avec un simple mouvement du poignet, l'arme se replia dans sa paume et il la fourra dans sa ceinture. L'homme ne se releva pas.

Ren me prit la main et me tira derrière lui pendant qu'il courait. S'arrêtant devant un bosquet d'arbres, il me poussa derrière un tronc d'arbre tombé et m'ordonna de ne pas bouger, puis il repartit à la course pour se joindre à Kishan. Il prit une position préparatoire non loin de son frère. Je vis l'éclair des saï alors qu'il les sortait et les faisait tourner habilement, tandis que Kishan, une fois de plus, maniait expertement le bâton en le faisant tournoyer. Les deux frères regardèrent dans la forêt et attendirent.

Les autres hommes nous avaient rattrapés. Ce qui se passa ensuite n'avait rien d'un combat de dojo. C'était une bataille. *Une guerre.* Ren et Kishan ressemblaient à deux soldats d'expérience. Leurs visages ne montraient aucune émotion. Ils avançaient vivement et efficacement. Ils ne gaspillaient pas d'énergie. Ils se déplaçaient harmonieusement, comme un couple de danseurs meurtriers ; Ren avec les saï et Kishan avec le bâton. Ils démolirent au moins une douzaine d'hommes, mais des dizaines d'autres sortirent d'entre les arbres.

Avec son coude, Ren frappa un homme dans le cou, lui écrasant sans doute la trachée. Lorsque l'homme se pencha, Ren fit la roue sur son dos, se retourna et lui asséna un coup de pied au visage. Kishan était brutal. Il cassa le bras d'un type et donna un coup de pied sur le genou d'un autre en même temps. Je pouvais entendre les craquements et les hurlements insupportables alors que les corps de ses adversaires tombaient au sol. C'était comme être au milieu des films d'arts martiaux de Li, sauf qu'ici, le sang et le danger étaient réels.

Quand aucun des hommes ne put se relever, les frères accoururent vers moi.

— D'autres s'en viennent, dit faiblement Kishan.

Nous nous mîmes à courir. Ren me souleva et me jeta sur son épaule. Même si mon poids le ralentissait, il était beaucoup plus rapide que moi. Les frères couraient à toute vitesse. Rapidement, mais silencieusement. D'une certaine manière, ils savaient où marcher pour éviter de faire du bruit. Kishan ralentit et commença à courir derrière nous en prenant une position de flanc. Nous continuâmes ainsi pendant au moins 10 minutes. Je nous croyais loin des hommes, mais, soudainement, j'entendis des bruits métalliques et des craquements, comme si quelque chose frappait les troncs des arbres qui nous entouraient.

Immédiatement, Ren et Kishan doublèrent leur vitesse, sautèrent derrière un tronc d'arbre tombé et s'en couvrirent.

— Est-ce qu'ils tirent sur nous ? murmurai-je.

— Non, murmura Kishan. En tout cas, ce ne sont pas des balles. Les balles ne font pas ce bruit-là.

Nous nous assîmes tranquillement. Je respirais plus fort qu'eux, même s'ils avaient couru et pas moi. Nous attendîmes. Les frères écoutaient tous les deux très attentivement. J'étais sur le point de poser une question lorsque Ren posa un doigt sur ses lèvres pour m'indiquer que je devais me taire. Ils se faisaient des signaux avec les mains pour communiquer l'un avec l'autre. Je regardai attentivement, mais je ne pus comprendre ce que voulaient dire leurs signaux. Ren roula son doigt en cercle et Kishan tendit son bâton à Ren ; il se transforma en tigre noir et courut au loin dans la forêt.

Je pointai l'endroit où Kishan était parti. Ren pressa sa bouche près de mon oreille et murmura d'une voix à peine audible :

— Il est en train de les repousser.

Il me plaça dans le creux d'un arbre et se déplaça pour que son corps recouvre le mien.

Pendant un long moment, je restai là, tendue, mon visage pressé contre la poitrine de Ren. J'entendis un terrible rugissement. Ren enveloppa ses bras autour de moi et chuchota.

— Ils l'ont suivi. Ils sont maintenant à environ un kilomètre d'ici. Allons-y.

Il me prit la main et commença à me conduire à nouveau vers le camion. J'essayais d'être aussi silencieuse que possible. Après quelques minutes, une forme sombre bondit devant nous. C'était Kishan. Il avait repris sa forme humaine.

— Ils sont partout. Je les ai conduits le plus loin que j'ai pu, mais on dirait qu'on a envoyé tout un régiment à nos trousses.

Dix minutes plus tard, Kishan s'immobilisa et renifla l'air. Ren aussi. Des hommes sautèrent sur nous à partir des arbres. Deux hommes m'attrapèrent, m'arrachèrent à Ren et me tinrent fermement pendant que cinq hommes l'attaquaient. Il rugit de fureur et se transforma en tigre. Les hommes ne semblaient pas en être surpris. Kishan s'était déjà changé en tigre et avait abattu quelques-uns de ses adversaires.

Ren se dressa sur ses pattes arrière, posa les pattes sur les épaules d'un homme, et rugit dans son visage. Il mordit le cou et l'épaule de l'homme, le poussa au sol et utilisa son corps comme point de départ pour sauter. Il bondit dans les airs, les griffes sorties, et il entailla les deux hommes au niveau de la poitrine. Ses oreilles étaient à plat contre sa tête, et le sang coulait de sa mâchoire. Sa queue se leva et s'abaissa comme un levier juste avant qu'il ne s'élance à nouveau dans les airs. Il atterrit sur le dos d'un homme qui était en train d'attaquer Kishan et le poids de son corps seul immobilisa l'attaquant.

Les hommes me retenaient avec tellement de force que, même si je me débattais, je ne pouvais pas du tout bouger. Kishan se mit à rugir. L'un des hommes utilisa une arme avec des dents à laquelle une sorte de pistolet à impulsion électrique était attaché. Le tigre noir pivota, plaqua l'arme au sol avec une patte et la brisa en deux sous le poids de son corps.

Rapidement, Kishan sauta au-dessus de l'homme qui était tombé au sol et lui mordit l'épaule. Kishan leva l'homme du sol avec ses puissantes mâchoires et lui secoua violemment la tête jusqu'à ce que l'homme cesse de bouger. Kishan traîna le corps inerte à quelques mètres de là et avec un coup de la tête, lança l'homme dans les buissons. Il se redressa ensuite sur son arrière-train, comme un ours, et frappa de ses griffes d'autres hommes qui s'approchaient. De ses mâchoires coulait du sang pendant qu'il rugissait férocement.

Ren essayait toujours de revenir vers moi, mais des hommes se plaçaient constamment entre nous. Je tirai avantage d'une distraction passagère, alors que Ren faisait tomber un homme, pour donner un coup de pied de toutes mes forces dans l'aine de l'homme, et je donnai un coup de coude à l'autre dans l'estomac. Il se plia en deux, mais garda une prise serrée sur mon bras, et il me gifla à la tempe ; ma vision devint floue.

J'entendis le terrible rugissement de Ren. Je continuai de lutter, mais je me sentais étourdie. L'homme me tenait devant lui comme si j'étais un appât. Il agaçait les tigres en me malmenant. Ren et Kishan continuaient d'essayer de se frayer un chemin vers moi et regardaient souvent de mon côté, ce qui permettait à d'autres hommes de les attaquer par-derrière.

D'autres hommes arrivèrent. Apparemment, on avait appelé des renforts, et ces hommes disposaient d'encore plus d'armes. L'un des hommes sortit une arme et tira sur

Ren. Une fléchette l'atteignit au cou, et il chancela brièvement. Tout à coup, je vis rouge et ma vision s'éclaircit. Je sentais une sorte de pouvoir qui crépitait dans mes membres. Je cognai l'arrière de ma tête sur le nez de mon ravisseur, et j'eus le plaisir de sentir que le cartilage se brisait. L'homme se mit à crier et desserra suffisamment sa poigne pour que je puisse sauter plus loin. Je courus vers Ren, qui s'était changé en homme. Une autre flèche le frappa. Il était toujours sur ses pieds, mais il se déplaçait beaucoup plus lentement. J'arrachai les flèches de son corps.

Il tenta de me pousser derrière lui.

— Kelsey ! Recule ! Maintenant !

Une autre flèche le frappa à la cuisse. Il chancela et tomba une fois de plus à un genou. Les hommes l'entouraient et, sachant que j'étais près, il commença à se battre contre eux pour les éloigner de moi. Kishan était furieux, démolissant un homme après l'autre tout en essayant de nous rejoindre, mais d'autres hommes arrivèrent. Il était trop occupé pour m'aider avec Ren. Il avait de la difficulté à tenir le coup. Je tentai d'éloigner les hommes de Ren, mais ils étaient costauds. C'étaient aussi des combattants d'expérience, peut-être des militaires, alors ils m'ignorèrent pour la plupart et se concentrèrent sur les deux cibles les plus dangereuses. Je n'étais qu'une mouche ennuyeuse sur laquelle ils tapaient pour l'éloigner. *Si seulement j'avais une arme.*

J'étais désespérée. Il devait y avoir quelque chose que je pouvais faire pour protéger Ren. Il en finit avec le dernier homme près de nous et tomba sur ses genoux, haletant puissamment. Des corps étaient empilés en groupes autour de nous. Certains étaient morts, d'autres blessés. Mais d'autres hommes arrivaient. Ils étaient si nombreux ! Je pouvais les voir s'approcher en rampant, les yeux fixés sur l'homme épuisé à mes côtés.

Ma crainte pour la vie de Ren renforça ma détermination. Comme une mère ourse voulant protéger ses petits, je me levai devant Ren, déterminée à empêcher d'une façon ou d'une autre les hommes d'avancer, ou au moins à leur donner une cible différente sur laquelle tirer. Plus d'une douzaine d'hommes nous suivaient, la plupart avec des fusils. Un feu brûlait en moi, un besoin de protéger l'homme que j'aimais.

Mon corps tremblait sous l'effet de l'énergie et de la puissance. Je fis face à l'homme le plus proche de moi et je le regardai d'un air sombre. Il leva son arme et je levai les mains pour me défendre. Mon corps brûlait et je sentis un brasier s'écouler le long de mon bras et dans ma main. Les flammes éclatèrent et les symboles que Phet avait un jour dessinés dans ma main réapparurent et se mirent à flamber d'une couleur rouge. Un éclair explosa, passant de ma main au corps de mon adversaire, soulevant son corps dans les airs et le projetant contre un arbre avec suffisamment de force pour le faire trembler. Il tomba en une masse froissée.

N'ayant pas le temps de me poser de questions ou d'essayer de comprendre ce qui s'était passé, je me retournai pour faire face au prochain attaquant et au suivant. J'étais submergée par la rage : une colère furieuse bouillonnait en moi. Mon esprit hurlait que personne ne blesserait ceux que j'aimais. Rendue euphorique par mon pouvoir, je les fis tomber rudement au sol l'un après l'autre.

Une piqûre frappa mon bras et une autre frappa mon épaule. On aurait dit des piqûres d'abeilles, mais au lieu de sentir la brûlure, je me sentais devenir engourdie. Le feu dans ma main cracha et s'éteignit, et je trébuchai sur le sol devant Ren. Il repoussa un adversaire, combattant toujours, même s'il avait été frappé par plusieurs flèches. Ma vision s'assombrissait et mes yeux se fermaient.

Ren me souleva et je l'entendis hurler.

— Kishan ! Prends-la !

— Non, murmurai-je, incohérente.

Le murmure de ses lèvres caressa ma joue, puis je sentis des bras d'acier se verrouiller autour de mon corps.

— Pars ! Maintenant ! cria Ren.

J'étais en train de me faire transporter rapidement à travers la forêt, mais Ren ne m'avait pas suivie. Il était toujours en train de se battre alors que les attaquants se refermaient sur lui. Il se changea à nouveau en tigre. Je l'entendis rugir avec rage et douleur, et dans le doux flou de mon esprit, je savais que ce n'était pas la douleur physique qui le faisait hurler. J'en étais certaine, parce que je sentais la même agonie. L'horrible douleur déchirante était causée parce qu'on m'avait enlevée à lui. Je ne pouvais garder les yeux ouverts. Je tendis une main et j'agrippai faiblement l'air.

Je suppliai vaguement.

— Ren ! Non ! Et je sombrai dans l'obscurité.

11

Retour en Inde

Le vrombissement intense d'un moteur me réveilla. La tête m'élançait et j'avais un drôle de goût dans la bouche. Quelque chose n'allait pas, mais mon esprit était encore flou. Je voulais me réveiller, mais je savais que de l'autre côté de la conscience, un nouveau genre d'horreur m'attendait, alors je me permis de replonger un peu plus profondément dans la noirceur ténébreuse, et j'y dérivai comme une lâche. J'avais besoin d'une béquille sur laquelle m'appuyer afin de me donner suffisamment de force pour faire face à ce qui m'attendait.

J'étais allongée sur un lit. Je touchai les draps doux et j'étendis une main hésitante. Une tête pelucheuse buta contre mes doigts. Ren. Il était ici. C'était lui la motivation dont j'avais besoin pour m'élever au-dessus des ténèbres et entrer dans la lumière.

J'ouvris légèrement les yeux.

– Ren ? Où suis-je ?

Chaque partie de mon corps était endolorie.

Un beau visage baissa les yeux vers moi.

— Kelsey ? Comment vous sentez-vous ?

— Nilima ? Oh, nous sommes dans l'avion.

Elle appuya un chiffon froid et humide sur mon front, et je lui parlai en marmonnant.

— Nous avons réussi à partir. Je suis tellement contente.

Je caressai la tête du tigre, et Nilima jeta un bref coup d'œil au tigre à côté de moi, puis elle hocha la tête.

— Laissez-moi aller vous chercher un peu d'eau, Kelsey.

Elle partit, et je fermai les yeux, pressant ma main contre mon front palpitant.

— J'ai eu tellement peur que tu n'y arrives pas, murmurai-je. Je suppose que cela n'a pas d'importance maintenant. Nous avons eu beaucoup de chance. Il ne faut plus jamais se séparer. Je préfère être capturée avec toi plutôt qu'être séparée de toi.

Je glissai mes doigts dans sa fourrure. Nilima revint avec de l'eau. Elle m'aida à m'asseoir, et je pris une grande gorgée, après quoi j'écrasai la serviette humide sur mes yeux et sur mon visage.

— Tenez… je vous ai apporté de l'aspirine, dit-elle.

J'avalai les comprimés avec gratitude et tentai d'ouvrir les yeux. Je jetai un coup d'œil sur le visage inquiet de Nilima et je souris.

— Merci. Je me sens déjà mieux. Au moins, nous nous en sommes tous sortis. C'est le plus important. Pas vrai ?

J'examinai le tigre. *Non. Non* ! Je commençai à avoir de la difficulté à respirer. Mes poumons se bloquèrent.

— *Kishan* ? suppliai-je d'une voix rauque. Où est-il ? Dis-moi que nous ne l'avons pas laissé derrière ! Ren ? criai-je. *Ren ? Tu es ici ? Ren ? Ren ?*

Le tigre noir se contenta de me regarder avec ses yeux dorés tristes. Je regardai Nilima et je lui pris la main.

— Nilima ! Dites-moi ! Est-il ici ?

Elle hocha la tête, et ses yeux se remplirent de larmes. Ma vision devint floue et je me rendis compte que moi aussi, j'étais en train de pleurer.

Désespérément, je lui serrai la main.

— *Non !* Nous devons y retourner ! Dites-leur qu'il faut que l'avion fasse demi-tour. Nous ne pouvons pas le laisser là ! Nous ne pouvons pas !

Nilima ne réagit pas. Je me tournai vers le tigre.

— Kishan ! Ce n'est pas juste ! Il ne t'aurait pas laissé. Ils vont le *torturer*. Ils vont le *tuer* ! Nous devons faire quelque chose ! Nous ne pouvons pas laisser cela se produire !

Kishan reprit sa forme humaine et s'assit sur le bord de mon lit. Il fit un signe de tête vers Nilima et elle nous laissa seuls.

— Kelsey, nous n'avions pas le choix. S'il n'était pas resté derrière, nous n'aurions pas pu y arriver.

Je secouai la tête refusant de faire face à l'idée.

— *Non* ! Nous aurions pu l'attendre.

— Non, nous ne pouvions pas. Ils m'ont aussi tiré dessus avec des tranquillisants. Je n'ai été frappé qu'une fois, et j'ai à peine été capable d'arriver à l'avion malgré ma capacité à guérir. Il s'est fait frapper au moins six fois. J'étais étonné qu'il puisse encore se tenir debout. Il a combattu vaillamment et il nous a donné le temps de nous enfuir.

Je lui saisis la main alors que des larmes coulaient de mon menton.

— Est-il… ?

Je sanglotai.

— L'ont-ils tué ?

— Je ne crois pas. Leurs seules armes étaient des fléchettes anesthésiantes et des pistolets à impulsion électrique. Je crois qu'ils avaient reçu l'ordre de nous attraper vivants.

— Nous ne pouvons les laisser faire cela, Kishan. Nous devons essayer de l'aider.

— Nous le ferons. M. Kadam est déjà en train de travailler pour le localiser. Mais ce ne sera pas facile. Il a été à la recherche de Lokesh pendant des siècles, et l'homme s'est bien caché. Il y a une chose en notre faveur. Ren n'a pas l'amulette, alors Lokesh est peut-être disposé à proposer un échange : l'amulette contre Ren.

— Très bien. Nous lui donnerons l'amulette si nous pouvons ravoir Ren.

— Nous nous en inquiéterons quand le temps sera venu, Kelsey. Pour l'instant, tu dois te reposer. Nous serons en Inde dans quelques heures.

— J'ai dormi si longtemps ?

— Tu as été touchée à deux reprises, et tu es restée inconsciente pendant une quinzaine d'heures. Heureusement, l'avion était prêt à décoller. Jason nous a probablement sauvé la vie.

Je pensai à Ren entouré d'ennemis pendant que nous nous enfuyions, et j'étouffai un sanglot. Kishan se pencha, m'enveloppa dans une étreinte, et me tapota le dos.

— Je suis désolé, Kelsey. J'aurais aimé que ce soit moi, pas lui. J'aurais aimé avoir la force de vous transporter tous les deux et de tous nous sortir de là.

Mes larmes coulèrent sur sa chemise.

— Ce n'est pas de ta faute. Si tu n'avais pas été là, nous aurions été tous les deux capturés.

Je m'assis, reniflai et essuyai mes yeux sur ma manche.

Il pencha la tête pour regarder mes yeux larmoyants.

— Je te promets, Kelsey, que je ferai tout ce qui est en mon pouvoir pour le sauver. Il est toujours vivant, je peux le sentir. Nous trouverons un moyen, et nous viendrons à bout de Lokesh.

J'aurais voulu être aussi certaine que Kishan de pouvoir le sauver. Hochant la tête, je lui serrai la main et lui dis que j'irais bien. Il me demanda si j'avais envie de manger quelque chose et, même si je sentais des nœuds tortueux dans mon estomac, je lui répondis que oui. Il sembla soulagé et alla parler avec Nilima.

Je me demandais s'il avait raison. *Est-ce possible que Ren soit encore vivant*? Depuis le jour où j'avais aperçu Ren pour la première fois au cirque, un lien étrange s'était tissé entre nous. Au début, il était timide et ténu, mais il s'était fortifié. Lorsque j'étais retournée en Oregon, le lien s'était développé et s'était étiré comme un élastique.

Il tirait sur moi et voulait me ramener vers lui. Au cours des derniers mois, alors que nous devenions plus proches, la connexion s'était solidifiée et resserrée, formant un lien d'acier. Nous faisions partie l'un de l'autre. Je sentais son absence, mais le lien était toujours présent. Il était toujours fort. Il était vivant. Je le savais. Mon cœur était encore attaché au sien, ce qui me donnait de l'espoir. Je résolus de le retrouver à n'importe quel prix.

Nilima m'invita à manger quelque chose. Elle me prépara un repas accompagné d'un verre d'eau citronnée, que je bus lentement, tandis que je réfléchissais à ce que je pouvais faire pour aider Ren. Kishan avait repris sa forme de tigre avant de s'installer à mes pieds. Ses yeux dorés me regardaient, et je me penchai pour caresser sa tête, le rassurant en lui disant que j'irais bien.

Au moment de l'atterrissage, je n'avais toujours pas la moindre idée de la façon dont je pourrais le trouver, mais je savais que c'était la dernière fois que je me permettrais d'être si peu préparée. S'il devait encore se passer quelque chose de semblable, je me battrais. Maintenant que je savais qu'il y avait en moi… cet éclair puissant, je m'entraînerais à l'utiliser. Je demanderais aussi à Kishan de continuer à être mon entraîneur d'arts martiaux, et peut-être même dans le maniement des armes. M. Kadam pourrait me les enseigner aussi, chaque fois que Kishan prendrait sa forme de tigre. Quoi qu'il en soit, je ne permettrais plus jamais qu'on me prenne quelqu'un que j'aimais. Pas tant que j'étais encore en vie.

M. Kadam nous accueillit à l'aéroport privé. Il me serra dans ses bras.

— Mlle Kelsey, vous m'avez manqué.

— Vous m'avez manqué aussi.

Mes yeux me démangeaient à cause des larmes que je retenais, mais je refusai de les laisser se répandre.

— Venez. Rentrons à la maison. Nous devons discuter de plusieurs choses.

Lorsque nous arrivâmes à la maison, Kishan monta mon sac à l'étage et me laissa seule avec M. Kadam dans la salle des paons.

Des livres étaient empilés sur son magnifique bureau en acajou ; le dessus, normalement organisé et propre, était recouvert de papiers et de notes. Je ramassai quelques papiers pour examiner les notes écrites avec son élégante écriture manuscrite.

— Avez-vous compris la deuxième prophétie ?

— J'y suis presque. En fait, c'est grâce à vous si je suis aussi près de réussir. Un point de repère me rendait perplexe, mais j'ai découvert qu'il s'agissait de l'Himalaya. Pendant tout ce temps, j'avais cherché une montagne en particulier, et je ne m'étais pas rendu compte qu'il me fallait trouver une *chaîne* de montagnes. Grâce à votre rapport sur l'Himalaya et ses conditions météorologiques, j'ai pu m'ouvrir à cette possibilité, et elle m'a conduit à de nouvelles découvertes.

— Heureuse de vous avoir aidé.

Je déposai les papiers.

— Qu'allons-nous faire ? Comment allons-nous trouver Ren ?

— Nous le trouverons, Mlle Kelsey. Ne vous inquiétez pas. Il y a même une chance qu'il puisse s'enfuir de lui-même et qu'il nous téléphone.

Une pensée me vint.

— Sera-t-il capable de se transformer en homme s'il est capturé ?

— Je l'ignore. Avant, il n'en était pas capable, mais vous avez conjuré une partie de la malédiction. Cela peut faire une différence.

Je redressai mes épaules.

— M. Kadam, je veux que vous me formiez. Je veux que vous m'enseigniez le maniement de quelques armes et les arts martiaux. Vous leur avez enseigné à tous les deux, et j'aimerais que vous me formiez aussi.

Il me regarda pensivement pendant une minute.

— Très bien, Mlle Kelsey. Il faudra de la discipline et de nombreuses heures de pratique pour devenir compétente. Ne vous attendez pas à réussir à faire la même chose que Ren et Kishan. Ils ont été formés toute leur vie, et le tigre en chacun d'eux les rend plus forts.

— Ça va. J'y suis préparée. J'ai l'intention de demander à Kishan de continuer à travailler avec moi. Je peux apprendre plus rapidement si je pratique avec vous deux.

Il hocha la tête.

— C'est peut-être pour le mieux. Non seulement vous apprendrez de nouvelles compétences, mais il est parfois utile d'occuper vos mains quand elles sont attachées. J'ai encore besoin de concentrer une grande partie de mon attention sur la recherche, mais je prendrai le temps de m'entraîner avec vous tous les jours. Je peux aussi vous donner des séries d'exercices à pratiquer par vous-même, de même que certains trucs que vous pouvez apprendre avec Kishan.

— Je vous remercie. Je tiens aussi à vous aider dans vos recherches. Je peux prendre des notes, et une autre paire d'yeux ne peut pas nuire.

— Nous pouvons commencer dès aujourd'hui.

Je hochai la tête, il fit un geste vers les meubles de cuir, et nous nous assîmes.

— Maintenant, parlez-moi de ce nouveau pouvoir que vous semblez avoir. Kishan me l'a expliqué, mais je veux savoir ce qui s'est passé à partir de votre point de vue.

— Eh bien, j'avais besoin de protéger Ren, et j'étais tellement en colère que je crois avoir vu une brume rouge qui m'entourait. Il avait été frappé par des flèches, et il était en train de tituber, affaibli. J'ai avancé devant lui pour faire face à nos attaquants. J'étais désespérée à cause de la quantité d'hommes qui arrivaient vers nous. Une sorte de feu s'est mis à brûler en moi.

— Qu'avez-vous ressenti ?

— C'était comme... un souffle d'énergie dans mon cœur, comme si un témoin lumineux sur un chauffe-eau avait tout à coup éclaté en flammes. Mon estomac s'est serré, comme pour pousser la chaleur vers ma poitrine. Mon cœur brûlait, et j'avais l'impression que mon sang bouillait dans mes veines. J'ai senti un bouillonnement qui voyageait à travers mon bras. Lorsqu'il a atteint ma main, les symboles que Phet avait peints au henné sont réapparus et se sont mis à rougeoyer. Je pouvais entendre une sorte de bruit de claquement et de craquement, et cette puissance a augmenté et a débordé hors de moi. Un éclair a jailli de ma main. Il a pris un type dans les airs et l'a projeté contre un arbre.

— Et ce pouvoir a-t-il fonctionné plusieurs fois ?

— Oui. J'ai été capable de faire tomber plusieurs hommes avant que les tranquillisants m'atteignent. Ensuite, le pouvoir s'est éteint en crépitant.

— Les éclairs les ont-ils tués, ou tout simplement étourdis ?

— J'espère qu'ils ont été tout simplement étourdis. Pour être honnête, nous ne sommes pas demeurés suffisamment longtemps pour le découvrir. J'imagine que ma première cible, l'homme qui a percuté l'arbre, était plutôt blessée. J'étais vraiment désespérée.

— Je serais curieux de voir si vous pouvez reproduire cet effet lorsque vous n'êtes pas en danger. Peut-être pouvons-nous pratiquer. Il serait intéressant de voir si vous pouvez élargir la bande pour englober plus d'une personne à la fois et aussi voir combien de temps vous pouvez maintenir l'éclair.

— J'aimerais aussi essayer de maîtriser son intensité. Je préfère ne pas tuer les gens, ajoutai-je.

— Bien sûr.

— D'où croyez-vous que cela provient ?

— J'ai… une théorie.

— Vraiment ? Racontez-moi.

— L'une des histoires de l'Inde ancienne raconte que lorsque les dieux, Brahma, Vishnou et Shiva ont fait face au roi démon, Mahishasur, ils étaient incapables de le vaincre. Ils ont combiné leur énergie, qui a pris la forme de la lumière, et la déesse Durgâ a émergé de cette lumière. Elle est née pour le combattre.

— Alors, Durgâ est faite de lumière, et vous croyez que c'est pour cela que j'ai ce pouvoir en moi.

— Il y a aussi plusieurs références qui disent qu'elle portait un collier qui clignotait comme un éclair. Ce flot de puissance réside peut-être en vous.

— C'est… Je ne sais même pas comment je dois me sentir à ce sujet.

— J'imagine que ce doit être déconcertant.

— C'est le cas de le dire.

Je m'arrêtai un instant et je me tordis les mains.

— M. Kadam, je suis inquiète au sujet de Ren. Je ne crois pas que je puisse y arriver sans lui.

— Vous êtes devenus plus proches tous les deux, alors, s'aventura-t-il.

— Oui. Il est… J'ai… Nous… Bien, je suppose que je pourrais simplement résumer en disant que je l'aime.

Il sourit.

— Vous savez qu'il vous aime aussi, n'est-ce pas ? Il n'a pensé à rien sauf à vous pendant les mois où vous étiez séparés.

Je ne pus m'empêcher de sourire.

— Alors, il était malheureux, hein ?

M. Kadam sourit.

— Désespéré. Kishan et moi n'avons trouvé aucun moment de paix jusqu'à son départ.

— M. Kadam, je peux vous poser une question ?

— Bien sûr.

— À l'université, une fille, une fille indienne, semblait intéressée par Ren et voulait que ses parents considèrent un mariage. Ren m'a expliqué que l'on considère inapproprié de sortir avec une fille qui n'appartient pas à sa culture.

— Ah. Ce qu'il vous a dit est exact. Même à notre époque, on suit encore cette tradition. Est-ce que cela vous dérange ?

— Un peu. Je ne veux pas que le peuple de Ren l'ostracise.

— Vous a-t-il dit qu'il s'en préoccupait ?

— Non, cela ne semblait pas le déranger. Il a dit qu'il avait fait son choix.

M. Kadam caressa sa courte barbe.

— Mlle Kelsey, Ren n'a guère besoin de l'approbation de quiconque. S'il choisit d'être avec vous, personne ne s'y opposera.

— Peut-être pas devant lui, mais il pourrait y avoir… des ramifications culturelles auxquelles il ne pense pas en ce moment.

— Ren est bien conscient de *toutes* les ramifications culturelles possibles. Souvenez-vous, il était un prince qui a été très bien formé dans le protocole politique.

— Mais qu'arriverait-il si cela compliquait sa vie d'être avec moi ?

Il me réprimanda doucement.

— Mlle Kelsey, je peux vous garantir qu'être avec vous a été la *seule* chose dans sa vie qui lui ait apporté un peu de paix. Avant vous, sa vie était remplie de difficultés, et je me risquerais à dire qu'obtenir l'approbation des autres est tombé bien bas sur sa liste de priorités.

— Il m'a raconté que ses parents étaient issus de cultures différentes. Pourquoi ont-ils été autorisés à se marier et à être ensemble ?

— Humm, c'est une histoire intéressante. Pour bien la raconter, il faudrait que je vous parle du grand-père de Ren et de Kishan.

— J'adorerais en apprendre plus sur sa famille.

Il se rassit dans le fauteuil en cuir et croisa ses doigts sur son menton.

— Le grand-père de Ren se nommait Tarak. C'était un grand seigneur de guerre qui voulait vivre ses dernières années dans la paix. Il s'était lassé des querelles internes entre les royaumes. Bien que son territoire fût le plus vaste et que ses armées furent les plus célèbres, il a fait dire à plusieurs autres seigneurs de guerre, gouvernant de plus petits territoires, qu'il les invitait à un sommet.

» Il a offert à chacun une portion de sa terre s'ils signaient un pacte de non-agression et s'ils réduisaient leurs armées. Ils ont accepté, car le contrat leur apportait une plus grande richesse et de plus grandes propriétés. Le pays s'est réjoui de voir que le roi ramenait son armée chez lui et a préparé une grande fête pour célébrer. Ce jour-là fut considéré comme une fête nationale à travers le pays.

— Que s'est-il passé ensuite ?

— Environ un mois plus tard, l'un des souverains qui avaient signé le pacte a soulevé les autres, disant que c'était un moment propice pour frapper, et qu'en joignant leurs efforts, ils pourraient gouverner la totalité de l'Inde. Leur plan consistait d'abord à s'emparer des terres ancestrales de Ren, ce qui leur permettrait ensuite de facilement conquérir tous les autres plus petits royaumes.

» Ils ont rompu le serment qu'ils avaient fait à Tarak et se sont engagés dans une bataille féroce, assiégeant sa ville. De nombreux soldats du roi s'étaient retirés du service actif et avaient reçu des parcelles de terrain en échange de leurs années de service. Avec des armées réduites à la moitié de leur puissance précédente, ils ont été incapables de vaincre les armées combinées des autres seigneurs de guerre. Heureusement, Tarak avait pu envoyer des messagers pour mobiliser de l'aide.

— Où sont-ils allés chercher de l'aide ?

— En Chine.

— En Chine ?

— Oui. Plus précisément, ils se sont rendus au Tibet. À cette époque, les frontières indiennes et chinoises n'étaient pas aussi bien définies qu'elles le sont aujourd'hui, et les échanges commerciaux entre les deux pays étaient monnaie courante. Tarak en particulier avait une bonne relation avec le Dalaï-Lama de l'époque.

— Attendez une minute. Il a demandé l'aide du dalaï-lama ? Je croyais que le dalaï-lama était un chef religieux.

— Oui, le dalaï-lama a été et est un chef religieux, mais la religion et le monde militaire entretenaient des liens étroits au Tibet, surtout après avoir retenu l'attention de la famille Khan. Il y a des siècles, Gengis Khan a envahi le Tibet, mais ayant été satisfait du tribut payé par ce pays, il l'a généralement laissé tranquille. Par contre, après son décès, son petit-fils, Ögedei Khan, a voulu ces richesses et est revenu pour s'emparer du pays.

Nilima entra dans la bibliothèque et nous apporta deux eaux citronnées. Il la remercia et continua.

— Trois cents ans plus tard, Altan Khan a construit un monastère et il a invité les moines bouddhistes à enseigner au peuple. L'idéologie bouddhiste s'est répandue et au début des années 1600, la quasi-totalité des Mongols est devenue bouddhiste. Un homme du nom de Batu Khan, descendant de Gengis Khan, qui était en charge des armées mongoles, a été envoyé par le dalaï-lama pour aider le grand-père de Ren quand il a demandé de l'aide.

Je sirotai mon eau citronnée.

— Alors que s'est-il passé ? Ils ont gagné, non ?

— En effet. Les armées mongoles combinées aux forces militaires du roi Tarak ont été en mesure de vaincre les rébellions. Tarak et Batu Khan avaient le même âge. Ils sont devenus amis. En reconnaissance, Tarak a offert des joyaux précieux et de l'or à ramener au Tibet, et Batu Khan a offert sa jeune fille pour qu'elle se marie au fils de Tarak quand le moment serait venu. À l'époque, le père de Ren, Rajaram, avait environ dix ans, et sa mère venait tout juste de naître.

— Alors, la mère de Ren est liée à Gengis Khan ?

— Je n'ai pas étudié la généalogie, mais je suppose qu'il y avait un lien entre eux.

Bouleversée, je me rassis sur ma chaise.

— Quel était le nom de sa mère ?

— Deschen.

— À quoi ressemblait-elle ?

— Elle ressemblait beaucoup à Ren. Elle avait les mêmes yeux bleus, et ses cheveux étaient longs et noirs. Elle était très belle. Quand le temps du mariage est arrivé, Batu Khan lui-même a emmené sa fille pour rencontrer Tarak, et il est resté pour surveiller le mariage. Rajaram n'a pas été autorisé à voir son épouse jusqu'au mariage.

— Ont-ils fait un mariage hindou, ou un mariage bouddhiste ?

— Je crois que c'était une combinaison des deux. Dans un mariage hindou, il y a typiquement une cérémonie de fiançailles — une fête où l'on offre des bijoux ou des vêtements et, ensuite, il y a un mariage pendant lequel le futur marié donne à la future mariée un *mangalsultra*, ou collier de mariage, qu'elle porte pour le reste de sa vie. Le processus demande environ une semaine. En comparaison, un mariage bouddhiste est une célébration personnelle, pas religieuse. Seules quelques personnes sont invitées. Il n'y a pas de moines, de prêtres ou de vœux prescrits pour le mariage. J'imagine que Rajaram et Deschen ont probablement suivi les coutumes d'un mariage hindou, ou peut-être ont-ils fait aussi des offrandes à Bouddha.

— Combien de temps leur a-t-il fallu pour qu'ils se rendent compte qu'ils s'aimaient ?

— C'est une question à laquelle je suis incapable de répondre, mais je peux vous dire que leur amour et leur respect l'un de l'autre étaient vraiment uniques. Quand je les ai connus, ils étaient très amoureux, et le roi Rajaram consultait souvent son épouse sur les questions importantes de l'État, ce qui était très peu courant à l'époque. Ils ont élevé leurs fils de façon à ce qu'ils aient l'esprit ouvert et qu'ils acceptent d'autres cultures et d'autres idées. C'étaient de braves gens et de très sages dirigeants. Ils me manquent. Ren vous a-t-il parlé d'eux ?

— Il m'a dit que vous aviez veillé sur eux jusqu'à leur mort.

— C'est vrai.

Les yeux de M. Kadam devinrent humides, et il sembla fixer son regard sur quelque chose que je ne pouvais pas voir.

— Je tenais Deschen dans mes bras quand le roi Rajaram est décédé et ensuite, j'ai tenu sa main lorsqu'elle a fermé ses yeux pour toujours.

Il se racla la gorge.

— C'est à ce moment qu'elle m'a confié la garde de ses biens les plus précieux. Ses fils.

— Et vous avez fait plus pour eux que n'importe quelle mère ne pourrait jamais demander. Vous êtes un homme vraiment merveilleux. Un père pour eux. Ren m'a dit qu'il ne pourrait jamais vous rembourser tout ce que vous avez fait pour lui.

M. Kadam se déplaça inconfortablement.

— C'est inutile. Il n'a pas besoin de me rembourser pour ce que je lui ai donné volontiers.

— Et c'est exactement ce qui vous rend si spécial.

M. Kadam sourit et se leva pour remplir mon verre d'eau, sans doute pour détourner l'attention de lui-même. Je changeai de sujet.

— Les parents de Ren et de Kishan n'ont-ils jamais appris qu'ils avaient été transformés en tigres ?

— Comme vous le savez, j'étais conseiller militaire du roi. À ce titre, j'étais responsable des armées. Lorsque Ren et Kishan ont été frappés par la malédiction, ils ont essayé de se glisser à nouveau dans le palais pendant la nuit. Il leur était impossible de voir leurs parents, car Rajaram et Deschen étaient trop bien gardés, et Ren et Kishan auraient été tués à vue. Même des tigres aussi rares qu'eux n'auraient pas été autorisés à entrer dans l'enceinte du palais. Au lieu de cela, ils sont venus à moi. J'habitais une petite maison près du palais pour que je pusse être convoqué à tout moment.

— Quand vous les avez vus, qu'avez-vous fait ?

— Ils ont gratté à ma porte. Vous pouvez imaginer ma surprise quand j'ai ouvert pour trouver un tigre noir et un tigre blanc assis là à me regarder fixement. Au début, j'ai saisi mon épée. L'instinct militaire est fort, mais ils n'ont pas réagi. J'ai levé mon épée au-dessus de ma tête, prêt à frapper, mais ils sont demeurés là, tous les deux, calmes, observant et attendant. Pendant un moment, je croyais rêver. Plusieurs minutes se sont passées. J'ai ouvert ma porte plus grande et j'ai reculé, gardant mon épée à la main. Ils sont entrés chez moi et ils se sont assis sur mon tapis.

» Nous nous sommes regardés pendant des heures. Lorsque j'ai été convoqué pour assister à une formation, je me suis excusé auprès du fonctionnaire de ne pas pouvoir venir, disant que j'étais malade. J'ai passé toute la journée assis dans ma chaise à regarder les tigres. Ils semblaient attendre quelque chose. Le soir venu, j'ai préparé un repas et j'ai offert de la viande aux animaux. Ils ont mangé tous les deux et se sont ensuite étendus pour dormir. Je suis demeuré éveillé toute la nuit, les observant. J'avais entraîné mon corps à ne pas dormir pendant des jours ; je restai donc vigilant, même s'ils dormaient, aussi inoffensifs que des chatons.

Je bus un peu de mon eau citronnée.

— Alors que s'est-il passé ?

— Tôt le matin, juste avant le lever du soleil, quelque chose a changé. Le tigre blanc s'est déplacé et s'est transformé en prince Dhiren ; le noir a emboîté le pas et est devenu Kishan. Ren a rapidement expliqué ce qui leur était arrivé, et j'ai immédiatement demandé une audience avec leurs parents. Je lui ai expliqué qu'il était impératif que Rajaram et Deschen m'accompagnent à ma maison sans gardes. J'ai dû faire beaucoup d'efforts pour convaincre leur garde privée, et seule l'absolue confiance du roi en moi leur a permis de se conformer à mon souhait.

» Je les ai ramenés chez moi. Lorsque j'ai ouvert la porte, et qu'elle a aperçu les tigres, Deschen a poussé un petit cri. Rajaram s'est avancé devant elle pour la protéger. Il était très en colère contre moi. Je les ai suppliés d'entrer et je leur ai dit que les tigres ne leur voulaient aucun mal.

» Après les avoir finalement convaincus de fermer la porte, les deux frères se sont levés pour se tenir devant leurs parents dans leur forme humaine. Il leur restait très peu de temps et ils sont rapidement redevenus des tigres, me laissant raconter l'histoire. Nous sommes restés tous les cinq, toute la journée, dans ma petite maison pour tenir conseil. Des messagers sont arrivés pour dire qu'une vaste armée dirigée par Lokesh était en train de s'approcher, qu'il avait déjà détruit plusieurs villages et qu'il était en route pour le palais.

— Qu'avez-vous tous décidé de faire ?

— Rajaram voulait détruire Lokesh, mais Deschen l'a retenu, lui rappelant que Lokesh serait peut-être le seul moyen de sauver les garçons. Ils m'ont confié une mission spéciale : emmener les garçons et partir. Deschen ne pouvait supporter de se séparer de ses fils, alors des dispositions ont été prises pour qu'elle m'accompagne sous prétexte qu'elle visiterait sa patrie.

» En réalité, nous nous sommes cachés dans une petite maison d'été près de la cascade où vous avez trouvé Kishan. Malgré les meilleurs efforts de Rajaram, il a été incapable de capturer Lokesh. Les armées ont été repoussées pendant un certain temps, mais Lokesh semblait rassembler des forces, tandis que Rajaram en perdait. Quelques années ont passé. Sans son épouse et ses fils, Rajaram n'avait plus la volonté d'être roi. Deschen était aussi devenue découragée. Il semblait n'y avoir aucun espoir pour ses fils, et son mari bien-aimé était au loin, prenant soin du royaume.

» J'ai envoyé une missive à Rajaram, lui expliquant que Deschen souffrait. À contrecœur, il a abdiqué et a transféré les affaires du royaume à un quorum de conseillers militaires. Il a raconté à son peuple une fausse histoire sur les décès de Ren et de Kishan, et il a expliqué que son épouse était partie en Chine pour trouver du réconfort. Il a dit qu'il avait besoin de partir pour un temps et la ramener. Il n'est jamais revenu. Il nous a rejoints dans la jungle, apportant une partie de leur richesse, ainsi que leurs objets les plus précieux afin que les garçons puissent conserver leur héritage.

— Est-ce à ce moment que Deschen est morte? demandai-je.

— Non. En fait, Deschen et Rajaram ont vécu plusieurs années encore. Réunis, ils étaient heureux et chérissaient chaque minute passée avec les garçons. Il est vite devenu évident que Ren et Kishan ne vieillissaient pas. Je suis devenu le gardien de la famille. J'étais l'intermédiaire entre eux et le monde extérieur. Les garçons chassaient et nous apportaient de la nourriture, et Deschen jardinait et cultivait des légumes. Je m'aventurais souvent dans la ville pour acheter des articles et écouter les nouvelles.

» Après plusieurs années, le père de Ren a souffert de ce que je soupçonne maintenant avoir été une néphrite ou une maladie rénale. Nous avons entendu dire que Lokesh combattait toujours avec l'armée, mais que le peuple mujulaain continuait de se défendre. D'extraordinaires légendes ont été racontées sur la famille royale. Elle était devenue un mythe. L'histoire que je vous ai contée quand je vous ai rencontrée au cirque est exactement celle que l'on raconte aujourd'hui.

» Ren m'a finalement demandé de porter son amulette. À l'époque, nous ne connaissions pas les effets qu'elle aurait sur moi. Nous savions seulement que c'était un objet important et puissant. Il craignait que l'amulette disparaisse pour toujours s'il était attrapé par un chasseur. Peut-être était-ce une prémonition, puisqu'il a été capturé peu après.

» Kishan a suivi sa trace, et j'ai appris qu'il avait été vendu à un collectionneur dans une autre partie du pays. Quand je suis revenu, j'étais découragé. La capture de Ren a constitué le dernier coup porté à son père, et il est mort dans la même semaine. Deschen a sombré dans un profond désespoir, et elle a cessé de manger. Malgré nos efforts, à Kishan et à moi, elle est morte moins d'un mois après le décès de son époux.

Kishan était inconsolable après la mort de sa mère, et il restait souvent dans la forêt. Quelques mois plus tard, je lui ai dit qu'il était temps que je commence à chercher Ren. Il m'a dit de prendre l'argent et les bijoux. De prendre tout ce dont j'avais besoin pour le retrouver. J'en ai pris quelques-uns, laissant là-bas les objets les plus précieux de la famille pour que Kishan les surveille, et j'ai commencé ma quête.

» Comme vous le savez, je n'ai pas été capable de sauver Ren. J'ai étudié tous les mythes et histoires que j'ai pu trouver sur les tigres et sur les amulettes. Au fil des ans, j'ai investi leur argent et il s'est accumulé. J'ai commencé par le commerce des épices, puis je suis passé à l'achat et à la vente d'entreprises jusqu'à ce que les garçons deviennent riches.

» Au cours de ces années, je me suis marié et j'ai eu une famille. Après les avoir quittés, j'ai suivi la trace de Ren d'un endroit à l'autre et j'ai consacré de nombreuses heures à sa recherche. J'ai cherché Lokesh et un moyen de conjurer la malédiction. Voyant qu'il ne réussirait pas à s'emparer de l'empire Mujulaain, Lokesh a mystérieusement disparu et n'a jamais refait surface, bien que je le soupçonne d'être encore vivant, tout comme moi. Cela nous mène à vous, et vous connaissez le reste de l'histoire.

— Alors, si Ren et Kishan ont vécu dans la jungle avec leurs parents, comment se fait-il qu'ils ne se soient jamais réconciliés ?

— Ils se toléraient l'un l'autre par égard pour leurs parents, mais ils évitaient de prendre leur forme humaine en même temps. En fait, je ne les ai jamais vus comme hommes ensemble jusqu'à votre arrivée. C'était une extraordinaire réussite d'arriver à faire revenir Kishan pour qu'il fasse à nouveau partie de la famille.

— Eh bien, Ren ne lui rend pas vraiment la partie facile. C'est bizarre. J'ai l'impression qu'ils se respectent et qu'ils s'aiment, mais qu'ils sont tout à fait incapables de laisser guérir les anciennes blessures.

— Vous avez fait beaucoup pour tous nous guérir, Mlle Kelsey. Rajaram aurait été ravi par vous, et Deschen aurait pleuré à vos pieds pour lui avoir redonné ses fils. Ne doutez pas un seul instant que vous soyez la bonne personne pour cette famille ou pour Ren.

Mon cœur mutilé battait sourdement dans ma poitrine. Le simple fait de penser à lui me faisait mal, mais je serrai les poings, déterminée.

— Alors, par quoi devrions-nous commencer ? La recherche ou le combat à l'épée ?

— Vous sentez-vous capable de commencer par un peu d'entraînement physique ?

— Oui.

— Très bien. Allez ranger vos affaires, et venez ensuite me rejoindre dans la salle d'entrainement en bas dans une demi-heure.

— D'accord. Et, M. Kadam ? C'est agréable d'être à la maison.

Il me sourit, me lança un clin d'œil et partit vers sa chambre.

Je montai à l'étage et je découvris que tous les objets précieux que j'avais fait expédier en Inde étaient sains et saufs. Ma boîte à rubans se trouvait dans la salle de bains. Mes livres et mes journaux avaient été placés sur une étagère de la bibliothèque, de même que des photographies de ma famille et un vase rempli de lys tigrés roses frais. La courtepointe de ma grand-mère reposait au pied de mon lit, et mon tigre blanc en peluche était installé sur le monticule d'oreillers prune.

Je défis la fermeture éclair de mon sac et je sortis Fanindra, m'excusant de l'avoir gardée à l'écart de la bataille de la forêt et lui disant que nous serions mieux préparées la prochaine fois. Je la déposai sur la nouvelle étagère de la bibliothèque au sommet d'un oreiller rond recouvert de soie.

Rapidement, j'enfilai mon uniforme de wushu et je redescendis pour rencontrer M. Kadam. Kishan m'entendit m'affairer et descendit en trottant dans l'escalier derrière moi. Il se pelotonna dans un coin de la pièce sur le tapis de gymnastique, posa sa tête sur ses pattes et se mit à regarder, à moitié endormi.

M. Kadam était déjà là. Le mur avait été ouvert pour montrer sa collection d'épées. Il s'approcha avec deux bâtons de bois.

— Ceux-ci sont appelés shinais et sont utilisés dans la pratique du kendo, la forme japonaise de l'escrime.

Employez-les pour pratiquer les positions avant de passer aux armes d'acier. Saisissez-les avec vos deux mains. Tendez les bras comme si vous vouliez serrer la main de quelqu'un, puis enroulez vos trois derniers doigts autour de l'arme et laissez votre pouce et votre index libres.

J'essayai de suivre ses instructions, et avant que je ne m'en rende compte, M. Kadam avait passé à l'étape suivante.

— Pour avancer, faites un pas en posant d'abord le talon au sol, puis un autre pas, talon au sol en premier. Pour reculer, reculez sur la pointe des pieds. Ainsi, vous êtes toujours prête et vous distribuez bien votre poids.

— Comme ceci ?

— Oui. Très bien, Mlle Kelsey. Maintenant, avancez brusquement. Quand quelqu'un vous attaque, déplacez votre corps pour éviter le coup et levez votre épée pour vous défendre, comme ceci. Si quelqu'un arrive de l'autre côté, reculez de cette manière.

Il continua.

— Après un certain temps, nous passerons à des épées plus lourdes pour former vos bras et vos épaules, mais pour l'instant, j'aimerais plutôt vous voir pratiquer les jeux de pieds.

M. Kadam me fit exécuter des jeux de pieds pendant une heure tout en me donnant des trucs. Je commençai à adopter un rythme en me déplaçant, et je traversai le plancher d'un côté à l'autre en faisant des exercices d'endurance et en adoptant des positions d'attaques, de retraits et de parades. Pendant que je m'entraînais, M. Kadam m'observait, corrigeant ma posture de temps en temps et me donnant des instructions pour combattre à l'épée.

— Tirez votre épée avant de faire face à un adversaire. Sinon, ça prend trop de temps une fois que vous êtes au combat. Et assurez-vous que vos pieds demeurent toujours au sol et que votre poids soit bien réparti sur vos pieds.

» N'essayez pas de frapper en vous étirant ! Gardez vos coudes pliés et près de votre corps.

» Combattez pour gagner. Essayez de trouver des faiblesses et exploitez-les. Ne craignez pas d'utiliser d'autres techniques si elles vous sont utiles, par exemple, la puissance de l'éclair.

» Il est préférable de s'enlever du chemin que de bloquer quelqu'un. Bloquer requiert beaucoup d'énergie ; il faut moins d'énergie pour sortir du chemin.

» Connaissez la longueur de votre épée et estimez la longueur de l'arme de votre adversaire.

» Ensuite, maintenez une distance pour qu'il soit plus difficile de vous atteindre.

» Même s'il est bon de pratiquer avec des épées plus longues et plus lourdes, des épées plus légères peuvent faire autant de dégâts. Les grosses vous fatiguent plus rapidement pendant un combat.

Après avoir terminé, j'étais en sueur, et mes bras étaient fatigués. J'avais tenu le shinai élevé tout le temps que je pratiquais les jeux de pieds, et même si l'épée était légère, mes épaules étaient en feu.

M. Kadam m'encouragea à travailler les jeux de pieds pendant une heure chaque jour et il me dit qu'il m'enseignerait d'autres mouvements le lendemain.

Après avoir attendu que je me sois suffisamment reposée, Kishan reprit sa forme humaine. Il pratiqua avec moi des coups de pied et des balayages de wushu pendant deux autres heures. Lorsque je montai l'escalier vers ma chambre, j'étais épuisée. Un souper chaud m'attendait dans ma chambre sous un couvercle isotherme, mais je décidai de prendre d'abord une douche.

Maintenant propre et prête à me coucher, je soulevai le couvercle et je découvris du poulet grillé et des légumes. Il y avait aussi unc note de M. Kadam, qui m'invitait à l'aider dans ses recherches à la bibliothèque le lendemain matin. Je terminai mon repas et je me dirigeai vers la chambre de Ren. Devinant qu'elle était déverrouillée, j'y entrai.

Elle avait beaucoup changé depuis la première fois que j'y étais entrée. Un épais tapis recouvrait maintenant le sol. Il y avait des livres sur le dessus de la commode, incluant quelques volumes de la première édition de Dr Seuss qu'il avait mentionné avoir achetés. Un exemplaire de poche de *Roméo et Juliette* en hindi était écorné et usé. Un lecteur CD dernier cri était installé dans le coin de la chambre avec plusieurs disques compacts et, sur son bureau, il y avait un ordinateur portable et du matériel pour écrire.

Je trouvai son cadeau de la Saint-Valentin, son exemplaire de *Le Comte de Monte-Cristo*, et je le mis sous mon bras. Il avait dû l'expédier dans le colis avec mes affaires spéciales. Savoir qu'il lui était précieux me fit sourire. L'un de mes anciens rubans à cheveux était attaché autour d'un parchemin roulé. Je détachai le ruban et je découvris des poèmes écrits par Ren dans une langue que j'étais incapable de lire. Roulant les pages et les rattachant, je décidai que j'essaierais de les traduire.

J'ouvris son placard. À ma dernière visite, il était vide, mais il était maintenant rempli de vêtements griffés. La plupart n'avaient pas encore été portés. Je trouvai un chandail bleu semblable à celui qu'il avait porté à la plage. Il portait son odeur – celle des chutes d'eau et du bois de santal. Je le lançai sur mon bras pour le ramener dans ma chambre.

Lorsque je revins dans ma chambre, je déposai le parchemin sur mon bureau et je grimpai dans mon lit. J'étais blottie sous ma couverture avec le tigre blanc en peluche et le chandail quand j'entendis frapper à ma porte.

– Puis-je entrer, Kelsey ? C'est Kishan.

– Bien sûr.

Kishan passa la tête par la porte.

– Je voulais juste te dire bonne nuit.

– D'accord, bonne nuit.

Il aperçut mon tigre blanc, entra et s'approcha pour l'inspecter. Il sourit de travers et donna une chiquenaude sur le museau du tigre.

– Hé ! Laisse-le tranquille.

– Je me demande ce qu'il a pensé de ça.

– Si tu dois le savoir, il était flatté.

Il rit pendant un moment, puis devint sérieux.

– On va le trouver, Kells. Je te le promets.

Je hochai la tête.

– Eh bien, bonne nuit, *bilauta*.

Je m'appuyai sur mon coude.

– Qu'est-ce que ça veut dire, Kishan ? Tu ne me l'as jamais dit.

– Ça signifie chaton. J'ai pensé que si nous sommes les chats, tu dois être le chaton.

– Humm, eh bien, ne dit plus cela autour de Ren. Ça le rend fou.

Il me sourit.

– Pourquoi penses-tu que je le dis ? On se voit demain matin.

Il éteignit la lumière et ferma la porte.

Cette nuit-là, je rêvai de Ren.

12

Prophéties et pratique

C'était le même horrible rêve que j'avais déjà fait. J'étais en train de chercher désespérément quelque chose dans l'obscurité. J'entrai dans une salle, et je trouvai Ren attaché à un autel et un homme en robe pourpre qui se tenait au-dessus de lui. Je savais maintenant que cet homme était Lokesh. Il leva le couteau et le planta dans le cœur de Ren. Je sautai sur Lokesh et j'essayai de lui enlever son arme, mais il était trop tard. Ren était en train de mourir.

— Kelsey, me chuchota Ren, cours ! Sors d'ici ! C'est pour toi que je fais cela !

Mais j'étais incapable de courir. Je ne pouvais rien faire pour le sauver. Je ne pouvais que m'effondrer au sol, sachant que la vie sans Ren n'avait pas de sens.

Puis, le rêve se transforma. Ren était assis dans une cage sous sa forme de tigre. Son dos était parcouru de lacérations sanglantes.

Je m'agenouillai.

— Allez, Ren. Laisse-moi te sortir d'ici.

Il reprit sa forme humaine et me toucha le visage.

— Non, Kelsey. Je ne peux pas partir. Si je le fais, il va t'attraper, et je ne peux pas le permettre. S'il te plaît, va-t'en.

Il m'embrassa brièvement.

— Va-t'en !

Il me repoussa violemment et disparut.

Je tournai en rond en criant son nom.

— Ren ? Ren !

J'aperçus une silhouette dans le brouillard. C'était Ren. Il était en bonne santé, fort, et sain et sauf. Il riait en parlant avec quelqu'un.

Je lui touchai le bras.

— Ren ?

Il ne m'entendait pas. Je me tenais devant lui et je lui faisais signe. Il ne pouvait pas me voir. Il éclata de rire et posa son bras autour des épaules d'une jolie fille. J'attrapai son revers et je le secouai, mais il ne pouvait sentir mon contact.

— Ren !

Il s'éloigna avec la fille et me poussa de côté comme si je n'étais qu'un obstacle inutile. Je commençai à pleurer.

Un chant d'oiseau à l'extérieur me réveilla. J'avais dormi profondément, mais je ne me sentais pas reposée. Toute la nuit, j'avais rêvé de Ren, capturé, prisonnier. Et, quelle que soit la situation où nous nous trouvions, il me repoussait toujours, soit pour me protéger, soit pour m'éloigner de lui.

Cinq semaines. Cinq courtes et bienheureuses semaines, voilà tout ce que nous avions vécu ensemble. Même si je comptais le temps où il était là et où il m'évitait, sauf pour nos rendez-vous, nous n'avions passé qu'environ deux mois en Oregon. Ce n'était pas suffisant. Pas quand on est amoureux. D'une certaine manière, il semblait que je perdais toujours les gens que j'aimais. *Comment pourrai-je vivre sans lui ?*

Et pourtant... il était là. Mes parents y étaient aussi. Je les sentais si près parfois que je pouvais presque les toucher. C'était la même chose avec Ren, seulement. ... c'était plus fort. Tant de choses étranges m'étaient arrivées ; je possédais un animal de compagnie qui était un serpent et qui servait aussi de bijou ; j'avais failli me faire manger par un singe vampire hippocampe ; j'avais un petit ami qui, la plupart du temps, était un tigre ; et, apparemment, je pouvais projeter des éclairs avec ma main.

J'étais tellement bouleversée par la capture de Ren que je ne pouvais même pas me mettre à l'étude de mon pouvoir de style dieu du tonnerre. *Que peut-il m'arriver d'autre* ? Je ne voulais pas y penser, car quoi que je puisse imaginer, la réalité serait bien pire.

Je m'habillai et je descendis pour aider M. Kadam. Il était occupé à travailler à l'ordinateur.

— Ah, Mlle Kelsey. Bonjour. Si vous êtes prête, j'ai quelques cartes que j'aimerais vous faire vérifier pour moi.

— Bien sûr.

Il étendit une immense carte de l'Inde et glissa pardessus un papier avec la traduction de la deuxième prophétie de Durgâ. Une tête poilue couleur zibeline heurta ma jambe, et je me penchai pour la caresser. J'étais heureuse de la présence de Kishan, mais je ne pouvais m'empêcher de souhaiter qu'un tigre blanc fût plutôt assis à mes côtés.

— Bonjour, Kishan. Tu as déjà pris ton petit déjeuner ? Je te préparerai des biscuits plus tard, si M. Kadam a tous les ingrédients.

Il souffla et s'installa à nos pieds. Je ramassai la prophétie et je la lus.

Avant toute chose, cherchez ses présents,
Car la bénédiction de Durgâ attend à nouveau.
C'est à l'endroit où habitent les dieux
que commence votre quête
Sous la montagne glaciale bleue de Noé.
Laissez le Maître Océan oindre vos yeux,
Dérouler les vénérables parchemins sacrés,
Enseigner la sagesse totale et conseiller.
Il maîtrise les portes de l'esprit.
Le paradis vous attend ; demeurez inébranlable
Et trouvez la pierre de nombril
Qui vous mène au cœur du trône
Feuillu de toute l'histoire ancienne.
Au sommet de l'arbre du monde se trouve votre prix léger.
Attrapez l'arc et la flèche, laissez-les s'envoler
Véritablement.
Des discussions sur les débâcles et
Les déguisements du chef
Peuvent éloigner ceux qui vous poursuivraient.
Quatre maisons testeront votre esprit

Des oiseaux, des chauves-souris, des gourdes et le nid de
La sirène.
Et en tout dernier lieu, observez le firmament
Alors que les gardiens de fer volent autour de vous.
Les masses de l'Inde seront cérémonieusement vêtues
Pour monter en puissance sur toute la planète.

— Hum, dis-je, réfléchissant à voix haute. Eh bien, les deux premières lignes sont évidentes. Nous devons à nouveau nous rendre dans un temple de Durgâ. Nous l'avions déjà deviné. Cette fois-ci, nous nous assurerons d'apporter les offrandes appropriées.

— Oui. J'ai compilé une liste des temples de Durgâ dans toute l'Inde, et même de ceux qui se trouvent dans des pays voisins.

— Kishan, s'il te plaît, rappelle-moi de porter mon bracelet de cheville à clochettes.

M. Kadam hocha la tête et se pencha sur ses notes. Je me mordis la lèvre et je pensai au moment où Ren m'avait offert le bracelet de cheville. Il m'avait suppliée de rester avec lui, mais j'étais quand même partie.

Quel gâchis ! Nous aurions pu passer tous ces mois ensemble si je n'avais pas été aussi têtue. J'aurais donné n'importe quoi pour revenir en arrière. Maintenant, il avait disparu, il avait été fait prisonnier et, cette fois, il était très possible que je ne puisse plus jamais poser les yeux sur lui.

Essayant de chasser ces pensées tristes de mon esprit, je recommençai à me concentrer sur la prophétie de Durgâ.

— La montagne de Noé ? C'est la chaîne de l'Himalaya ? Comment êtes-vous arrivé à cette conclusion ? Parle-t-on du Noé ?

— Oui.

— Humm, l'arche de Noé n'est-elle pas censée avoir atterri sur le mont Ararat ?

— Vous avez une bonne mémoire. C'est ce que je pensais au début, mais le mont Ararat se trouve en Turquie moderne, non en Inde. Et l'emplacement de l'arche est encore le sujet de débats véhéments.

— D'accord, mais qu'est-ce qui vous a conduit à l'Himalaya ?

— Un certain nombre d'éléments m'ont mené à cette hypothèse. Tout d'abord, je ne crois pas que le prochain présent serait caché dans un endroit aussi loin du continent indien. La prophétie mentionne que cet article aiderait le peuple de l'Inde, de sorte que ce ne serait pas logique qu'il soit caché trop loin.

» La deuxième chose est liée au nom, Noé. L'histoire de la Bible n'est pas la seule qui décrit un déluge. En fait, plusieurs douzaines de cultures parlent d'une grande inondation qui a recouvert la Terre. J'ai fait des recherches sur tous ces mythes qui parlent d'un déluge, et j'ai isolé les recoupements. Il y a Deucalion et Pyrrha de la Grèce, l'épopée du déluge de Gilgamesh, Tapi chez les Aztèques, et ainsi de suite. La similitude dans ces récits, c'est que lorsque les pluies diminuaient, les gens étaient menés sur la terre ferme.

» En Inde, il existe un mythe qui dit que Manu a sauvé la vie d'un poisson qui, à son tour, l'a averti de l'imminence de l'inondation. Il a construit un bateau, et le poisson l'a tiré vers les montagnes. Plusieurs emplacements ont été suggérés comme lieux possibles de débarquement, mais j'en ai omis un grand nombre parce qu'ils ne correspondaient pas à une « montagne glaciale bleue ». Donc, la montagne qui me semble la plus logique, c'est...

— Le mont Everest.

— Oui. Si on prend le texte au pied de la lettre et qu'on suppose que la Terre entière a été inondée, on peut déduire que les montagnes de l'Himalaya auraient été les premières parcelles de terre visibles après le déluge. Étant donné que l'Himalaya « touche le ciel », on pourrait supposer que la seconde quête que nous entreprendrons sera liée à l'air. De plus, les oiseaux et les autres créatures volantes ont été présentés massivement dans la prophétie, et l'objet que nous cherchons a été appelé un « prix léger ».

— Le mont Everest ? Vous ne pensez pas que Kishan et moi aurons à...

— Non, non. Seules quelques personnes courageuses ont fait l'ascension du mont Everest. Je ne penserais jamais vous demander de faire cette ascension. Non, ce que nous recherchons, c'est une ville à sa base, une ville où habite un maître sage. J'ai pensé que vous pourriez dresser pour moi une liste des villes possibles et peut-être songer à un endroit auquel je n'ai pas encore pensé.

— On dirait que vous y avez déjà beaucoup pensé.

— C'est vrai. Mais, comme vous l'avez mentionné, parfois une autre paire d'yeux peut être utile.

M. Kadam me remit une liste, et je la parcourus, ville après ville, puis je vérifiai chacune d'elles sur la carte. Effectivement, il avait déjà rayé chaque ville dans un rayon de plusieurs centaines de kilomètres de l'Everest. Le seul site sur la carte qui n'était pas rayé se trouvait au nord de l'Everest, et il était écrit en calligraphie chinoise.

— M. Kadam ? Quelle est cette ville ? demandai-je en pointant l'endroit.

— Elle se nomme Lhassa. C'est au Tibet, pas en Inde.

— Eh bien, peut-être que le maître habite de l'autre côté de l'Himalaya et que l'objet que nous cherchons est encore caché en Inde.

M. Kadam s'immobilisa, puis il courut chercher un livre sur le Tibet.

— Attendez un instant… un endroit où habitent les dieux.

Parcourant les pages du livre, il jeta un coup d'œil à l'index. Feuilletant rapidement les pages, il commença à marmonner.

— Maître Océan… portes de l'esprit… oui… oui !

Il referma brusquement le livre et vint me serrer brièvement dans ses bras, les yeux pétillants.

— C'est ça ! Vous l'avez trouvée, Mlle Kelsey !

— Qu'ai-je fait ?

— Lhassa est la ville « sous la montagne de Noé » ! Si on traduit son nom, on obtient « la ville des dieux » !

— Qu'en est-il du maître qui est censé nous enseigner ?

— C'est la meilleure partie ! Le Maître Océan est probablement l'un des lamas. Peut-être même le dalaï-lama lui-même !

— Quoi ? Mais Lhassa ne se trouve nulle part près de l'océan.

— Ah. Le verset ne doit pas signifier littéralement l'océan. Cela veut dire que sa sagesse est aussi profonde que l'océan, ou peut-être que son influence est aussi vaste que l'océan.

— Ah, d'accord, donc nous n'avons qu'à nous rendre à Lhassa et à demander de rencontrer le dalaï-lama !

Je caressai le tigre noir sur l'épaule.

— Un vrai jeu d'enfant, n'est-ce pas, Kishan ?

Il souffla et leva la tête.

— Oui, marmonna M. Kadam, cela pourrait être un problème.

— N'avez-vous pas une bonne relation avec le dalaï-lama actuel ? Le grand-père de Ren semblait entretenir une bonne relation avec celui de son époque.

— Non. Et le dalaï-lama actuel ne se trouve pas au Tibet ; il vit en exil en Inde. La prophétie indique clairement que nous devons nous rendre à la ville « sous la montagne de Noé » et commencer notre quête à cet endroit. Il est dit ici que le Maître Océan oindra vos yeux, déroulera les parchemins sacrés, enseignera la sagesse, et peut-être qu'il vous mènera aux portes de l'esprit.

— Que sont ces portes exactement ?

— Les portes de l'esprit marquent les entrées des sanctuaires du Japon. On dit qu'elles sont des liens entre le monde profane et le monde spirituel. Lorsque les gens les traversent, ils se purifient et se préparent pour le voyage spirituel qui prendra place dans l'au-delà.

— Y a-t-il des portes de l'esprit au Tibet ?

— Je n'en connais aucune. Peut-être que la prophétie a une autre signification.

— Bon, et à quoi fait référence la pierre de nombril ?

— Ah, je sais ce qu'est la pierre de nombril. Je crois que cela signifie que vous devez rechercher un omphalos. Ce sont des pierres qui représentent le centre du monde, ou le nombril du monde, et plusieurs ont été placées dans la zone de la Méditerranée, la plus célèbre étant logée à l'oracle de Delphes. Certains spécialistes ont suggéré que des émanations de gaz étaient dirigées à travers l'ouverture de la pierre et que lorsqu'un prophète se tenait au-dessus et respirait le gaz, il avait une vision.

C'était censé être un moyen pour l'humanité de communiquer avec les dieux. On raconte aussi que lorsque vous tenez la pierre, vous pouvez voir l'avenir. Il y a une pierre en Thaïlande, une dans l'église du Sépulcre à Jérusalem, et l'autre est la pierre angulaire du temple juif dans le Dôme du Rocher.

— À quoi ressemble-t-elle ?

— Elle a un peu la forme d'un œuf debout sur sa base la plus large avec un trou au sommet et une toile gravée sur l'extérieur.

— Donc, nous devons trouver cet omphalos et respirer ses vapeurs, et il nous montrera un arbre du monde ?

— Exact.

— Et l'arbre ?

— Le thème de l'arbre du monde est présent dans de nombreuses cultures et dans de nombreux mythes. Il existe un arbre qui s'occupe des besoins du peuple de l'Inde appelé Kalpavriksha. Lorsque les gens étaient sages et bons, il fleurissait, mais lorsque la nature humaine a changé, l'arbre s'est affaibli.

» Au cours de mes études sur le Fruit d'Or, j'ai découvert un dossier qui porte sur un arbre spécial au temple Kamakshi, dans le sud de l'Inde. C'est un arbre qui produit quatre sortes de mangues qui représentent les quatre Védas, ou castes. Dans la mythologie scandinave, il y a une histoire à propos d'un arbre-monde nommé Yggdrasil. Dans la mythologie slave et finnoise, on a choisi un chêne pour représenter l'arbre du monde sacré. Dans la culture hindoue, c'est un figuier appelé Ashvastha. Vous pouvez aussi l'appeler l'Arbre de Vie. De tels arbres sont mentionnés dans les cultures de la Corée, de l'Amérique centrale, de la Mongolie, de la Lituanie, de la Sibérie, de la Hongrie, de la Grèce... vous comprenez l'idée.

— Hum, oui. Je comprends. Nous sommes donc à la recherche d'un arbre spécial. Savons-nous au moins de quelle sorte d'arbre il s'agit ?

— Non. Les récits utilisent tous des arbres communs à leurs terres, mais la plupart des mythes se réfèrent à quelque chose de très large, avec des oiseaux perchés sur les branches. Il semble que les tests dont on parle dans la prophétie ont un rapport avec ce thème.

— Je comprends. Tout cela pour dire qu'on ne mange pas de fruit, n'est-ce pas ?

Il se mit à rire.

— Ce ne sont pas tous les mythes qui parlent de fruits, mais vous avez tout à fait raison. Il y a un test associé à la plupart d'entre eux. Certains mentionnent même un serpent géant à la base. Les feuilles lient la terre au ciel, et les racines sont censées s'enfoncer dans les Enfers.

— Maintenant, en ce qui concerne ces... tests. Croyez-vous qu'il y aura quelque chose d'effrayant qui essaiera de me manger comme les kappas ?

Il cessa de rire instantanément.

— J'espère sincèrement que non, Mlle Kelsey. Le mot paradis m'encourage beaucoup. J'espère que ces tests tiendront plus de l'exercice mental que de l'exercice physique.

— C'est vrai. Il faudra seulement que je fasse attention aux gardiens de fer. Donc, il est dit que nous devrons monter au sommet pour trouver le prix et que nous serons soumis à quatre tests. Je me demande ce que cela signifie quand on dit que les masses de l'Inde seront cérémonieusement vêtues. Pensez-vous que l'on parle de vêtements ?

— Ce pourrait être un symbole de royauté, je suppose.

— Eh bien, on dirait que vous avez vraiment bien compris, ou du moins le plus que vous pouviez. Il semble que la prochaine chose à faire, c'est de retourner au temple de Durgâ. Pensez-vous que ça va fonctionner sans Ren ?

— Ça ne coûte rien d'essayer. Vous avez dit que Ren devait être dans sa forme de tigre pour que Durgâ accepte votre offrande. C'est exact ?

— Oui. Elle a particulièrement remarqué la relation entre Ren et moi.

— Alors, il serait sage qu'un tigre vous accompagne. Nous nous servirons de Kishan à la place de Ren si, bien sûr, Kishan accepte de nous aider.

Le tigre noir souffla en guise de réponse, et nous supposâmes que cela voulait dire oui. Je baissai les yeux et lui caressai la tête.

— Espérons seulement qu'elle aime le noir.

— Entre-temps, je ferai certains appels discrets pour voir si je peux organiser une rencontre avec quelqu'un au Tibet, ou peut-être même avec le dalaï-lama.

— Pensez-vous que cela fonctionnera ? Voudra-t-il nous rencontrer ?

— Je n'en ai aucune idée.

— Ne devrions-nous pas attendre Ren ? Ne devrions-nous pas d'abord le chercher avant de partir à la recherche du prochain présent ?

— Mlle Kelsey, je ne pense pas que Ren voudrait que nous l'attendions. Honnêtement, je n'ai pas réussi à le localiser, et j'espérais que lorsque l'on découvrirait le second cadeau…

— Nous serions à nouveau réunis dans une vision.

— Exactement.

— Et que nous pourrions ainsi découvrir où se trouve Lokesh, ce qui pourrait nous conduire à Ren.

— Oui. Je sais qu'il y a peu de chances que cela se produise, mais c'est peut-être la seule option dont nous disposons.

— Bon, je ferai ce qu'il faut.

Kishan grogna et se changea en homme.

— Et je t'accompagnerai.

— Ne te sens pas obligé de me chaperonner, Kishan.

Il siffla.

— Mais je suis obligé de t'accompagner. Ren m'a chargé de prendre soin de toi, et c'est exactement ce que je compte faire. Je ne suis pas un lâche.

Je posai ma main sur la sienne.

— Kishan, je ne t'ai jamais pris pour un lâche. Merci. Je me sentirai plus en sécurité si tu m'accompagnes.

Son visage tendu se relaxa.

— Parfait. Maintenant que c'est réglé, aimerais-tu t'entraîner pendant quelques heures ?

— C'est probablement une bonne idée.

M. Kadam nous fit un signe de la main.

— Je travaillerai un peu avec vous cet après-midi, Mlle Kelsey, peut-être après le dîner.

— D'accord. Nous vous verrons plus tard.

Je rencontrai Kishan dans le dojo après avoir changé de vêtements. Il m'enseigna comment projeter un adversaire beaucoup plus large que moi. Je dus pratiquer sur lui à plusieurs reprises, puis il me fit faire un circuit d'exercices travaillant ma flexibilité et ma force. Lorsqu'il décida enfin que notre séance était terminée, il me caressa le menton et me dit qu'il était fier de moi.

Alors que j'étais sur le point de monter à l'étage pour dîner avec M. Kadam, Kishan courut derrière moi et me lança par-dessus son épaule. Il monta en courant l'escalier deux marches à la fois pendant que je lui martelais le dos. Il se mit à rire.

— Si tu n'es pas préparée à te débarrasser de ton agresseur, tu devras en subir les conséquences.

Il me déposa sur la chaise en face de M. Kadam et se servit une portion du dîner.

J'étais endolorie et fatiguée.

— Je ne crois pas que j'aurai l'énergie pour une autre séance d'entraînement à l'épée aujourd'hui, M. Kadam. Kishan m'a vraiment mise à l'épreuve ce matin.

— C'est bien, Mlle Kelsey. Nous pouvons essayer un type différent d'entraînement. Essayons d'améliorer la maîtrise de votre habileté à lancer des éclairs.

Je fis la grimace.

— Et qu'arriverait-il si cela s'avérait n'avoir été qu'un extraordinaire coup de chance ? Peut-être que cela ne se reproduira pas.

— Peut-être aussi que vous possédiez ce pouvoir tout ce temps et que vous n'aviez jamais été suffisamment motivée pour vous en servir.

— D'accord, je vais essayer. J'espère seulement que je ne finirai pas par vous atteindre avec un éclair.

— Oui. S'il vous plaît, essayez d'éviter cela.

Nous terminâmes de dîner et nous allâmes à l'extérieur. C'était la première fois que je sortais sur le terrain de la maison. Les marches du patio descendaient vers une zone dégagée de la taille d'un terrain de football qui était entourée de tous côtés par la jungle. M. Kadam avait déposé des balles de foin avec des cibles à différentes distances, tout comme on en voyait dans les tournois de tir à l'arc.

— Je veux d'abord que vous essayiez d'atteindre des cibles fixes, et si cela réussit, je voudrais aussi vous faire travailler avec des cibles en mouvement. Vous avez dit que vous étiez en colère et que vous deviez protéger Ren, que vous sentiez qu'un feu brûlant était apparu dans votre poitrine et qu'il s'était déplacé dans votre main. Je veux que vous retourniez en arrière et que vous essayiez de vous laisser remplir par cette sensation à nouveau.

Je fermai les yeux et je m'imaginai devant Ren alors qu'il chancelait derrière moi. Je laissai les sensations m'envahir à nouveau et je créai une image mentale de ses ravisseurs qui s'approchaient de moi. Une étincelle chaude commença à brûler dans ma poitrine. Je me concentrai sur elle et je l'encourageai à se développer.

Elle éclata comme une bulle de lave, circula à travers mon corps et sortit rapidement par ma main. Une lumière épaisse, blanche et vibrante bondit de ma paume vers la première cible et la frappa. La cible explosa comme une bombe enflammée, ne laissant que quelques fragments de foin fumant qui brûlèrent tout en flottant et se répandant dans l'air. Tout ce qui restait de la cible était une marque noire d'explosion sur le sol. De minuscules boucles noires de fumée s'élevèrent, montèrent dans le ciel, puis se dissipèrent lentement.

M. Kadam grogna et caressa sa barbe.

— Arme très efficace.

— Ouais, mais je ne veux pas faire ça à une personne. Quand ce sont des gens qui sont visés, on dirait que les éclairs sont moins destructeurs.

— Ne nous en inquiétons pas pour le moment. Tout d'abord, travaillons la distance de tir. Visez la prochaine cible, puis la suivante.

Je fis sauter ces cibles sans que l'intensité des éclairs diminue.

— Kishan, auriez-vous la bonté d'en installer d'autres ? Cette fois-ci, j'aimerais que vous les installiez plus loin et côte à côte.

Kishan se dirigea vers le fond du terrain.

— Je voudrais que vous essayiez d'élargir votre portée pour englober les trois cibles. Essayez d'imaginer quelque chose de grand, comme un éléphant ou un dinosaure, et dites-vous que vous devez frapper la bête en entier.

— D'accord, je vais essayer.

Je me concentrai sur les cibles à l'autre bout du champ et j'attendis que Kishan s'en éloigne. Plissant les yeux vers le soleil, je projetai un éclair et je ne touchai que la cible la plus à gauche.

— Ce n'est pas grave. Essayez à nouveau, Mlle Kelsey.

Cette fois-ci, je me concentrai pour maintenir le rayon plus longtemps et je déplaçai ma main dans un arc, laissant l'éclair frapper chacune des cibles.

— Humm, adaptation intéressante. Maintenant, nous savons que vous pouvez la maintenir.

Il fit rouler un doigt dans l'air, en un cercle géant, signalant à Kishan de les remettre en place.

— Essayez à nouveau. Cette fois-ci, concentrez-vous pour l'élargir. Fermez les yeux un moment et imaginez un éventail chinois. Vous tenez l'extrémité et, lorsque l'énergie sort de votre main, étalez-la devant vous pour que l'explosion se propage comme les extrémités d'un éventail.

— Très bien, mais tenez-vous derrière moi, d'accord ?

Il hocha la tête et se déplaça légèrement derrière moi. Je tendis la main et je laissai le feu monter dans mon bras. J'imaginai que je tenais l'extrémité de l'éventail et je levai la paume vers les cibles. Cette fois-ci, la lumière blanche et épaisse se mit à jaillir plus lentement. Pendant qu'elle circulait, j'étendis mes doigts en éventail, souhaitant que le pouvoir se propage. Ce fut efficace… beaucoup trop efficace. Non seulement avais-je détruit les cibles, mais aussi les arbres sur les deux côtés du terrain. Kishan avait dû se jeter sur le sol pour ne pas se faire frapper.

— Désolée ! lui criai-je.

Il agita la main pour me dire qu'il allait bien.

— Très bien ! dit M. Kadam en lui faisant signe de revenir. Avec un peu plus de pratique, je crois que vous pourrez atteindre exactement ce vous voudrez et quand vous le voudrez. Demain, nous allons pratiquer les degrés et voir si vous pouvez maîtriser la force de l'éclair pour qu'il neutralise au lieu de… hummm…

— Détruire ?

Il se mit à rire.

— Oui. Tout est une question de maîtrise. J'ai bon espoir que vous pourrez maîtriser cette force, Mlle Kelsey.

— J'espère que vous avez raison d'espérer.

— J'aimerais que vous pratiquiez encore cet exercice avec Kishan dans les prochains jours. Pensez seulement à cibler et à élargir votre frappe. Je travaillerai avec vous demain pour vous aider à vous concentrer sur les degrés de puissance de votre pouvoir.

— D'accord. Merci.

Les semaines passèrent très vite. Avant que je ne m'en rende compte, un mois et demi avait passé. Je complétai mon semestre en ligne. Mes professeurs étaient fascinés par l'explication de M. Kadam. Il leur avait raconté qu'il avait trouvé un artefact rare et qu'il avait besoin de mon aide pour le cataloguer, et il leur avait promis que j'écrirais un article sur le sujet.

J'avais hâte de savoir ce que j'écrirais là-dessus. Je terminai mes derniers examens, ce qui me permit de me concentrer sur autre chose que Ren. M. Kadam s'était aussi excusé auprès de l'université pour l'absence de Ren, disant qu'il y avait eu une urgence familiale et qu'il avait dû retourner en Inde. Le doyen sembla très compréhensif et prêt à faire tout ce qui était en son pouvoir pour nous aider.

Comme mes travaux scolaires étaient terminés, j'aidais M. Kadam à prendre des notes tôt dans la matinée et je travaillais ensuite avec Kishan jusqu'au dîner. L'après-midi était réservé à la pratique du combat avec des armes. Kishan m'enseigna à prendre soin des armes, et il me montra lesquelles choisir dans différents types de combat. Il m'enseigna aussi le combat au corps à corps, ainsi que plusieurs façons d'amener au sol des adversaires plus forts que moi.

Tôt dans la soirée, je travaillais avec M. Kadam à la maîtrise de mon pouvoir. J'étais maintenant capable de maîtriser l'intensité des éclairs et j'étais en mesure d'atteindre les cibles sans les détruire. Je pouvais percer un trou dans le centre des cibles comme je l'aurais fait avec une flèche, ou alors les frapper toutes en même temps et les détruire. Je pouvais littéralement détruire toutes les cibles, ou alors seulement celles que je choisissais.

Cela me donnait une sensation de puissance, mais c'était également plutôt effrayant. Avec ce genre de pouvoir, je pouvais être une superhéroïne ou une supervilaine, et je n'avais vraiment pas envie d'être ni l'une ni l'autre. Tout ce que je voulais, c'était aider Ren et Kishan à conjurer la malédiction… et être avec Ren.

Je gardais mes soirées pour moi, et je lisais ou j'écrivais dans mon journal. La maison était différente sans Ren. Je m'attendais toujours à le voir debout à l'extérieur, sur le balcon. Je rêvais de lui chaque nuit. Il était toujours pris au piège, soit attaché à une table, soit dans une cage. Chaque fois que j'essayais de l'emmener ou de le sauver, il m'arrêtait et me renvoyait.

Une nuit, je me réveillai pendant un cauchemar à propos de Ren et je sortis de mon lit. J'attrapai ma courtepointe et je me dirigeai vers la véranda. Une tête sombre reposait contre le canapé à bascule et, pendant une minute, mon cœur s'arrêta. J'ouvris doucement la porte et je sortis sur la véranda. La tête se mit à bouger.

— Kelsey ? Qu'est-ce que tu fais debout ?

Mon pauvre cœur retomba dans un état de dormance.

— Oh. Hé, Kishan. J'ai fait un cauchemar. Que fais-tu ici ?

— Il m'arrive souvent de dormir ici. J'aime être à l'air libre et, de cette façon, il m'est plus facile de veiller sur toi.

— Je crois que je suis assez en sécurité ici. Je doute que tu aies à me surveiller pendant que nous sommes ici.

Il se déplaça et m'invita à m'asseoir à côté de lui.

— Je ne permettrai pas qu'il t'arrive quoi que ce soit, Kelsey. Ce qui est arrivé est de ma faute.

— Non, c'est faux. Tu n'aurais pas pu l'empêcher.

Il appuya sa tête contre le coussin, pressa sur ses yeux pour les fermer, et se frotta les tempes.

— J'aurais dû être plus vigilant. Ren croyait que je serais moins distrait que lui. La vérité, c'est que j'étais probablement plus distrait. Il aurait été préférable que je n'aille jamais en Amérique.

— Que veux-tu dire ? lui demandai-je, confuse. Pourquoi dis-tu cela ?

Il me regarda. Ses yeux dorés percèrent les miens, comme s'ils cherchaient la réponse à une question qui n'avait pas encore été posée. Il détacha brusquement son regard de moi et grogna.

— Je n'apprends jamais, marmonna-t-il pour lui-même.

Je lui pris la main.

— Quel est le problème ?

À contrecœur, il croisa à nouveau mon regard.

— Tout ce qui est arrivé est de ma faute. Si j'avais laissé Yesubaï seule, rien n'aurait changé. Elle aurait été la princesse de Ren, et elle ne serait pas morte. Tu ne serais pas en danger maintenant. Mes parents auraient vécu une vie normale. Parce que je n'ai pas été capable de me maîtriser, tout le monde autour de moi a souffert.

Je posai mon autre main sur la sienne. Il retourna sa main et saisit mes doigts.

— Kishan, tu l'aimais, et j'ai appris qu'à l'époque, c'était une chose très rare. L'amour fait faire des choses folles. Yesubaï voulait être avec toi, et ce, malgré toutes les conséquences négatives de ce désir. Je parie que même si elle avait su que sa vie allait être écourtée, elle aurait pris la même décision.

— Je n'en suis pas tout à fait sûr. J'ai eu beaucoup de temps pour y réfléchir, et Yesubaï et moi nous connaissions à peine. Nos rencontres secrètes étaient très brèves, et je serais malhonnête si je disais que je ne l'ai pas soupçonnée d'avoir agi comme un pion dans le jeu de son père. Je ne sais pas *vraiment* si elle m'aimait. D'une certaine manière, je crois que si j'en avais eu l'assurance, alors cela en aurait valu la peine.

— Elle a essayé de vous sauver tous les deux, n'est-ce pas ?

Il fit signe que oui.

— Elle ne serait pas allée contre la volonté de son père si elle n'avait pas au moins eu des sentiments pour toi. De toute façon, je ne vois pas comment elle aurait pu te résister. Tu es aussi beau que ton frère. Tu es gentil, et tu es très charmant, lorsque Ren n'est pas là. Si elle ne t'aimait pas vraiment, c'est qu'elle était folle.

» Logiquement, la seule raison qui aurait pu la pousser à refuser Ren, c'est son amour pour toi. En plus, ma vie aurait été bien plus triste sans votre présence à Ren et à toi.

Je lui serrai les doigts.

— Ce n'est pas de ta faute si toutes ces choses se sont passées. C'est Lokesh, le coupable ; pas toi. Il serait probablement venu chercher vos amulettes autrement si Yesubaï n'avait pas été impliquée dans vos vies.

— J'ai fait un pacte avec le diable, Kelsey. Quand tu fais cela, il y a un prix à payer.

— Tu as raison. Quand tu fais de mauvais choix ou que tu prends les mauvaises décisions, tu dois toujours faire face aux conséquences. Mais tomber amoureux n'est pas un mauvais choix.

Il se mit à rire de façon dépréciative.

— Pour moi, ça l'est.

— Non. Accepter de jouer dans le dos de ton frère était un mauvais choix, mais tu as fini par choisir ta famille. Tu as choisi de protéger Ren, de veiller sur lui et de l'aider à s'enfuir.

— C'était quand même une erreur. Je n'aurais pas dû faire confiance à Lokesh.

Nous restâmes assis, nous berçant tranquillement.

— Faire des erreurs, murmurai-je, c'est ce qui nous rend humains. C'est ainsi que nous apprenons. Ma mère a toujours dit qu'il n'est pas mal de faire une erreur ; ce qui est mal, c'est de refuser d'en tirer des leçons afin de ne pas répéter l'erreur.

Il se pencha et posa sa tête dans ses mains. Il se mit à parler calmement, comme s'il se moquait de lui-même.

— *Exact*. J'aurais dû apprendre. À ne pas répéter l'histoire, je veux dire.

— Es-tu en danger de répéter l'histoire ? Tu as été en contact avec Lokesh, n'est-ce pas ? le taquinai-je.

— Je tuerais Lokesh si nous nous croisions à nouveau, sans hésitation. Mais suis-je en danger de répéter l'histoire ? Oui.

— Je ne pense pas que tu pourrais trahir ton frère.

— Pas de la façon dont tu penses, en tout cas.

Je soupirai.

— Kishan, je ne veux pas que tu passes tout ton temps libre à me surveiller. Il est évident que tu fais trop de fixation sur le passé. Tu devrais apprécier ta nouvelle vie. Es-tu sorti avec quelqu'un pendant que tu étais chez toi, l'automne dernier ? As-tu fait des sorties ou suivi des cours ?

Il détourna les yeux.

— Ce n'est pas sur le passé que j'ai une fixation.

Il soupira.

— Les cours ne m'intéressent pas beaucoup.

Il se leva et se dirigea vers la rampe et jeta un coup d'œil sur la piscine éclairée en bas.

— Il semble, dit-il doucement, que les seules filles qui m'intéressent... appartiennent toujours à Ren.

Je fixai son dos, surprise. Il se retourna et appuya une hanche sur la rampe. Il observa ma réaction avec prudence ; son expression étant à la fois vulnérable et solennelle.

— Es-tu sérieux ? balbutiai-je.

— Oui. Je suis sérieux. Je suis un genre de gars simple, plutôt candide. Je ne plaisante pas avec ce genre de choses.

— Mais je ne comprends pas. Pour Yesubaï, c'est compréhensible, avec ses yeux violets et ses longs cheveux noirs, mais sûrement que tu…

— Kells, arrête ça. Je ne suis pas en train de te taquiner ou de jouer. J'ai mis beaucoup de temps à décider si je devrais même dire quoi que ce soit. Écoute, je sais que tu l'aimes, et je ne penserais jamais à essayer de t'éloigner de lui. Du moins, pas quand je sais qu'il n'y a absolument pas de chance que tu me retournes mon amour.

Il sourit sèchement.

— Je ne vis pas facilement le rejet.

Il croisa ses bras sur sa poitrine.

— Mais oui, si Ren n'était pas avec toi, je ferais tout ce qui est en mon pouvoir pour te garder dans ma vie et pour gagner ton affection.

Je m'assis sur le banc, déconcertée.

— Kishan. Je…

— Écoute-moi jusqu'au bout, Kelsey. Tu… me calmes. Tu guéris ce qui est brisé et tu me donnes l'espoir que je puisse avoir une vie à nouveau. Et malgré ce que tu peux penser, tu es aussi belle que l'était Yesubaï. Je sens…

Il se détourna de moi, mal à l'aise, et il grogna :

— Quel genre d'homme suis-je ? Comment cela peut-il m'arriver ? Deux fois ! Ça ne trompe pas. Cette fois-ci, c'est Ren qui gagne. C'est juste. Nous avons maintenant bouclé la boucle.

Il se tourna vers moi.

– S'il te plaît, pardonne-moi. Je ne voulais pas t'ennuyer avec ça.

Kishan était différent en l'absence de Ren. Il laissait voir sa vulnérabilité et n'essayait pas de la couvrir avec l'arrogance et les fanfaronnades qu'il montrait toujours quand il se trouvait avec Ren. Je savais qu'il parlait sincèrement. Ses paroles qui venaient du cœur me touchaient profondément. J'étais triste. Je savais qu'il avait besoin de faire la paix avec le passé, tout comme l'avait fait Ren. Je décidai d'essayer de détendre l'atmosphère.

Je me levai et je le serrai dans mes bras. Je voulais que ce soit bref, mais il s'accrocha à moi comme si j'étais son seul point d'ancrage à l'humanité. Je lui caressai le dos et je me détachai. Ensuite, je lui pris la main et je la tirai vers le siège. J'adoptai l'approche sans fioritures de ma mère dans les situations difficiles. Elle m'avait toujours dit que la meilleure chose que l'on puisse faire pour soutenir quelqu'un, c'est d'être son ami et d'être honnête.

– Eh bien, Kishan, sache que si Ren n'était pas là, je sortirais avec toi sans hésiter.

– Écoute, Kells, railla-t-il, oublie que j'ai même dit quoi que ce soit, d'accord ? De toute façon, ce n'est pas important.

– Tu sais, je ne t'ai jamais remercié d'avoir donné un coup de poing à Ren et de l'avoir fait venir ensuite en Oregon. Je n'aurais jamais eu le courage de revenir à lui.

– Ne me fais pas passer pour un héros, Kells.

– Mais tu étais mon héros. Probablement que je ne serais même pas avec Ren si tu ne t'en étais pas mêlé.

— Ne me le rappelle pas. La vérité, c'est que je voulais que tu reviennes probablement autant que lui. S'il n'était pas parti, je serais parti te chercher pour t'avoir pour moi seul, et probablement que nous aurions une discussion totalement différente maintenant.

Pendant un instant, je me permis d'imaginer ce qui se serait produit si Kishan était venu à moi à Noël au lieu de Ren. Je lui donnai un léger coup de poing sur le bras.

— Ne t'inquiète pas ; je suis là maintenant. De toute manière, c'est probablement seulement ma cuisine que tu aimes. Je fais des biscuits avec doubles pépites de chocolat et au beurre d'arachide plutôt extraordinaires.

Je l'entendis marmonner doucement.

— Oui, sûrement... c'est la cuisine.

— Pouvons-nous être amis ?

— J'ai toujours été ton ami.

— Très bien. J'ai un ami *et* un héros. Bonne nuit, Kishan.

— Bonne nuit, *bilauta*.

Arrivée à la porte, je me retournai.

— Et ne t'en fais pas. Probablement que tes sentiments ne sont que temporaires. Je suis certaine que plus tu apprendras à me connaître, plus je t'agacerai. J'ai un côté grognon que tu n'as pas encore vu.

Il se contenta de lever un sourcil et demeura silencieux.

Malgré mon assurance que j'irais bien s'il ne veillait pas sur moi, c'était agréable de savoir qu'il y avait un tigre en train de dormir sur le balcon. Je m'endormis. Pour une fois, je ne fis aucun cauchemar.

13

Le temple de Durgâ à Vatsala

Nous gardâmes le même emploi du temps pendant deux autres semaines. Je devenais plus forte, et j'étais convaincue que je pouvais me défendre au combat. Pas à cause de ma force physique, mais à cause de la puissance de l'éclair. Il m'était facile de faire appel à cette habileté. Je pouvais arracher une mauvaise herbe à l'autre bout du champ sans même endommager l'herbe environnante. Je semblais disposer d'une certaine habileté intérieure pour faire une mise au point automatique, et je savais alors tout simplement où il me fallait viser pour atteindre ma cible.

M. Kadam passait la plus grande partie de son temps à essayer de trouver Ren. Depuis que nous avions découvert que la ville que nous cherchions était Lhassa, le reste de la prophétie se mettait en place. M. Kadam était certain que si nous commencions notre voyage à cet endroit, nous trouverions ce que nous cherchions. Mais avant notre départ, il nous fallait faire un autre voyage vers un temple de Durgâ.

Des boîtes contenant des objets nécessaires au voyage commencèrent à arriver. M. Kadam m'avait acheté de nouveaux vêtements. Un coin de mon placard fut bientôt rempli de bottes de randonnée, d'une douzaine de paires de chaussettes de laine, de chandails de laine et de molleton, de pantalons, de gants et de vestes Gore-Tex, d'épais T-shirts à manches longues, d'une paire de bottes blanches isolées contre le froid, de pantalons isolés de différents styles et de chapeaux assortis.

Après l'arrivée du dernier colis, qui comprenait des lunettes de soleil, de la crème solaire et d'autres articles de toilette, je descendis à l'étage inférieur.

— M. Kadam, on dirait qu'en fin de compte, vous avez l'intention de me faire escalader l'Everest. Au fait, combien de sacs voulez-vous que j'apporte ?

Il eut un petit rire.

— Entrez, Mlle Kelsey, entrez. J'ai quelque chose à vous montrer.

— Qu'est-ce que c'est ? Une veste qui va me garder au chaud dans une avalanche, peut-être ?

— Non, non.

Il me tendit un livre.

— Qu'est-ce que c'est ?

— C'est *Horizon perdu* de James Hilton. L'avez-vous déjà lu ?

— Non, je n'en ai jamais entendu parler.

— Avez-vous déjà entendu le terme *Shangri-la* ?

— Eh bien, oui. Comme des boîtes de nuit particulières dans les vieux films hollywoodiens ? Je crois qu'il y a peut-être même un casino qui porte ce nom à Las Vegas.

— Ah, oui, eh bien, j'ai trouvé un lien entre ce livre et notre quête. Avez-vous un peu de temps pour que nous en discutions ?

— Oui. Laissez-moi seulement dire à Kishan de venir se joindre à nous.

À mon retour, je m'assis confortablement dans le fauteuil, et Kishan s'installa sur le sol, en face de moi.

— Écrit en 1933, *Horizon perdu* décrit une société utopique dans laquelle les habitants vivent une vie exceptionnellement longue en parfaite harmonie les uns avec les autres. La ville a été érigée dans les montagnes de Kunlun, qui font partie de l'Himalaya.

Mais ce qui est vraiment intéressant, c'est que M. Hilton a basé son récit sur l'ancien mythe bouddhiste tibétain de Shambhala, une ville mystique qui est isolée du reste du monde et qui détient beaucoup de secrets cachés. Dans le monde moderne, le terme *Shangri-la* en est venu à représenter un lieu de bonheur, une utopie, un *paradis.*

— Alors, nous serons à la recherche de Shangri-la quand nous aurons traversé les portes de l'esprit ?

— Oui, c'est ce que j'en suis venu à croire. Ce mythe est fascinant. Savez-vous que ce livre décrit des villes célèbres et leurs histoires ? Il présente des liens entre le Saint-Graal, la fontaine de jouvence, El Dorado, la ville d'Enoch et les Hyperboréens des Grecs. Tous ces comptes-rendus ressemblent à l'histoire de Shangri-la.

Dans chaque récit, les gens sont à la recherche de quelque chose qui accordera l'immortalité, ou alors d'un pays qui recèle une société parfaite. Même le paradis terrestre a beaucoup de thèmes comparables — l'arbre, le serpent, de magnifiques jardins. Beaucoup ont recherché de tels endroits, mais ils ne les ont jamais trouvés.

— Eh bien, c'est fantastique. Plus j'en apprends, plus les tâches me semblent difficiles. Peut-être que ce serait mieux de ne pas savoir tout cela. Ce serait peut-être moins décourageant.

— Auriez-vous préféré que je ne vous en parle pas ?

— Non, répondis-je en soupirant, j'ai besoin de savoir. C'est bon d'avoir un cadre de référence. Donc, personne n'a jamais réussi à découvrir Shangri-la ?

— Non. Et ce n'est pas faute d'avoir essayé. En fait, je suis tombé sur une information intéressante. Il semble qu'Adolf Hitler croyait que Shangri-la détenait la clé de la race parfaite des maîtres anciens. En 1938, il a même envoyé un groupe dirigé par un homme nommé Ernst Schäfer en expédition au Tibet à la recherche de cette race.

— Je suis contente qu'il ne l'ait pas trouvée.

— En effet.

M. Kadam me donna *Horizon perdu* pour que je le lise et me prévint que nous devrions probablement partir avant la fin de la semaine. Nous retournâmes à notre routine normale pendant les jours suivants, mais j'étais nerveuse. La dernière fois, j'avais passé à travers des expériences effrayantes, mais Ren était toujours à mes côtés. La moitié du temps, je m'étais querellée avec lui, et j'avais passé l'autre moitié à l'embrasser ; malgré tout le désarroi associé à ce voyage, je m'étais toujours sentie en sécurité. Je savais qu'il me protégerait des singes malins et des kappas.

Maintenant qu'une nouvelle aventure m'attendait, je voulais si désespérément que Ren m'accompagne qu'une douleur profonde envahissait mes entrailles. La seule chose qui me permettait de tenir le coup, c'était de savoir que je le faisais pour lui. Je m'interdis de penser au fait qu'il pouvait ne plus être en vie au cours des semaines suivantes. Il fallait qu'il le soit. Sans lui, la vie n'avait aucun sens.

Tout de même, je voulais aller jusqu'au bout pour le bien de Kishan. Je ne pouvais l'abandonner. Ce n'était pas dans ma nature. Je savais qu'il me protégerait du mieux qu'il le pouvait, et j'avais désormais encore plus confiance en mes propres capacités. Mais ce ne serait pas la même chose sans Ren.

Chaque heure qui passait n'apportait aucune piste pour le retrouver. Kishan était lui-même assez mélancolique, donc je ne pris pas la peine de lui en parler. De toute façon, depuis sa confession, il était difficile de parler de Ren avec Kishan. Et si j'en glissais un mot à M. Kadam, il paraissait toujours se sentir coupable, s'enterrait dans sa recherche et faisait de l'insomnie chaque fois que je lui mentionnais comment il m'était difficile de vivre en l'absence de Ren.

Kishan et moi ne parlâmes plus des sentiments qu'il éprouvait pour moi. Au début, il y avait un certain malaise entre nous, mais nous ignorâmes obstinément le sujet et notre relation devint plus facile. Il continua à pratiquer les arts martiaux tous les jours avec moi.

Il me semblait que je l'appréciais de plus en plus. Il y avait des similitudes frappantes entre les deux frères, mais il y avait aussi des différences. Par exemple, Kishan semblait plus prudent que Ren. Il semblait prêt à discuter de n'importe quel sujet, mais il était toujours lent à répondre. C'était quelqu'un de perspicace. Il était dur envers lui-même, éprouvait une immense honte et se critiquait beaucoup relativement à notre situation.

Mais certaines choses qu'il disait, certains mots qu'il choisissait me rappelaient Ren. Il était facile de parler à Kishan, tout comme avec son frère. Même leurs voix étaient semblables. Parfois, j'oubliais à qui je parlais et je l'appelais

Ren par accident. Il disait que c'était compréhensible, mais je savais que ça lui faisait mal.

Pendant toute la semaine avant notre voyage, la tension était palpable dans la maison. Enfin, le jour du départ arriva. La jeep fut chargée de nos sacs, et avec Kishan installé à la place de Ren, nous partîmes. M. Kadam avait des papiers de voyage pour chacun de nous et expliqua que nous roulerions à travers trois pays différents. Je fouillai dans un sac et je vis que mes passeports et mes papiers mentionnaient maintenant une certaine K. H. Khan et montraient une ancienne photographie de moi à l'école secondaire. *Tu parles d'une mauvaise journée pour ma coiffure.*

Notre destination était le Népal, plus précisément, une ville appelée Bhaktapur. Simplement pour traverser l'Inde, il nous fallut deux jours, et nous entrâmes au Népal à la frontière de Birganj-Raxaul. M. Kadam dut passer par un long processus administratif à la douane, et il expliqua que nous devions montrer une preuve de *Carnet de passage en douane*[1] – un document de douane qui nous accordait la permission d'importer temporairement notre véhicule au Népal.

Après nous être installés, nous quittâmes Kishan pour qu'il fasse une sieste pendant que M. Kadam m'emmenait dans un pousse-pousse pour voir la tour de l'horloge de Birganj.

Lorsque nous revînmes dans nos chambres, Kishan nous accompagna pour souper dans un restaurant situé à proximité de l'hôtel. M. Kadam me commanda du *chatamari*, une sorte de pizza népalaise dont la pâte était faite à partir de farine de riz. Je choisis quelques garnitures que je

1. N.d.T. : En français dans le texte original anglais.

connaissais. Il commanda du *masu*, un plat de viande et de riz au curry pour lui-même. Il avait choisi le poulet, mais le plat était aussi offert avec de l'agneau ou du buffle, dont j'ignorais la présence au Népal. Kishan prit du *pulao* aux légumes, un plat de riz frit avec du cumin et du curcuma, un *masu* à l'agneau, et du *thuckpa*, un sauté de nouilles aux œufs.

Le lendemain, nous nous levâmes tôt et nous roulâmes jusqu'à Bhaktapur. M. Kadam et moi allâmes nous inscrire à notre hôtel, puis nous marchâmes jusqu'à la place principale. Aucun pousse-pousse ou taxi n'étaient admis à l'intérieur de cette zone. M. Kadam expliqua qu'ainsi, la place demeurait propre, paisible et calme. Nous passâmes devant un grand marché avec des douzaines de différents types de poterie. Beaucoup de pièces étaient peintes en couleurs vives sur de l'argile noire, ce qui semblait être un matériau courant dans la région.

D'autres kiosques affichaient des masques d'animaux, de dieux, de déesses et des démons. Des chariots de légumes, de fruits et de nourriture nous attirèrent. Nous achetâmes le fameux yogourt au miel, appelé *juju dhau*. Il était rempli de noix, de raisins secs et de cannelle, et il était préparé avec du lait de buffle.

Nous quittâmes la zone du marché et arrivâmes à la place principale. Tout en marchant, M. Kadam nous donnait des explications.

— C'est ce qu'on appelle la place Durbar. Ah, voilà ce que nous cherchons, le temple Vatsala Durgâ.

Deux lions de pierre gardaient l'entrée du temple. Ce dernier était de forme conique, comme le temple Virupaksha à Hampi, mais un patio de briques l'entourait. Deux piliers de grandes dimensions soutenaient une cloche géante sur le côté du bâtiment.

— Hé, Monsieur Kadam, après tout, je n'ai pas besoin de porter mon bracelet de cheville. Il y a une cloche géante là-haut.

— Oui. C'est la cloche Taleju. Elle est faite en bronze, et elle repose sur le socle du temple. Voulez-vous entendre l'histoire de la cloche ?

— Bien sûr.

— On la surnomme la cloche aboyeuse. Un des anciens rois qui habitaient ici avait fait un rêve. Les récits varient, mais dans son rêve, un cauchemar, des créatures qui ressemblaient à des chiens ont attaqué les gens durant la nuit.

— Des créatures qui ressemblaient à des chiens… Des loups-garous ?

— C'est très possible. Dans son rêve, le seul moyen de sauver le peuple et d'effrayer les créatures pour qu'elles s'éloignent était de faire sonner une cloche. La sonnerie de la cloche était si forte et si puissante que les créatures laissaient les gens tranquilles. Lorsque le roi se réveilla, il ordonna immédiatement que l'on fabrique une cloche spéciale. La cloche fut fabriquée et utilisée pour signaler l'heure du couvre-feu aux citadins. Tant que les habitants suivaient le signal de la cloche, on les considérait en sécurité. Beaucoup de gens disent encore que chaque fois que l'on fera sonner cette cloche, les chiens aboieront et gémiront.

— C'est une belle histoire.

Je donnai un coup de coude à Kishan.

— Je me demande si cela fonctionnerait avec les tigres-garous.

Kishan prit mon coude, m'attirant plus près de lui.

— Ne parie pas là-dessus. Si un tigre court après toi, tu ne seras pas capable de l'effrayer facilement. Les tigres sont des créatures très *centrées sur leur objectif.*

Quelque chose me disait qu'il ne parlait pas de la même chose que moi. Je cherchai désespérément quelque chose à dire pour changer de sujet.

La plupart des hommes qui se promenaient portaient de grandes capes sur leur tête. Je posai des questions à M. Kadam à leur sujet, et il se lança dans un long récit détaillé de l'histoire de la mode et des vêtements religieux.

— M. Kadam, vous êtes une véritable encyclopédie vivante sur tous les sujets imaginables. Il est très pratique de vous avoir auprès de nous, et il est plus intéressant de vous écouter que d'assister aux cours de mes autres professeurs.

Il sourit.

— Je vous remercie. Mais, s'il vous plaît, n'hésitez pas à me ramener à l'ordre si jamais je m'emporte trop sur un sujet particulier. C'est l'une de mes faiblesses.

— Si *jamais* je m'ennuie, dis-je en riant, je vous le ferai savoir.

Kishan sourit et se servit de mon commentaire comme excuse pour poser son bras autour de mes épaules et caresser mon bras nu.

— Je peux te garantir que, moi non plus, je ne t'ennuierai jamais.

C'était une douce sensation, *trop douce*. Je réagis avec un excès de culpabilité, je me tortillai sous son bras lourd, et j'essayai de le repousser.

— Bon sang ! On prend des libertés ? On ne t'a jamais dit qu'il fallait d'abord *demander* à une fille ?

Kishan se pencha et parla doucement.

— Tu vas t'y faire.

Je lui lançai un regard meurtrier, et nous continuâmes notre visite.

Nous passâmes tout l'après-midi à nous familiariser avec la région et fîmes des plans pour retourner au temple au crépuscule le soir suivant. Soit M. Kadam avait tiré des ficelles, soit il s'était servi de son vaste portefeuille pour nous permettre d'entrer seuls après la fermeture du temple.

Lorsque nous revînmes au temple, des traînées colorées envahissaient le ciel assombri.

M. Kadam nous accompagna vers les marches avant et me tendit un sac à dos rempli de différentes choses à utiliser pour une offrande. Il était rempli d'objets divers se rapportant à l'air : différentes sortes de plumes d'oiseaux, un éventail chinois, une queue de cerf-volant, un ballon gonflé à l'hélium, une flûte de bois, un avion en plastique qui volait grâce à un ruban élastique, un minuscule baromètre, un voilier jouet et un petit prisme qui transformait la lumière en arcs-en-ciel. Nous avions aussi inclus quelques fruits, pour la chance.

M. Kadam me remit Fanindra, que je glissai sur mon bras. Elle s'était tordue dans une position de brassard pour que je puisse la porter, ce que j'interprétai comme un signe indiquant qu'elle voulait nous accompagner. Kishan et moi grimpâmes les marches de pierre qui menaient au centre du temple. Nous passâmes entre les éléphants gardiens de pierre, puis entre la paire de lions. De la rue, dans une alcôve au-dessus de nous, nous pouvions apercevoir la statue de Durgâ. J'étais inquiète, car si elle s'animait comme la dernière fois, un passant pourrait la voir.

En silence, Kishan et moi contournâmes le bâtiment et la véranda de pierre entourée de piliers, et nous découvrîmes les escaliers circulaires qui menaient au sommet du temple. Il tendit le bras pour me prendre la main. À l'intérieur, c'était sombre, et il faisait frais. Les lampadaires de la place projetaient une lumière inquiétante dans le hall qui menait à la statue. Kishan marchait à mes côtés, aussi tranquille, sombre et froid que le temple qui nous entourait. J'aimais beaucoup Kishan, mais la lumière et la chaleur qui semblaient toujours entourer Ren me manquaient.

Nous entrâmes dans une petite pièce et nous nous trouvâmes debout devant un mur de pierre. Je savais que la statue de Durgâ se trouvait de l'autre côté, éclairée par les lampadaires en bas. La statue était placée en retrait d'environ un demi-mètre par rapport à la paroi extérieure du temple, et nous pouvions nous tenir de n'importe quel côté tout en demeurant cachés dans l'ombre.

— Bon, la dernière fois, nous avons fait une offrande, fait sonner une cloche, demandé de la sagesse et des conseils, et ensuite Ren s'est changé en tigre. C'est ce qui a semblé fonctionner.

— Je vais faire ce que tu dis.

Nous retirâmes du sac l'ensemble de nos offrandes reliées à l'air pour les déposer aux pieds de la statue, puis nous reculâmes à nouveau dans l'ombre. Je levai ma cheville et frottai mes doigts sur les clochettes, qui se mirent à tinter. Je souris en pensant à Ren.

Nous reculâmes pour nous éloigner du mur, et Kishan prit ma main dans la sienne. Je lui étais reconnaissante pour son assurance. Même s'il m'était arrivé une fois de voir une statue de pierre s'animer, j'étais tout de même nerveuse.

— Je parlerai d'abord et ensuite, ce sera ton tour.

Il hocha la tête et me serra la main.

— Très grande déesse Durgâ, nous venons une fois de plus solliciter votre aide. Je demande votre bénédiction alors que nous allons à la recherche du prochain présent qui aidera ces deux princes. Nous accorderez-vous votre aide et partagerez-vous votre sagesse ?

Je me tournai vers Kishan et je hochai la tête.

Kishan resta silencieux pendant un moment.

— Je… ne mérite pas de bénédiction, finit-il par dire.

Il me regarda et soupira tristement avant de continuer.

— Ce qui est arrivé est de ma faute, mais je vous demande d'aider mon frère. De le garder en sécurité… pour *elle*. Aidez-moi à la protéger pendant ce voyage et à la préserver du danger.

Il jeta un coup d'œil vers moi pour chercher mon approbation. Je me penchai vers lui sur la pointe des pieds et je l'embrassai sur la joue.

— Merci, murmurai-je.

— Je t'en prie.

— Maintenant, transforme-toi en tigre.

Il reprit sa forme de tigre et disparut presque dans la pièce sombre. Un vent raide et froid s'engouffra dans le bâtiment et monta rapidement l'escalier. Ma blouse à manches longues voletait autour de moi. J'enfonçai ma main dans la peau du cou de Kishan et je criai par-dessus le vent.

— Ça, c'est la partie terrifiante !

Le vent faisait tourbillonner de la poussière et du sable autour de nous en formant une sorte de cyclone, alors que des années de saleté sortaient par des fissures et par le plancher. Je plissai les yeux, et je me couvris le nez et la bouche avec ma manche. Kishan me poussa vers un coin de la pièce pour me protéger des puissantes rafales près des fenêtres ouvertes du temple.

J'étais coincée entre lui et le mur, ce qui était une bonne chose, parce qu'il devait enfoncer ses griffes dans le sol pour rester en position verticale. Il pressa son corps contre moi. Je m'agenouillai et j'enveloppai mes bras autour de son cou, enfouissant mon visage dans sa fourrure.

Des sculptures qui avaient été voilées par une couche de poussière commencèrent à apparaître.

Le vent et le sable polirent le sol jusqu'à ce qu'il ressemble à du marbre. Je posai un bras autour d'un pilier pour me soutenir et l'autre autour de Kishan.

Après environ 10 minutes, le vent tomba, et j'ouvris les yeux. La pièce était spectaculairement différente. Dépouillé d'années de crasse et de poussière, le temple était beau et brillant. La lune qui montait dans le ciel projetait sa lumière dans la pièce, l'illuminant et lui donnant une apparence éthérée et onirique. Sur le mur du fond, derrière la statue de Durgâ, une empreinte de main familière apparut. Kishan se changea en homme et se tint à côté de moi.

– Que se passe-t-il ensuite, demanda-t-il ?

– Viens et observe.

Je l'entraînai vers moi, posai ma main dans l'empreinte, et je laissai l'énergie crépiter le long de mon bras et dans le mur. Un grondement fit trembler le mur, et nous reculâmes. Le mur pivota sur un angle de 180 degrés. La statue de Durgâ nous faisait maintenant face.

Cette version de Durgâ était semblable à l'autre statue que j'avais vue la dernière fois. Ses nombreux bras étaient étalés en éventail autour d'elle, et son tigre était assis à ses pieds. Cette fois-ci, il n'y avait pas de sanglier. J'entendis le doux tintement des cloches.

— Bonjour, jeune fille, dit une belle voix. Vos offrandes ont été acceptées.

Tous les articles que nous avions placés à ses pieds se mirent alors à briller, puis ils disparurent. La pierre de couleur sable commença à changer, et les bras de Durgâ commencèrent à se balancer dans l'air. Les lèvres de pierre devinrent rouge rubis et nous sourirent. Le tigre grogna et se secoua. La pierre s'envola de sa forme comme de la poussière. La créature éternua et s'assit à ses pieds.

Kishan était captivé par la déesse. Elle frissonna délicatement, et une petite brise se mit à flotter dans le bâtiment. Elle éloigna toute la poussière qui se trouvait sur elle, la découvrant comme une gemme lumineuse ensevelie sous le sable. Au lieu d'être dorée, la peau de Durgâ était douce et rose pâle. Elle détendit ses bras et leva une main vide pour enlever sa coiffe dorée. De somptueux cheveux noirs tombèrent dans son dos et sur ses épaules.

— Kelsey, ma fille, dit-elle d'une voix retentissante, je suis si heureuse que vous ayez réussi à trouver le Fruit d'Or.

Elle se retourna pour regarder Kishan, pencha la tête et haussa un sourcil comme si elle était confuse.

Soulevant un délicat membre rose, elle pointa Kishan.

— Mais, qui est-ce ? Où est votre tigre, Kelsey ?

Audacieusement, Kishan fit un pas en avant et s'inclina profondément au-dessus de sa main tendue.

— Chère dame, je suis aussi un tigre.

Il se changea en sa forme de tigre noir, puis reprit sa forme humaine. Durgâ se mit à rire, et le son joyeux retentit dans la pièce. Kishan lui sourit. Elle me regarda à nouveau et remarqua le serpent enroulé autour de mon bras.

— Ah, Fanindra, mon animal de compagnie.

Elle fit un geste pour que je m'approche, alors j'avançai de quelques pas. La moitié supérieure de Fanindra s'anima, et elle étendit son corps sur la main de la déesse. Durgâ caressa la tête du serpent avec tendresse.

— Il te reste encore du travail à faire, ma chère. J'ai besoin que tu restes avec Kelsey encore un peu plus longtemps.

Le serpent siffla tranquillement, puis se détendit sur mon bras et reprit sa forme inanimée, mais ses yeux de joyaux verts brillaient doucement pendant que nous parlions.

Durgâ tourna son attention vers moi.

— Je sens que vous êtes triste et troublée, ma fille. Dites-moi quelle est la source de votre chagrin.

— Ren, le tigre blanc, a été capturé et nous ne pouvons le retrouver. Nous espérions que vous pourriez nous aider à le retrouver.

Elle me sourit avec tristesse.

— Mon pouvoir est… limité. Je peux vous conseiller pour trouver le prochain objet, mais j'ai peu de temps pour autre chose.

Une larme coula sur ma joue.

— Mais sans lui, la découverte des objets n'a plus de signification pour moi.

Elle tendit une main douce jusqu'à ma joue et attrapa une larme brillante. Je la vis qui durcissait et qui devenait un diamant scintillant reposant sur le bout de son doigt. Elle le remit à Kishan, qui fut ravi du cadeau.

— Vous devez vous souvenir, Kelsey, que la quête dans laquelle je vous envoie n'aidera pas seulement vos tigres. Elle sera utile à l'ensemble de l'Inde. Il est essentiel que vous récupériez les objets sacrés.

Je reniflai et j'essuyai mes yeux sur ma manche.

Elle me sourit gentiment.

— Ne vous inquiétez pas, ma chère. Je vous promets que je veillerai sur votre tigre blanc et que je le préserverai du danger et… oh… je vois.

Elle cligna des yeux et fixa tout droit devant elle, comme si elle apercevait quelque chose que nous ne pouvions voir.

— Oui… le chemin que vous prenez maintenant vous aidera à sauver votre tigre. Conservez bien l'objet et ne le laissez pas, tout autant que le Fruit d'Or, tomber entre de mauvaises mains.

— Que devons-nous faire avec le Fruit d'Or ?

— Pour l'instant, il vous aidera dans votre voyage. Apportez-le et utilisez-le judicieusement.

— Quel est le prix léger que nous recherchons ?

— Pour répondre à cette question, j'aimerais que vous rencontriez quelqu'un.

Elle leva un membre rose et pointa derrière nous au fond de la salle. Un bruit de claquement rythmique attira notre attention.

Dans le coin de la salle éclairée par la lune, une vieille femme déformée était assise sur un tabouret de bois. Des mèches de cheveux gris sortaient d'un mouchoir rouge délavé. Elle portait une simple robe de bure brune avec un tablier blanc. Un petit métier à tisser était installé devant elle. Je la regardai tranquillement pendant qu'elle tirait de magnifiques fils d'un large panier tressé et qu'elle les faisait tourner autour de la navette. La navette tirait les fils d'avant en arrière sur le métier à tisser.

— Grand-mère, lui demandai-je, après un moment, qu'êtes-vous en train de tisser ?

Elle répondit d'une voix gentille, mais fatiguée.

— Le monde, ma petite. Je tisse le monde.

— Vos fils sont magnifiques. C'est la première fois que je vois de telles couleurs.

Elle gloussa.

— Je me sers de fils d'araignée pour que le tissu soit léger, d'ailes de fée pour qu'il scintille, d'arcs-en-ciel pour le rendre irisé et de nuages pour qu'il soit doux. Allez. Approchez et touchez le tissu.

Je serrai la main de Kishan, le rapprochant de moi, puis j'étendis mes doigts pour toucher le tissu. Il fourmilla et grésilla.

— Il y a de l'énergie !

— Oui. Il y a ici une grande puissance, mais je dois vous apprendre deux choses au sujet du tissage.

— Quelles sont ces choses, grand-mère ?

— Ces longs fils verticaux sont appelés fils de chaîne et ceux-ci, qui sont colorés et horizontaux, sont appelés fils de trame. Les fils de chaîne sont épais, forts et souvent très simples, mais sans eux, la trame n'a pas de support. Vos tigres s'accrochent à vous ; ils ont besoin de vous. Sans vous, les vents du monde les emporteraient.

Je hochai la tête pour montrer que je comprenais.

— Qu'avez-vous d'autre à m'enseigner, grand-mère ?

Elle se pencha vers moi et chuchota d'un ton de conspiratrice.

— Un tissage magistral fait un tissu exceptionnel, et j'ai tissé des fils extraordinaires et puissants dans cette pièce. Une bonne pièce de tissu doit être polyvalente. Avoir de nombreux usages. Celle-ci peut recueillir, confectionner et dissimuler. Gardez-la bien.

— Merci, grand-mère.

— Il y a encore une chose. Vous devez apprendre à prendre du recul et à visualiser toute la pièce. Si vous vous concentrez uniquement sur le fil qui vous est donné, vous perdez de vue ce qu'il peut devenir. Durgâ a la capacité de voir la pièce du début à la fin. Vous devez lui faire confiance.

» Ne vous laissez pas décourager lorsque le fil ne convient pas ou qu'il vous semble inesthétique. Soyez patiente et dévouée. Alors que les fils se tordent et se tournent, vous commencerez à comprendre et vous verrez le motif qui finit par se matérialiser dans toute sa splendeur.

Je lâchai la main de Kishan et je m'approchai de la vieille femme. J'embrassai sa joue douce et flétrie, et je la remerciai à nouveau. Ses yeux étincelèrent, et la navette se remit à bouger. Le bruit recommença avec un clic-clac rythmique, et je la vis disparaître lentement, puis je la perdis de vue. Bientôt, nous ne pouvions entendre que le bruit du métier à tisser, puis plus rien du tout.

Nous nous tournâmes pour faire face de nouveau à Durgâ, qui caressait la tête de son tigre et qui nous souriait.

— Me faites-vous confiance quand je vous dis que je prendrai soin de votre tigre, Kelsey ?

— Oui. J'ai confiance.

Durgâ rayonna.

– Merveilleux ! Maintenant, avant de vous envoyer sur votre chemin, je veux vous offrir un autre présent.

Elle commença à faire tourner les armes dans ses bras, et s'arrêta à l'ensemble d'arc et de flèches. Elle leva l'arc, et Kishan s'avança.

– Patience, mon tigre d'ébène. J'ai un cadeau pour vous aussi, mais celui-ci… est pour ma fille.

Elle me tendit un arc de taille moyenne en or avec un carquois de flèches aux extrémités dorées.

Je fis la révérence.

– Merci, Déesse.

Elle se tourna vers Kishan et lui sourit.

– Maintenant, je choisirai quelque chose pour vous.

Il s'inclina profondément et sourit d'un air désinvolte.

– Je serai heureux d'accepter tout ce que vous m'offrirez, ma belle déesse.

Je levai les yeux vers lui. *Aie, aie, aie.*

Elle hocha légèrement la tête en signe de reconnaissance, et je ne pouvais en être certaine, mais je crus apercevoir une petite fossette à l'endroit où elle remua sa bouche en un sourire subtil.

Je jetai un coup d'œil vers Kishan, qui ricanait maladroitement, ensorcelé par Durgâ. *Il est très beau. Zeus n'a-t-il pas eu des aventures avec des mortelles ? Humm, à notre retour, je devrai poser des questions à M. Kadam à ce sujet.*

Durgâ tendit à Kishan un disque d'or, et il sembla en être ravi. Le présent lui donna même le courage de poser un baiser chaleureux sur le dos de sa main. *Ne dépasse-t-il pas les limites ?* Je n'étais pas *jalouse.* J'étais beaucoup plus déconcertée de le voir agir ainsi avec une déesse.

Les deux se regardaient fixement, alors je me raclai la gorge.

— *Hum, hum.* Alors y a-t-il autre chose que nous devons savoir avant de partir ? Nous pensions à Lhassa et à l'Himalaya. Vous savez, pour chercher et trouver l'arche de Noé et Shangri-la.

Durgâ cligna des yeux et revint au sujet qui nous intéressait. Sa voix métallique retentit.

— Ouuiii…

Sa voix commença à faiblir et ses membres reprirent leur position initiale. Méfiez-vous des quatre maisons. Elles vous testeront. Servez-vous de ce que vous avez appris. Quand vous vous procurerez l'objet, il vous aidera à vous échapper et à trouver celui que vous aimez. Utilisez-le pour…

La déesse se figea. Sa peau douce durcit pour redevenir de la pierre.

— Zut ! La prochaine fois que nous la verrons, je lui poserai des questions au début !

Le vent souffla à travers la pièce, et la statue commença à se déplacer. Bientôt, elle faisait face une fois de plus à la rue à l'extérieur.

— *Bonjour* ? Terre à Kishan.

Il demeura là, le regard fixe, jusqu'à ce que Durgâ disparaisse de sa vue.

— Elle est… exceptionnelle.

Je ricanai.

— Ouais. On dirait que tu as bel et bien un problème avec les femmes inatteignables.

La lumière disparut de ses yeux, et il sembla se replier sur lui-même en faisant une grimace.

— Oui. Tu as raison, Kelsey.

Il se mit à rire de lui-même.

— Peut-être pourrais-je trouver un groupe de soutien.

Je me mis à rire, mais ensuite je devins triste.

— Je suis désolée, Kishan. Ce n'était pas très gentil de ma part.

Il sourit d'un air triste et me tendit la main.

— Ne t'inquiète pas, Kells. Je t'ai encore. Souviens-toi, tu es mon fil de chaîne et je suis ton fil de trame.

— Ouais. Pas trop flatteur pour moi, hein ?

— Tu es un magnifique fil de chaîne.

— Humm, je ne crois pas que ma distorsion opère dans des paramètres normaux.

Il pencha la tête, confus.

— Qu'est-ce qu'une distorsion ?

Je tressaillis.

— Désolé. Papa était un admirateur de *Star Trek*. Je n'ai pu résister.

— Un admirateur de *Star Trek* ?

— Il faut que je t'initie à *Star Trek*. C'est une série télévisée *et* non pas un, mais plusieurs films. Il est bien possible que tu aimes cela, marmonnai-je. Dommage que Scotty ne puisse nous téléporter en dehors de cette vie de dingue, hein ?

Les sourcils de Kishan se rapprochèrent ; il était visiblement perdu. Il n'avait aucune idée de ce dont je parlais.

— Ne t'occupe pas de moi. Un jour, quand nous ne serons pas en train de combattre des démons, je vais tout t'apprendre sur la science-fiction. Nous allons commencer par quelque chose de facile. Peut-être avec E.T.

Il haussa les épaules.

— Comme tu veux, Kells.

— Allez, mon tigre d'ébène, le taquinai-je. Allons chercher M. Kadam.

Il sourit.

— Après toi, ma belle.

Je roulai mes yeux vers lui à nouveau et je descendis les escaliers.

— Tu n'as pas eu assez de temps pour flirter avec la déesse, hein ? De toute façon, ça ne fonctionne pas sur moi.

Il se mit à rire et me suivit en bas.

— Alors je continuerai à essayer jusqu'à ce que je trouve quelque chose qui fonctionne.

— Ne te fais pas d'illusions, Casanova.

— Qui est Casanova ?

— Peu importe.

La lune avait disparu derrière les nuages, et les murs et les planchers du temple étaient recouverts de la même saleté et de la même poussière qu'à notre entrée. Kishan me reprit la main, et ensemble nous sortîmes dans la nuit noire.

La route de l'Amitié

Nous retrouvâmes M. Kadam à l'extérieur du temple. Lorsque nous lui demandâmes s'il avait remarqué le déplacement de la statue, il nous répondit que non. Il n'avait pas non plus senti le vent. Je lui dis qu'il devrait nous accompagner la prochaine fois. Il occupait toujours la position de guet et il dit qu'il avait supposé que Durgâ n'apparaîtrait que pour moi et les tigres. Il croyait que sa présence pourrait nous détourner de notre mission.

— Bien sûr, le taquinai-je, si vous veniez, vous tomberiez probablement sous le charme de Durgâ, tout comme l'a fait Kishan et, ensuite, il me faudrait vous sortir *tous les deux* de votre stupeur amoureuse.

Kishan fronça les sourcils vers moi pendant que le visage de M. Kadam s'illuminait.

— Alors, la déesse est très belle ?

— Elle est pas mal, répondis-je.

Kishan commença à s'extasier.

— Sa beauté dépasse celle de n'importe quelle femme. Ses lèvres rubis, ses membres souples et ses longs cheveux suffiraient à provoquer chez n'importe quel homme la perte de la maîtrise de ses facultés.

— Oh, s'il te plaît ! Tu n'exagères pas un peu ? Ren n'a jamais réagi ainsi.

Kishan me lança un regard meurtrier.

— Peut-être que Ren avait une raison de regarder ailleurs.

M. Kadam se mit à rire.

— J'aimerais beaucoup la rencontrer, si c'est possible.

— Il n'y a pas de mal à en faire l'essai. Le pire qui puisse arriver, c'est qu'il ne se passe rien et, alors, vous pourrez toujours partir pour que nous fassions un nouvel essai.

Lorsque nous rentrâmes à l'hôtel, nous montrâmes nos nouvelles armes à M. Kadam. Kishan ne cessait de parler de la déesse par-ci et de la déesse par-là, tout en faisait tourner son disque à la lumière pour que l'or brillant projette des reflets sur les murs de la chambre d'hôtel. J'écoutai pendant un moment, et M. Kadam nous expliqua que le disque représentait le soleil, qui était la source de toute vie, et que le cercle était un symbole du cycle de la vie, de la mort et de la renaissance. Les incessantes louanges de Kishan envers Durgâ et ses beaux attraits féminins me donnaient la nausée. Je cessai donc de lui prêter attention pour ne plus l'entendre.

Je m'appuyai sur le cadre de la porte qui reliait leurs deux chambres, je levai les yeux au ciel et, profitant d'une pause dans l'hommage de Kishan à Durgâ, je me moquai.

— Vas-tu crier comme Xena quand tu lanceras le disque ? Non ! Encore mieux. Nous t'achèterons un kilt en cuir.

Les yeux dorés de Kishan se tournèrent vers moi.

— J'espère que tes flèches sont aussi aiguisées que ta langue, Kelsey.

Il se leva et se dirigea vers moi. Je tins bon en lui bloquant le chemin, mais il m'attrapa et me déplaça sur le côté. Laissant ses mains sur mes bras pendant un moment, il se pencha.

— Peut-être que tu es jalouse, *bilauta*, murmura-t-il.

Puis il referma la porte communicante, me laissant seule avec M. Kadam.

Troublée, je me laissai choir dans un fauteuil.

— Je ne suis pas jalouse.

M. Kadam me regarda pensivement.

— Non, vous ne l'êtes pas. Du moins, pas de la façon dont il pourrait l'espérer.

Je me redressai.

— Que voulez-vous dire ?

— Vous êtes en train de le protéger.

— Je le protège de quoi ? grognai-je. De ses propres illusions.

Il se mit à rire.

— Non. Il est clair que vous vous souciez de lui. Vous voulez qu'il soit heureux. Et parce que Ren est absent, tous vos instincts maternels sont concentrés sur Kishan.

— Je ne crois pas que ce que je ressens pour Ren soit maternel.

— Bien sûr que ça l'est. Au moins en partie. Vous souvenez-vous de ce que la tisserande vous a dit à propos des différents fils ?

— Oui. Elle dit que je suis le fil de chaîne.

— Les fils de Ren et de Kishan se tissent autour de vous. Sans votre force, le tissu ne serait pas complet.

— Humm.

— Mlle Kelsey, en savez-vous beaucoup sur les lions ?

— Non. Pas vraiment.

— Un lion mâle ne peut chasser pour lui-même. Sans la femelle, il mourrait.

— Je ne suis pas certaine de comprendre.

— Ce que je veux dire, c'est que sans une lionne, un lion meurt. Kishan a besoin de vous. Peut-être même plus que Ren.

— Mais je ne peux être tout pour les deux frères.

— Ce n'est pas ce que je vous demande. Je dis seulement que Kishan a besoin… d'espoir. Quelque chose à quoi s'accrocher.

— Je peux être son amie. Je vais même chasser pour lui. Mais, j'aime Ren. Je ne vais pas l'abandonner.

M. Kadam me tapota la main.

— Une amie, quelqu'un qui se soucie de lui, qui l'aime et qui ne le laissera pas renoncer à lui-même, c'est ce dont Kishan a besoin.

— Mais n'est-ce pas ce que vous avez fait pour lui toutes ces années ?

Il rit.

— Oh, oui. Bien sûr. Mais un jeune homme a besoin d'une *jeune femme* qui croit en lui. Pas d'un vieil homme bourru.

Je me levai et je l'embrassai.

— *Bourru* et *vieux* sont deux mots dont je ne me servirai jamais pour vous décrire. Bonne nuit.

— Bonne nuit, Mlle Kelsey. Nous partons demain matin, alors reposez-vous bien.

Cette nuit-là, je rêvai des deux frères. Ils étaient debout devant moi, et Lokesh m'ordonnait de choisir celui qui vivrait et celui qui mourrait. Ren sourit tristement et fit un signe de tête vers Kishan. Le visage de Kishan se crispa, et il se détourna de moi sachant que je ne le choisirais pas. J'étais toujours en train de réfléchir à mon choix lorsque l'appel de réveil de courtoisie me réveilla.

Je fis mes bagages et je rencontrai M. Kadam et Kishan dans le hall. Nous roulâmes en silence pendant une quinzaine de kilomètres vers Katmandou, la plus grande ville et la capitale du Népal. Kishan et moi demeurâmes assis dans la jeep pendant que M. Kadam entrait dans un bâtiment afin de finaliser la paperasse pour notre voyage à travers l'Himalaya.

— Euh, Kishan. Je voulais juste te dire que je suis désolée d'avoir agi comme une idiote hier. Si tu veux tomber amoureux d'une déesse alors, n'hésite pas, vas-y.

— Kells, je ne suis pas tombé amoureux d'une déesse, grogna-t-il. Ne te fais pas de soucis pour moi.

— Eh bien, quand même, ce n'était pas très délicat de ma part.

Il haussa les épaules.

— Les femmes n'aiment pas entendre les hommes parler d'autres femmes. C'était impoli de ma part de continuer ainsi. Honnêtement, j'ai fait les louanges de sa beauté à ce point dans le seul but de te faire réagir.

Je me retournai sur mon siège.

— Quoi ? Pourquoi aurais-tu fait cela ?

— Je voulais que tu sois jalouse, et quand j'ai vu que tu ne l'étais pas, ça m'a… dérangé.

— Oh. Kishan, tu sais que je ressens encore…

— Je sais. Je sais. Tu n'as pas besoin de me le rappeler. Tu aimes toujours Ren.

— Oui. Mais ça ne veut pas dire que je ne me soucie pas de toi. Je suis aussi ton fil de chaîne. Tu te souviens ?

Son visage s'éclaira.

— C'est vrai.

— Bon, ne l'oublie pas. Tout se terminera bien pour nous tous, d'accord ?

Je lui tendis la main, et il la tint dans les siennes en me souriant.

— Promis ?

Je lui rendis son sourire.

— Promis.

— Bien. Je te prends au mot. Peut-être devrions-nous mettre tout cela par écrit. Moi, Kelsey, je promets à Kishan qu'il obtiendra la fin heureuse qu'il recherche. Devrais-je maintenant définir les paramètres ?

— Euh, non. Je préfèrerais laisser les choses un peu vagues pour le moment.

— Très bien. Pendant ce temps, je vais créer une liste mentale de ce qui constitue une fin heureuse et t'en reparler.

— D'accord.

Il m'embrassa effrontément les doigts, les serrant très fort pendant que je m'efforçais d'enlever ma main de sa poigne.

— Kishan !

Il se mit à rire et finit par me laisser partir, puis il se changea en tigre avant que je ne puisse le châtier verbalement.

— Lâche, murmurai-je en me retournant sur mon siège.

Je l'entendis grogner doucement, mais je l'ignorai.

Je me creusai sérieusement la tête pendant les minutes suivantes pour essayer de trouver une fin heureuse pour Kishan. À ce stade, ma propre fin heureuse n'était même pas garantie. Le mieux que je pouvais faire, c'était d'en finir avec les quatre tâches, pour que les frères ne soient plus obligés d'être des tigres. J'espérais qu'au moment où nous aurions terminé ces missions, les fins heureuses viendraient en quelque sorte toutes seules.

— Nous avons reçu la permission de prendre le circuit de la route de l'Amitié vers le Tibet, dit M. Kadam à son retour. Ça tient vraiment du miracle.

— Wow. Comment y êtes-vous arrivé ?

— Un haut fonctionnaire du gouvernement de la Chine me doit une faveur.

— Un haut fonctionnaire de quel niveau ?

— Le plus haut. Mais nous devons nous en tenir aux arrêts du circuit et nous inscrire à chaque endroit, selon le trajet prescrit, pour qu'ils puissent savoir où nous nous trouvons. Nous partons immédiatement. Notre premier arrêt est Neyalam, qui se trouve à environ 153 kilomètres d'ici. Il faut compter environ cinq heures simplement pour atteindre la frontière entre la Chine et le Népal.

— Cinq heures ? Attendez une minute ; 150 kilomètres ? Ça fait seulement 30 kilomètres à l'heure. Pourquoi faut-il tellement de temps ?

M. Kadam se mit à rire.

— Vous verrez.

Il me tendit le guide touristique, la carte et les brochures pour que je puisse suivre le trajet et l'aider à naviguer. Je croyais que les Rocheuses étaient immenses, mais comparer l'Himalaya et les Rocheuses, c'était comme comparer les Rocheuses aux Appalaches, littéralement comparer des montagnes à des taupinières. Même si nous étions au début du mois de mai, les pics étaient recouverts d'un épais manteau de neige.

De saisissants glaciers rocheux s'élevaient devant nous, et M. Kadam m'expliqua qu'un peu plus haut, le paysage se transformait en toundra, puis en neige et en glaces éternelles. Les arbres étaient petits et clairsemés. Le sol était en grande partie recouvert d'herbes, d'arbustes nains et de mousse. Il ajouta qu'il y avait des forêts de conifères dans d'autres régions de l'Himalaya, mais que la plupart du temps, nous passerions par les prairies.

Quand il avait dit : « Vous verrez », il ne plaisantait pas. Nous montions dans les montagnes à environ 15 kilomètres par heure. La route n'était pas exactement dans les normes, et nous frappâmes et contournâmes des nids de poule, et même parfois des troupeaux de yaks et de moutons.

Pour passer le temps, je posai des questions à M. Kadam à propos de la première société qu'il avait achetée.

— C'était la East India Trading Company. Elle avait commencé avant ma naissance dans les années 1600, mais elle était devenue une entreprise très importante au milieu du XVIIIe siècle.

— Quel genre de choses échangiez-vous ?

— Oh, beaucoup de choses. Des tissus — principalement de la soie — du thé, de l'indigo, des épices, du salpêtre et de l'opium.

Je le taquinai.

— M. Kadam ! Vous avez été trafiquant de drogue ?

Il grimaça.

— Pas dans la définition actuelle du terme, non. Rappelez-vous, à cette époque, on vantait les propriétés médicales de l'opium mais, effectivement, au début, je transportais cette drogue. J'étais propriétaire de plusieurs bateaux, et je finançais d'importantes caravanes. Lorsque la Chine a interdit le commerce de l'opium, ce qui a déclenché la guerre de l'opium, j'ai cessé d'en faire le transport et j'ai concentré la plupart de mes affaires dans le commerce des épices.

— Ah. Est-ce pour cette raison que vous aimez tellement moudre vos propres épices ?

Il sourit.

— Oui, j'aime toujours rechercher des produits de la meilleure qualité et j'aime beaucoup les employer dans ma cuisine.

— Vous avez donc toujours été dans le transport de marchandises ?

— Je suppose que oui. Je n'y ai jamais vraiment pensé de cette façon.

— Très bien. J'ai deux questions pour vous. Avez-vous toujours un navire ? Je sais que vous gardez toujours un avion, mais avez-vous encore un navire ? Parce que ce serait vraiment chouette. Et je voudrais également savoir ce qu'est le salpêtre.

— Le salpêtre est aussi connu sous le nom de nitrate de potassium. Il a été utilisé pour faire la poudre à canon et, paradoxalement, c'est aussi un agent de conservation alimentaire. Et, pour répondre à votre autre question, les garçons possèdent en effet un bateau, mais pas un de mes navires d'expédition d'origine.

— Oh. Quel genre de bateau ?

— Un petit yacht.

— Ah. J'aurais dû le deviner.

Nous nous arrêtâmes près de la frontière entre la Chine et le Népal dans une ville appelée Zhangmu, où nous dûmes remplir des formulaires à la frontière. Ensuite, après une journée complète à rouler pour parcourir seulement un total de 150 kilomètres, nous arrivâmes à Neyalam et nous prîmes des chambres dans un petit hôtel de passage.

Le lendemain, nous montâmes encore plus haut. D'après la brochure, à la fin de la journée, nous nous trouverions à environ 4000 mètres d'altitude. Sur cette section de la route, nous vîmes six des principales montagnes de l'Himalaya, dont le mont Everest, et nous nous arrêtâmes pour contempler la magnifique vue du mont Xixapangma.

Le troisième jour, je commençai à me sentir un peu malade, et M. Kadam dit qu'il croyait que j'avais le mal de l'altitude. Il expliqua que c'était courant lorsqu'on se trouvait à plus de 3500 mètres.

— Ça devrait passer. La plupart des gens s'adaptent spontanément en quelques heures, mais d'autres ont besoin de plusieurs jours pour que leur corps s'acclimate à l'altitude.

Je gémis et je penchai mon siège vers l'arrière pour reposer ma tête étourdie. Le reste de la journée fut un peu flou. J'étais déçue de ne pouvoir profiter du paysage. Nous nous rendîmes à Xigatse, où M. Kadam et Kishan visitèrent le monastère Tashilumpo pendant que je me reposais dans un petit hôtel.

Lorsqu'ils revinrent en m'apportant quelque chose à manger, je me retournai dans mon lit et leur fis signe de me laisser seule. M. Kadam partit, mais Kishan resta avec moi.

— Je n'aime pas te voir malade, Kells. Que puis-je faire ?

— Euh, je ne pense pas que tu puisses faire quoi que ce soit.

Il me laissa seule pendant une minute. Je l'entendis revenir, et il pressa un chiffon humide sur mon front.

— Voici, je t'ai apporté un peu d'eau citronnée. M. Kadam a dit que tu dois t'hydrater.

Kishan m'obligea à boire le verre en entier, puis remplit à nouveau mon verre avec de l'eau en bouteille qu'ils avaient achetée. Après un troisième verre, il me permit finalement d'arrêter.

— Comment te sens-tu maintenant ?

— Mieux, merci. Sauf que j'ai mal à la tête. Avons-nous de l'aspirine ?

Kishan trouva une petite bouteille. J'avalai les comprimés, je m'assis, je posai mes coudes sur mes genoux et je massai mes tempes avec mes doigts.

Il me regarda tranquillement pendant un moment.

— Allez, laisse-moi t'aider.

Kishan me poussa un peu vers l'avant et s'assit derrière moi. Il posa ses mains chaudes sur les côtés de ma tête et commença à masser mes tempes. Après quelques minutes, il déplaça ses mains vers mes cheveux et descendit à l'arrière de mon cou, pétrissant les muscles pour enlever la raideur causée par ma position assise immobile dans une voiture pendant trois jours.

— Où avez-vous appris à donner des massages, Ren et toi ? lui demandai-je lorsqu'il arriva à mes épaules. Vous êtes tous les deux très doués.

Il s'arrêta un instant, puis il recommença lentement en même temps qu'il parlait.

— J'ignorais que Ren t'avait donné un massage. C'est ma mère qui nous a enseigné à faire des massages. Cela faisait partie de la formation qu'elle avait reçue.

— Oh. Eh bien, c'est fantastique. Tes mains sont si chaudes qu'on dirait des coussins chauffants. Mon mal de tête a presque disparu.

— Très bien. Allonge-toi et détends-toi. Je vais m'occuper de tes bras et de tes pieds.

— Ce n'est pas nécessaire. Je me sens mieux.

— Calme-toi. Ferme les yeux et laisse ton esprit vagabonder. Mère nous a enseigné qu'un massage peut enlever les douleurs du corps et de l'esprit.

Il commença à masser mon bras gauche et passa beaucoup de temps sur ma main.

— Kishan ? Comment était-ce d'être un tigre pendant toutes ces années ?

Il demeura silencieux pendant un long moment. J'ouvris légèrement un œil et je le regardai. Il se concentrait sur l'espace entre mon pouce et mon index. Ses yeux dorés dévièrent vers mon visage.

— Cesse de regarder, Kells. Je réfléchis.

Je refermai docilement les yeux et j'attendis sa réponse.

— C'est comme si le tigre et l'homme en moi se battaient continuellement l'un contre l'autre. Après la mort de mes parents, Ren avait été enlevé et M. Kadam était parti à sa recherche. Il n'y avait absolument aucune raison pour moi d'être un homme. J'ai donc laissé le tigre prendre le dessus. C'était presque comme si j'observais le tigre de loin. Je me suis senti complètement détaché de ce qui m'entourait. C'était la bête qui était en charge et ça ne me dérangeait pas.

Il se mit à masser mes pieds, ce qui chatouilla au début mais, ensuite, je poussai un grand soupir alors qu'il travaillait sur mes orteils.

— Tu as dû te sentir terriblement seul.

— Je courais, je chassais… et je faisais tout par instinct. Je suis surpris de ne pas avoir perdu toute mon humanité.

— Ren m'a dit un jour qu'en étant loin de moi, en étant seul, il avait l'impression d'être plus une bête qu'un homme.

— C'est vrai. Le tigre est fort et il est extrêmement difficile de maintenir un équilibre, surtout quand je suis un tigre la plus grande partie de la journée.

— Te sens-tu différent, maintenant ?

— Oui.

— De quelle manière ?

— Je suis lentement en train de réclamer mon humanité. Il est facile d'être un tigre, mais il est difficile d'être un homme. Je dois interagir avec des gens, apprendre ce qu'est le monde et trouver un moyen de faire face à mon passé.

— D'une certaine manière, Ren était plus heureux que toi, même si tu étais libre.

Il pencha la tête et passa à mon autre pied.

— Pourquoi penses-tu cela ?

— Parce qu'il était toujours avec des gens. Il ne s'est jamais senti seul, comme toi. Enfin, il était emprisonné, il a été blessé, il devait performer au cirque, mais il avait encore la possibilité d'apprendre, même si c'était de façon limitée.

Il éclata d'un rire rempli d'ironie.

— Tu oublies, Kelsey, que je pouvais mettre fin à ma solitude à tout moment et que j'ai choisi de ne pas le faire. Il était captif, mais j'étais enfermé dans un piège que j'avais moi-même créé.

— Je ne comprends pas comment tu as pu te traiter de cette façon. Tu as tellement à offrir au monde.

Il soupira.

— Je méritais d'être puni.

— Tu ne méritais pas d'être puni. Tu dois cesser de penser ainsi. Je veux que tu te dises que tu es un homme bon et que tu mérites un peu de bonheur.

Il sourit.

— Très bien. Je suis un homme bon et je mérite un peu de bonheur. Là, es-tu contente ?

— Pour l'instant.

— Si cela te rend heureuse, j'essaierai de changer mon attitude.

— Merci.

— Il n'y a pas de quoi.

Il passa à mon autre bras et commença à masser ma paume.

— Alors, qu'est-ce qui a changé pour toi ? Est-ce que le fait d'avoir six heures à vivre comme un homme a été suffisant pour te donner le goût de vivre à nouveau ?

— Non, ça n'a rien à voir.

— Rien à voir ?

— Non. Ce qui a changé mon point de vue a été de rencontrer une belle jeune fille près d'une cascade, une jeune fille qui m'a dit qu'elle savait qui j'étais et ce que j'étais.

— *Oh.*

– C'est elle qui m'a sauvé de ma peau de tigre et qui m'a ramené à la surface. Et, peu importe ce qui arrivera, je veux qu'elle sache que je lui en serai éternellement reconnaissant.

Il souleva ma main et déposa un baiser chaud sur ma paume. Il me lança un sourire charmeur et reposa mon bras sur le lit.

Je levai les yeux pour regarder ses yeux dorés sincères, et j'ouvris la bouche pour lui expliquer encore une fois que j'aimais Ren. Son expression changea.

– Chut. N'en parle pas, dit-il en recomposant son visage. Aucun mot de protestation ce soir. Je te promets, Kelsey, que je ferai tout ce que je peux pour vous réunir tous les deux, et j'essaierai d'être heureux pour vous deux. Mais cela ne veut pas dire que je peux facilement mettre de côté mes sentiments, d'accord ?

– D'accord.

– Bonne nuit, Kells.

Il déposa un baiser sur mon front, franchit la porte communicante, éteignit la lumière et ferma doucement la porte.

Le lendemain, je me sentais mieux et extrêmement heureuse d'être débarrassée de mon mal de l'altitude. Nous nous arrêtâmes à Gyantse, qui n'était qu'à deux heures de route, mais qui se trouvait sur la route prescrite. Les touristes y passaient normalement la journée, ce que nous dûmes faire aussi. M. Kadam nous dit qu'il était déjà venu à cet endroit auparavant, que c'était une ville importante sur la route commerciale des épices. Nous nous arrêtâmes pour contempler le Kumbum Chörten, qui était une école de bouddhisme tibétain, et nous prîmes notre repas dans un restaurant local de cuisine sichuanaise. C'était une belle ville, et il était agréable de sortir de la voiture et de marcher pendant un certain temps.

Ce soir-là, nous séjournâmes dans un hôtel, mais Kishan passa la plus grande partie de son temps sous sa forme de tigre, alors que M. Kadam essayait de m'enseigner à jouer aux échecs. J'étais incapable de maîtriser les rouages de ce jeu.

— Désolée, lui dis-je après qu'il m'eut rapidement battue une troisième fois, je suppose que je suis une joueuse qui réagit au fur et à mesure plutôt qu'une fille qui planifie ses mouvements à l'avance. Un de ces jours, je vous montrerai à jouer aux Colons de Catane.

Souriant, je pensai à Li, à ses amis et à Grand-mère Zhi. Je me demandai si Li avait essayé de prendre contact avec moi. M. Kadam avait déconnecté tous nos téléphones et, dès notre arrivée en Inde, il avait obtenu de nouveaux téléphones et de nouveaux numéros pour chacun de nous. Il expliqua qu'il était plus prudent de ne pas contacter qui que ce soit à la maison.

Une fois toutes les deux semaines environ, j'écrivais à mes parents adoptifs et je leur disais que nos cellulaires étaient hors de portée. M. Kadam faisait poster les lettres à partir d'endroits éloignés pour qu'il n'y ait aucun moyen de retracer la provenance des lettres. Je ne leur donnais jamais d'adresse de l'expéditeur, ce que je justifiais en disant que nous étions toujours en déplacement.

Ils se servaient d'une boîte postale pour me répondre, et Nilima allait chercher notre courrier et me lisait les lettres par téléphone. M. Kadam dictait ce qu'il serait approprié pour moi d'inclure dans les lettres. Il voyait aussi à ce que des gens observent discrètement ma famille d'accueil. Ils étaient revenus de leurs vacances à Hawaï avec de beaux souvenirs et de beaux bronzages, et ils n'avaient trouvé rien d'anormal à la maison. Heureusement, il semblait que Lokesh ne les eût pas trouvés.

Le cinquième jour du circuit de la route de l'Amitié, nous nous arrêtâmes au lac Yamdrok. Pour des raisons évidentes, on l'appelait le lac Turquoise. Il brillait comme un joyau au milieu du décor des montagnes aux sommets enneigés qui le nourrissaient.

M. Kadam expliqua que le peuple tibétain le considérait comme étant sacré et qu'ils y faisaient souvent des pèlerinages. Les Tibétains croyaient que cet endroit était habité par des divinités protectrices qui surveillaient le lac pour qu'il ne se tarisse pas. Ils pensaient que si jamais cela se produisait, cela signifierait la fin du Tibet.

Kishan et moi attendîmes patiemment tandis que M. Kadam s'engageait dans une conversation animée avec certains pêcheurs locaux, qui semblaient essayer de lui vendre la pêche du jour.

— M. Kadam, demandai-je lorsque nous revînmes dans la voiture, au fait, combien de langues connaissez-vous ?

— Humm. Je ne suis pas vraiment sûr. Je connais les principales pour faire du commerce avec l'Europe — le français, l'espagnol, le portugais, l'anglais et l'allemand. Je peux bien converser dans la plupart des langues asiatiques. Je suis un peu faible dans les langues russes et scandinaves, je ne connais rien des îles ou de l'Afrique, et je ne connais que la moitié des langues de l'Inde.

— La moitié ? demandai-je, intriguée. Combien y a-t-il de langues en Inde ?

— Il y en a littéralement des centaines, à la fois modernes et classiques. Quoiqu'il n'y en ait que 30 qui sont officiellement reconnues par le gouvernement indien.

Je le regardai avec étonnement.

— Bien sûr, je n'ai qu'une vague notion de la plupart de celles-là, étant donné qu'elles constituent en majorité des dialectes locaux que j'ai appris au cours des années. La langue la plus couramment utilisée est l'hindi.

Nous terminâmes notre chemin à travers deux autres cols de montagne et nous commençâmes finalement notre descente vers le plateau tibétain. M. Kadam faisait la conversation de façon à garder mon cerveau occupé durant le trajet vers le bas de la montagne, puisque je me sentais un peu malade en voiture.

— Le plateau tibétain est parfois appelé le Toit du monde en raison de son altitude élevée. Il s'élève en moyenne à 4500 mètres. C'est le troisième endroit le moins peuplé au monde, l'Antarctique étant le premier et le nord du Groenland étant le second. Il y a ici plusieurs grands lacs d'eau saumâtre.

Je gémis et je fermai les yeux, mais cela ne m'aida pas.

J'essayai de me concentrer sur quelque chose d'autre.

— M. Kadam, demandai-je, qu'est-ce qu'un lac d'eau saumâtre ?

— Ah, il y a quatre catégories de salinité dans les plans d'eau — l'eau fraîche, l'eau saumâtre, l'eau saline ou salée et l'eau sursalée. Par exemple, un lac d'eau saumâtre, comme la mer Caspienne, se trouve quelque part entre l'eau salée et l'eau douce. La majeure partie de l'eau saumâtre se trouve dans les estuaires où l'eau salée d'un océan rencontre l'eau douce d'une rivière ou d'un ruisseau.

Kishan gronda doucement, et M. Kadam interrompit sa présentation.

– Regardez, Mlle Kelsey. Nous sommes presque arrivés en bas.

Il avait raison, et quelques minutes plus tard, une fois sur une route plate normale et *parfois* cahoteuse, je me sentis beaucoup mieux. Nous roulâmes encore quelques heures jusqu'à la ville de Lhassa.

Yin et yang

Étant donné qu'une rencontre personnelle avec le dalaï-lama était impossible, M. Kadam réussit à obtenir un rendez-vous avec son bureau tibétain. M. Kadam tenta de demeurer plutôt vague dans son explication concernant la raison de notre visite, afin de ne pas révéler plus de détails que nécessaire au personnel. Ce n'était pas idéal, mais il faudrait s'en accommoder. Notre rendez-vous fut fixé au lundi, ce qui nous donna trois jours pour nous reposer.

Pour passer le temps, M. Kadam nous organisa une tournée express du Tibet. Nous vîmes le monastère Rongphu, le palais Potala, le temple de Jokhang, les monastères Sera et Drepung, et nous fîmes aussi des emplettes au marché de Barkhor.

Les attractions touristiques me plurent beaucoup, de même que la compagnie de Kishan et de M. Kadam, mais je sentais toujours un chagrin sous-jacent. Le soir, j'étais envahie par la douleur sourde de la tristesse. Je rêvais encore de Ren chaque nuit. Même si j'avais confiance en Durgâ et que je savais qu'elle tiendrait sa promesse et qu'elle le surveillait pour moi, je voulais vraiment être avec lui.

Le samedi, M. Kadam nous fit sortir des limites de la ville pour que nous puissions nous entraîner à nous servir de nos nouvelles armes. Il commença par Kishan et le disque. Le disque était lourd pour M. Kadam, tout comme c'était le cas pour le *gada* mais, pour moi et Kishan, il semblait léger.

Lorsque M. Kadam tourna son attention vers moi, j'étais prête. Il m'enseigna d'abord comment armer l'arc.

— C'est la force que vous utilisez pour tirer la corde qui détermine ce que l'on appelle la puissance de l'arc.

Il essaya d'armer mon arc et découvrit qu'il en était incapable. Kishan put l'armer facilement. M. Kadam regarda fixement l'arc pendant une minute et confia à Kishan le soin de me donner la formation.

— Pourquoi les flèches sont-elles si petites ? lui demandai-je

— La longueur des flèches est déterminée par la taille de l'archer, répondit Kishan. On appelle cela l'allonge, et la tienne est assez petite, de sorte que ces flèches te conviendront parfaitement. La longueur de l'arc est aussi déterminée par ta taille. Un archer ne veut pas d'un arc trop encombrant.

Je hochai la tête.

Kishan continua à m'expliquer les différents fonctionnements de l'arc et des flèches, y compris la coche de la corde, le plancher de la fenêtre de la poignée d'un arc, où repose la flèche et d'où elle est tirée, et la corde de l'arc. Puis vint le temps d'en faire l'essai.

— Prends ta position de tir en plaçant ton pied non dominant environ 12 à 24 centimètres devant toi, dit Kishan. Écarte les jambes pour égaler la largeur de tes épaules.

Je suivis ses instructions. Bien que ce fût plus difficile pour moi que pour Kishan, je réussis à accomplir la tâche.

— Très bien. Pince la flèche et appuie-la sur ton pouce avec l'empennage pointant vers l'extérieur. Tiens la corde avec tes trois premiers doigts et fais glisser la flèche entre ton auriculaire et ton index.

» Maintenant, bloque ton bras d'arc et regarde ta cible. Tire jusqu'à ce que ton pouce touche ton oreille et que le bout de ton doigt touche le coin de ta bouche. Ensuite, relâche ta flèche.

Il me fit la démonstration de tout le processus à quelques reprises et enfonça deux flèches sur un arbre éloigné. Je copiai ses mouvements. Lorsque j'arrivai à la partie du tir, ma main tremblait un peu. Il se tint derrière moi et guida ma main alors que je tirais vers l'arrière.

— Bon, tu es prête, me dit-il quand je fus dans la bonne position. Maintenant, vise et tire.

Je laissai aller ma flèche et je sentis un craquement alors que l'arc tirait ma flèche avec un son de corde pincée. La flèche s'enfonça dans la terre au pied de l'arbre.

— C'était très bien ! s'écria M. Kadam. C'est merveilleux comme première tentative !

Kishan me fit pratiquer encore et encore. Rapidement, je développai suffisamment d'habiletés pour frapper le tronc d'arbre comme le faisait Kishan, même si ce n'était pas exactement au centre. M. Kadam était étonné de mes progrès. Il croyait que c'était dû à tout mon entraînement avec la puissance de l'éclair. Nous remarquâmes rapidement que le carquois contenait une réserve inépuisable de flèches et aussi qu'elles finissaient par disparaître de la cible.

Ce sera sûrement utile.

Kishan était en train de travailler avec son nouveau disque lorsque je pris une pause. Je bus un peu d'eau embouteillée tout en observant l'entraînement de Kishan.

— Alors comment progresse-t-il avec ce disque ? demandai-je à M. Kadam en faisant un signe de tête vers Kishan.

M. Kadam se mit à rire.

— Techniquement, Mlle Kelsey, ce n'est pas un disque. Un disque, c'est ce qu'on utilise aux Jeux olympiques. Ce que tient Kishan est appelé un *chakram*. Il a la forme d'un disque, mais si vous le regardez attentivement, le bord externe est tranchant comme un rasoir. C'est une arme de jet. En fait, c'est l'arme de choix du dieu indien Vishnu. C'est une arme très précieuse quand elle est maniée avec habileté, et Kishan, heureusement, a déjà reçu une formation pour s'en servir, même s'il n'a pas pratiqué depuis longtemps. L'arme de Kishan était faite d'or et de diamants incrustés dans le métal, semblable au *gada*. Elle avait une poignée de cuir courbe qui ressemblait au symbole du yin et du yang. Le bord métallique faisait environ cinq centimètres de large et était tranchant comme un rasoir.

Pendant qu'il pratiquait, je l'observai et il ne l'attrapait jamais par l'extrémité tranchante. Il le saisissait soit par la poignée, soit par l'intérieur du cercle.

— Est-ce normal que le disque revienne comme un boomerang ?

— Non, normalement, il ne revient pas, Mlle Kelsey.

M. Kadam caressa sa barbe d'un air pensif.

— Regardez. Voyez-vous ? Même s'il cible un arbre, le disque fait une bonne entaille dans le tronc, puis il revient vers Kishan en tournoyant. Normalement, on peut le manier comme une lame dans le combat rapproché ou le lancer à distance pour mettre un ennemi hors de combat, mais il restera incrusté dans la cible jusqu'à ce qu'on le récupère.

— On dirait aussi qu'il ralentit lorsqu'il s'approche de lui.

Nous l'observâmes alors qu'il lançait le disque à d'autres reprises.

— Oui, je crois que vous avez raison. En s'approchant, le disque ralentit pour qu'il soit plus facile à attraper. Quelle arme !

Plus tard ce soir-là, une fois de retour à notre hôtel, Kishan installa un jeu de société sur la table après le souper.

Je me mis à rire.

— Vous avez un jeu de Parchési.

Kishan sourit.

— Pas exactement. On l'appelle Parchisi, mais on joue de la même façon.

Nous sortîmes les pièces et installâmes le jeu. Lorsque M. Kadam vit le jeu, il frappa dans ses mains et je vis une lueur de compétitivité dans ses yeux.

— Ah, Kishan, mon jeu préféré. Tu te souviens quand nous jouions avec tes parents ?

— Comment pourrais-je l'oublier ? Vous avez battu Père, et il l'a bien pris, mais quand vous avez battu Mère au dernier roulement de dés, j'ai cru qu'elle vous arracherait la tête.

M. Kadam caressa sa barbe.

— Oui. En effet. Elle semblait plutôt en colère.

— Voulez-vous dire que vous jouiez aussi à l'époque ?

Kishan se mit à rire.

— On ne jouait pas exactement de la même façon. Nous jouions à la version grandeur nature. Au lieu de pions, nous nous servions de personnes. Nous construisions un plateau de jeu géant et installions une base de départ où tout le monde devait se rendre. C'était amusant. Les joueurs portaient nos couleurs. Père préférait le bleu, et Mère préférait le vert. Je crois que vous étiez en rouge, ce jour-là, Kadam, et moi j'étais en jaune.

— Où était Ren ?

Kishan ramassa une pièce et la fit tournoyer d'un air pensif.

— Il était en voyage diplomatique, alors Kadam était son substitut.

M. Kadam se racla la gorge.

— Ah. Hum, oui. Si ça ne vous dérange pas, tous les deux, je préférerais prendre le rouge, étant donné que cette couleur m'a porté chance la dernière fois que j'ai joué.

Kishan fit tourner le jeu pour que la couleur rouge se retrouve en face de M. Kadam. Je choisis le jaune et Kishan prit le bleu. Nous jouâmes pendant une heure. Je n'avais jamais vu Kishan si animé. On aurait presque dit qu'il était redevenu un petit garçon et que tous les soucis du monde avaient été retirés de ses épaules. Je pouvais facilement imaginer ce bel homme fier et taciturne comme un petit garçon heureux et insouciant qui grandissait dans l'ombre de son frère aîné, l'aimant et l'admirant, mais sentant en même temps qu'il était en quelque sorte moins important que lui. En quelque sorte, moins méritoire. À la fin du jeu, Kishan et moi avions fait mordre la poussière à M. Kadam.

Il ne restait qu'un seul pion pour chacun de nous et le mien était le plus près du but.

Au dernier roulement du dé, Kishan aurait pu m'écraser et gagner la partie. Il fixa le jeu pendant un moment, l'examinant avec attention.

Les doigts croisés de M. Kadam tapotèrent sa lèvre supérieure, tournée en un petit sourire. Les yeux dorés de Kishan croisèrent les miens brièvement avant qu'il ne ramasse son pion et saute par-dessus le mien, se déplaçant dans une zone de sécurité.

— Kishan, que fais-tu ? Tu aurais pu me sortir et gagner la partie ! Ne le vois-tu pas ?

Il se rassit sur sa chaise et haussa les épaules.

— Hum, j'ai dû rater cela. À ton tour, Kelsey.

— C'est tout à fait impossible que tu l'aies manqué, marmonnai-je. D'accord. Alors tant pis pour *toi.*

J'obtins un 12 et j'arrivai au but.

— Ha ! J'ai battu les deux fameux joueurs de la version grandeur nature !

M. Kadam se mit à rire.

— En effet, vous avez gagné, Mlle Kelsey. Bonne nuit.

— Bonne nuit, monsieur Kadam.

Kishan m'aida à ranger le jeu.

— D'accord, dis-je, alors crache le morceau. Pourquoi m'as-tu laissé gagner ? Tu n'es vraiment pas un bon bluffeur, tu sais. Je pouvais lire dans tes yeux. Tu as vu le mouvement et littéralement sauté par-dessus moi. Que t'est-il arrivé ? Toi qui fais tout pour gagner !

— Je continue à faire ce qu'il faut pour gagner. Peut-être qu'en perdant la partie, j'ai gagné quelque chose de mieux.

Je ris.

— Gagner quelque chose de mieux ? Que crois-tu avoir gagné ?

Il poussa le jeu sur le côté de la table et tendit la main pour prendre la mienne.

— Ce que j'ai gagné, c'est de te voir heureuse, heureuse comme tu l'étais avant. Je veux voir revenir ton sourire. Tu souris et tu ris, mais cela n'atteint jamais ton regard. Ces derniers mois, je ne t'ai pas vue *vraiment* heureuse.

Je lui serrai la main.

— C'est difficile. Mais, si Kishan, le meilleur concurrent, est prêt à tricher et à perdre une partie, alors, pour toi, je ferai un effort.

— Très bien.

Il lâcha ma main à contrecœur et se leva pour s'étirer.

Je rangeai le jeu sur l'étagère.

— Kishan, dis-je, je continue à faire des cauchemars à propos de Ren. Je pense que Lokesh est en train de le torturer.

— Moi aussi je rêve à Ren. Je rêve qu'il me supplie de voir à ta sécurité.

Il sourit.

— Il me fait aussi des menaces pour que je garde mes mains dans mes poches.

— C'est certainement ce qu'il dirait. Crois-tu que c'est un rêve, ou alors une véritable vision ?

Il hocha la tête.

— Je l'ignore.

Je pressai le dessus du jeu.

— Chaque fois que je tente de le sauver ou de l'aider à s'échapper, il me repousse, comme si c'était moi qui étais en danger. Cela semble réel, mais comment pouvons-nous savoir ?

Kishan enroula ses bras autour de moi par-derrière et me serra très fort.

— Je ne suis pas sûr, mais j'ai l'impression qu'il est toujours vivant.

— Je ressens la même chose.

Il se retourna pour partir.

— Kishan ?

— Oui ?

Je souris.

— Merci de m'avoir laissé gagner. Et de garder tes mains dans tes poches. *La plupart du temps.*

— Ah, mais tu oublies que ce n'était qu'une bataille. La guerre est loin d'être terminée, et tu verras que je suis un adversaire redoutable. Dans *n'importe quel* domaine.

— Parfait, répondis-je. Alors, une revanche demain ?

Il s'inclina légèrement.

— Je suis impatient de relever le défi, *bilauta*. Bonne nuit.

— Bonne nuit, Kishan.

Le lendemain, au petit déjeuner, je harcelai M. Kadam avec des questions sur le dalaï-lama, le bouddhisme, le karma et la réincarnation. Sous sa forme de tigre noir, Kishan écoutait tranquillement pendant qu'il était pelotonné à mes pieds.

— Vous voyez, Mlle Kelsey, le karma, c'est la croyance que tout ce que vous faites, tout ce que vous dites et tous vos choix ont une influence sur votre présent ou sur votre futur. Ceux qui croient en la réincarnation vivent avec l'espoir que s'ils font les bons choix et les bons sacrifices dans leur vie présente, ils auront un meilleur avenir ou une meilleure position dans la prochaine vie.

Le dharma vise le maintien de l'ordre dans l'univers et le respect des règles qui régissent toute l'humanité dans les coutumes civiles et religieuses.

— Donc, si vous respectez le dharma, vous aurez un bon karma ?

M. Kadam se mit à rire.

— Je suppose que c'est une affirmation exacte. Moksha est l'état de nirvana. Quand vous avez passé les tests que vous offre le monde des mortels et que vous vous élevez au-dessus de ce monde vers un état de conscience supérieur, vous atteignez l'Illumination ou le moksha. Pour cette personne, il n'y a pas de réincarnation. Vous devenez un être spirituel, et les choses temporelles du monde ne sont plus importantes. Les passions de la chair n'ont plus de sens. Vous devenez Un devant l'éternel.

— Vous êtes une sorte d'être éternel maintenant. Avez-vous fait l'expérience du moksha ? Croyez-vous qu'il est possible de l'atteindre pendant que vous êtes vivant ?

— C'est une question intéressante.

Il se rassit dans son fauteuil et réfléchit un instant.

— Je dois dire que malgré mes nombreuses années sur cette planète, je n'ai pas connu l'Illumination spirituelle totale, mais je ne l'ai pas recherchée non plus. Ma relation avec le divin est peut-être une quête qu'il me reste encore à poursuivre. Mais ce n'en est pas une à laquelle je souhaite m'attaquer en ce moment. Au lieu de cela, que diriez-vous d'une promenade vers le marché ?

Je hochai la tête, désireuse de voir quelque chose de nouveau et de me concentrer sur la quête la plus immédiate, à portée de la main. Le marché était rempli de produits intéressants. Nous passâmes devant des kiosques qui vendaient des statues de Bouddha, de l'encens, des bijoux, des vêtements, des livres, des cartes postales et des *malas* — qui étaient utilisés un peu comme les chapelets catholiques. Nous vîmes d'autres articles intéressants, comme des cloches et des bols chantants — dont on se sert pour produire des sons qui aident à canaliser l'énergie et qui sont aussi employés pendant certaines cérémonies religieuses et durant la méditation. Je vis des drapeaux de prière et des *thangkas* tissés ou peints. M. Kadam expliqua que les bannières enseignaient des mythes, montraient des événements historiques, ou encore dépeignaient la vie de Bouddha.

À l'heure convenue, Kishan, M. Kadam et moi fûmes escortés vers le bureau d'affaires du dalaï-lama. Le seul fait d'arriver jusqu'ici témoignait des ressources de M. Kadam, étant donné que seuls des dignitaires étaient normalement reçus dans ce bureau. Un homme austère portant un complet nous accueillit et nous indiqua qu'il ferait un examen initial, et que si notre cas s'avérait suffisamment urgent, il nous dirigerait vers un bureau supérieur.

Il nous invita à nous asseoir, et je fus heureuse de laisser M. Kadam répondre aux questions de l'entrevue. L'homme posa plusieurs questions sur le but de notre visite. Encore une fois, M. Kadam répondit en termes vagues, laissant entendre que les réponses à ses questions n'étaient pas destinées aux oreilles de n'importe qui. L'homme était intrigué et insista pour obtenir des réponses. La réponse de M. Kadam fut que les renseignements qu'il nous fallait communiquer ne devaient être entendus que par le Maître Océan.

À ces mots, je remarquai un léger changement dans les yeux de l'homme. L'entrevue terminée, on nous conduisit dans une autre pièce où nous fûmes rencontrés par une femme qui procéda de la même façon. M. Kadam continua à fournir les mêmes réponses que précédemment. Il répondait poliment sans révéler trop d'informations.

— Nous sommes des pèlerins cherchant une audience sur une question de grande importance pour le peuple indien.

Elle agita la main.

— S'il vous plaît, expliquez-vous. Quelle est cette question de grande importance ?

M. Kadam sourit et se pencha vers l'avant.

— Nous avons entrepris une quête qui nous a menés vers le magnifique pays qu'est le Tibet. Ce n'est qu'à l'intérieur de ses frontières que nous pouvons trouver ce que nous cherchons.

— Recherchez-vous des richesses ? Car vous n'en trouverez pas ici. Nous sommes un peuple humble et nous ne possédons rien de valeur.

— De l'argent ? Des trésors ? Ils ne nous intéressent pas. Nous sommes venus chercher la connaissance que seul possède le Maître Océan.

À nouveau, lorsque M. Kadam mentionna le Maître Océan, notre intervieweuse s'arrêta brusquement. Elle se leva et nous demanda d'attendre. Une demi-heure plus tard, on nous guida vers un sanctuaire intérieur. Les aménagements étaient plus humbles que dans les deux dernières pièces. Nous nous assîmes sur de vieilles chaises de bois branlantes. Un moine réticent vêtu de robes rouges entra. Pendant un long moment, il nous étudia en pointant son nez en bec d'oiseau vers nous, puis il prit un siège.

– On m'a dit que vous vouliez parler avec le Maître Océan.

M. Kadam baissa la tête en signe d'acceptation silencieuse.

– Vous n'avez pas communiqué vos raisons aux autres. Souhaitez-vous les partager avec moi ?

– J'emploierai avec vous les mêmes mots qu'avec les autres, dit M. Kadam.

Le moine hocha brusquement la tête.

– Je vois. Alors, je suis désolé, mais le Maître Océan n'a pas le temps de vous rencontrer, d'autant plus que vous ne nous avez pas communiqué franchement votre objectif. Si la question dont vous souhaitez discuter est jugée assez importante, votre message sera transmis.

– Mais il est très important que nous parlions avec lui, commençai-je. Nous pourrions vous donner nos raisons, mais nous ne pouvons faire confiance à n'importe qui.

Le moine nous regarda tous pensivement.

– Peut-être pourriez-vous répondre à une dernière question.

M. Kadam hocha la tête.

Le moine retira un médaillon de son cou et le tendit à M. Kadam.

– Dites-moi, dit-il, ce que vous voyez.

M. Kadam hocha la tête.

— Je vois un dessin de la même nature que le symbole du yin et du yang, répondit M. Kadam. Le yin, ou le côté sombre, représente le féminin, et le yang, le côté éclairé, représente le masculin. Les deux parties sont en parfait équilibre et en parfaite harmonie les unes avec les autres.

Le moinc hocha la tête, comme s'il s'attendait à cette réponse, et il tendit une main. Son expression était fermée. Je savais qu'il allait nous renvoyer.

— Pouvons-nous regarder le médaillon ? intervins-je précipitamment.

Sa main s'immobilisa un moment avant qu'il remette le médaillon à Kishan.

Kishan tourna un instant le médaillon d'avant en arrière.

— Je vois deux tigres, un noir et un blanc, chacun chassant la queue de l'autre.

Le moine pressa ses mains sur le bureau alors que je prenais le médaillon et que je hochais la tête avec intérêt. Je jetai un rapide coup d'œil à M. Kadam, puis au moine, qui se penchait maintenant vers l'avant, attendant que je parle.

Le médaillon semblait montrer le symbole du yin et du yang, mais une ligne le divisait en deux. Les contours de blanc et de noir pouvaient être identifiés comme des chats, alors je pouvais facilement comprendre pourquoi Kishan avait dit que c'étaient des tigres, chacun comportant un point stratégiquement placé pour lui servir d'œil. Les queues étaient enroulées autour du centre et torsadées ensemble autour de la ligne bissectrice.

Je levai les yeux vers le moine.

— Je vois une partie de *thangka*. Un long fil central, qui est la femelle, sert de fil de chaîne, et les tigres, qui sont tous deux des mâles, s'enveloppent autour de lui. Ils sont le fil de trame qui complète le tissu.

Le moine se rapprocha.

— Et comment ce *thangka* est-il tissé?

— Avec une navette divine.

— Que représente ce *thangka*?

— Le *thangka* est le monde entier. Le tissu est l'histoire du monde.

Il se rassit sur sa chaise et passa une main sur sa tête chauve. Je lui tendis à nouveau le médaillon. Il le prit, le regarda attentivement pendant un moment, puis le plaça autour de son cou. Il se leva.

— Voulez-vous m'excuser pour un moment?

M. Kadam hocha la tête.

— Bien sûr.

Nous n'attendîmes pas longtemps. La jeune femme qui nous avait interviewés plus tôt nous demanda de la suivre, ce que nous fîmes. On nous indiqua une suite de chambres confortables, on emballa nos sacs à l'hôtel et on nous apporta nos affaires.

Nous prîmes un repas tôt ensemble et, ensuite, M. Kadam et Kishan se retirèrent dans leurs chambres. N'ayant rien de mieux à faire, je me rendis aussi dans la mienne. Les moines m'apportèrent du thé à la fleur d'oranger. C'était un somnifère efficace, et je tombai rapidement endormie, mais je rêvai de Ren à intervalles irréguliers. Dans mon rêve, il commençait à être désespéré.

Cette fois-ci, Ren était encore plus férocement protecteur envers moi et exigeait que je le quitte immédiatement. Il continuait à dire que Lokesh s'approchait et qu'il fallait que je m'éloigne le plus possible de lui. Les rêves semblaient réels, et je me réveillai en pleurant. Il n'y avait rien que je puisse faire. J'essayai de me réconforter en pensant à la promesse de Durgâ de veiller sur lui.

Kishan me rejoignit le lendemain matin au buffet du petit déjeuner. J'étais déjà à la fin de la file à prendre du yogourt à la cuillère dans un bol quand M. Kadam entra, s'avança derrière moi et me demanda comment j'avais dormi.

Je mentis en lui disant que j'avais bien dormi, mais il examina les cercles noirs sous mes yeux et tapota ma main d'un air entendu. Me sentant coupable, je me détournai de la lecture attentive de M. Kadam et j'attendis que le moine devant moi termine de déposer des fruits dans son assiette.

La main du moine trembla alors qu'il soulevait un petit morceau de mangue glissante du bol. Il laissa le morceau tomber dans son assiette avec un floc et entreprit le lent processus d'extraction d'un autre morceau.

— D'après ce qu'on m'a dit, vous souhaitez me rendre visite, dit le moine sans nous regarder.

M. Kadam joignit immédiatement les mains et salua.

— *Namasté,* être sage.

Ma main se figea dans les airs — le yogourt, la cuillère et tout — et je me tournai lentement pour regarder le visage souriant du Maître Océan.

Le Maître Océan

Le moine me sourit pendant que je le regardais fixement, la bouche ouverte. Heureusement, M. Kadam vint à mon secours et me guida doucement vers une table.

Ne se souciant pas du fait que j'aie causé une scène, Kishan était déjà en train de manger. *C'est logique. Les tigres ne pensent qu'à deux choses – la nourriture et les filles. Habituellement dans cet ordre.*

M. Kadam déposa mon bol et me tira une chaise. Je m'assis et je brassai mon yogourt tout en jetant des coups d'œil à la dérobée au vieil homme ratatiné. Il fredonnait joyeusement pendant qu'il continuait à remplir son assiette avec lenteur. Quand il eut terminé, il s'assit devant moi et sourit tout en mangeant ses œufs.

M. Kadam mangea silencieusement. Kishan retourna au buffet et remplit de nouveau son assiette. Je demeurai silencieuse et je bus mon jus. J'étais trop nerveuse pour manger, et je ne savais pas s'il était convenable de parler ou de poser des questions, alors je me contentai de suivre l'exemple de M. Kadam.

Longtemps après avoir terminé notre repas, nous regardâmes le Maître Océan manger, alors qu'il mangeait lentement une bouchée à la fois et qu'il mastiquait méthodiquement.

— Vous savez, dit-il, après avoir terminé son repas et s'être soigneusement essuyé la bouche, mes meilleurs souvenirs de ma mère sont les moments où j'enroulais les fils pendant qu'elle tissait et ceux où je l'aidais à soigner les moutons ou à brasser le gruau du petit déjeuner. Quand je prends le petit déjeuner, je pense toujours à ma mère.

M. Kadam hocha sagement la tête. Kishan grogna. Le Maître Océan me regarda et sourit.

— Alors, vous avez grandi dans une ferme ? demandai-je, espérant que c'était une bonne chose de parler. Je croyais que les lamas étaient nés pour être des lamas.

Il pencha la tête vers moi et me répondit joyeusement.

— Oui est la réponse aux deux questions. Mes parents étaient de pauvres fermiers qui réussissaient à produire suffisamment de nourriture pour subvenir à leurs besoins et pour en vendre un peu au marché. Ma mère était une tisserande qui pouvait fabriquer un tissu magnifique. Mes parents m'ont donné le nom de Jigme Karpo. À l'époque, ils ignoraient qui j'étais. Il fallait que je sois découvert.

— Il fallait que vous soyez découvert ? Découvert par qui ?

— Le régent est toujours en quête d'anciens lamas réincarnés. Il a habituellement une vision qui lui montre où trouver la nouvelle incarnation d'une certaine personne et il envoie une équipe de recherche. Dans mon cas, ils savaient qu'il fallait chercher une maison de ferme bâtie sur une colline, avec des rosiers qui croissaient à côté de notre puits.

Après avoir posé des questions dans le voisinage, ils ont trouvé ma maison et ils ont su que c'était le bon endroit. On a apporté des articles appartenant aux anciens lamas et on me les a montrés. J'ai pris un livre qui appartenait à l'ancien Maître Océan. L'équipe de recherche avait la certitude que j'étais la réincarnation de cet ancien lama. À l'époque, j'avais deux ans.

— Que vous est-il arrivé ensuite ?

M. Kadam m'interrompit et me tapota la main.

— Je suis aussi curieux, Mlle Kelsey, mais peut-être n'a-t-il que peu de temps à nous consacrer. Nous devrions nous concentrer sur d'autres questions.

— C'est vrai, désolée. Je me suis laissé emporter par ma curiosité.

Le Maître Océan se pencha vers l'avant et remercia les moines qui nettoyaient la table.

— Je peux prendre quelques minutes pour répondre à votre question, jeune fille. Pour résumer, j'ai été enlevé à ma famille et j'ai commencé ma formation avec un bon vieux moine. Ma mère a tissé le tissu pour ma première robe marron.

J'ai commencé ma formation comme moine novice et je me suis fait raser la tête. On a changé mon nom, et j'ai reçu une excellente éducation sur des sujets tels que l'art, la médecine, la culture et la philosophie. Toutes ces expériences m'ont formé pour que je devienne l'homme qui est assis devant vous. Ai-je bien répondu à votre question, ou mon explication a-t-elle suscité plusieurs autres interrogations ?

Je me mis à rire.

— Elle en a suscité plusieurs autres.

— Bien ! Un esprit qui questionne est un esprit ouvert à la compréhension.

— Votre enfance et vos origines sont tellement différentes des miennes.

— J'imagine que les vôtres sont tout aussi intéressantes.

— Que faites-vous ici ?

— J'enseigne au dalaï-lama.

Je le regardai.

— Vous enseignez au maître ?

Il se mit à rire.

— Oui. J'en ai formé deux. Je suis un très vieil homme, mais nous ne sommes pas très différents. J'ai eu l'occasion de rencontrer des gens de partout dans le monde, et j'ai découvert que tous sont fondamentalement semblables. Nous formons une seule famille humaine. Peut-être portons-nous des habits différents, peut-être notre peau est-elle d'une couleur différente, ou peut-être parlons-nous différentes langues, mais ce n'est qu'en surface. Nous avons tous des rêves, et nous tous cherchons ce qui nous apportera le vrai bonheur. Pour tout savoir du monde, je n'ai qu'à apprendre sur moi.

Je hochai la tête.

— Comme vous le savez, intervint M. Kadam, nous sommes venus chercher la sagesse du Maître Océan. Nous avons une tâche à accomplir, et nous avons besoin de vos conseils.

Le moine repoussa les manches de sa robe et se leva.

— Alors, venez. Passons dans une pièce où nous aurons plus d'intimité.

Il se leva prudemment avec le soutien de deux moines qui s'approchèrent rapidement pour marcher à ses côtés, mais le Maître Océan, bien que se déplaçant lentement, marcha sans aide.

– Vous avez dit que vous avez enseigné à deux des dalaï-lamas, ce qui signifie que vous devez avoir...

– Cent quinze ans.

– Quoi ?

J'eus le souffle coupé.

– J'ai 115 ans et j'en suis fier.

– Je n'ai jamais rencontré quelqu'un qui ait vécu aussi longtemps.

Je me rendis rapidement compte qu'en fait je connaissais trois hommes qui avaient vécu aussi longtemps et je regardai M. Kadam, qui me sourit et me fit un clin d'œil.

Le Maître Océan ne remarqua pas mon expression bizarre alors qu'il continuait.

– Si un homme veut faire quelque chose et qu'il a suffisamment de passion pour trouver une façon de le faire... il réussira à le faire. Je voulais vivre une longue vie.

M. Kadam regarda le moine pensivement pendant un moment.

– Je suis aussi plus vieux que je semble l'être. Je suis rempli d'humilité devant vous, monsieur.

Le Maître Océan se retourna et serra la main de M. Kadam. Ses yeux pétillaient de joie.

– C'est ce qui arrive quand on passe son temps avec des moines et dans des monastères. Cela me rend aussi humble.

Les deux hommes se mirent à rire. Nous les suivîmes à travers des couloirs gris sinueux vers une vaste pièce avec un plancher de pierre lisse et un grand bureau poli. Alors que nous passions devant une aire de repos confortable, il indiqua que nous devrions nous asseoir. Nous nous enfonçâmes tous dans de moelleuses chaises rembourrées alors que le Maître Océan tirait une chaise de bois naturel, qui avait été cachée derrière son bureau, et s'assoyait pour parler avec nous.

— Plus ma chaise est inconfortable, répondit-il lorsque je lui demandai s'il voulait une chaise plus confortable, plus il est probable que je me lèverai et que je m'occuperai à faire des choses qui doivent être faites.

M. Kadam hocha la tête.

— Je vous remercie d'avoir accepté de nous rencontrer, commença-t-il.

Le moine sourit.

— Je n'aurais pas voulu manquer cette occasion pour tout l'or du monde.

Il se pencha en avant d'un air de conspirateur.

— Je dois l'admettre, j'étais curieux de savoir si la quête du tigre se passerait dans cette vie. Vous savez, maintenant que j'y pense, je suis né près de la ville de Taktser, qui, traduite, signifie « tigre rugissant ». Peut-être que tout ce temps, c'était mon destin d'être celui qui répondrait à ceux qui doivent cheminer dans cette quête.

— Vous êtes au courant de notre quête ? demanda M. Kadam, tout excité.

— Oui. Même avant l'époque du premier dalaï-lama, l'histoire de deux tigres avait été transmise dans le secret. L'étrange médaillon en est la clé. Quand ce jeune homme a dit y avoir vu deux tigres, un noir et un blanc, nous savions que vous étiez probablement les personnes que nous attendions. D'autres y avaient vu des félins et avaient souvent identifié le tigre blanc, mais personne n'avait vu le félin noir comme un tigre, et personne n'avait parlé de la ligne au milieu se rapportant à la tisserande divine. C'est de cette manière que nous avons su que c'était vous.

— Alors, m'aventurai-je, vous pouvez nous aider ?

— Oh, très certainement, mais d'abord, j'ai une demande à vous faire.

M. Kadam sourit d'un air magnanime.

— Que pouvons-nous faire pour vous ?

— Pouvez-vous me parler des tigres ? Je connais l'endroit que vous cherchez et je sais comment vous conseiller, mais... l'histoire des tigres n'a jamais été expliquée, et leur place dans la quête a été gardée dans le plus profond secret. Est-ce quelque chose que vous pouvez expliquer ?

Kishan, M. Kadam et moi nous regardâmes les uns les autres pendant un moment. Kishan leva un sourcil alors que M. Kadam fit un léger signe de tête.

— Est-ce un local sécurisé ? demanda M. Kadam.

— Oui, bien sûr.

M. Kadam et moi nous tournâmes tous les deux vers Kishan. Il haussa ses épaules musclées, se leva et se changea en tigre. Le tigre noir cligna des yeux dorés et grogna doucement vers le moine, puis il s'assit sur le plancher à côté de moi. Je me penchai pour gratter ses oreilles toutes noires.

Surpris, le Maître Océan s'appuya contre le dossier de sa chaise et regarda Kishan. Puis il frotta sa tête et se mit à rire avec jubilation.

— Je vous remercie de m'avoir fait confiance avec ce cadeau incroyable !

Kishan se changea en homme à nouveau et se rassit dans le fauteuil.

— Je ne dirais pas que c'est un cadeau.

— Ah, et comment l'appelleriez-vous ?

— Je dirais que c'est une tragédie.

— En tibétain, il y a un dicton qui dit : « La tragédie devrait être utilisée comme une source de force. »

Le moine se rassit sur sa chaise et toucha sa tempe avec son doigt.

— Au lieu de vous demander pourquoi c'est arrivé, peut-être devriez-vous vous demander pourquoi vous êtes celui à qui c'est arrivé. Rappelez-vous que ne pas obtenir ce que vous voulez est parfois un merveilleux coup de chance.

Avec espoir, il tourna son attention vers moi.

— Et qu'en est-il du tigre blanc ?

— Le tigre blanc est le frère de Kishan, Ren, et il a été capturé par un ennemi, expliquai-je.

Il pencha la tête, réfléchissant.

— Notre ennemi est souvent notre meilleur maître de tolérance. Et vous, ma chère, quel est votre rôle dans cette quête ?

Je levai la main, je me tournai et je laissai la bulle de puissance tourbillonner à l'intérieur de moi. Elle coula dans ma main et je visai la fleur déposée dans un vase sur son bureau. Ma main se mit à briller et un point blanc lumineux fit un bond vers la fleur. La fleur brilla pendant un moment avant de disparaître dans un doux nuage de cendres, qui tomba avec légèreté sur le bureau de bois.

— Je suis la ligne centrale du médaillon des tigres, la chaîne. Mon rôle est d'aider à libérer les tigres.

Je fis signe vers l'homme assis tranquillement à ma droite.

— Et M. Kadam est notre guide et notre mentor.

Le Maître Océan ne sembla pas choqué par mon pouvoir. Heureux comme un petit garçon le matin de Noël, il frappa dans ses mains.

— Bien. Merveilleux ! Maintenant, laissez-moi voir ce que je peux faire pour vous aider.

Il se leva et alla vers son bureau. Il retira le médaillon des tigres, qu'il avait dissimulé dans sa robe volumineuse, et il le poussa dans une fente près de sa bibliothèque. Une armoire étroite s'ouvrit, d'où il prit un ancien parchemin conservé dans du verre, de même qu'une ampoule remplie d'une substance verte et huileuse.

Il nous indiqua de nous rapprocher. Alors que nous encerclions son bureau, il tourna soigneusement le tube de verre contenant l'ancien parchemin pour nous montrer ce qu'il y avait à l'intérieur.

— Ce parchemin existe depuis des siècles et fait la liste des signes associés au médaillon des tigres et de ceux qui viendront le réclamer. Dites-moi, que savez-vous déjà de votre quête ?

M. Kadam lui montra la traduction de la prophétie.

— Ah, oui. Le début de ce rouleau contient à peu près la même chose, avec seulement quelques différences. Votre prophétie dit que je dois faire trois choses pour vous, et je les ferai. Je dois dérouler les parchemins de la sagesse, oindre vos yeux, et vous conduire aux portes de l'esprit. Ce document ancien que vous voyez devant vous est le parchemin dont on dit qu'il détient la sagesse du monde.

— Qu'est-ce que cela veut dire ? demandai-je.

— Les légendes, les mythes, les histoires de l'origine de l'humanité — tout ceci est fondé sur des vérités éternelles, et certaines de ces vérités sont contenues ici. Du moins, c'est ce qu'on m'a dit.

— L'avez-vous lu ?

— Non, pas du tout. Dans ma philosophie, il n'est pas nécessaire de connaître toutes les vérités. Une partie du processus de l'illumination consiste à découvrir la vérité pour vous-même grâce à l'introspection. Aucun des anciens dalaï-lamas n'a lu ces parchemins non plus. Ils n'étaient pas faits pour nous. Ils étaient gardés en sécurité pour vous être remis en temps opportun.

— Si le parchemin a été laissé en héritage et placé en lieu sûr par les dalaï-lamas, alors comment vous a-t-il été transmis ?

— Les parchemins et le secret doivent être détenus par deux hommes. Le dalaï-lama ignore qui sera le prochain dalaï-lama, donc il les confie à son maître. Quand son maître meurt, il les confie à la réincarnation de ce maître. Lorsque le dalaï-lama meurt, le maître partage le secret avec le prochain dalaï-lama pour que le parchemin ne soit jamais perdu. Comme l'actuel dalaï-lama est en exil, ce devoir me revient.

— Voulez-vous dire que ces parchemins ont été gardés pendant des siècles pour… *nous ?* demandai-je.

— Oui. Nous avons transmis le secret ainsi que les instructions détaillant les moyens de trouver ceux à qui les remettre.

M. Kadam se pencha pour examiner le parchemin dans le verre.

— Incroyable ! J'ai très envie de l'examiner.

— Vous ne devez pas le faire. On m'a dit qu'on ne devait pas lire le parchemin jusqu'à ce que le cinquième sacrifice soit complété. On a même suggéré que si on l'ouvrait plus tôt, cela provoquerait une catastrophe des plus sérieuses.

– Le cinquième sacrifice ? murmurai-je. Mais M. Kadam, nous ne savons même pas encore de quoi il s'agit.

Je me tournai vers le Maître Océan.

– Tout ce que nous savons jusqu'ici, c'est qu'il y a quatre sacrifices et quatre présents. Nous ne saurons rien du cinquième sacrifice jusqu'à beaucoup plus tard. Êtes-vous certain que nous pouvons réussir dans notre quête si nous ne lisons pas le parchemin ?

Le moine haussa les épaules.

– Ce n'est pas à moi de savoir. Mon devoir est de le confier à vos soins et de remplir mes deux autres obligations. Venez. Assoyez-vous ici, jeune dame, et laissez-moi oindre vos yeux.

Il me tira une chaise, s'approcha de moi avec le flacon vert et s'adressa à nous.

– Dites-moi, M. Kadam, dans vos études, avez-vous abordé un peuple appelé les Chewong ?

M. Kadam prit un siège.

– Je dois avouer que… non, je n'ai rien trouvé sur ce peuple.

Je ricanai doucement. *C'est un fait étonnant en soi. M. Kadam ne sait pas quelque chose. Est-ce même possible ?*

– Les Chewong vivent en Malaisie… Un peuple fascinant. Il y a une pression énorme sur eux pour qu'ils se convertissent à l'Islam et qu'ils s'intègrent à la société malaisienne. Cependant, il y en a plusieurs qui se battent pour avoir le droit de garder leur langue et leur culture. Ce sont des gens pacifiques, non violents. En fait, dans leur langue, il n'y a pas de mots pour guerre, corruption, conflit ou punition. Ils ont beaucoup de croyances intéressantes. Un idéal qu'il vaut la peine de noter est celui des biens communaux. Ils ont l'impression qu'il est dangereux et mal de manger seul, donc ils partagent toujours leurs repas avec les autres. Mais la croyance qui s'applique à vous concerne les yeux.

Je léchai nerveusement mes lèvres.

— Hum, que font-ils exactement avec les yeux ? Ils les servent pour souper ?

Il se mit à rire.

— Non, rien de tout cela. Ils disent que les chamans ou chefs religieux ont des *yeux frais,* alors qu'une personne ordinaire est considérée comme ayant des *yeux chauds.* Une personne avec des yeux frais peut voir différents mondes et peut distinguer des choses qui sont dissimulées à la vue ordinaire.

M. Kadam était intrigué et commença à poser plusieurs questions pendant que mes yeux filaient comme une flèche vers le liquide vert et huileux que le moine faisait dégouliner sur ses doigts dont la peau sèche rappelait du papier.

— Euh, je dois vous avertir que j'ai une phobie oculaire. Quand j'étais enfant et que j'avais une conjonctivite, mes parents devaient me tenir pour mettre des gouttes dans mes yeux.

— Ne vous inquiétez pas, dit le Maître Océan. J'oindrai vos paupières fermées, puis je partagerai avec vous quelques paroles de sagesse.

Je me détendis vraiment et je fermai docilement les yeux. Je sentis ses doigts chauds sur mes paupières fermées. Je m'attendais à ce que la substance gluante coule sur mes joues, mais elle était épaisse et ressemblait à de la lotion, et elle avait une odeur forte et médicinale. L'odeur me picota le nez et me rappela le baume au menthol dont se servait ma mère quand j'étais malade pour me frotter la poitrine et pour m'aider à mieux respirer. Mes paupières se mirent à fourmiller et devinrent glacées. Je les gardai fermées pendant qu'il me parlait doucement.

— Mon conseil pour vous, ma petite, consiste à vous dire que le but même de la vie est le bonheur. Selon ma propre expérience limitée, j'ai découvert que lorsque nous prenons soin des autres, cela permet à notre propre sentiment de bien-être de croître. Cela permet à l'esprit de relaxer. Cela aide à éliminer toutes nos craintes et toutes nos insécurités et nous procure la force nécessaire pour faire face aux obstacles que nous rencontrons. Aussi, lorsque vous avez besoin de conseils, méditez. J'ai souvent trouvé des réponses en méditant. Enfin, n'oubliez pas que le vieil adage qui dit que « l'amour triomphe de tout » est vrai. Lorsque vous donnez de l'amour, vous découvrez qu'il vous est retourné de façon exponentielle.

Prudemment, j'ouvris les yeux. Je ne sentais ni douleur ni inconfort, mais ils étaient un peu sensibles. C'était maintenant au tour de Kishan. Nous changeâmes de place, et le moine plongea ses doigts une fois de plus dans l'ampoule. Kishan ferma les yeux, et la substance fut répandue sur ses paupières closes.

— C'est votre tour, tigre noir. Vous possédez un corps jeune, mais une âme ancienne. Rappelez-vous que, peu importe le genre de difficultés que vous devez supporter, peu importe à quel point vos expériences sont douloureuses, vous ne devez pas perdre espoir. Perdre la foi est la seule chose qui peut vraiment vous détruire. Les lamas disent : « Il est préférable de se conquérir soi-même que de gagner des milliers de batailles. »

» Vous avez la responsabilité d'aider à diriger votre famille dans la bonne direction. Ceci inclut votre famille immédiate et votre famille mondiale. Les bonnes intentions ne suffisent pas à créer un résultat positif : vous devez agir. C'est lorsque vous participerez et que vous vous engagerez activement que des réponses à vos questions apparaîtront. Enfin, tout comme les secousses du vent ne perturbent pas un grand rocher, l'esprit d'un homme sensé est stable. Il ressemble à une colonne de soutènement, à un pilier de soutien. D'autres peuvent s'accrocher à lui, car il ne faiblira pas.

Le Maître Océan reposa le bouchon sur le flacon, et Kishan ouvrit les yeux en les clignant. La substance verte avait disparu de ses paupières. Il se leva, s'assit près de moi et tendit la main pour toucher mon bras. L'homme qui était le Maître Océan, un grand lama du Tibet, tendit la main pour serrer celle de M. Kadam.

— Mon ami, dit-il, je sens que vos yeux ont déjà été ouverts et que vous avez vu plus de choses que je ne peux imaginer. Je laisse ce parchemin entre vos mains et je vous demande de venir me rendre visite de temps en temps. J'aimerais savoir comment se termine ce voyage.

M. Kadam s'inclina galamment.

— Ce sera un honneur pour moi, sage homme.

— Très bien. Maintenant, il ne reste qu'une seule chose à mon programme, et c'est de vous guider vers les portes de l'esprit.

Il se tourna vers moi et Kishan.

— Les portes de l'esprit marquent la limite entre le monde physique et le monde spirituel. Lorsque vous passez à travers elles, vous purifiez votre esprit des lourdes questions matérielles et vous vous concentrez sur le spirituel. Ne touchez pas à la porte avant d'être prêts à entrer, car cela est interdit. Les portes connues se trouvent en Chine et au Japon, mais il en existe aussi une, dont on a gardé le secret, au Tibet. Je vous la montrerai sur la carte.

Il sonna pour qu'un autre moine nous apporte une carte du Tibet.

— La porte que vous cherchez est une porte simple et humble. Vous devez vous y rendre à pied et n'apporter que des provisions de base, car pour trouver la porte, vous devez prouver que vous marchez dans la foi. La porte est marquée de simples drapeaux de prières de nomades. Le voyage ne sera pas facile, et vous deux seulement pourrez accéder à la porte. Votre mentor devra rester derrière.

Il nous montra le chemin où nous allions pouvoir commencer l'ascension. J'eus la gorge serrée tandis que, malgré mon incapacité à déchiffrer la langue, je reconnaissais l'endroit. *Mont Everest.* Heureusement, il semblait que la porte des esprits ne fût pas située à son sommet, mais qu'elle était, en fait, à une faible distance seulement de la limite des neiges éternelles. M. Kadam et le Maître Océan parlèrent avec animation pour savoir quelle était la meilleure route à prendre pendant que Kishan écoutait attentivement.

Comment pourrais-je y arriver ? Il faut que je le fasse. Ren a besoin de moi. Trouver ce nouvel endroit, de même que l'objet, était ce qui m'aiderait à trouver Ren, et rien ne m'en empêcherait, pas même le mal de l'altitude ou une montagne glacée.

Le parchemin fut remis à M. Kadam, ainsi que les cartes et une explication détaillée comprenant les instructions pour atteindre la porte de l'esprit. La main chaude de Kishan prit la mienne.

— Kelsey, est-ce que ça va ?

— Oui. C'est seulement que ce voyage m'effraie.

— Moi aussi. Mais rappelle-toi, il a dit qu'il fallait avoir la foi.

— As-tu la foi ?

Kishan réfléchit.

— Oui, je pense que oui. Plus qu'auparavant, en tout cas. Et toi ?

— J'ai de l'espoir. Est-ce que c'est suffisant ?

— Je crois que oui.

Le vieux moine nous serra chaleureusement les mains, nous fit un clin d'œil et s'excusa. Il partit, accompagné de ses escortes. Un moine nous conduisit à notre chambre pour que nous puissions récupérer nos affaires.

M. Kadam passa le reste de la journée à préparer notre voyage. Kishan et moi emballâmes nos affaires en voyant à ce que le tout soit léger ; nous n'avions pas oublié l'avertissement du moine d'apporter peu de bagages. M. Kadam détermina que nous n'apporterions ni eau ni nourriture, sachant que le Fruit d'Or nous soutiendrait. Il m'expliqua qu'il avait testé les limites du fruit et qu'il semblait fonctionner jusqu'à au moins une trentaine de mètres, et que même s'il ne pouvait produire d'eau, il pouvait fabriquer d'autres boissons. Il recommanda des tisanes chaudes et des boissons sans sucre pour demeurer hydraté. Je le remerciai et j'enveloppai soigneusement le fruit dans ma courtepointe avant de placer le paquet dans mon sac à dos.

Nous débattîmes du bien-fondé d'une tente pendant un long moment et nous décidâmes plutôt de choisir un grand sac de couchage. Ils n'avaient pas l'impression que je pourrais grimper la montagne en transportant une tente, et il me fallait de la place dans mon sac à dos pour Fanindra, les vêtements de Kishan, ainsi que toutes les armes. Kishan devrait se changer en tigre, puis revenir à sa forme humaine, alors il lui faudrait des vêtements chauds.

Le lendemain, nous nous rendîmes en voiture à la base de la montagne. Après notre arrivée, M. Kadam marcha avec nous pendant un moment, puis il nous étreignit brièvement tous les deux. Il nous dit qu'il installerait un camp à la base et qu'il nous y attendrait impatiemment.

– Soyez très prudente, Mlle Kelsey. Le voyage sera sans doute difficile. J'ai placé toutes mes notes dans votre sac. J'espère que je me suis souvenu de tout.

– Je n'en ai aucun doute. Tout ira bien. Ne vous inquiétez pas. Avec un peu de chance, nous serons de retour avant même que vous vous rendiez compte que nous étions partis. Peut-être le temps s'arrêtera-t-il, comme pendant notre séjour à Kishkindhâ. Portez-vous bien. Et si pour une raison quelconque, nous ne revenions pas, pourriez-vous dire à Ren…

– Vous reviendrez, Mlle Kelsey. J'en ai la certitude. Partez maintenant, et je vous reverrai bientôt.

Kishan se changea en tigre noir, et nous commençâmes à escalader la montagne. Une demi-heure plus tard, je me retournai pour évaluer la distance que nous avions parcourue. La plaine du Tibet se déployait devant nous à perte de vue. Je fis signe vers la petite silhouette de M. Kadam loin en dessous, puis je me retournai, grimpai entre deux rochers et posai mes pieds sur le chemin qui se trouvait devant moi.

La porte de l'esprit

Je frissonnai et je tirai mes gants Gore-Tex un peu plus haut sur mes poignets. Pendant la plus grande partie de la première journée, nous avions escaladé la montagne et nous avions installé un campement près de quelques rochers qui bloquaient le vent. Lorsque nous nous arrêtâmes, je retirai avec plaisir mon sac à dos de mes épaules et je m'étirai.

Je fouillai la zone pendant un certain temps, ramassant du bois pour allumer un feu. Après un repas chaud, gracieuseté du Fruit d'Or, je me blottis tout habillée au fond de mon sac de couchage de grand format.

Kishan poussa sa tête dans l'ouverture et se glissa près de moi. C'était bizarre au début mais, une heure après, je me sentis extrêmement reconnaissante pour la fourrure chaude qui me permit d'arrêter de frissonner. J'étais tellement épuisée que, malgré le bruit du vent, je pus dormir.

Le matin suivant, je me servis du Fruit d'Or pour me préparer du gruau chaud accompagné de sirop d'érable et de sucre brun, ainsi qu'un peu de chocolat chaud fumant pour le petit déjeuner. Afin d'avoir plus chaud, Kishan voulut rester sous forme de tigre. Lorsque je lui donnai le choix entre une grande assiette remplie de steaks de chevreuil saignants et un plat géant du même gruau que j'avais mangé avec un grand bol de lait. Il commença par la viande, mais il avala également le gruau et le lait, les lapant rapidement. Je roulai nos affaires et les rangeai dans le sac avant de continuer notre voyage.

Nous nous installâmes dans une routine pendant les quatre jours suivants. Kishan ouvrait la voie. Je fournissais les repas par l'intermédiaire du Fruit d'Or, et je faisais du feu. La nuit, pendant que le vent hurlait autour de nous, nous dormions, blottis l'un contre l'autre, tigre et humaine, dans l'immense sac de couchage. La montée était difficile. Si je n'avais pas fait de l'entraînement physique avec Kishan et M. Kadam, je n'y aurais pas été préparée.

L'angle de la pente ne demandait pas de matériel d'escalade, mais ce n'était pas non plus une promenade dans un parc. Plus l'altitude était élevée, plus il était difficile de respirer, car l'oxygène était plus rare ; il nous fallut donc nous arrêter fréquemment pour boire et pour nous reposer.

Le cinquième jour, nous atteignîmes la limite des neiges éternelles. Même en été, le mont Everest était enneigé. Il était maintenant facile de voir Kishan, même à distance. Un animal noir sur les pentes enneigées ne pouvait passer inaperçu. Heureusement, il devait être l'un des plus gros animaux à cet endroit. S'il avait été plus petit, nous aurions été chassés par des prédateurs.

Je me demande si des ours polaires vivent ici. Non, les ours polaires vivent aux pôles. Hmmm, peut-être y a-t-il d'autres sortes d'ours par ici, ou possiblement des lions de montagne. Sasquatch ? Yetis ? Comment appelait-on le monstre des neiges dans

Rodolphe, le renne au nez rouge ? *Ah, le Bumble.* Je me mis à rire alors que j'imaginais un Kishan semblable à une marionnette attaquant le Bumble, et je chantonnai la chanson *Misfit* tirée du film.

Tout en suivant les traces de tigre de Kishan, je commençai à surveiller les traces de pas d'animaux. Lorsque je remarquais des pistes de petits animaux dans la neige, j'essayais de les identifier. Certains étaient de toute évidence des oiseaux, mais d'autres pouvaient être des lapins ou de petits rongeurs. Ne voyant rien de plus gros et mon jeu commençant à m'ennuyer, je me détendis et permis à mon esprit de dériver tout en suivant Kishan.

Les arbres commençaient à se faire de plus en plus rares, et le terrain devenait plus rocailleux. Les amoncellements de neige étaient profonds et il était de plus en plus difficile de respirer. Je commençais à être plus nerveuse. Je n'avais pas vraiment pensé qu'il nous faudrait autant de temps pour trouver la porte de l'esprit.

Le septième jour fut celui où nous rencontrâmes l'ours.

Kishan était parti depuis environ une demi-heure afin de chercher du bois et un bon endroit pour que nous y installions notre camp. Je devais suivre ses traces : il ferait un cercle complet et me flairerait pour me retrouver. En fait, il devait revenir bientôt, car il ne me quittait jamais plus de 30 minutes à la fois.

J'étais en train de marcher lentement d'un pas lourd, suivant les empreintes de tigre, quand j'entendis quelque chose qui mugissait et qui grondait derrière moi. Je crus que Kishan avait terminé sa tournée et qu'il essayait d'attirer mon attention. Je me retournai pour lui demander ce qu'il voulait et je m'arrêtai dans mon élan, haletant d'horreur. Un grand ours brun galopait vers moi avec la très claire intention de m'attaquer. Ses oreilles rondes étaient collées contre sa tête. Sa gueule ouverte révélait des dents pointues, et il arrivait très vite vers moi. Il courait plus vite que je n'aurais pu le faire.

Je me mis à hurler.

L'ours s'arrêta à une distance d'un mètre et demi, se tint sur ses pattes de derrière et hurla à nouveau vers moi. Son pelage hirsute était mouillé par la neige. Ses petits yeux noirs m'observaient au-dessus de son long museau en même temps qu'il évaluait ma capacité à riposter. La peau autour de sa gueule se tira vers l'arrière et sa mâchoire se mit à trembler, dénudant un impressionnant étalage de dents qui pourraient me déchirer en lambeaux.

Rapidement, je me laissai tomber au sol, me souvenant d'une histoire à propos des hommes de montagne qui avaient survécu dans des régions sauvages. J'avais entendu dire que la meilleure chose à faire durant une attaque d'ours, c'était de s'allonger au sol, de se replier en position fœtale, et de faire semblant d'être mort.

Je me roulai en boule et je couvris ma tête avec mes mains. L'ours se laissa tomber à quatre pattes et rebondit un peu, ses pattes écrasant la neige pour m'inciter à bouger et pour qu'il puisse attaquer. Il me frappa dans le dos et j'entendis le tissu céder alors qu'il frappait le sac à dos, déchirant le compartiment extérieur.

Étant si près de l'ours, je pouvais sentir des odeurs d'herbe mouillée, de terre et d'eau de lac qui émanaient de sa fourrure. Son souffle chaud avait une légère odeur de poisson. Je gémis et je me roulai un peu. L'ours mordit le sac à dos et appuya sa patte à l'arrière de ma cuisse pour me tenir immobile. La pression était intense. J'étais certaine que l'os de ma cuisse allait se briser.

Si je m'étais trouvée sur le sol nu, c'est ce qui se serait produit. Heureusement pour moi, le poids de la patte de l'ours ne fit que me pousser plus profondément dans la neige. J'ignorais s'il était en train de défendre son territoire ou s'il avait l'intention de me manger. D'une façon ou d'une autre, je serais bientôt morte.

Au même moment, j'entendis Kishan qui grognait. L'ours leva les yeux et beugla de nouveau, défendant son repas. Il se tourna pour faire face au tigre et remua ses griffes à l'arrière de ma cuisse sur une jambe, et sur le mollet de l'autre jambe. Je haletai de douleur alors que, poussées par 275 kilos, les griffes de Freddy Krueger déchiraient l'arrière de ma cuisse et de mon mollet. La bonne nouvelle, c'est que l'ours n'avait pas vraiment l'intention de me griffer. C'était juste une tape d'amour. Juste une blessure du style *hé, je reviens, ma chérie. Je veux tout simplement m'occuper de l'intrus avant de te manger, mais je serai de retour avant même que tu t'en aperçoives.*

Mes jambes brûlaient d'une douleur violente et des larmes coulaient sur mes joues, mais je demeurai aussi calme que possible. Kishan encercla l'animal pendant un moment, puis se précipita pour attaquer. Le tigre mordit l'avant-bras de l'ours tandis que l'ours le griffait au dos. Les bêtes agressives s'éloignèrent suffisamment pour que je puisse regarder mes jambes. Je ne pouvais pas vraiment tourner la tête suffisamment pour voir les blessures, mais de grosses gouttes de sang carmin donnaient un air macabre de cône de neige rouge à la pente glacée.

L'ours se leva sur ses pattes de derrière et hurla, puis il retomba à quatre pattes, se rapprocha de quelques pas et se leva à nouveau sur ses pattes de derrière. Kishan marchait de long en large, en demi-cercle, hors de la portée de l'ours. L'ours lança ses pattes de devant vers Kishan à deux ou trois reprises, comme s'il essayait de lui faire peur.

Kishan se rapprocha, et l'ours fonça. Kishan fit face à l'ours debout sur ses pattes arrière. Ils entrèrent en collision, et l'ours enveloppa ses bras autour du corps de Kishan, lui déchirant le dos et me donnant une nouvelle compréhension du terme « prise de l'ours ». Ils se tailladèrent mutuellement dans une rage de dents et de griffes. L'ours mordit sauvagement l'oreille de Kishan et la déchira presque. Kishan se tordit la tête, ce qui les fit tous les deux perdre l'équilibre. Les animaux tombèrent et roulèrent à quelques reprises dans un mélange de fourrures noire et brune.

Je repris suffisamment mes sens pour prendre conscience que j'avais moi-même une arme. J'étais vraiment idiote ! *Quelle sorte de combattante suis-je donc ?* Kishan était en train de tourner autour de l'animal, essayant maintenant de le confondre et de le fatiguer. Je profitai de la distance entre les deux, je levai la main et avec un petit éclair, je frappai l'ours directement sur le museau. Cela ne le blessa pas, mais ce fut suffisant pour le détourner de son repas potentiel. Il s'éloigna en se dandinant à un rythme rapide, beuglant de douleur et de frustration.

Kishan reprit rapidement sa forme humaine et commença à évaluer les blessures sur mes jambes. Il enleva le sac à dos de mes épaules et en quelques secondes, il enfila sa tenue hivernale et se pencha sur mes jambes. Le sang était déjà en train de geler sur la neige. Il déchira un T-shirt en deux morceaux et attacha les pièces en les serrant autour de ma cuisse.

— Je suis désolé si c'est douloureux. Je dois te déplacer. L'odeur de ton sang pourrait faire revenir l'ours.

Il se pencha sur moi et me prit avec précaution dans ses bras. Malgré sa tendresse, mes jambes brûlaient. Je me mis à crier et je ne pus m'empêcher de me tortiller pour essayer de soulager la douleur. Je pressai mon visage contre sa poitrine et je serrai les dents, puis je devins insensible à tout.

Je ne savais pas si j'avais dormi ou si j'avais perdu connaissance. Ça n'avait pas vraiment d'importance. Je me réveillai sur le ventre, à côté d'un feu, avec Kishan qui examinait attentivement mes blessures. Il avait déchiré un autre T-shirt et avait soigneusement nettoyé mes jambes avec une sorte de liquide chaud et puant qu'il avait obtenu par l'entremise du Fruit d'Or.

Je respirai profondément.

— Ça pique ! Qu'est-ce que c'est ?

— C'est un remède de fines herbes pour arrêter la douleur et l'infection, et pour aider le sang à coaguler.

— Ça ne sent pas très bon. Qu'est-ce qu'il y a dedans ?

— De la cannelle, de l'échinacée, de l'ail, de l'hydrastis, de l'achillée millefeuille et d'autres trucs dont je ne connais pas les noms autrement qu'en hindi.

— Ça fait mal !

— J'imagine ! Il faudrait te faire des points de suture.

Je respirai profondément et je commençai à lui poser des questions pour oublier ma douleur. Pendant qu'il nettoyait mon mollet, je haletai.

— Comment as-tu... su comment préparer cette substance ?

— J'ai combattu dans de nombreuses batailles. J'ai quelques connaissances sur la façon de soigner des plaies de ce genre. La douleur devrait diminuer bientôt, Kells.

— Ça t'est déjà arrivé de soigner des blessures ? dis-je en respirant profondément.

— Oui.

Je gémis.

— Peux-tu... m'en parler ? Ça m'aidera de me concentrer sur autre chose.

— Très bien.

Il trempa son tissu dans la mixture et commença à prendre soin de mon mollet.

— Kadam m'avait emmené avec un groupe de son infanterie d'élite pour aider à arrêter des bandits.

— Du genre Robin des Bois ?

— Qui est Robin des Bois ?

— Il vole aux riches pour donner aux pauvres.

— Non, c'étaient des meurtriers. Ils avaient volé des caravanes, violé des femmes et tué tout le monde. Ils étaient devenus célèbres dans une certaine zone où l'on faisait fréquemment des échanges commerciaux. Leurs richesses faisaient en sorte que plusieurs autres cherchaient à se joindre au groupe, et leur grand nombre provoquait une certaine inquiétude. Durant cette période, je recevais une formation en théorie militaire, et j'étais en train d'apprendre avec Kadam comment élaborer des stratégies reliées à la guérilla.

— Quel âge avais-tu ?

— Seize ans.

— Aïe !

— Désolé.

— C'est bon, dis-je en gémissant. S'il te plaît, continue.

— Il y avait un grand groupe qui se terrait dans des grottes, et nous essayions de trouver un moyen de les débusquer lorsque nous nous sommes fait attaquer. Ils avaient construit un passage secret pour sortir de leur cachette et ils nous avaient encerclés, éliminant tranquillement nos sentinelles. Nos hommes se sont battus courageusement et sont venus à bout des canailles, mais plusieurs de nos meilleurs soldats ont été tués et plusieurs ont été gravement blessés. J'avais un bras disloqué, mais Kadam me l'a replacé, et nous avons aidé autant de gens que nous le pouvions.

» C'est là que j'ai appris le triage médical au combat. Ceux d'entre nous qui en étaient capables ont suivi le chirurgien et l'ont aidé à s'occuper des blessures des soldats. Il m'a enseigné certaines choses sur les plantes et sur leurs propriétés curatives. Ma mère était aussi une sorte d'herboriste, et elle avait une serre remplie de plantes, dont plusieurs étaient utilisées dans les médicaments. Après cela, chaque fois que j'allais au combat, je transportais un sac de médicaments pour donner des soins quand je le pouvais.

— Je me sens un peu mieux maintenant. Ça élance moins. Et toi ? Tes plaies sont-elles douloureuses ?

— J'ai déjà guéri.

— C'est vraiment injuste, remarquais-je jalousement.

— Je changerais de place avec toi si je le pouvais, Kells, me répondit-il doucement, et il poursuivit le nettoyage de mes plaies avec soin, enveloppant ma cuisse et mon mollet de fines lanières de tissu qu'il sécurisait avec des bandes adhésives élastiques que M. Kadam avait placées dans notre trousse de premiers soins.

Kishan me donna deux comprimés d'aspirine et inclina ma tête pour m'aider à boire.

— J'ai arrêté le saignement. Une seule des blessures est suffisamment profonde pour m'inquiéter. Nous nous reposerons ce soir et nous reprendrons la route demain. Je devrai te porter, Kells. Je ne pense pas que tu sois en mesure de marcher. Tes blessures pourraient s'ouvrir et recommencer à saigner.

— Mais Kishan…

— Ne t'en inquiète pas maintenant. Repose-toi un peu et nous verrons comment tu te sens demain matin.

Je tendis une main et la posai sur la sienne.

— Kishan ?

Il tourna ses yeux dorés vers mon visage et l'examina, essayant d'évaluer mon niveau de douleur.

— Oui ?

— Merci d'avoir pris soin de moi.

Il me serra la main.

— J'aurais seulement souhaité pouvoir en faire plus. Dors maintenant.

Je dormis par à-coups, m'éveillant alors que Kishan était en train de placer d'autre bois sur le feu. Je ne savais pas comment il avait trouvé du bois suffisamment sec pour brûler, mais je ne m'en préoccupais pas suffisamment pour poser la question. Il déposa la casserole contenant le liquide avec lequel il avait nettoyé mes blessures à proximité des flammes pour le garder au chaud. J'étais installée confortablement, sur le ventre, dans mon sac de couchage, et avec mon regard étourdi et las, je regardai les flammes lécher le fond de la casserole. L'odeur du liquide chaud à base de plantes imprégnait l'air et je plongeais sporadiquement dans le sommeil.

À un moment donné, je dus dormir, car je rêvai de Ren. Il était attaché à un poteau, les mains liées au-dessus de sa tête. Je me tenais contre un mur derrière un autre poteau, et Lokesh ne pouvait me voir. Il parlait dans une autre langue et frappait un fouet contre sa main. Ren ouvrit les yeux et me vit. Il ne bougea pas un membre ni ne contracta un muscle, mais ses yeux remuèrent. Ils se mirent à briller et de minuscules lignes ondulées apparurent sur les côtés. Je lui souris et je fis un pas vers lui. Il hocha légèrement la tête. J'entendis le claquement du fouet et je me figeai.

Ren haleta de douleur. Je sortis en trombe de ma cachette, je criai et j'attaquai un Lokesh surpris. J'attrapai le fouet, mais je ne pus le lui arracher des mains. Il était extrêmement fort. C'était un geste futile, comme un oiseau qui attaquait un arbre. Je luttais et m'agitais dans tous les sens, et je vis une expression de délice absolu sur son visage lorsqu'il me reconnut.

Une excitation fiévreuse atteignit ses yeux noirs étincelants. Il me saisit les mains et les tordit ensemble au-dessus de ma tête, puis frappa l'arrière de mes jambes à trois reprises avec son fouet. Je hurlai de douleur. Un rugissement derrière moi attira son attention. J'attrapai sa chemise et je raclai mes ongles contre sa gorge et sa poitrine. Il me secoua.

— Kelsey. Kelsey ! Réveille-toi !

Je me réveillai en sursaut.

— Kishan ?

— Tu étais encore en train de rêver.

Il était avec moi dans le sac de couchage, dont la fermeture à glissière avait été refermée. Il enleva doucement mes doigts de sa chemise.

Je jetai un coup d'œil sur sa poitrine et sa gorge, et j'aperçus les égratignures sanglantes. Doucement, j'en touchai une.

— Oh, Kishan. Je suis tellement désolée. Ça fait très mal ?

— Ce n'est pas grave. Pendant que nous parlons, elles sont en train de guérir.

— Je n'ai pas voulu te faire du mal. J'étais encore en train de rêver de Lokesh. Je… je ne veux pas retourner en arrière, Kishan. Je veux continuer à avancer, continuer à chercher la porte de l'esprit. Ren est en train de souffrir. Je le sais.

À mon grand désarroi, je commençai à pleurer. Je pleurais en partie à cause de la douleur dans mes jambes, également à cause du stress du voyage, surtout parce que je savais que Ren souffrait. Kishan se déplaça et m'entoura de ses bras.

— Chut, Kelsey. Tout va bien se passer.

— Tu ne le sais pas. Lokesh peut le tuer avant que nous trouvions cette stupide porte de l'esprit.

Je pleurais pendant que Kishan me frottait le dos.

— Souviens-toi que Durgâ a dit qu'elle veillait sur lui. Ne l'oublie pas.

Je sanglotai.

— Je sais, mais…

— Ta sécurité est plus importante que la quête, et Ren serait d'accord.

Je ris en même temps que je pleurais.

— C'est probablement vrai, mais…

— Pas de mais. Il faut que nous revenions sur nos pas, Kells. Une fois que tu auras guéri, nous pourrons revenir et essayer encore. D'accord ?

— Je suppose que oui.

— Très bien. Ren a… de la chance d'être aimé par une femme comme toi, Kelsey.

Je me tournai sur le côté pour le regarder. Le feu brûlait toujours, et j'observai les flammes qui dansaient dans ses yeux dorés et troublés.

Je touchai son cou maintenant guéri.

— Et j'ai de la chance d'avoir des hommes aussi merveilleux dans ma vie.

Il porta ma main à ses lèvres et pressa un baiser chaud sur mes doigts.

— Il n'aurait pas voulu que tu souffres pour lui, tu sais.

— Il n'aurait pas voulu que tu sois celui qui me réconforte, non plus.

Ma réponse le fit sourire.

— Non. En effet, ce n'est pas ce qu'il aurait voulu.

— Mais tu le fais. Me réconforter, je veux dire. Merci d'être là.

— Il n'y a aucun autre endroit où je préférerais être. Dors, *bilauta*.

Il m'attira plus près de lui et m'abrita contre sa poitrine. Je me sentis coupable de me sentir réconfortée dans les bras de Kishan, mais je m'endormis rapidement sans autre incident.

Les deux journées de voyage suivantes furent courtes par nécessité. Je tentai de marcher par moi-même, mais la douleur était trop vive, donc Kishan me transporta. Nous descendîmes lentement vers le bas de la montagne, nous arrêtant de temps en temps pour nous reposer, gardant la dernière heure pour que Kishan installe le camp et me soigne. La plupart de mes blessures étaient en train de guérir, mais la plus profonde s'était infectée.

La peau autour de ma blessure était devenue rouge, enflée et maculée. Il était évident que l'état de la blessure empirait. Je commençai à faire de la fièvre, et Kishan commença à être désespéré. Il maudissait le fait qu'il ne puisse voyager que six heures par jour. Il employait tous les produits de phytothérapie auxquels il pouvait penser. Malheureusement, le Fruit d'Or ne pouvait produire d'antibiotiques.

Une tempête frappa, et j'étais vaguement consciente que Kishan me transportait à travers le grésil glacial. Comme je ne bougeais pas par moi-même, j'étais plus sensible au froid. J'avais froid et je m'endormais, puis je me réveillais, ignorant combien de jours s'étaient écoulés. À un moment donné, je pensai que Fanindra pourrait me guérir comme elle l'avait fait à Kishkindhâ, mais elle demeurait raide et glacée. Je savais que la température n'était pas particulièrement adéquate pour les serpents, mais peut-être savait-elle que je n'étais pas encore tout à fait à l'agonie non plus, malgré toutes les apparences.

Nous nous perdîmes dans la tempête, ne sachant pas si nous étions en train de revenir vers M. Kadam ou si nous avancions vers la porte de l'esprit. Quand je m'endormais, Kishan était constamment inquiet pour moi, alors il me parlait pendant que nous marchions. Je ne me souvenais pas vraiment de ce qu'il disait. Il me donna des leçons de survie dans la nature et m'expliqua qu'il était important de demeurer au chaud, de manger et de rester hydraté. Il s'occupait assez bien de ces trois éléments. Lorsque nous nous arrêtions pour la journée, il m'enveloppait dans le sac de couchage et y entrait en rampant pour que son corps de tigre me tienne au chaud. Le Fruit d'Or nous fournissait autant de nourriture et de liquide que nous pouvions consommer.

En tombant malade, j'avais perdu l'appétit. Kishan m'obligeait à manger et à boire, mais je tremblais et j'avais soit trop froid, soit trop chaud. Fiévreuse, j'essayais constamment de me défaire du sac de couchage. Kishan devait donc souvent se changer en homme pour me recouvrir.

J'étais maintenant faible et je passais mon temps à fixer le ciel ou le visage de Kishan pendant qu'il parlait de différentes choses. Le riz des broussards fut un sujet dont je me souvins parce que c'était dégoûtant. Il racontait comment il avait réussi à survivre alors qu'il était le seul survivant d'une bataille engagée profondément en territoire ennemi. Il expliqua qu'il ne pouvait trouver de nourriture, alors il avait mangé du riz des broussards, qui n'était pas du tout du riz, mais plutôt des nymphes blanches de termites.

Je grognai doucement en réaction, mais j'étais trop fatiguée pour faire des commentaires. Je voulais lui demander comment il avait entendu parler des broussards australiens à son époque, mais j'étais incapable de parler. Il me regardait d'un air inquiet et tirait mon capuchon plus près de mon visage pour empêcher que la neige ne tombe directement sur ma peau.

— Je te promets, dit-il en se penchant vers moi, que je te sortirai de cela, Kelsey. Je ne te laisserai pas mourir.

Mourir ? Qui a parlé de mourir ? Je n'avais pas l'intention de mourir, mais je ne pouvais pas vraiment le lui dire. J'avais l'impression que mes lèvres étaient gelées. *Je ne peux pas mourir. Je dois trouver les trois prochains articles et sauver mes tigres. Je dois sauver Ren de Lokesh. Je dois terminer l'école. Je dois…* Je tombai endormie.

Je rêvai que je glissais mon doigt sur une fenêtre gelée. Je venais juste de tracer un cœur avec un « Ren + Kelsey » dans le milieu et j'avais dessiné un second cœur avec « Kishan +… », lorsque quelqu'un me réveilla.

— Kells. *Kells* ! Je pensais que nous avions rebroussé chemin, mais je crois que nous avons découvert la porte de l'esprit !

Je jetai un coup d'œil à l'extérieur de mon capuchon et je levai les yeux vers un ciel gris améthyste. Le grésil acéré et glacial nous accablait, et je dus plisser les yeux pour voir ce vers quoi Kishan pointait. Au milieu d'une étendue de neige blanche, il y avait deux poteaux de bois de la taille de poteaux de téléphone. Enroulées autour de chacun, il y avait deux longues cordes de tissu qui flottaient sauvagement dans la tempête, ressemblant à des queues de cerfs-volants faits maison. Une ligne de drapeaux colorés était attachée à différentes sections des poteaux. Certaines des cordes étaient attachées au poteau opposé. Certaines étaient fixées à des anneaux dans le sol, et d'autres battaient librement dans le vent.

— Es-tu certain ? murmurai-je en me léchant les lèvres.

Heureusement, son ouïe de tigre était extrêmement bonne. Il se pencha vers mon oreille et cria par-dessus le vent.

— Ce pourrait être un monument commémoratif créé par les nomades, mais il y a quelque chose de différent au sujet de cet endroit. Je veux aller vérifier.

Je hochai faiblement la tête et il me déposa dans le sac de couchage près de l'un des poteaux. Il avait pris l'habitude de me transporter dans le sac de couchage pour que je demeure au chaud. Je glissai dans un sommeil profond. Lorsqu'il me réveilla, je n'étais pas certaine s'il s'était écoulé des heures ou des secondes.

— C'est le bon endroit, Kelsey. J'ai trouvé une empreinte de main. Maintenant, faut-il passer par là ou revenir en arrière ? J'ai l'impression que nous devrions rebrousser chemin et revenir plus tard.

Je tendis une main gantée et touchai sa poitrine. Je murmurai, sentant que le vent engloutissait mes mots et les déchirait à mesure qu'ils passaient mes lèvres. Heureusement, il les entendit.

— Non… nous ne serons pas capables… de la trouver… à nouveau… trop difficile. Le Maître Océan a dit… prouver notre… f… foi. C'est… un test. Nous… devons… es… sayer.

— Mais, Kells…

— Emmène-moi à… l'… l'empreinte de la main.

Il me regarda, indécis. Doucement, il étira sa main gantée et enleva les flocons de neige de ma joue.

Je pris sa main dans la mienne.

— Aie la foi, murmurai-je dans le vent.

Il soupira profondément, puis il glissa ses bras sous moi et me transporta jusqu'au poteau de bois.

— La voici. À gauche du poteau, sous le tissu bleu.

Je la vis et j'essayai d'enlever mon gant. Kishan me mit debout, supportant tout mon poids sur un bras. Il enleva mon gant avec son autre main et le fourra dans sa poche, puis il guida ma main dans la dépression froide incrustée dans l'écorce du marqueur de bois. Maintenant que j'étais plus proche, je pouvais voir sur la surface du bois des sculptures complexes qui étaient partiellement recouvertes de neige. Si je m'étais sentie mieux, j'aurais adoré les examiner, mais j'étais même incapable de me tenir debout sans Kishan.

Je gardai ma main pressée contre le bois, mais il ne se passa rien. J'essayai d'appeler le feu dans mon ventre, l'étincelle qui faisait luire ma main, mais je me sentais engourdie.

— Kishan… je… ne… peux pas. J'ai trop… froid.

J'avais envie de pleurer.

Il enleva ses gants, défit la fermeture à glissière de son veston, déchira sa chemise en dessous, et posa ma main gelée contre sa poitrine nue, couvrant le dos de ma main avec sa propre main chaude. Sa poitrine était chaude. Il pressa sa joue chaude contre ma joue froide et frotta le dos de ma main avec sa paume pendant quelques minutes. Il parlait, mais je ne comprenais pas ce qu'il disait. Il se retourna pour me protéger du vent, et je tombai presque endormie alors qu'il me tenait dans le chaud cocon qu'il avait créé. Finalement, il se recula un peu.

— Là, c'est mieux. Maintenant, essaie encore.

Il m'aida à mettre ma main en angle. Je sentis une petite étincelle de chaleur et de picotement et je lui demandai instamment de se développer. La puissance était lente et léthargique, mais elle se développa jusqu'à ce que l'empreinte se mette à briller. Le poteau trembla et commença lui aussi à briller. Il se produisit quelque chose avec mes yeux. Un écran vert recouvrit ma vision, comme si j'avais mis une paire de lunettes teintées en vert, ce qui fit en sorte que je perçus la lueur de ma main comme étant orange clair, et l'orange voyagea d'un mât vers l'autre mât à travers la corde de tissu.

Le sol se mit à trembler et nous fûmes enveloppés dans une bulle de chaleur. Étant trop faible pour continuer, ma main glissa, et je tombai contre Kishan, qui me prit à nouveau dans ses bras. Une petite bulle de statique se forma entre les deux poteaux et s'agrandit. Les couleurs se transformèrent à l'intérieur de la bulle, mais elles étaient trop vagues et trop floues pour qu'on distingue quoi que ce soit au premier abord. Après un certain temps, elles se développèrent et commencèrent à se définir. J'entendis une sorte de boum, et l'image se mit en place.

J'aperçus de l'herbe verte et un soleil jaune et chaud. Des troupeaux d'animaux paissaient paresseusement sous les arbres feuillus de l'été. De l'endroit où nous nous trouvions, je pouvais sentir le parfum des fleurs et le soleil qui réchauffait mon visage, mais la neige hivernale continuait de tomber sur ma joue. Kishan fit un pas en avant, puis un autre. Il me transporta dans le chaud paradis. Ma tête reposait sur son bras pendant que j'écoutais le bruit de la tempête qui s'estompait. L'air froid devint lointain, puis disparut avec un craquement. C'est alors que je perdis connaissance.

Bonnes choses

Je me réveillai à l'aube devant un bon feu. Kishan était en train de réchauffer ses mains.

— Hé, dis-je en me déplaçant et en gémissant.

— Hé, toi-même. Comment te sens-tu ?

— Humm… En fait, je me sens mieux.

Il grogna.

— Tu as commencé à guérir dès que nous sommes entrés ici.

— Combien de temps ai-je dormi ?

— Environ 12 heures. Tu as guéri ici presque aussi vite que Ren et moi le faisons à l'extérieur.

J'étirai mes jambes et je me sentis soulagée. C'était douloureux, mais l'infection avait été pire. J'avais en quelque sorte compté sur l'amulette de Kishan pour me soigner, mais elle n'avait pas agi comme l'avait pensé M. Kadam. Peut-être que la pièce de Kishan était différente. J'avais eu de la chance.

— Je meurs de faim. Qu'y a-t-il pour le petit déjeuner ? demandai-je.

— Que veux-tu ?

— Humm… que dirais-tu de crêpes aux pépites de chocolat avec un grand verre de lait ?

— Ça me semble appétissant. Je prendrai la même chose.

Kishan demanda au Fruit d'Or de préparer notre repas, et il s'accroupit à côté de moi pour manger. Je me sentais encore tellement faible que lorsqu'il m'attira plus près de lui pour que je puisse m'appuyer contre lui, je ne protestai pas. Au lieu de cela, j'entamai gaiement mes crêpes.

— Alors, Kishan, où sommes-nous ?

— Je ne sais pas. À environ un kilomètre et demi de la porte de l'esprit.

— Tu m'as transportée à l'intérieur ?

— Oui.

Il posa son assiette et mit son bras autour de moi.

— J'ai eu peur que tu meures.

— Apparemment, c'est un thème commun dans ces villes mythiques de me faire revenir d'entre les morts.

— J'espère que c'est la dernière fois que tu t'en approches.

— Moi aussi. Merci. Pour tout.

— Je t'en prie. Par ailleurs, il semble que je puisse maintenir ma forme humaine ici, comme Ren l'avait fait à Kishkindhâ.

— Vraiment ? Comment te sens-tu ?

— Bizarre. Je n'y suis pas habitué. Je m'attends toujours à ce que le tigre prenne le relais. Je peux encore redevenir un tigre, si je le veux, mais je n'y suis pas obligé.

— Il est arrivé la même chose à Ren. Eh bien, profites-en pendant que ça dure. Ren a repris sa forme de tigre dès l'instant où nous sommes sortis de Kishkindhâ.

Il marmonna quelque chose et il commença à fouiller dans le sac à dos.

— Peux-tu me remettre la prophétie et les notes de M. Kadam ? demandai-je. Le premier point à l'ordre du jour est de trouver l'omphalos, la pierre nombril, la pierre de la prophétie. Une fois que nous la tiendrons, nous devrons regarder à l'intérieur pour qu'elle nous montre où trouver l'arbre. Elle ressemble à un ballon de football placé à la verticale avec un trou à son extrémité.

— Et à quoi ressemble un ballon de football ?

— Humm, je crois qu'on pourrait dire qu'il est de forme oblongue, mais plus pointu aux extrémités.

Je me levai sur des jambes tremblantes.

— Ne crois-tu pas que tu devrais te reposer un peu plus ?

— Je me suis déjà assez reposée ; par ailleurs, plus tôt nous trouverons la pierre, plus tôt nous pourrons sauver Ren.

— Très bien, mais nous avancerons lentement. Il fait plutôt chaud ici. Veux-tu d'abord te changer ?

Je baissai les yeux sur mon pantalon déchiré.

— Bonne idée.

Kishan m'avait enlevé mon manteau, mais j'étais déjà en sueur dans mon pantalon isolé contre le froid. Il avait déjà revêtu d'autres vêtements, et il portait maintenant des jeans, des bottes de randonnée et un T-shirt noir.

— N'es-tu pas dégoûté du noir ?

Il haussa les épaules.

— C'est ce qui semble m'aller le mieux.

— Humm.

— Je vais partir en reconnaissance dans les alentours et voir si je peux trouver une piste à suivre pendant que tu te changes.

Il sourit.

— Et ne t'en fais pas. Je ne regarderai pas.

— Il vaudrait mieux.

Il se mit à rire et s'éloigna dans l'herbe vers la limite des arbres. Pendant que je me changeais, je m'émerveillai de voir mon pantalon déchiré. *Cet ours n'a vraiment pas été délicat avec moi.* J'examinai ma jambe et mon mollet. Il n'y avait pas de blessures. Pas même une cicatrice. La peau était saine et rose, comme s'il n'y avait jamais eu de dommage.

Au moment où Kishan revint, je m'étais lavée avec ce que j'avais pu trouver de mieux — un pot de thé à la rose tiède, offert par le Fruit d'Or, et un T-shirt. Je versai le reste du thé à la rose dans mes cheveux, je les brossai et je fis une longue tresse qui pendait dans mon dos. Je venais tout juste d'enfiler un T-shirt à manches longues, des jeans et des bottes de randonnée, pour aller avec les vêtements de Kishan, lorsqu'il cria pour m'avertir et arriva à grandes enjambées dans le campement. Il me regarda des pieds à la tête, le visage empreint d'une approbation masculine, et il sourit.

— Pourquoi souris-tu ?

— Tu parais beaucoup mieux.

— Ha ! Mon royaume pour une douche ! Mais je me sens mieux, merci.

— J'ai découvert un ruisseau qui coule près de la limite des arbres avec une piste créée par les animaux. Je pense que cela pourrait être un bon endroit pour commencer. Nous y allons ?

Je fis signe que oui pendant qu'il installait le sac à dos sur ses épaules et se dirigeait vers les arbres. Lorsque nous arrivâmes au ruisseau, je m'émerveillai devant la beauté de l'endroit. De magnifiques fleurs surgissaient près des rochers et des troncs d'arbres. Je reconnus des narcisses qui croissaient près du ruisseau et je racontai à Kishan l'histoire de la mythologie grecque du bel homme qui était tombé amoureux de son propre reflet.

Il m'écouta avec une attention soutenue, et nous étions si absorbés par l'histoire que nous ne remarquâmes pas les animaux. Nous étions suivis par des créatures de la forêt. Nous nous arrêtâmes, et une paire de lapins sautilla vers nous pour nous regarder avec curiosité. Des écureuils sautèrent d'un arbre à l'autre pour se rapprocher, comme s'ils voulaient écouter l'histoire. Ils sautèrent sur une branche, qui se plia sous leur poids et qui les amena à quelques mètres de nous. Les bois étaient remplis de créatures. Je vis des renards, des cerfs et des oiseaux de toutes sortes. Je tendis la main et un magnifique cardinal rouge descendit et se percha délicatement sur mon doigt.

Kishan tendit un bras, et un faucon aux yeux dorés s'envola du haut de l'arbre et vint se poser en équilibre sur son avant-bras. Je marchai jusqu'à un renard qui observait sans crainte mon approche. Tendant la main, je caressai sa douce tête velue.

— J'ai l'impression d'être Blanche-Neige ! C'est incroyable ! Quel est cet endroit ?

Il se mit à rire.

— Le paradis. Tu te souviens ?

Nous marchâmes toute la journée, parfois escortés par une variété de compagnons animaux. Dans l'après-midi, nous sortîmes de la forêt pour trouver des chevaux de pâturage dans une prairie remplie de fleurs sauvages. Tout en marchant, je cueillis des tiges pour en faire un bouquet. Des chevaux se mirent à trotter vers nous pour voir ce qui se passait.

Kishan les nourrit avec les pommes d'un arbre voisin pendant que je tressais des fleurs dans la crinière d'une belle jument blanche. Ils coururent à côté de nous pendant un certain temps alors que nous continuions notre route.

En début de soirée, nous vîmes une sorte de structure à la base d'une large colline. Kishan voulut monter le campement pour la nuit et explorer le tout le lendemain.

Cette nuit-là, je m'allongeai sur le côté dans le sac de couchage avec la main posée sous ma joue.

— On dirait le jardin d'Éden, dis-je à Kishan. Je n'avais jamais imaginé qu'un tel lieu puisse exister.

— Ah, mais si je me souviens bien, il y avait un serpent dans le jardin.

— Eh bien, s'il n'y en avait pas ici avant, il y en a un ici maintenant.

Je jetai un coup d'œil à Fanindra. Ses anneaux d'or étaient encore durs et immobiles, à l'endroit où elle reposait près de ma tête. Je regardai Kishan, qui était en train d'attiser le feu avec un bâton.

— Hé, n'es-tu pas fatigué ? Nous avons beaucoup marché, aujourd'hui. Tu ne veux pas dormir ?

Il me jeta un coup d'œil.

— J'irai bientôt dormir.

— Oh. D'accord. Je te laisserai un peu de place.

— Kelsey, je pense qu'il serait sage pour moi de dormir de l'autre côté du feu. Tu auras suffisamment chaud par toi-même ici.

Je le regardai avec curiosité.

— C'est vrai, mais il y a beaucoup de place, et je te promets de ne pas ronfler.

Il se mit à rire nerveusement.

— Ce n'est pas cela. C'est… Eh bien, maintenant je suis un homme tout le temps, et il serait difficile pour moi de dormir avec toi et de ne pas… te tenir dans mes bras. C'est bien de dormir près de toi quand je suis un tigre, mais quand je suis un homme, c'est différent.

— Ah, j'ai un jour dit la même chose à Ren. Tu as raison. J'aurais dû y penser et ne pas te placer dans une position inconfortable.

Il renifla avec un air teinté d'ironie.

— Je ne m'inquiétais pas d'être *mal à l'aise*. Je m'inquiétais d'être *trop* à l'aise.

— Très bien.

Maintenant, c'était *moi* qui étais nerveuse.

— Alors, hummm… veux-tu prendre le sac de couchage ? Je peux me servir de ma courtepointe.

— Non, ça va aller, *bilauta*.

Après quelques minutes, Kishan s'installa de l'autre côté du feu. Il posa ses mains derrière sa tête comme pour en faire un coussin.

— Raconte-moi une autre histoire grecque.

— D'accord.

Je réfléchis pendant un moment.

— Il était une fois une magnifique nymphe qui se nommait Chloris. Elle cultivait les fleurs et prenait soin du printemps en faisant éclore les bourgeons des arbres. Ses longs cheveux blonds sentaient les roses et étaient toujours ornés d'une auréole de fleurs. Sa peau était douce comme des pétales de fleurs. Elle avait une bouche en cœur, ses lèvres étaient roses comme des pivoines et ses joues rappelaient de douces orchidées en fleurs. Tous ceux qui la connaissaient l'aimaient, mais elle voulait un compagnon, un homme qui pourrait apprécier sa passion pour les fleurs et donner un sens plus profond à sa vie.

» Un après-midi, alors qu'elle était en train de travailler avec des arums d'Éthiopie, elle sentit une brise tiède souffler dans ses cheveux. Un homme était venu dans son pré et admirait son jardin. L'homme était beau, avait des cheveux sombres balayés par le vent et portait un manteau pourpre. Dans un premier temps, il ne la vit pas ; elle l'observait d'une tonnelle feuillue pendant qu'il marchait parmi les fleurs. Les jonquilles levèrent leur tête à son approche. Il prit un bouton de rose dans ses mains, respira son parfum, et la fleur déploya ses pétales et s'épanouit entre ses paumes. Les lys frémirent délicatement à son contact, et les tulipes se penchèrent vers lui sur leurs longues tiges.

» Chloris était surprise. Habituellement, ses fleurs ne réagissaient qu'à elle. Alors qu'il passait tout près, les tiges de lavande essayèrent de se ficeler sur ses jambes. Chloris croisa ses bras et fronça les sourcils vers les fleurs. Les glaïeuls s'ouvrirent tous immédiatement au lieu de le faire à tour de rôle comme ils le devaient, et les pois de senteur dansèrent d'avant en arrière, essayant d'attirer son attention. Elle haleta doucement quand elle vit que le phlox stolonifère essayait de se déraciner.

"Ça suffit ! dit-elle. Soyez sages !"

» L'homme se retourna et l'aperçut se cachant parmi les feuilles.

"Venez, dit-il en lui faisant signe. Je ne vous ferai pas de mal."

» Elle soupira, écarta les gardénias et s'avança pieds nus, entrant dans la lumière du soleil, pressant ses orteils dans l'herbe.

» Une petite brise se mit à souffler dans le jardin alors que l'homme aspirait dans un souffle doux. Chloris était plus belle que toutes les fleurs qu'il avait eu la chance d'admirer. Il fut immédiatement amoureux d'elle et tomba agenouillé devant elle. Elle le supplia de se relever. Il le fit et un vent chaud déplaça sa cape, la souleva et les enveloppa dans un tourbillon pourpre. Elle se mit à rire et lui offrit un bouton de rose argentée. Souriant, il en détacha les pétales en les tournant et les lança dans les airs.

» Au début, elle fut bouleversée mais, alors, il fit tournoyer son doigt et les pétales de rose se mirent à tourbillonner autour d'eux dans un tunnel de vent. La joie lui fit battre des mains alors qu'elle regardait les pétales qui dansaient.

"Qui êtes-vous ? demanda-t-elle."

"Je m'appelle Zéphyr, dit-il. Je suis le vent de l'ouest."

» Il lui offrit sa main. Quand elle posa sa main dans la sienne, il l'attira près de lui et l'embrassa.

"J'ai parcouru le monde pendant des siècles, dit-il en lui caressant la joue, mais vous êtes la plus belle jeune fille que j'ai vue. S'il vous plaît, dites-moi, quel est votre nom ?"

“Chloris, répondit-elle en rougissant.”

» Il prit les petites mains de Chloris dans les siennes et fit un vœu.

“Je reviendrai au printemps. Je voudrais que vous deveniez mon épouse. Si vous voulez bien de moi.”

» Chloris hocha timidement la tête. Il l'embrassa à nouveau, et la cape pourpre tourbillonna autour de lui.

“Jusqu'à notre rencontre l'an prochain, ma Flora.”

» Le vent souffla et l'emmena rapidement au loin.

» Chloris se prépara toute l'année pour sa venue. Son jardin était plus beau que jamais, les fleurs plus heureuses. Chaque fois qu'elle pensait à lui, elle sentait le baiser de sa brise caresser ses joues. Le printemps suivant, il revint trouver sa belle épouse qui l'attendait, et ils furent entourés de milliers de fleurs. Leur mariage fut heureux. Elle prenait soin des jardins tandis que son mari, le vent de l'ouest, dispersait doucement le pollen chaque printemps.

» Leurs jardins étaient les plus beaux et les plus célèbres, et les gens venaient de partout dans le monde pour les admirer. Ils se plaisaient ensemble et leur amour était généreux. Ils eurent un enfant nommé Carpos, qui signifie “fruit”.

Je m'arrêtai.

— Kishan ?

J'entendis un léger ronflement venant de l'autre côté du feu. Je me demandai quand il s'était endormi.

— Bonne nuit, Kishan, murmurai-je.

Le lendemain matin, je fus réveillée par le bruit de quelque chose qui mastiquait au-dessus de ma tête. Je levai les yeux pour voir un grand corps jaune avec des taches noires et je sifflai :

— Kishan. Réveille-toi !

— Je suis déjà réveillé et je surveille, Kells. N'aie pas peur. Elle ne te fera pas de mal.

— C'est une girafe !

— Oui. Et il y a des gorilles qui se déplacent parmi les arbres, là-bas.

Je me déplaçai tranquillement et j'aperçus une famille de gorilles qui prenaient des fruits sur un arbre.

— Vont-ils attaquer ?

— Ils ne réagissent pas comme des gorilles normaux, mais il y a un moyen de le savoir. Reste ici.

Il disparut dans les arbres et je le vis sortir un instant plus tard sous forme de tigre. Il se dirigea vers la girafe. Elle cligna de longs cils vers lui alors qu'elle retournait calmement cueillir des feuilles des cimes des arbres avec sa langue. Lorsqu'il s'avança vers les gorilles, la même chose se produisit. Ils le regardèrent paresseusement et bavardèrent entre eux, après quoi ils retournèrent à leur petit déjeuner, même lorsqu'il s'approchait de l'un de leurs bébés.

Kishan reprit sa forme d'homme et regarda les animaux.

— Hum. Très intéressant. Ils n'ont pas du tout peur de moi.

Je commençai à lever le campement.

— Tu as perdu tes vêtements de randonnée, monsieur. Tu es de retour en noir.

— Non, je ne les ai pas perdus. Je les ai laissés dans les arbres. Je reviens.

Après le petit déjeuner, nous marchâmes vers la grande structure que nous avions aperçue la veille. Elle était énorme, faite en bois et, de toute évidence, très ancienne. Un large plan incliné délabré menait à l'intérieur. Alors que nous approchions de la structure, je m'exclamai.

— C'est un bateau !

— Je ne le crois pas, Kells. C'est trop gros pour être un bateau.

— C'en est un, Kishan. Je pense que c'est l'arche !

— La quoi ?

— L'arche, comme dans l'arche de Noé. Tu te souviens quand M. Kadam a parlé de tous les mythes traitant d'inondations ? Eh bien, si c'est vraiment la montagne où Noé a atterri, alors ce sont probablement les ruines de son bateau ! Viens !

Nous nous frayâmes un chemin jusqu'à l'immense structure de bois et nous regardâmes à l'intérieur. Je voulus y entrer pour en faire le tour, mais Kishan m'avertit.

— Attends, Kells. Le bois est pourri. Laisse-moi d'abord faire le test.

Il disparut dans la gueule béante de l'édifice et en ressortit quelques minutes plus tard.

— Je pense que ce sera assez sûr si tu restes juste derrière moi.

Je le suivis à l'intérieur. Il faisait sombre, mais à l'endroit où le bois était tombé du plafond, des brèches irrégulières laissaient passer la lumière du soleil. Je m'étais attendue à voir des sortes de stalles pour contenir les animaux, mais il n'y avait rien de tel. Il y avait effectivement différents niveaux avec des marches de bois, mais Kishan pensa que ces marches seraient trop dangereuses pour nous. Je sortis un appareil photo et pris quelques photographies pour M. Kadam.

— J'ai une théorie, dis-je à Kishan, après avoir quitté la relique de bois. Je crois que l'arche de Noé a *bel et bien* atterri ici et que les animaux que nous avons vus sont des descendants des premiers animaux. C'est peut-être pour cette raison qu'ils agissent différemment. Ils n'ont jamais vécu ailleurs qu'ici.

— Le simple fait qu'un animal vive au paradis ne signifie pas qu'il n'a plus aucun instinct. L'instinct est quelque chose de très puissant. L'instinct de protéger ton territoire, de chasser pour de la nourriture, et de... — il me regarda ostensiblement — trouver un partenaire peut être irrésistible.

Je me raclai la gorge.

— *C'est vrai*. Mais, la nourriture est abondante à cet endroit, et je suis certaine qu'il y a...

Je fis un geste de la main dans les airs.

— ... des *partenaires* pour tout le monde.

Il leva un sourcil.

— Peut-être. Mais comment sais-tu que c'est toujours ainsi ? Peut-être qu'ici, l'hiver arrive à un moment différent.

— Peut-être, mais je ne le crois pas. J'ai vu des fleurs qui ne poussent normalement qu'au printemps, mais j'ai aussi vu des fleurs qui ne poussent normalement qu'à l'automne. C'est étrange. On dirait qu'il y a ici le meilleur de tout. Les animaux sont tous parfaits et bien nourris.

— Oui, mais nous n'avons pas vu de prédateurs pour le moment.

— C'est vrai. Nous garderons l'œil ouvert.

Je sortis un cahier de notes et je commençai à catégoriser les choses que nous avions vues. L'endroit paraissait vraiment être un paradis, et selon toute vraisemblance, il semblait que Kishan et moi fussions les deux seules personnes ici. Le parfum des fleurs fraîches, des pommes, des agrumes et de l'herbe flottait dans l'air. La température de l'air était parfaite — ni trop chaude ni trop froide.

Cela semblait être un jardin bien entretenu. Je ne pus voir quoi que ce soit qui ressemblait à une mauvaise herbe. Il serait impossible pour ce type de paysage de se maintenir naturellement, songeai-je. Nous découvrîmes un nid d'oiseau parfait avec des œufs tachetés bleus. L'oiseau parent gazouillait joyeusement et ne semblait absolument pas dérangé de nous voir examiner ses œufs.

Je dressai également la liste de chaque animal avec lequel nous étions entrés en contact. En début d'après-midi, nous avions vu des centaines d'animaux différents qui, à ma connaissance, ne vivaient pas dans ce genre d'environnement — des éléphants, des chameaux et même des kangourous.

À la fin de l'après-midi, nous aperçûmes nos premiers prédateurs — une troupe de lions. Kishan les avait sentis à un kilomètre et demi de leurs terres, et nous décidâmes d'aller les voir d'un peu plus près. Il me fit grimper dans un arbre pendant qu'il faisait son inspection. Enfin, il revint, ses yeux remplis de surprise.

— Il y a un bon troupeau d'antilopes près de la troupe, mais ils paissent juste à côté des félins ! J'ai vu une lionne manger quelque chose de rouge, et je croyais que c'était de la viande, mais en fin de compte, c'étaient des fruits. Les lions étaient en train de manger des pommes !

Je commençai à descendre de mon arbre. Kishan m'attrapa autour de la taille et me porta jusqu'au sol.

— Ah ha ! Donc, ma théorie était correcte. C'est vraiment comme le jardin d'Éden. Les animaux ne chassent pas.

— Il semble que tu avais raison. Ceci dit, par prudence, je tiens à mettre de la distance entre nous et les lions avant de camper.

Plus tard, nous aperçûmes d'autres prédateurs — des loups, des panthères, des ours et même un autre tigre. Ils ne firent rien contre nous. En fait, les loups étaient aussi affectueux que des chiens et s'approchaient de nous pour se faire caresser.

— C'est étrange, grogna Kishan. C'est énervant.

— Je sais ce que tu veux dire, mais… j'aime tout de même ça. J'aimerais que Ren puisse voir cet endroit.

Kishan ne répondit pas, sauf pour me conseiller vivement de quitter la meute de loups et d'avancer.

Au crépuscule, nous tombâmes sur une clairière au milieu d'une forêt remplie de jonquilles. Nous venions tout juste de commencer à installer le campement lorsque j'entendis la musique douce et envoûtante d'une flûte. Nous demeurâmes tous deux figés sur place. C'était le premier signe qu'il y avait des gens à cet endroit.

— Que devrions-nous faire ? demandai-je.

— Laisse-moi aller voir.

— Je crois que nous devrions y aller tous les deux.

Il haussa les épaules, et je le talonnai en marchant rapidement. Nous suivîmes les notes captivantes du son mystérieux et découvrîmes la source de la musique assise sur une pierre surélevée près d'un ruisseau, jouant une flûte de roseau. La créature tenait son instrument dans ses deux mains et soufflait doucement l'air entre des lèvres pincées.

Alors que nous nous approchions avec hésitation, il arrêta de jouer et nous sourit.

Ses yeux vert clair étaient dessinés sur un beau visage. Ses cheveux argentés, qui tombaient un peu plus bas que ses épaules, pendaient librement dans son dos. Deux petits cors bruns veloutés se laissaient deviner au-dessus de sa chevelure lustrée, me rappelant les bois naissants d'un jeune cerf. Il était un peu plus petit qu'un humain moyen, et sa peau était blanche avec une légère teinte lilas. Il était pieds nus et portait un pantalon qui semblait avoir été fabriqué avec de la peau de daim. Sa chemise à manches longues avait la couleur d'une grenade.

Il accrocha sa flûte autour de son cou et nous regarda.

— Bonjour.

— Bonjour, répondit prudemment Kishan.

— Je vous attendais. Nous vous attendions tous.

— Qui, nous ? demandai-je.

— Eh bien, moi d'abord. Mais aussi les Sylvains et les fées.

— Vous nous attendiez ? demanda Kishan, perplexe.

— Oh, oui. En fait, depuis longtemps. Vous devez être fatigués. Venez avec moi et nous vous donnerons quelques rafraîchissements.

Kishan ne bougeait pas. Je le contournai.

— Bonjour. Je suis Kelsey.

— Ravi de vous rencontrer. Mon nom est Faunus.

— Faunus ? J'ai déjà entendu ce nom auparavant.

— Vraiment ?

— Oui ! Vous êtes Pan !

— Pan ? Non. Je suis assurément Faunus. Du moins, c'est ce que ma famille me dit. Suivez-moi.

Il se leva, sauta par-dessus un rocher et disparut dans les bois sur un chemin de pierre. Je me retournai et pris la main de Kishan.

— Allez, viens. Je lui fais confiance.

— Pas moi.

— Tout va bien, murmurai-je en lui serrant la main. Je pense que tu pourrais le battre, s'il le fallait.

Kishan resserra son emprise sur ma main et me laissa l'entraîner à la suite de notre guide.

Nous suivîmes Faunus à travers les arbres et nous entendîmes bientôt le rire métallique de nombreuses personnes. Alors que nous approchions de la colonie, je me rendis compte que le son n'avait rien de commun avec ce que j'avais entendu des *personnes* exprimer auparavant. C'était un son surnaturel.

— Faunus… qui sont les Sylvains ?

— Ce sont les gens des arbres, les nymphes des arbres.

— Les nymphes des arbres ?

— Oui. D'où vous venez, vous n'avez pas de gens des arbres ?

— Non. Nous n'avons pas de fées non plus.

Il semblait confus.

— Alors, quelle sorte de personnes sort d'un arbre quand il se fend ?

— Pour autant que je sache, personne n'en sort. En fait, je ne crois pas avoir vu d'arbre se fendre à moins qu'il ne soit frappé par la foudre ou que quelqu'un l'abatte.

Il s'arrêta en pleine course.

— Vos gens abattent des arbres ?

— Dans mon pays ? Oui, ils le font.

Il hocha la tête d'un air triste.

— Je suis très heureux de vivre ici. Ces pauvres arbres. Je me demande ce qui arriverait à toutes les générations futures!

Je jetai un coup d'œil vers Kishan, qui secoua imperceptiblement la tête avant que Faunus poursuive son chemin.

À la tombée de la nuit, nous passâmes sous une grande arche débordante de rosiers grimpants miniatures dans toutes les variétés de couleurs, et nous pénétrâmes dans le village des Sylvains. Des lanternes étaient accrochées à des vignes filandreuses qui descendaient comme un rideau des plus grands arbres que j'eusse vus de toute ma vie. Les petites lumières à l'intérieur des lanternes s'agitaient de haut en bas dans leurs maisons de verre, chacune d'une couleur vive différente — rose, argenté, turquoise, orange, jaune et violet. En y regardant de plus près, je vis que les lumières étaient des créatures vivantes. C'étaient des fées!

— Kishan! Regarde! Elles brillent comme des lucioles!

Les fées ressemblaient à de grands papillons, mais leur lueur ne provenait pas de leur corps. La douce lumière émanait de leurs ailes colorées, qui s'ouvraient et se refermaient paresseusement alors que les créatures étaient perchées sur une monture de bois.

Je pointai une des créatures.

— Est-ce que ce sont des… ?

— Fées lumineuses ? Oui. Elles doivent faire un service de deux heures dans les lanternes le soir. Elles aiment lire pendant qu'elles sont en devoir. Cela les aide à rester éveillées. Si elles tombent endormies, leurs lumières s'éteignent.

— Oui, bien sûr, marmonnai-je.

Il nous conduisit plus loin dans la colonie. Les petites maisons étaient fabriquées à base de plantes fibreuses tissées et étaient placées de façon circulaire autour d'un espace herbeux. La zone centrale avait été préparée pour un banquet. Un arbre géant se tenait derrière chaque hutte, ses imposantes branches se tendant et se liant avec les branches des arbres voisins, créant une magnifique tonnelle de verdure.

Faunus souleva sa flûte et se mit à jouer une joyeuse mélodie. Des gens sveltes et menus sortirent rapidement de leurs maisonnettes et sautèrent de leurs cachettes dans le feuillage.

– Venez. Venez rencontrer ceux que nous attendions. Voici Kelsey et voici Kishan. Souhaitons-leur la bienvenue.

Les visages lumineux s'approchèrent. Ils avaient tous des cheveux argentés et des yeux verts comme Faunus. Les magnifiques créatures mâles et femelles étaient habillées de vêtements de gaze miroitants aux couleurs vives des fleurs qui poussaient partout aux alentours.

Faunus se tourna vers moi.

– Préféreriez-vous d'abord manger, ou alors prendre un bain ?

– Prendre un bain d'abord, répondis-je, surprise. Si ce n'est pas trop demander.

Il s'inclina.

– Bien sûr. Anthracia, Phiale et Deiopea, voulez-vous emmener Kelsey aux bains peu profonds des femmes ?

Trois belles Sylvaines sortirent du groupe et s'approchèrent de moi. Deux d'entre elles prirent mes mains pendant que la troisième nous conduisait hors du pré et dans la forêt.

Kishan me regarda d'un air renfrogné, évidemment mécontent de nous voir séparés, mais je remarquai qu'il fut bientôt lui aussi escorté, mais dans une direction différente.

Les femmes étaient légèrement plus petites que Faunus, environ une tête de moins que moi. Mes escortes suivirent un chemin coloré, éclairé par des fées obligeantes, jusqu'à un bassin arrondi nourri par un petit ruisseau. En atteignant le bassin, l'eau s'écoulait depuis les grosses pierres jusqu'aux plus petites, créant un jet diminutif et dissimulé. On aurait dit un robinet évasé qui coulait continuellement.

Elles m'enlevèrent mon sac à dos et disparurent pendant que je retirais le reste de mes vêtements et entrais dans le bassin. À ma grande surprise, l'eau était chaude. Une longue pierre submergée, trop pratique pour être naturelle, longeait l'arc à l'intérieur de la piscine, servant d'abord de pierre de gué sur laquelle je pus m'assoir une fois que je fus dans l'eau.

Après que j'eus mouillé mes cheveux, les trois nymphes revinrent et m'apportèrent des bols de liquides parfumés. Elles me laissèrent choisir le parfum qui me plaisait et me tendirent une boule recouverte de mousse qui servait de gant de crin. Je nettoyai la saleté sur ma peau avec le savon parfumé pendant que Phiale savonnait mes cheveux avec trois produits différents, les rinçant chaque fois sous la petite chute d'eau.

Les guirlandes lumineuses brillaient chaleureusement. Lorsque je sortis du bassin et que les femmes eurent enveloppé mon corps et mes cheveux d'un tissu souple, ma peau et mon cuir chevelu picotaient, et je me sentis détendue et reposée. Anthracia massa ma peau avec une lotion parfumée pendant que Phiale travaillait sur mes cheveux.

Deiopea disparut brièvement et revint avec une magnifique robe légère vert céladon, brodée de fleurs chatoyantes.

Je tendis la main pour toucher la robe.

– C'est très agréable ! La broderie est si fine que les fleurs semblent vraies.

Elle fit un petit rire.

– Elles sont réelles.

– C'est impossible ! Comment les avez-vous cousues ?

– Nous ne les avons pas cousues. Nous les avons fait pousser. Nous leur avons demandé de faire partie de cette robe, et elles ont accepté.

– Ne l'aimez-vous pas ? demanda Anthracia.

– *Non*. Je l'adore ! Je serais très heureuse de la porter.

Elles sourirent toutes et chantonnèrent, réjouies, alors qu'elles s'affairaient à mes soins. Lorsqu'elles eurent terminé, elles apportèrent un miroir argenté disposé sur un cadre ovale sculpté de fleurs en boucles.

– Qu'en pensez-vous, Kelsey ? Aimez-vous votre apparence ?

Je jetai un coup d'œil sur la personne dans le miroir.

– Est-ce bien moi ?

Elles éclatèrent en rires métalliques.

– Oui, bien sûr, c'est vous.

Je demeurai là, subjuguée. La femme aux pieds nus qui me fixait avait de grands yeux bruns de biche et une peau douce et crémeuse qui luisait de santé. Une ombre à paupières verte étincelante mettait mes yeux en valeur, et mes cils étaient longs et foncés. Mes lèvres luisaient de brillant rouge, et mes joues étaient d'un rose seyant. La robe verte légère de style grec me faisait paraître plus arrondie que je ne l'étais. Elle était drapée sur mes épaules et autour de ma taille, et elle tombait au sol en longs plis. Mes cheveux pendaient, libres et ondulés dans le dos jusqu'au-dessus de ma taille. Je n'avais pas pris conscience que mes cheveux étaient devenus aussi longs. Ils étaient ornés de fleurs et d'ailes de papillon.

Les ailes bougèrent légèrement. *Y a-t-il des fées qui tiennent mes cheveux en torsades ondulées ?*

– Oh ! Ce n'est pas nécessaire que les fées restent dans mes cheveux. Je suis certaine qu'elles préféreraient faire autre chose.

Phiale hocha la tête.

– Pas du tout. Elles sont honorées de tenir les cheveux d'une personne aussi belle que vous. Elles disent que vos cheveux sont magnifiques et doux, et que c'est comme se reposer sur un nuage. Servir est ce qui les rend le plus heureuses. S'il vous plaît, permettez-leur de rester.

Je souris.

– D'accord, mais seulement pendant le souper.

Les trois Sylvaines s'agitèrent et me pomponnèrent pendant un bon moment encore, puis elles déclarèrent que j'étais présentable. Nous reprîmes le chemin du village. Juste avant d'arriver à la zone de banquet, Deiopea me tendit un bouquet de fleurs parfumées pour que je les porte.

– Euh… Je ne suis pas en train de me marier ou quelque chose comme ça, non ?

– Vous marier ? Bien sûr que non.

– Voulez-vous vous marier ? demanda Phiale.

Je fis un geste de la main.

– Oh non, je posais la question seulement à cause de la belle robe et du bouquet de fleurs.

— Ce sont les coutumes de mariage de votre pays ?

— Oui.

Deiopea ricana :

— Eh bien, si vous vouliez vous marier, sachez que votre homme est très beau.

Les trois dames se mirent à nouveau à glousser et pointèrent vers la table du banquet, où Kishan était assis, manifestement frustré. Elles bondirent vers la table avant de disparaître dans le groupe d'individus aux cheveux argentés. Je devais l'admettre, Deiopea avait raison. Kishan était très beau. On l'avait vêtu d'un pantalon blanc et d'une chemise bleue faite du même tissu léger que ma robe. Il avait aussi pris un bain. Je ris à voix haute alors qu'il semblait mal à l'aise en compagnie des Sylvains, ne se sentant évidemment pas à sa place.

Il avait dû m'entendre, car il leva les yeux et scruta la foule. Ses yeux s'illuminèrent en me voyant et continuèrent à chercher. Il ne m'avait pas reconnue ! Je ris à nouveau : cette fois, ses yeux se précipitèrent vers moi et s'arrêtèrent. Se levant lentement, il se fraya un chemin vers moi. Il me regarda de la tête aux pieds avec un grand sourire sur son visage et éclata de rire.

— Qu'est-ce qui te fait rire ? lui demandai-je, agacée.

Il prit mes deux mains dans les siennes et me regarda dans les yeux.

— Rien, Kelsey. Tu es la créature la plus ravissante que j'aie vue de toute ma vie.

— Oh. Merci. Mais qu'est-ce qui t'a fait rire ?

— J'ai ri parce que je suis celui qui a la chance de te voir comme ça, et de t'accompagner dans ce paradis, tandis que

Ren a dû se faire chasser par des singes et se battre contre des arbres à aiguilles. De toute évidence, c'est moi qui ai reçu la meilleure quête.

– C'est indéniable, du moins jusqu'à présent. Mais je te défends de le taquiner à ce sujet.

– Tu plaisantes ? J'ai l'intention de te prendre en photo et de tout lui expliquer dans les *moindres* détails. En fait, ne bouge pas.

Kishan disparut et revint avec un appareil photo.

Je fronçai les sourcils.

– Kishan.

– Ren aimerait avoir une photo. Crois-moi. Maintenant, souris et tiens tes fleurs.

Il prit plusieurs photos, puis glissa le petit appareil dans sa poche et me prit la main.

– Tu es magnifique, Kelsey.

Je rougis à ce compliment, mais je me sentis envahie par un sentiment de mélancolie. Je pensais à Ren. Il aurait adoré cet endroit. C'était une scène tirée du *Songe d'une nuit d'été*. Il aurait été le bel Obéron et j'aurais été Titania.

Kishan me toucha le visage.

– La tristesse est de retour. Cela me brise le cœur, Kells.

Il se pencha et m'embrassa doucement sur la joue.

– Veux-tu me faire l'honneur de m'accompagner pour le souper, *apsaras rajkumari* ?

J'essayai de me sortir de la rêverie et je lui souris.

– Oui, si tu me dis comment tu viens tout juste de m'appeler.

Ses yeux dorés se mirent à briller.

— Je t'ai appelée « princesse », « princesse féérique » pour être exact.

Je me mis à rire.

— Et toi alors, quel nom te donnes-tu ?

— Je suis le beau prince, naturellement.

Il passa mon bras sous le sien et m'aida à m'asseoir. Faunus prit une chaise en face de nous, s'assoyant à côté d'une belle Sylvaine.

— Puis-je vous présenter notre souveraine ?

— Bien sûr, répondis-je.

— Kelsey et Kishan, voici Dryope, reine titulaire des Sylvains.

Elle fit un signe de tête vers nous et sourit.

— C'est le temps de la fête, annonça-t-elle. Amusez-vous !

Je ne savais pas par où commencer. Des assiettes de fins biscuits florentins et de gâteaux au miel côtoyaient de moelleuses tartes au citron meringuées, des plateaux de fruits en compote dans des sirops sucrés, des quiches en bouchées et des crêpes à la cannelle. Je me servis une portion de salade de pissenlits et de fruits secs avec une vinaigrette au citron vert, et une portion d'une galette aux pommes, oignons et champignons accompagnée de fromage de Stilton cuit au four. On apporta aussi d'autres plats de plum-pudding au sucre, de scones aux bleuets, des barquettes de citrouille avec garniture au fromage à la crème, de petits pains au lait crémeux avec du beurre, des confitures et des gelées fruitées.

Nous bûmes le nectar de miel des fleurs et des panachés à la pastèque. Kishan me tendit un apéritif aux fruits. C'était une minuscule barquette de pâtisserie aux noix remplie de framboises et nappée de crème fraîche. Toutes les portions étaient petites, sauf la dernière pâtisserie – un gâteau sablé géant aux fraises. Une glaçage rouge coulait sur les côtés du gâteau blanc, qui était rempli de petits fruits rouges sucrés et de crème anglaise moelleuse. Il était surmonté de monticules de crème fouettée et saupoudré de sucre, et était servi avec du lait.

Lorsque nous eûmes terminé, je me penchai vers Kishan.

– Je n'avais aucune idée que les végétariens pouvaient manger aussi bien.

Il rit et se servit une autre portion du gâteau sablé.

J'essuyai mes lèvres avec ma serviette.

– Faunus. Puis-je vous poser une question?

Il fit signe que oui.

– Nous avons trouvé les ruines de l'arche. Connaissez-vous l'histoire de Noé et des animaux ici?

– Oh! Vous voulez dire le bateau? Oui, nous avons vu le bateau s'installer dans les collines, et toutes sortes de créatures en sont sorties. Plusieurs d'entre elles ont quitté notre royaume et sont entrées dans votre monde, incluant les gens qui se trouvaient dans l'arche. Certaines des créatures ont décidé de rester. D'autres ont eu des générations de descendants et ensuite, elles sont revenues vers nous. Nous leur avons permis de rester à condition qu'elles suivent les lois de notre pays – selon lesquelles aucune créature ne peut en blesser une autre.

– C'est... incroyable.

– Oui, c'est merveilleux que tant d'animaux nous soient revenus. Ils trouvent la paix ici.

— Et nous aussi. Faunus… nous sommes ici pour chercher quelque chose qui s'appelle l'omphalos ou la pierre nombril. L'avez-vous déjà vue ?

— Non, répondit Faunus, et tous les Sylvains hochèrent la tête. Je crains que nous ne connaissions pas une telle pierre.

— Et qu'en est-il d'un arbre géant de plusieurs centaines de mètres ?

Il réfléchit un instant, puis hocha la tête.

— Non. Si un tel arbre ou une telle pierre existe, il faut les chercher à l'extérieur de notre royaume.

— Vous voulez dire dans mon monde ?

— Pas nécessairement. Il existe d'autres parties de ce monde sur lesquelles nous n'avons aucune maîtrise. Tant que vous marchez sur nos terres à l'abri de nos arbres, vous êtes en sécurité, mais une fois que vous quittez leur protection, nous ne pouvons plus vous protéger.

— Je vois.

Je retombai à nouveau dans la déception.

Son visage rayonna.

— Par contre, vous pourriez trouver votre réponse en dormant dans le bosquet des rêves. C'est un endroit spécial pour nous. S'il nous faut répondre à une question difficile, ou si nous avons besoin de conseils, nous dormons là-bas et nous pouvons trouver la réponse, ou voir un rêve du futur et nous rendre compte que la question n'était après tout pas si importante.

— Pourrions-nous faire un essai ?

— Bien sûr ! Nous vous y emmènerons.

Un groupe de Sylvains excités commencèrent à bavarder à l'autre extrémité de la table.

— Quelle chance que vous soyez venus à cet instant précis ! L'un des arbres est en train de se fractionner ! expliqua Faunus. Venez voir, Kelsey et Kishan. Venez voir la naissance d'une nymphe d'arbre.

Kishan me tint la main pendant que Faunus nous guidait vers l'arbre derrière l'une des maisonnettes. Toute la ville attendait au pied de l'arbre, chantonnant tranquillement.

— Ces arbres étaient ici avant que votre Noé et son bateau rempli d'animaux arrivent sur cette terre, murmura Faunus. Ils ont donné naissance à plusieurs générations de Sylvains. Chaque maisonnette que vous voyez est installée devant un arbre familial. Cela signifie que tous ceux qui vivent dans la maisonnette sont issus de l'arbre-mère qui est derrière. Le moment approche. Levez les yeux. Voyez comment les autres arbres offrent leur soutien !

Je levai les yeux vers la tonnelle feuillue au-dessus de nous, et on aurait dit que les branches étaient en train de serrer les doigts feuillus de l'arbre qui se crispait sous l'effort devant nous. Le bois semblait gémir et faire des bruits secs alors que les feuilles tremblaient au-dessus de nous.

Les nymphes des arbres semblaient se concentrer sur un grand monticule noueux qui se gonflait tout près d'une branche basse. L'arbre se mit à frémir alors que la longue branche frissonnait. Après quelques moments intenses à écouter les profonds grondements de l'arbre et à observer le tronc qui se dilatait et se contractait si lentement que je ne l'aurais pas remarqué si je n'y avais pas porté attention, la branche inférieure se détacha de l'énorme tronc avec un effroyable craquement.

Un silence tomba sur l'assemblée. La branche pendait librement, touchant le sol près de nous, retenue seulement par l'écorce de l'arbre. Une petite tête d'argent était repliée dans l'espace où la base de la branche croisait le tronc.

Un groupe de Sylvains s'approcha et se mit à roucouler, parlant doucement au petit être qui reposait dans l'arbre. Ils le soulevèrent délicatement et l'enveloppèrent dans une couverture. Un membre du groupe souleva le petit bébé sylvain dans les airs et annonça : « C'est un garçon ! » Ils disparurent dans la maison alors que tout le monde applaudissait. D'autres Sylvains retirèrent doucement la branche tremblante de l'arbre et répandirent un baume crémeux sur le trou ovale marquant maintenant le tronc à l'endroit où se trouvait auparavant la branche.

Les Sylvains commencèrent à danser autour de l'arbre, et les minuscules fées s'envolèrent vers le sommet en éclairant toutes les branches en battant de leurs ailes. Il était déjà tard quand la fête se termina.

— Maintenant que nous savons d'où viennent les Sylvains, dis-je à Faunus alors qu'il nous conduisait au bosquet des rêves, d'où viennent les fées ? Naissent-elles aussi des arbres ?

Il se mit à rire.

— Non. Les fées naissent à partir des roses. Lorsque la vie de la fleur est terminée, nous la laissons produire des graines. Un bourgeon se met à gonfler et, quand le moment est venu, une fée naît avec des ailes de la couleur de la fleur.

— Êtes-vous immortels ?

— Non, nous ne sommes pas immortels, mais nous vivons longtemps. Lorsqu'un Sylvain meurt, son corps est enterré dans les racines de l'arbre-mère, et ses souvenirs font partie des générations futures. Les fées meurent seulement si leur rosier meurt, donc elles peuvent vivre longtemps, mais elles ne s'éveillent que le soir. Durant le jour, elles trouvent une fleur pour s'y reposer, et leur corps se transforme en rosée du matin. Le soir, elles redeviennent des fées. Ah, nous y voilà : le bosquet des rêves.

Il nous avait conduits dans un endroit isolé. On aurait dit une suite nuptiale féérique. De grands arbres soutenaient un lit verdoyant qui était retenu par des vignes. Des paniers de fleurs odorantes étaient accrochés de chaque côté du bosquet. Des vignes et des feuilles tourbillonnantes étaient brodées sur des oreillers et des draps fins. Un groupe de fées qui nous avaient suivis prirent leur place dans les lanternes.

— Les quatre grands arbres qui soutiennent la tonnelle pointent dans les quatre directions : nord, sud, est et ouest. On fait les plus beaux rêves quand on dort avec la tête pointant vers l'ouest pour ensuite se réveiller avec le soleil à l'est. Bonne chance à vous deux, et faites de beaux rêves.

Il sourit et partit, accompagné de deux fées.

Je remuai, mal à l'aise.

— Hum, c'est un peu gênant.

Kishan fixait le lit comme si c'était un ennemi mortel. Il se tourna vers moi et me salua galamment.

— Ne t'inquiète pas, Kelsey. Je dormirai sur le sol.

— Bien. Mais, euh, que fait-on si c'est toi qui fais le rêve ?

— Crois-tu que c'est important que je sois dans le lit ?

— Je n'en ai aucune idée, mais juste au cas, je pense que tu ferais mieux de te joindre à moi.

Il se raidit.

— Très bien. Mais nous dormirons dos à dos.

— Pas de problème.

Je montai la première et je m'enfonçai dans le lit et l'oreiller moelleux de plume. Le lit bougeait d'avant en arrière, comme un hamac. Kishan se mit à marmonner alors qu'il rangeait le sac à dos. J'attrapai des bribes de phrases à propos de *princesses féériques* et de *comment peut-elle penser que je puisse dormir* et *Ren ferait mieux d'apprécier,* et ainsi de suite. J'étouffai un rire et je roulai sur mon côté. Il tira la fine couverture par-dessus moi, et je sentis le lit se balancer pendant qu'il s'allongeait à mes côtés.

Une brise agita doucement mes cheveux.

— Garde tes cheveux de ton côté, Kells. Ils me chatouillent, l'entendis-je bredouiller.

Je me mis à rire.

— Désolée.

Je tirai mes cheveux sur mon épaule. Il murmura encore quelque chose à propos du fait que c'était *plus que ce qu'un homme peut supporter,* et il se déplaça tranquillement. Je tombai rapidement endormie, et je fis des rêves très précis sur Ren.

Dans un rêve, il ne me connaissait pas et se détourna de moi. Dans un autre, il riait et il était heureux. Nous étions ensemble à nouveau, et il me tenait tout contre lui et me murmurait qu'il m'aimait. Je rêvai d'une longue corde allumée avec du feu et d'un collier de perles noires. Dans un autre rêve, je nageais sous l'eau avec Ren, et nous étions entourés de bancs de poissons colorés.

Même si j'avais fait des rêves très précis, il n'y avait aucune trace de l'omphalos. Je m'éveillai, déçue, et je découvris que je dormais nez à nez avec Kishan. Il m'avait entourée de son bras, et sa tête reposait sur mes cheveux, me clouant au lit.

Je le poussai.

— Kishan. Kishan ! Réveille-toi !

Il ne se réveilla qu'à demi et m'attira plus près de lui.

— Chut, rendors-toi. Ce n'est pas encore le matin.

— Oui, *c'est* le matin.

Je poussai contre ses côtes.

— Il est temps de se réveiller. Allez !

— D'accord, ma chérie, mais que dirais-tu d'abord d'un baiser. Un homme a besoin d'une motivation pour sortir du lit.

— C'est le genre de motivation qui *garde* un homme au lit. Je ne vais pas t'embrasser. Maintenant, lève-toi.

Il se réveilla en sursaut. Confus, il gémit et se frotta les yeux.

— Kelsey ?

— Oui, Kelsey. À qui rêvais-tu ? À Durgâ ?

Il se figea et cligna des yeux à plusieurs reprises.

— Ça ne te regarde pas. Mais pour ton information, j'ai effectivement fait un rêve à propos de la pierre omphalos.

— Ah oui ? Où est-elle ?

— Je ne peux pas vraiment décrire l'endroit. Je devrai te le montrer.

— D'accord.

Je sautai hors du lit et j'ajustai ma robe. Kishan me regarda.

— Tu es plus jolie maintenant que la nuit dernière.

Je me mis à rire.

— Ouais, c'est ça. Je me demande pourquoi tu as rêvé de l'omphalos et pas moi.

— Peut-être que tu t'es couchée la nuit dernière avec des questions différentes dans ton esprit.

J'ouvris la bouche. Il avait raison. Avant de m'endormir, je n'avais pas du tout pensé à la pierre. Mes pensées avaient été entièrement concentrées sur Ren.

Il me regarda avec curiosité.

— Et à quoi as-tu rêvé la nuit dernière, Kells ?

— Ça ne te regarde pas non plus.

Il plissa les yeux et fronça les sourcils.

— Oublie ça. Je pense que je peux l'imaginer par moi-même.

Kishan prit les devants pour retourner au village. Un peu plus loin, il s'arrêta et retourna vers le bosquet des rêves en courant.

— Je reviens. J'ai oublié quelque chose, cria-t-il par-dessus son épaule.

Quand il revint, il avait un large sourire, mais malgré tous mes efforts, je ne pus réussir à lui faire dire ce qui le rendait si heureux.

Mauvaises choses

Nous prîmes notre petit déjeuner avec les Sylvains, et on nous remit de nouveaux vêtements. Nous reçûmes tous les deux des chemises ultralégères, des pantalons kaki d'un lustre subtil et des bottes doublées en peluche. Je demandai si elles étaient en cuir, et les douces créatures pacifiques ignoraient de quoi je parlais. Lorsque je le leur expliquai, elles semblèrent consternées et m'expliquèrent que jamais un animal n'avait été blessé chez les Sylvains. Elles dirent que les fées tissaient tous leurs vêtements et qu'aucun tissu sur Terre n'était aussi fin, aussi doux ou aussi beau.

J'étais d'accord avec elles. Elles ajoutèrent que lorsque l'on voyageait dans le pays des Sylvains et que l'on suspendait des vêtements confectionnés par des fées à la branche d'un arbre la nuit, les fées nettoyaient et réparaient les vêtements pendant que l'on dormait. Nous les remerciâmes pour leurs présents et prîmes notre repas avec plaisir. Alors que nous flânions au petit déjeuner, Faunus apparut en portant un petit nourrisson.

— Avant que vous partiez, dit-il, nous avons une faveur à vous demander. La famille du nouveau bébé aimerait que vous donniez un nom à leur enfant.

— Êtes-vous certain ? Qu'arrivera-t-il s'ils n'aiment pas le nom que je lui donne ?

— Ils seront honorés par n'importe quel nom que vous choisircz.

Avant que je puisse à nouveau protester, il déposa le minuscule petit bébé dans mes bras. De la couverture souple, une petite paire d'yeux verts se levèrent vers moi. Il était magnifique. Je le fis rebondir doucement dans mes bras et je roucoulai instinctivement. Je tendis un doigt pour lui tapoter délicatement le nez et toucher ses cheveux argentés et duveteux. Beaucoup plus actif qu'un nouveau-né humain, le petit bébé tendit une main pour attraper une mèche de mes cheveux et la tira.

Kishan enleva doucement mes cheveux de l'emprise du bébé, puis il effleura le reste de mes cheveux et les replaça sur mon épaule. Il tendit la main pour toucher la main du bébé, qui lui attrapa le doigt. Il se mit à rire.

— Il a une bonne poigne.

— En effet !

Je levai les yeux vers Kishan.

— J'aimerais lui donner le nom de ton grand-père, Tarak, si ça ne te dérange pas.

Les yeux dorés de Kishan s'illuminèrent.

— Je pense qu'il aimerait bien avoir un homonyme.

Lorsque je dis à Faunus que je voulais nommer le bébé Tarak, les Sylvains applaudirent. Tarak bâilla d'un air endormi, peu impressionné par son nouveau nom, et commença à sucer son pouce.

Kishan posa son bras autour de mes épaules et se pencha.

— Tu seras une bonne mère, Kelsey, murmura-t-il.

— En ce moment, je suis plutôt une tante. Tiens. C'est ton tour.

Je remis le bébé à Kishan, et il déposa la petite créature dans le creux de son bras en lui parlant doucement dans sa langue maternelle. Je partis pour changer mes vêtements et pour tresser mes cheveux. À mon retour, il était en train de bercer le bébé endormi dans ses bras et fixait pensivement son petit visage.

— Prêt à partir ?

Il leva les yeux vers moi avec une expression de tendresse.

— Je pense que oui. Permets-moi d'aller aussi me changer.

Il remit le bébé à sa famille. Avant de partir, il frôla ma joue avec un doigt et me sourit. Son contact était hésitant et doux. Lorsqu'il revint, nous fîmes nos adieux et nous ramassâmes notre sac à dos, qui contenait maintenant ma robe de fin tissu, plusieurs gâteaux au miel et une bouteille de nectar de miel des fleurs. Nous commençâmes à marcher vers l'est.

Comme Kishan semblait savoir où il allait, il ouvrit la voie. Souvent, je le surpris à me regarder avec un sourire bizarre sur son visage.

— Qu'est-ce qui ne va pas avec toi, aujourd'hui ? lui demandai-je après environ une heure de marche. Tu agis différemment.

— Vraiment ?

— Oui. Ça te dérangerait d'en parler ?

Il hésita un long moment, puis il soupira.

— Un de mes rêves te concernait. Tu étais au lit, appuyée sur des oreillers, fatiguée, mais heureuse et très belle. Tu tenais dans tes bras un petit garçon nouveau-né aux cheveux noirs. Tu l'appelais Anik. C'était ton fils.

— Oh.

C'est ce qui explique pourquoi il agit différemment envers moi.

— Y avait-il… quelqu'un d'autre avec moi ?

— Oui, mais je ne pouvais voir qui c'était.

— Je vois.

— Il *nous* ressemblait, Kelsey. Je veux dire… il était soit le fils de Ren, soit… le *mien*.

Quoi ? Est-il en train de dire ce que je crois qu'il est en train de dire ? J'évoquai dans mon esprit un doux petit garçon avec les yeux bleu vif de Ren ; en un éclair, les yeux changèrent de couleur et devinrent dorés comme le désert de l'Arizona. Je me mordis nerveusement la lèvre. *Ce n'est pas bon. Se peut-il que Ren ne survive pas ? Que d'une manière ou d'une autre, je finisse avec Kishan ?* Je savais que Kishan éprouvait des sentiments pour moi, mais je ne pouvais imaginer aucun avenir dans lequel je le choisirais plutôt que Ren. Peut-être que je n'aurais pas le choix. *Il faut que je le sache !*

— Et as-tu, euh… as-tu vu les yeux du bébé ?

Il s'arrêta et fixa intensément mon visage.

— Non, dit-il. Il avait les yeux fermés. Il dormait.

— Oh.

Je recommençai à marcher à l'avant. Il m'arrêta et me toucha le bras.

— Un jour, tu m'as demandé si je voulais une maison et une famille. Je ne croyais pas que j'aurais voulu cela sans Yesubaï, mais en te voyant ainsi dans mon rêve, avec ce petit bébé… oui. Je le veux. Je veux le bébé. Je… *te* veux. Je l'ai vu, et je me suis senti… possessif et fier. Je veux la vie que j'ai vue dans mon rêve, et pas seulement un peu, Kells. J'ai pensé que tu devrais le savoir.

Il me regardait tandis que je hochais silencieusement la tête, ne tenant plus en place.

— Y a-t-il quelque chose dont tu as rêvé que tu voudrais partager avec moi ? demanda-t-il.

Je fis signe que non et je me mis à jouer avec l'ourlet de ma blouse de fée.

— Non, pas vraiment.

Il grogna et se remit à marcher.

Un bébé ? J'avais toujours voulu être une maman et avoir une famille, mais je n'avais jamais imaginé que deux hommes — encore moins des frères — seraient en lice pour mon attention. *Si pour une raison ou pour une autre, Ren ne survivait pas… non. Il faut que j'arrête immédiatement de penser ainsi. Il va survivre ! Je ferai tout ce que je peux pour trouver Lokesh. Si cela me met en danger, alors ainsi soit-il.*

Nous marchâmes tout l'après-midi, nous arrêtant pour prendre des pauses le long du chemin. La confession de Kishan m'avait beaucoup perturbée. Je ne voulais pas faire face à tout cela, je ne voulais pas lui faire de mal. Il y avait tant de questions non résolues. Des mots se formaient dans mon esprit, mais je ne pouvais pas trouver le courage d'aborder le sujet. C'était une situation difficile !

Mon cœur hurlait qu'il voulait Ren, mais ma raison me rappelait que nous n'obtenions pas toujours ce que nous voulions. J'aurais aussi voulu ravoir mes parents, mais c'était impossible. Mes pensées tourbillonnaient comme de l'eau bouillante, mais ces idées et ces pensées faisaient irruption dans un néant vaporeux lorsqu'elles atteignaient la surface.

Nous ne parlions pas beaucoup, sauf pour dire : « Attention à ce rondin » ou « Attention à la flaque d'eau ». Je me sentais maintenant différente avec Kishan, maladroite. J'avais l'impression qu'il attendait quelque chose de moi, quelque chose que je ne pouvais lui donner.

Il nous conduisit vers une série de collines, puis jusqu'à une petite grotte à la base de l'une des collines. À notre arrivée, je jetai un coup d'œil dans la profondeur obscure.

— Formidable. Une autre grotte. Je n'aime pas les grottes. Mes expériences avec elles n'ont pas été bonnes jusqu'ici.

— Tout ira bien. Fais-moi confiance, Kells.

— Si tu le dis. S'il te plaît, passe devant.

J'entendis un bourdonnement qui devenait de plus en plus fort à mesure que nous avancions. Il faisait sombre. Je sortis ma lampe de poche et dirigeai le faisceau autour de moi. À plusieurs endroits, de minces piliers de lumière descendaient du plafond, illuminant les rochers et le sol. Quelque chose frôla mon visage. Des abeilles ! La grotte était remplie d'abeilles. Les murs dégoulinaient de rayons de miel. On aurait dit que nous étions entrés dans une ruche géante. Au milieu de la grotte, sur un piédestal, il y avait un objet de pierre avec un trou au sommet qui ressemblait beaucoup à une ruche.

— L'omphalos !

Une abeille rampa dans l'encolure de ma blouse et me piqua.

— Aïe !

J'écrasai l'abeille avec ma main.

— Chut, Kells. Reste tranquille. Elles vont moins nous déranger si nous nous déplaçons lentement, sans bruit, et si nous nous concentrons sur ce que nous sommes venus faire.

— Je vais essayer.

Les abeilles en colère fourmillaient autour de nous. Il me fallait toute ma détermination pour ne pas les frapper violemment pour qu'elles s'enlèvent de mon corps. Plusieurs avaient atterri sur mes vêtements, mais il semblait que le dard ne pouvait pénétrer le tissu de fée. Je sentis une piqûre sur mon poignet et je tirai mes mains dans mes manches longues, fermant l'ouverture. Je m'approchai de la pierre et je regardai à l'intérieur.

— Que dois-je faire ?

— Essaie d'utiliser ton pouvoir.

Kishan s'était fait piquer à plusieurs reprises sur le visage : un de ses sourcils était enflé. Je secouai mes mains pour faire sortir les abeilles de mes manches et je fis la grimace alors qu'une d'elles saisit l'occasion pour ramper sur mon bras. Je posai les deux mains sur les côtés de la pierre, et je demandai à la chaleur de monter de mon ventre. Une chaleur ardente traversa brusquement mes bras et entra dans la pierre.

La pierre devint jaune, orange, puis rouge vif. J'entendis un sifflement venir de l'intérieur, et je sentis une odeur de gaz. Alors que le gaz fumant remplissait la grotte et que les abeilles devenaient léthargiques, elles se mirent à tomber lourdement sur le sol comme de grosses boules de gomme et elles restèrent là, endormies.

— Je crois que tu devras inhaler les vapeurs, Kells, comme ces oracles dont a parlé M. Kadam.

— D'accord, allons-y.

Me penchant, je pris une grosse bouffée. Je vis des étoiles filantes et des couleurs. Kishan devint déformé, son corps tordu et allongé. Puis, je fus aspirée dans une puissante vision. Lorsque je me réveillai, nous étions à nouveau dans la jungle et Kishan oignait mes piqûres avec une substance gluante couleur de chenille arpenteuse. Dire que l'odeur était forte eût été un euphémisme. La puanteur imprégnait mes cheveux, mes vêtements, et tout ce qui se trouvait autour de nous.

— Beurk ! Ce truc est horrible ! Qu'est-ce que c'est ?

Il me tendit un bocal.

— Les Sylvains nous l'ont donné quand je leur ai dit que nous rencontrerions beaucoup d'abeilles. Ils n'avaient jamais entendu parler d'abeilles qui piquent, mais ils se servent de cette pommade sur les arbres pour réparer les dommages lorsqu'une branche est cassée par le vent. Ils ont cru que ce serait utile.

— Quand leur as-tu dit que nous allions dans une grotte où il y aurait des abeilles ?

— Pendant que tu te changeais. Elles ont dit que cette grotte d'abeilles était située en dehors de leur royaume.

— L'odeur est terrible.

— Mais comment te sens-tu ?

— Je me sens… bien. Je sens que c'est calmant et frais.

— Donc, j'imagine que tu peux tolérer l'odeur.

— Je suppose que oui.

— Alors as-tu réussi ? As-tu vu l'arbre ?

— Oui. J'ai vu l'arbre et les quatre maisons, et quelque chose d'autre aussi.

— Quoi d'autre ?

– Comme tu l'as dit plus tôt, il y a un serpent dans le jardin. Pour être plus précise, c'est un très grand serpent enroulé autour de la base de l'arbre, et il empêche quiconque d'atteindre l'arbre.

– Est-ce un démon ?

Je réfléchis.

– Non, c'est seulement un serpent exceptionnellement large avec une tâche à accomplir. Je sais comment le trouver. Suis-moi, et nous déciderons ce qu'il faut faire en chemin.

– Très bien. Mais avant de nous mettre en route, est-ce que ça te dérangerait de…

Il me tendit le baume et je commençai à appliquer la substance sur son cou. Il enleva sa chemise pour que je puisse atteindre les piqûres rouges sur le haut de sa poitrine et sur son dos. Je me déplaçai rapidement derrière lui pour qu'il ne voie pas la rougeur sur mon visage. Bien que j'essayais de ne pas m'y attarder, je ne pouvais m'empêcher de remarquer que sa peau bronzée était lisse et chaude.

Lorsque je tournai autour de lui, il repoussa ses cheveux à l'arrière de son visage pour que je puisse tamponner la substance gluante et verte sur ses joues et sur son front. Il y avait une grosse piqûre près de sa lèvre supérieure. J'y touchai légèrement.

– Ça fait mal ?

Mon regard se déplaça de ses lèvres à ses yeux. Il me regardait d'une façon qui me fit rougir.

– Oui, répondit-il tranquillement.

Il était évident pour moi qu'il ne parlait pas de la piqûre, alors je demeurai silencieuse. Je pouvais sentir la chaleur de son regard alors que je terminais rapidement de lui tamponner la lèvre et le menton. Je reculai aussitôt que possible et je remis le couvercle sur le pot, lui tournant le dos alors qu'il remettait sa chemise.

— Alors, nous y allons ?

Je commençai à marcher et il me rattrapa, ajustant son rythme au mien.

Nous marchâmes pendant une heure ou deux, et nous installâmes notre campement au coucher du soleil. Cette nuit-là, Kishan voulait une autre histoire, alors je lui racontai l'une des histoires de Gilgamesh.

— Gilgamesh était un homme très intelligent. Si intelligent, en fait, qu'il avait trouvé un moyen de se faufiler dans le royaume des dieux. Il se déguisa et fit semblant qu'il devait faire une course de grande importance. Par des questions habiles, il découvrit la cachette de la plante de l'éternité.

— Qu'est-ce que la plante de l'éternité ?

— Je ne suis pas certaine. Peut-être s'agissait-il de feuilles de thé, ou alors de quelque chose qu'ils mettaient dans leur salade ou dans leur nourriture. Ou peut-être était-ce une herbe, ou même une drogue comme l'opium, mais l'idée, c'est qu'il l'avait volée. Pendant quatre jours et quatre nuits, il courut, sans même s'arrêter pour se reposer, afin d'échapper à la colère des dieux. Quand les dieux découvrirent que la plante avait été volée, ils se mirent en colère et annoncèrent qu'il y aurait une récompense pour toute personne qui arrêterait Gilgamesh. Le cinquième soir, Gilgamesh était tellement fatigué qu'il dut s'étendre pour prendre du repos, même si ce ne devait être que pour quelques instants.

» Pendant qu'il dormait, un serpent commun en train de chasser pour la soirée passa par là. Il arriva devant la plante odorante que Gilgamesh avait déposée dans un petit sac en peau de lapin. Croyant qu'il s'agissait d'un repas de lapin facile à obtenir, le serpent avala tout le sac. Le lendemain matin, tout ce que Gilgamesh trouva fut une peau de serpent. C'était la première fois qu'un serpent avait mué. Depuis ce temps, les gens disent que les serpents ont une nature éternelle. Lorsqu'un serpent se débarrasse de sa peau, il meurt et naît de nouveau.

Je m'arrêtai. Kishan était calme.

— Es-tu resté éveillé, cette fois-ci ? demandai-je.

— Oui. J'ai bien aimé ton histoire. Dors bien, *bilauta.*

— Toi aussi.

Mais je ne pus dormir pendant un bon moment. Des pensées d'un bébé aux yeux dorés me gardèrent éveillée.

Il nous fallut deux jours pour trouver ce que je cherchais. Je savais que l'arbre était situé dans une grande vallée et que si nous grimpions entre deux pics jumeaux, nous le verrions. Nous arrivâmes aux pics la première journée et nous passâmes la quasi-totalité de la seconde journée à escalader. Rendus à un point d'observation, nous pûmes enfin voir en bas.

Nous étions tellement hauts que les nuages obscurcissaient notre vue. Le vent divisa les nuages et la vallée apparut enfin, semblant n'être qu'une forêt sombre. Les arbres paraissaient être si grands qu'ils s'élevaient aussi haut qu'une montagne. Dans ma vision de l'omphalos, je n'avais vu qu'un arbre avec un énorme tronc.

Même si tout paraissait différent dans ma vision, nous descendîmes dans la vallée. Alors que nous avancions, je fus abasourdie de me rendre compte que ce que j'étais en train de voir n'était pas du tout une forêt d'arbres, mais bien les branches d'un seul arbre gigantesque qui s'étiraient vers le haut de la montagne. Lorsque je le signalai à Kishan, il me rappela la recherche de M. Kadam. Je sortis les papiers du sac à dos et je les lus pendant notre randonnée.

— Il a dit que c'était un géant arbre-monde avec des racines descendant aux Enfers et dont les feuilles touchent le ciel. Il est censé avoir un millier de mètres de large et des milliers de mètres de hauteur. Je suppose que c'est celui-ci.

Kishan répondit sèchement.

— Il semble que oui.

Lorsque nous arrivâmes finalement sur le sol herbeux de la vallée, nous suivîmes une branche géante jusqu'au tronc. Étant donné que le soleil ne pouvait pénétrer la surcharge massive de branches, l'atmosphère était sombre, froide et stagnante sous le toit de verdure.

Le vent soufflait à travers les grandes feuilles, qui claquaient contre les branches comme des vêtements raides sur une corde à linge. D'étranges bruits sinistres assaillirent nos oreilles. Grinçant et gémissant, le vent trouvait des moyens de souffler au-dessus et à travers les puissantes branches, et on aurait dit que nous marchions dans une forêt hantée.

Kishan se rapprocha de moi et me tendit la main. J'acceptai son geste avec reconnaissance, et j'essayai d'ignorer l'impression d'être observée. Kishan le sentait aussi, et il dit qu'on aurait dit que d'étranges créatures étaient en train de nous surveiller d'en haut. J'essayai de rire.

— Imagine la taille des nymphes des arbres qui naîtraient de cet arbre.

J'avais voulu être drôle, mais la possibilité que ce puisse être vrai nous porta tous les deux à lever les yeux avec prudence.

Des heures plus tard, nous atteignîmes finalement le tronc. Il s'étendait comme un mur de bois géant aussi loin que nous étions capables de voir. La branche la plus proche se trouvait à quelques centaines de pieds. C'était trop haut pour que nous puissions l'atteindre, et nous ne disposions d'aucun équipement d'escalade.

— Je suggère que nous campions ici à la base, dit Kishan, et que nous commencions l'escalade d'un côté tôt dans la matinée. Peut-être pourrons-nous trouver une branche plus basse ou un moyen de grimper.

— Parfait. Je suis épuisée.

J'entendis un bruit de battement d'ailes, et je fus surprise de voir un corbeau noir qui s'installait sur le sol près de notre camp. Il croassa vers nous et battit des ailes en poussant un cri strident alors qu'il s'éloignait en volant. Je ne pus m'empêcher d'avoir l'impression d'un mauvais présage, mais je choisis de ne pas parler de mes inquiétudes à Kishan.

Quand il me demanda de lui raconter une histoire ce soir-là, je lui en racontai une que j'avais lu dans un livre que M. Kadam m'avait offert.

— Odin était l'un des dieux du peuple nordique. Il possèdait deux corbeaux nommés Hugin et Munin. Les corbeaux étaient des voleurs notoires, et ces deux animaux favoris furent envoyés partout dans le monde pour voler pour Odin.

— Que volaient-ils ?

— Ah, c'est la partie intéressante. Hugin volait des pensées, et Munin volait des souvenirs. Odin les envoyait tôt le matin, et ils revenaient vers lui dans la soirée. Ils se perchaient sur ses épaules et murmuraient dans ses oreilles les pensées et les souvenirs qu'ils volaient. Ainsi, il était au courant de tout ce qui se passait et connaissait les pensées et les intentions de chacun.

— Ce serait commode de les avoir pendant une bataille. On saurait exactement quel mouvement l'ennemi est en train de planifier.

— Exactement. Et c'est ce que faisait Odin. Mais un jour, Munin a été capturé par un traître. Lorsque Hugin est retourné pour murmurer des pensées dans l'esprit d'Odin, celui-ci les a immédiatement oubliées. Un ennemi s'est faufilé cette nuit-là dans son royaume et a renversé Odin. Après cela, les gens ont cessé de croire aux dieux. Hugin s'est envolé, et les deux oiseaux ont disparu. C'est en partie à cause de cette légende des corbeaux d'Odin qu'on croit que la vue d'un corbeau est un mauvais présage.

— Kells, as-tu peur que le corbeau te vole tes souvenirs ? demanda Kishan.

— En ce moment, mes souvenirs sont les choses les plus précieuses que je possède. Je ferais n'importe quoi pour les protéger, mais non, je n'ai pas peur du corbeau.

— Pendant longtemps, j'aurais donné n'importe quoi pour que mes souvenirs s'effacent. Je croyais que si je pouvais oublier ce qui s'était passé, je pourrais reprendre une vie normale.

— Mais tu ne voulais pas oublier Yesubaï, tout comme je ne voudrais pas oublier Ren ou mes parents. C'est triste de s'en souvenir, mais c'est une partie de ce que nous sommes.

— Humm. Bonne nuit, Kelsey.

— Bonne nuit, Kishan.

Le lendemain matin, alors que nous emballions nos affaires pour la journée, je remarquai que le bracelet que Ren m'avait offert avait disparu. Kishan et moi regardâmes partout, mais nous ne pûmes le trouver.

— Kells, l'appareil photo a aussi disparu, et tous les gâteaux au miel.

— Oh, non ! Quoi d'autre ?

Il regarda ma gorge avec insistance.

— Quoi ? Qu'est-ce qu'il y a ?

— L'amulette n'est plus là.

— Que s'est-il passé ? Comment avons-nous pu nous faire voler au milieu de nulle part ? Comment ai-je pu ne pas sentir qu'on prenait des choses sur mon corps pendant que je dormais ? criai-je désespérément.

— Je soupçonne le corbeau.

— Mais ce n'est pas réel ! Ce n'est qu'un mythe !

— Tu as dit toi-même que les mythes sont souvent fondés sur des vérités, ou du moins des parties de vérité. Peut-être que le corbeau les a pris. Si ça avait été une personne, je l'aurais su. Mais je ne fais pas attention aux oiseaux quand je dors.

— Que ferons-nous maintenant ?

— La seule chose que nous pouvons faire. Continuer. Il nous reste encore nos armes et le Fruit d'Or.

— Oui, mais l'amulette !

— Tout ira bien, Kells. Aie un peu de foi, tu te souviens ? Comme l'a dit le Maître Océan.

— Facile à dire pour toi. Tu ne t'es pas fait enlever la seule image que tu possédais de Yesubaï.

Il me regarda en silence pendant un moment.

— La seule image que j'aie possédée de Yesubaï est dans ma tête.

— Je sais, mais…

Il glissa un doigt sous mon menton et releva ma tête.

— Il y a une chance que tu puisses ravoir l'homme. Ne t'inquiète pas tant à propos de la photo.

— Tu as raison. Tu as raison. Je sais. Alors, allons-y.

Nous choisîmes le côté gauche du tronc de l'arbre et nous commençâmes à marcher. Le tronc était si énorme que je pouvais à peine voir sa courbe au loin.

— Qu'arrivera-t-il lorsque nous verrons le serpent, Kells ?

— Ce n'est pas un serpent malveillant. Il ne fait que garder l'arbre. Du moins, c'est ainsi que les choses paraissaient dans l'omphalos. Si le serpent croit que nous avons une raison légitime de passer, il nous permettra de le faire. Sinon, il essaiera de nous arrêter.

— Humm.

Une heure ou deux plus tard, j'étais en train de passer mon doigt sur l'écorce lorsque le tronc se mit à bouger.

— Kishan ! As-tu vu ?

Il toucha au tronc.

— Je ne vois rien.

— Pose tes mains dessus. Touche juste... ici. Tu vois ? La texture se transforme. Là ! Il y a un autre déplacement ! Pose ta main sur la mienne. Le sens-tu maintenant ?

— Oui.

Une section du tronc d'environ deux mètres de haut commença à se déplacer. Un autre segment juste au-dessus se déplaça dans la direction opposée. Les motifs me semblaient familiers, mais je ne pouvais les identifier. C'était déroutant, tout comme voir l'arbre géant et de le prendre pour une forêt. Le vent se mit à tourbillonner autour de nous, un peu comme si l'on avait activé des soufflets géants. Une énorme succion d'air, suivie d'un fort vent, agita l'herbe courte et me donna la chair de poule.

Kishan leva les yeux et figea sur place.

— Ne bouge pas, Kelsey.

L'air commença à se déplacer de plus en plus, comme si le soufflet était en train de pomper plus rapidement.

Je sifflai.

— Qu'est-ce que c'est, Kishan ?

Un bruissement se fit entendre derrière moi. On aurait dit que quelqu'un était en train de traîner un sac lourd à travers une pile de feuilles. Les brindilles se mirent à craquer, les feuilles frémirent et les branches gémirent. J'entendis une voix profonde et sifflante.

— Pourquoi vousss sssêtes venus dans ma forêt ?

Je me retournai lentement et je vis un œil géant et cornu qui ne cillait pas.

— Êtes-vous le gardien de l'arbre-monde ?

— Oui. Pourquoi êtes-vous icccccci ?

Je levai les yeux plus haut et plus haut encore. Maintenant, je compris ce que j'avais vu tout à l'heure lorsque des sections de l'arbre avaient paru se déplacer. Le serpent géant était enroulé autour de l'arbre, et les segments de deux mètres qui se déplaçaient étaient le corps du serpent. Il s'était parfaitement camouflé. En fait, alors que je l'observais, son corps changea de couleur pour s'adapter à son environnement, comme celui d'un caméléon. Sa tête était aussi grosse que le Hummer de Ren, et il n'y avait aucun moyen de connaître la longueur de son corps. Kishan s'avança à côté de moi pour me prendre la main. Je remarquai qu'il tenait le chakram sans trop le serrer dans son autre main.

— Nous sommes ici pour réclamer le prix léger qui repose au sommet de l'arbre, déclarai-je.

— Pourquoi devrais-je vous laissssser passsser ? Pourquoi avez-vous besssssoin de l'écharpe divine ?

— Le prix léger est une écharpe ?

— Ouiiiiiii.

— Euh. Bien, nous en avons besoin, car il aidera à conjurer la malédiction placée sur deux princes de l'Inde et cela sera également utile pour sauver le peuple de leur pays.

— Qui sssssont ces princcccccces ?

— Voici Kishan. Son frère Ren a été enlevé.

Le serpent géant donna un petit coup de langue à plusieurs reprises vers Kishan, qui résista courageusement à l'inspection. Moi, j'aurais couru dans l'autre direction.

— Je ne connais pas cccccces frères. Vous ne pouvez pas passssssser.

La grosse tête commença à tourner alors que de lourds anneaux glissaient sur le sol. Je sentis un mouvement similaire sur mon bras.

— Attendez ! criai-je.

Le serpent se tourna vers moi et baissa la tête pour mieux me voir. Fanindra étira ses anneaux et se glissa autour de l'arrière de mon cou. Elle leva la tête vers l'œil géant et sortit plusieurs fois sa langue.

— Qui est-elle ?

— Elle se nomme Fanindra. Elle appartient à la princesse Durgâ.

— Durgaaaaâ. J'ai entendu parler de cette déessssssse. Ccccce sssssserpent lui appartient ?

— Oui. Fanindra est là pour nous aider dans notre quête. La déesse Durgâ nous l'a offerte et nous a donné des armes.

— Je voisssss.

Le gardien regarda Fanindra pendant un long moment comme s'il était en train de réfléchir à notre destin. Les serpents semblaient communiquer entre eux en mode silencieux.

— Vous pouvez passsssser. Je sssssens que votre but n'est pas maliccccccccieux. Peut-être réussssssssirez-vous. Peut-être est-ccccccce votre desssssstin. Qui sssssssait ? Vous passsssssserez à travers quatre maisssssons. La maissssson des oissssseaux. La maissssson des gourdes. La maissssson des sssssssirènes. Et la maissssson des chauves-sssssssouris. Faitessss attention. Pour avanccccer, vous devrez faire les meilleurs des cccccchoix.

Kishan et moi nous inclinâmes.

— Merci, gardien.

— Bonne chancccce.

Le grand serpent balança son corps lourd, et le grand arbre se mit à trembler. Les anneaux enroulés autour du tronc commencèrent à bouger, se séparant pour révéler dans le tronc un passage secret et un escalier dérobé. Fanindra enroula son corps autour de mon bras et reprit son état de dormance.

Kishan m'attira dans le passage. J'eus suffisamment de temps pour voir que le plancher était couvert de sciure de bois avant que le serpent se déplace à nouveau, son corps se glissant devant l'ouverture du passage, nous scellant dans la racine noire de l'arbre géant du monde.

20

Les tests des quatre maisons

Les yeux émeraude de Fanindra commencèrent à briller et produisirent suffisamment de lumière pour que Kishan puisse récupérer notre lampe de poche. À un mètre et demi devant nous, il y avait un autre tronc qui semblait aussi solide que celui qui était à l'extérieur et qui nous entourait – un tronc à l'intérieur d'un tronc. Entre les deux troncs, il y avait un escalier en colimaçon. Avant de commencer notre montée, Kishan me prit de nouveau la main. L'escalier était assez large pour que nous puissions marcher côte à côte et assez profond pour que nous puissions nous arrêter, nous reposer, et même dormir si c'était nécessaire.

Nous grimpâmes à un rythme lent et nous nous reposâmes fréquemment. Il était difficile de dire à quelle hauteur nous avions grimpé. Après plusieurs heures, nous arrivâmes devant une sorte de porte. Elle était jaune orange et bosselée. Une tige rude et ligneuse se trouvait à l'endroit exact où il aurait dû y avoir une poignée. Je tendis mon arc et encochai une flèche tandis que Kishan préparait son chakram. Il se tint sur le côté, prit la tige et poussa lentement la porte vers l'intérieur alors que j'y glissais mon pied et que je scrutais la pièce à la recherche d'attaquants. Il n'y avait personne.

La pièce était remplie de tablettes qui avaient été sculptées à même les parois de l'arbre. Couvrant les tablettes et les planchers, il y avait des centaines de courges de toutes formes et de toutes tailles. Certaines étaient entières ; d'autres étaient évidées. Plusieurs d'entre elles avaient de magnifiques motifs élaborés et étaient éclairées de l'intérieur par la flamme vacillante d'une bougie.

Certaines citrouilles comportaient des sculptures qui dépassaient de loin tout ce que j'avais vu à l'Halloween. Nous marchâmes d'une étagère à l'autre, admirant les motifs. Certaines étaient peintes et huilées jusqu'à briller comme des pierres sculptées. Kishan tendit la main pour en toucher une.

— Attends ! Ne touche à rien pour le moment. C'est l'un des tests. Nous devons comprendre ce qu'il faut faire. Attends une seconde pendant que j'examine les notes de M. Kadam.

M. Kadam nous avait fourni trois pages d'informations sur les courges. Kishan et moi nous assîmes sur le plancher de bois poli pour les lire.

— Je ne pense pas qu'elles aient quelque chose à voir avec la chanson d'esclavage américaine *Follow the Drinkin' Gourd*. Je ne vois pas comment cela pourrait s'appliquer. Elle fait mention des étoiles, la Grande Ourse en particulier, qui ont guidé les esclaves américains vers la liberté alors qu'ils voyageaient sur le Chemin de fer clandestin.

Je scrutai une autre page.

— Ici, il y a beaucoup d'informations sur l'origine de certaines courges et sur la manière dont les marins cherchaient des semences de certains types pour les faire pousser. Il y a un mythe sur les bateaux faits de courges. Je ne crois pas que ce soit cela non plus.

Kishan se mit à rire.

— Et cette page-ci ? Celle où on parle de courges et de fertilité ? Tu veux faire un essai, Kells ? Je suis prêt à faire le sacrifice, si toi aussi tu es prête.

Je lus les grandes lignes du mythe et je regardai Kishan en plissant les yeux pendant qu'il riait.

— Ha ! Dans tes rêves, peut-être. Allons au prochain mythe.

Je me tournai vers une autre page.

— Celle-ci parle de lancer une courge dans l'eau pour appeler les monstres marins et les serpents de mer. Euh, je ne crois pas que nous ayons besoin d'un monstre marin, concluai-je.

— Et celui-là ? Un mythe chinois. Il est dit qu'un jeune garçon qui arriva à l'âge adulte dut choisir la courge qui guiderait sa vie. Chacune contenait quelque chose de différent. Certaines étaient dangereuses, d'autres pas. Une contenait même l'élixir de la jeunesse éternelle. Peut-être aurons-nous de la chance. Peut-être devrions-nous tout simplement en choisir une.

— Je crois c'est probablement la bonne chose à faire, mais comment savons-nous laquelle prendre ?

— Je ne suis pas certain. Je suppose que nous devons juste essayer. J'irai en premier. Garde ta main visée dans cette direction, au cas où quelque chose en sortirait.

Kishan saisit une courge unie en forme de cloche. Rien. Il la secoua, la jeta en l'air et la frappa contre le mur... toujours rien.

— Je vais essayer de la briser.

Il la fracassa sur le sol, et une poire en sortit en roulant.

Il saisit le fruit et en prit une bouchée avant que je puisse l'avertir qu'il pourrait y avoir quelque chose de bizarre avec la poire. Lorsqu'il finit par faire attention à moi, le fruit avait presque complètement disparu. Il écarta mon avertissement et dit qu'il avait bon goût. La courge brisée se liquéfia et se fondit dans le sol.

— Bon, c'est mon tour.

Je pris une courge ronde ornée de fleurs peintes, l'élevai au-dessus de ma tête et la lançai sur le sol. Un serpent noir sifflant émergea des pièces brisées. Il s'enroula pour frapper et cracha vers ma jambe. Avant que je ne puisse lever la main, j'entendis un vrombissement métallique. Le chakram de Kishan s'effondra sur le plancher à mes pieds, coupant la tête du serpent. Le corps du serpent et la courge brisée fondirent sur le sol.

— Humm, c'est ton tour. Peut-être est-ce une bonne idée de choisir des courges unies.

Il choisit une courge en forme de bouteille qui produisit quelque chose qui ressemblait à du lait. Je l'avertis de ne pas le boire, parce que le liquide pouvait être tout sauf du lait. Il était d'accord, mais nous découvrîmes que si nous ne le buvions pas, la prochaine courge ne se brisait pas. Il avala le lait et nous continuâmes.

Je choisis une énorme courge blanche et j'obtins un clair de lune.

Une petite courge verruqueuse produisit du sable.

Une grande courge mince fit de la musique magnifique.

Une épaisse courge grise qui ressemblait à un dauphin à gros nez éclaboussa de l'eau de mer sur la jambe de Kishan.

Mon choix suivant était une courge en forme de cuillère. Lorsque je la brisai, une brume noire émergea et se dirigea vers moi. Je filai comme une flèche, mais elle me suivit et se déplaça vers ma bouche et mon nez. Il n'y avait rien que Kishan puisse faire. Je la respirai et je commençai à tousser. Ma vision devint floue. Je me sentis étourdie et je titubai. Kishan m'attrapa.

— Kelsey ! Tu pâlis ! Comment te sens-tu ?

— Pas très bien. Je pense que celle-ci était une maladie.

— Là. Allonge-toi et repose-toi. Peut-être que je peux trouver un remède.

Il se mit à briser des courges frénétiquement pendant que je le regardais. Je frissonnai et je commençai à transpirer, et un scorpion, qu'il piétina avec sa botte, sortit de la suivante. Il en trouva une avec du vent, une avec un poisson et une autre qui contenait une petite étoile qui brillait avec tant d'éclat que nous dûmes fermer les yeux jusqu'à ce que la lumière diminue et qu'elle s'enfonce dans le sol.

Chaque fois qu'il trouvait un liquide, il se précipitait vers moi pour me le faire boire. Je bus une sorte de nectar, de l'eau ordinaire et une sorte de chocolat noir amer. Je refusai d'en boire un qui sentait l'alcool à friction, mais j'appliquai le liquide sur ma peau et la courge disparut.

Les trois courges suivantes contenaient des nuages, une tarentule géante qu'il frappa d'un coup de pied pour l'envoyer dans un coin de la pièce, et un rubis, qu'il déposa dans sa poche. Ma vision était en train de s'obscurcir. La courge qu'il choisit ensuite contenait une sorte de pilule. Nous discutâmes pour savoir si je devais la prendre ou pas. J'étais vraiment étourdie et faible, fiévreuse et en sueur. J'avais de la difficulté à respirer, et mon cœur battait la chamade. Je commençai à paniquer, certaine que si nous ne découvrions pas bientôt quelque chose, je mourrais. Je mâchai la pilule et l'avalai. On aurait dit une vitamine pour enfant, et je ne me sentis pas mieux.

Deux autres courges contenaient du fromage et un anneau. Il mangea le fromage et fit glisser la bague à son doigt. Dans la suivante, il y avait un liquide blanc. Kishan était nerveux. Ce pourrait être un poison qui me tuerait d'emblée, un remède à ma maladie, ou ce pourrait être l'élixir de jeunesse éternelle pour le peu que nous savions. Je lui fis signe.

— Je vais le boire. Aide-moi.

Il souleva ma tête et pencha la courge, son contenu se déversant entre mes lèvres sèches et craquées. Le liquide s'écoula lentement dans ma gorge alors que j'avalais faiblement. Immédiatement, je commençai à sentir que la force revenait dans mes membres.

— Encore.

Il tint la courge solide pendant que je buvais. Le liquide était délicieux. J'avais maintenant suffisamment de force pour lui prendre la courge. Enroulant les deux mains autour de la courge en forme de bol, j'avalai le reste en deux grandes gorgées. Je me sentais plus forte que je ne l'étais avant d'entrer dans la pièce.

— On dirait que tu vas beaucoup mieux, Kells. Comment te sens-tu ?

Je me levai.

— Je me sens bien ! Forte. Invincible, même.

Il laissa échapper une respiration tremblante.

— Bien.

Je regardai autour de moi avec une vision claire. Presque mieux que claire.

— Hé. Qu'est-ce que c'est ?

J'écartai quelques courges du chemin et j'attrapai la poignée d'une large courge ronde avec une longue tige sur le dessus.

— Il y a un tigre sculpté à l'extérieur. Essaie-la, Kishan.

Il la prit de mes mains et la fracassa sur le sol. À l'intérieur, il y avait un papier plié.

Je me mis à rire.

— C'est comme un biscuit chinois ! Que dit-il ?

— Il est écrit — *Le vaisseau caché montre le chemin.*

— Le vaisseau *caché* ? Peut-être est-ce une courge cachée.

— Assez facile de cacher une courge dans une salle remplie de courges, Kells.

— Ouais. Cherchons des courges qui ne sont pas à portée de main, qui sont dans le fond de la salle ou cachées dans les coins.

Nous rassemblâmes un groupe de courges plus petites. Kishan en avait environ 10 et j'en avais 4. Il commença à ouvrir les siennes. Elles contenaient du riz, un papillon, un piment fort, une plume, du lilas, une boule de coton, une souris, un autre serpent, dont il se débarrassa — il aurait pu être inoffensif, mais mieux valait prévenir que guérir — et un ver de terre.

Déçus, nous nous tournâmes vers mes courges. La première avait du fil, la deuxième contenait des sons de tambour, la troisième contenait un parfum de vanille, et dans la quatrième, en forme de pommette, il n'y avait rien. Nous attendîmes une minute et nous commençâmes à devenir nerveux à l'idée que l'un d'entre nous pourrait devenir malade à nouveau. La courge brisée disparut comme les autres ; il s'était donc passé quelque chose.

— C'est tout ? As-tu vu quelque chose ?

— Non, chut. J'entends quelque chose.

— Eh bien ? dis-je après une minute. As-tu entendu quelque chose ?

— Oui. Il y a quelque chose de différent au sujet de la pièce, mais je ne peux pas dire ce que c'est. Attends. C'est l'air ! Il y a une légère différence dans l'air. La sens-tu ?

— Non.

— Donne-moi une minute.

Kishan circula autour de la pièce, examinant les étagères, les murs et les courges. Il posa une main sur l'un des murs et se pencha plus près, cognant les courges qui roulèrent et se déplacèrent.

— Il y a de l'air ici. Je crois que c'est une porte. Aide-moi à déplacer ces courges.

Nous vidâmes toute la section du mur, où il ne resta que des étagères nues.

— Celle-ci, je ne peux pas la déplacer. Elle est coincée.

C'était une courge minuscule qui semblait croître dans le mur. Je la tirai et la poussai, mais elle ne voulait pas bouger. Kishan recula pour mieux voir et se mit à rire. J'étais toujours en train de tirer sur la petite courge.

— Qu'est-ce qu'il y a ? Pourquoi ris-tu ?

— Éloigne-toi une seconde, Kells.

Je m'enlevai du chemin et il posa sa main sur la courge.

– Je ne sais pas ce que tu essaies de prouver. Elle ne bougera pas.

Kishan tordit la courgette et appuya dessus.

– C'est un bouton, Kelsey.

Il rit et poussa la section du mur qui était manifestement une porte. De l'autre côté, nous découvrîmes d'autres marches qui conduisaient plus haut dans l'arbre.

Il tendit la main.

– On y va ?

– Tu sais que je ne vais plus jamais regarder la tarte à la citrouille de la même façon.

Son rire résonna à travers le tronc d'arbre.

Après quelques heures d'escalade, Kishan s'arrêta.

– Arrêtons-nous pour manger quelque chose, Kells. Je ne peux pas te suivre. Je me demande combien de temps ta boisson énergétique spéciale va continuer à faire effet.

Je m'arrêtai à environ une dizaine de marches devant lui et j'attendis qu'il me rattrape.

– Maintenant, tu sais comment je me sens lorsque je dois tout le temps essayer de suivre votre rythme de tigres.

Il grogna et enleva le sac à dos de ses épaules. Nous nous mîmes à l'aise sur une large marche. Il ouvrit la fermeture éclair du sac, en sortit le Fruit d'Or et le fit rouler entre ses paumes. Après avoir réfléchi un moment, il sourit et se mit à parler dans sa langue maternelle. Une grande assiette scintilla et se solidifia. La vapeur provenant des légumes avait une odeur familière.

Je plissai le nez.

— Du curry ? Beurk. C'est mon tour.

Je souhaitai avoir un gratin dauphinois, du jambon glacé aux cerises, des haricots verts amandine et des petits pains au beurre de miel. Lorsque mon repas apparut, Kishan jeta un coup d'œil sur mon assiette.

— Que dirais-tu si on partageait ?

— Non merci. Pas vraiment une amatrice de curry.

Il termina rapidement son repas et ne cessa d'essayer de me faire regarder des monstres imaginaires pour qu'il puisse me voler des morceaux dans mon assiette. Je finis tout simplement par lui en donner la moitié.

Après une autre heure de marche dans les escaliers, les effets de ma boisson énergétique se dissipèrent. Je me sentis épuisée. Kishan me laissa me reposer pendant qu'il cherchait la maison suivante. Lorsqu'il revint, j'étais en train d'écrire dans mon journal.

— J'ai trouvé la prochaine porte, Kells. Allez. Il serait peut-être préférable de se reposer là-bas

Les gradins circulaires à l'intérieur du tronc de l'arbre-monde nous conduisirent à une maisonnette recouverte de lierre épais et de fleurs. On entendait des rires métalliques à l'intérieur.

— Il y a des gens, murmurai-je. Soyons prudents.

Il hocha la tête et détacha le chakram de sa ceinture pendant que j'encochais une flèche.

— Prête ?

— Prête, murmurai-je.

Il ouvrit la porte avec précaution, et nous fûmes accueillis par les plus belles femmes que j'aie vues de toute ma vie. Elles ignorèrent nos armes et nous souhaitèrent la bienvenue dans leur maison.

Vêtue d'une robe cramoisie chatoyante, une femme superbe avec d'épaisses vagues de longs cheveux bruns, des yeux verts, une peau ivoire douce et duveteuse, et des lèvres cerise prit le bras de Kishan.

— Les pauvres. Vous devez être fatigués après votre long voyage. Entrez. Vous pouvez prendre un bain et vous reposer de vos périples.

— Un bain serait fantastique, déclara un Kishan ravi.

Elle ne me porta aucune attention. Ses yeux étaient rivés sur Kishan. Elle lui caressa le bras et lui parla d'oreillers moelleux, d'eau chaude et de rafraîchissements. Une autre femme se joignit à la première. C'était une blonde aux yeux bleus et elle portait une robe d'argent étincelant.

— Oui, viens, dit-elle. Ici, vous serez vraiment a l'aise. S'il vous plaît, suivez-nous.

Elles avaient commencé à éloigner Kishan lorsque je protestai. Kishan se retourna et un homme s'approcha. Mesurant environ deux mètres, un mâle blond aux yeux bleus et à la poitrine nue bronzée et musclée tourna toute son attention vers moi.

— Bonjour, soyez la bienvenue dans notre maison. Mes sœurs et moi avons rarement des visiteurs. Nous serions ravis de vous accueillir chez nous pendant un moment.

Il me sourit, et je ne pus m'empêcher de rougir vivement.

— Euh, balbutiai-je, c'est très généreux de votre part.

Kishan fronça les sourcils en voyant l'homme, mais les filles commencèrent à faire battre leurs longs cils pour le distraire.

— Euh, Kishan, je ne pense pas…

Un autre homme sortit de derrière un rideau. Celui-ci était encore plus beau que le premier. Il avait les cheveux sombres avec des yeux foncés, et sa bouche attira toute mon attention. Il fit la moue.

— Êtes-vous certaine que vous ne voulez pas rester avec nous ? Juste pour un moment. Nous aimerions avoir de la compagnie.

Il soupira d'un air théâtral.

— La seule chose que nous possédons pour nous tenir occupés, c'est notre collection de livres.

— Vous avez une collection de livres ?

— Oui.

Il sourit et me tendit le bras.

— Voulez-vous me permettre de vous la montrer ?

Kishan était parti avec les femmes, alors je décidai d'aller examiner la collection de livres. Je pensai que je pourrais toujours faire sauter les gars avec l'éclair s'ils tentaient quelque chose auprès de moi.

Effectivement, ils avaient une collection de livres, et il y avait beaucoup de livres que j'adorais. En fait, après un examen plus approfondi, je découvris que je connaissais chaque titre. Ils m'offrirent des rafraîchissements.

— Tenez, goûtez une de ces tartelettes. Elles sont incroyables. Nos sœurs sont d'excellentes cuisinières.

— Oh. Humm, non merci. Kishan et moi venons tout juste de manger.

— Ah. Dans ce cas, aimeriez-vous vous rafraîchir ?

— Vous avez une salle de bains ?

— Oui. Elle se trouve derrière le rideau, là-bas. Il y a aussi une douche. Tirez sur la longue vigne et l'eau pleuvra des feuilles de l'arbre. Nous préparerons des rafraîchissements et un endroit confortable pour que vous vous reposiez.

— Je vous remercie.

Il était évident que nous nous trouvions dans la Maison des sirènes. Heureusement, leur salle de bains était réelle, et je pus prendre une douche et me changer. Lorsque je sortis, je découvris qu'une longue robe dorée avait été suspendue à mon attention. Elle était semblable aux robes que les deux femmes portaient. Mes vêtements habituels étaient encore déchirés et ensanglantés, je mis donc la robe dorée et j'accrochai mes vêtements de fées pour voir si les fées les nettoieraient même lorsque nous étions dans l'arbre-monde.

En silence, je lus les notes de M. Kadam sur les sirènes. Je parcourus les histoires de sirènes de *L'Odyssée* et celles de *Jason et les Argonautes*. Je connaissais déjà ces récits, mais il avait aussi inclus de l'information sur les nymphes de la mer et les tritons, qu'on appelait aussi parfois sirènes.

Ces gens étaient probablement plus des nymphes des arbres que des nymphes d'eau. *Elles retenaient la beauté jusqu'à leur mort, pouvaient se promener dans les airs, se faufiler à travers de petits trous.* Ah, en voici une nouvelle. *Une vie extrêmement longue… parfois invisibles… les moments spéciaux sont midi et minuit.* Minuit arriverait sans doute bientôt. *Elles pouvaient être dangereuses, causer la folie, un accident vasculaire cérébral, le mutisme et l'engouement hébété.*

Un léger coup me fit sursauter pendant mes recherches.

— Êtes-vous prête à sortir, mademoiselle ?

— Presque.

Je parcourus rapidement le reste de mes notes et je glissai les papiers dans mon sac à dos. Les deux hommes étaient debout juste devant la porte, et ils me regardaient comme une paire de serpents qui fixait un d'oiseau.

— Euh, excusez-moi.

Je me glissai entre eux, je me dirigeai de l'autre côté de la pièce, et je m'assis sur ce qui ressemblait à un canapé-poire géant recouvert de douce fourrure. Les hommes vinrent s'assoir de chaque côté de moi.

L'un des hommes poussa mon épaule.

— Vous êtes trop raide. Allongez-vous et détendez-vous. La chaise se moule à votre corps.

Ils n'acceptaient pas qu'on leur dise non. L'homme aux cheveux sombres me repoussa doucement, mais avec insistance.

— Oui, elle est confortable. Merci. Humm, où est Kishan?

— Qui est Kishan?

— L'homme qui m'accompagnait.

— Je n'ai pas remarqué d'homme.

— Il était impossible de remarquer quoi que ce soit après *votre* entrée dans la pièce, dit l'autre homme.

— Oui. Je suis d'accord. Vous êtes tout à fait charmante, ajouta son frère.

L'un des hommes commença à caresser mon bras tandis que l'autre massait mes épaules.

Ils pointèrent une table devant nous qui était chargée de friandises.

— Voulez-vous essayer quelques fruits confits? Ils sont délicieux.

— Non, merci. Je n'ai toujours pas faim.

L'homme qui était en train de masser mes épaules commença à embrasser l'arrière de mon cou.

— Vous avez la peau la plus délicate.

Je tentai de m'asseoir, mais il me pressa à nouveau dans le fauteuil.

— Détendez-vous. Nous sommes là pour vous plaire.

L'autre me tendit une flûte contenant un liquide rouge bouillonnant.

— Du jus de sureau pétillant ?

Il prit mon autre main et commença à embrasser mes doigts. Une pénombre brumeuse obscurcit ma vision. Je fermai les yeux un instant, et mes sens se concentrèrent sur des lèvres qui embrassaient ma gorge et des mains chaudes qui massaient mes épaules. Le plaisir serpentait à travers mon corps et avidement, j'en voulais plus. L'un des hommes m'embrassa sur les lèvres. Je ne me sentais pas bien. Quelque chose n'allait pas.

— Non, murmurai-je faiblement, et j'essayai de me défaire des hommes, mais ils ne me laissaient pas tranquille.

Quelque chose résonna au fond de mon esprit, une chose à laquelle j'essayais de m'accrocher. Une chose qui m'aiderait à me concentrer. Le massage sur mes épaules me faisait tellement de bien. Ses mains se déplacèrent vers mon cou et il fit bouger son pouce en petits cercles. C'est alors que la chose dont j'essayais de me souvenir parvint brusquement à ma conscience.

Ren. C'est ainsi qu'il avait massé mon cou. Je me représentai son visage. Au début, il était hors foyer, mais je commençai à dresser dans mon esprit la liste des choses que j'aimais de lui et l'image devint claire. Je pensai à ses cheveux, à ses yeux, à la façon dont il me tenait continuellement la main. Je pensai à lui qui posait sa tête sur mes genoux quand je lui faisais la lecture, à quel point il était jaloux, à son amour pour les crêpes au beurre d'arachide et à la fois où il avait choisi la crème glacée aux pêches et à la crème parce que cela lui faisait penser à moi. Dans mon esprit, je l'entendis dire : «*Meine tumse mohabbat karta hoon, iadala*».

– *Mujhe tumse pyarhai, Ren,* murmurai-je.

Quelque chose en moi éclata, et je m'assis brusquement. Les hommes firent la moue et tentèrent de me tirer en arrière. Ils commencèrent à fredonner et à chanter doucement. Ma vision commença à perdre à nouveau sa mise au point, alors je fredonnai la chanson que Ren avait écrite pour moi et je récitai l'un de ses poèmes. Je me levai. Les hommes insistaient maintenant à nouveau pour que je mange quelque chose ou que je sirote un verre de jus de fruit. Je refusai. Ils me poussèrent vers un lit douillet. Je tins bon pendant qu'ils tiraient et me suppliaient en me cajolant. Ils me firent des compliments sur mes cheveux, mes yeux et ma belle robe, et ils se plaignirent du fait que j'avais été leur seule visiteuse depuis des millénaires et me dirent qu'ils avaient simplement envie de passer un peu de temps en ma compagnie.

Continuant de refuser, j'insistai pour dire que nous devions reprendre notre route. Ils persistèrent, me prirent la main, me tirant vers le lit. Je me tordis pour m'éloigner et j'attrapai mon arc. Rapidement, je le tendis et j'encochai une flèche, puis je visai la poitrine masculine la plus proche en les menaçant. Les deux hommes reculèrent et l'un d'eux leva la main en un geste de défaite. Ils communiquèrent entre eux silencieusement et hochèrent tristement la tête.

— Nous vous aurions rendue heureuse. Vous auriez oublié tous vos soucis. Nous vous aurions aimée.

Je hochai la tête.

— J'en aime un autre.

— Avec le temps, nous serions devenus précieux à vos yeux. Nous avons la capacité d'enlever toutes les pensées et de les remplacer que par des sentiments de passion et de plaisir.

— Je parie que oui ! leur répondis-je d'un ton ironique.

— Nous sommes seuls. Notre dernière compagne est décédée il y a plusieurs siècles. Nous l'aimions.

L'autre intervint.

— Oui, nous l'aimions tellement. Elle n'a jamais connu la douleur, pas même un seul jour de sa vie avec nous.

— Mais nous sommes immortels, et sa vie s'est terminée trop vite.

— Oui. Nous devons lui trouver une remplaçante.

— Eh bien, désolée, les gars, mais ce n'est pas ce que je veux, dis-je. Je n'ai aucun intérêt à être… j'avalai ma salive, votre esclave d'amour. Et d'ailleurs, je ne veux pas tout oublier, ni oublier tout le monde.

Ils m'examinèrent pendant un long moment.

— Ainsi soit-il. Vous êtes libre de partir.

— Qu'en est-il de Kishan ?

— Il doit faire son propre choix.

Sur ces mots, ils pivotèrent en se transformant en un mince filet de fumée, entrèrent dans un nœud sur la paroi de l'arbre, puis ils disparurent. Je revins dans la salle de bains pour récupérer mes vêtements de fée, et je fus ravie de voir qu'ils avaient été nettoyés et réparés.

Ramassant le sac, j'entrai à nouveau dans la première pièce. Au lieu d'un boudoir de séduction, c'était maintenant une petite chambre vide avec une porte. J'ouvris la porte, sortis de la maison et me retrouvai près de l'escalier circulaire qui tournait à l'intérieur du tronc de l'arbre-monde. La porte se referma derrière moi, et je demeurai seule dans l'escalier.

Je remis le pantalon et la blouse que les fées avaient tissés pour moi, et je me demandai quand ou si Kishan sortirait. *Le lit moelleux aurait fait un bien meilleur endroit pour dormir que les marches de bois dur. Par contre, si j'étais restée dans ce lit, je ne crois pas que j'aurais beaucoup dormi.*

Mentalement, je remerciai Ren de m'avoir sauvée des nymphes des arbres, ou des hommes-sirènes, ou de quoi que ce soit qu'ils puissent être. Complètement épuisée, je me recroquevillai dans le sac de couchage et je m'endormis. Au milieu de la nuit, Kishan me poussa sur l'épaule.

– Hé.

Je me penchai sur un coude et je bâillai.

– Kishan ? Tu en as mis du temps.

– Ouais. Ce n'était pas vraiment facile de se débarrasser de ces femmes.

– Je sais ce que tu veux dire. J'ai dû menacer ces hommes de tirer sur eux pour qu'ils me laissent tranquille. En fait, je suis surprise que tu sois sorti aussi rapidement. Comment as-tu pu purger ton esprit de leur influence ?

– Je t'en parlerai plus tard. Je suis fatigué, Kells.

– D'accord. Tiens, prends ma courtepointe. Je t'offrirais de partager le sac de couchage, mais j'en ai assez des hommes pour le moment.

– Je comprends tout à fait. Merci. Bonne nuit, Kells.

Lorsque nous nous réveillâmes, nous mangeâmes, emballâmes nos affaires et continuâmes à monter les marches de l'arbre-monde. Une lumière vive brillait devant. Un trou s'ouvrit dans le tronc et nous continuâmes à monter à l'extérieur. J'aimai beaucoup le soleil, mais les marches n'étaient plus fermées. Je serrai le tronc dans mes bras, refusant de regarder en bas.

Kishan, d'autre part, était fasciné par la hauteur à laquelle nous nous trouvions. Malgré sa vision de tigre, il ne pouvait voir le sol plus bas. Des branches géantes s'étiraient de l'arbre. Elles étaient si larges qu'on aurait pu y marcher côte à côte sans risquer de tomber. Kishan en longea quelques-unes de temps en temps pour explorer. Je restai aussi près du tronc que possible.

Après plusieurs heures de marche à un rythme lent, je m'arrêtai devant un trou noir qui menait à l'intérieur du tronc. J'attendis que Kishan revienne de sa dernière exploration, et nous y entrâmes ensemble. Cette partie du tronc était sombre et humide. L'eau coulait à l'intérieur, dégouttant depuis un endroit qui se trouvait quelque part audessus de nous. Auparavant lisses, les murs étaient maintenant écaillés et pelés. Nos voix retentissaient. Il semblait y avoir un large trou dans l'arbre, comme s'il avait été creusé.

— Cette partie de l'arbre semble morte, observai-je, comme si elle avait été endommagée.

— Oui. Le bois sous nos pieds est en train de pourrir. Reste aussi près que possible de la paroi du tronc.

Quelques minutes passèrent, et l'escalier s'arrêta sous un trou noir juste assez large pour y ramper.

— C'est le seul endroit par où passer. Devrions-nous y entrer ?

— Ce sera serré.

— Alors, laisse-moi aller en premier pour jeter un coup d'œil.

Je me portai volontaire.

— Si c'est bloqué devant, il n'est pas nécessaire que tu grimpes. Je vais revenir en arrière, et nous trouverons un autre chemin vers le sommet.

Il fut d'accord et il échangea la lampe de poche pour le sac à dos. Il m'encouragea à monter, et je me tortillai en rampant sur mes mains et sur mes genoux jusqu'à ce que le passage devienne plus étroit et plus haut. À cet endroit, la seule façon de procéder, c'était de se tenir debout, de se tourner sur le côté et de se dandiner vers l'avant. Voyant que le plafond du passage était de plus en plus bas, je m'abaissai encore une fois sur mes genoux.

Il semblait que le passage était fait de roc pétrifié. Un gros morceau pendait, bloquant la moitié supérieure du passage. Je me tortillai sur ma poitrine et je découvris que le passage donnait sur une large grotte. On aurait dit que je m'étais déplacée d'une trentaine de mètres, mais c'était probablement plutôt huit mètres. Je me dis que Kishan pourrait s'y faufiler, bien qu'avec difficulté.

— Essaie, lui criai-je.

Pendant que je l'attendais, je remarquai que le sol était spongieux. *Probablement du bois pourri.* Les murs étaient enduits de quelque chose qui ressemblait à de la moutarde de style déli asséchée en croûte. J'entendis un oiseau qui battait des ailes au-dessus de moi et un doux cri. *Euh, il doit y avoir un nid là-haut.* Les sons rebondissaient à l'intérieur de l'arbre, devenant progressivement plus forts et plus violents.

— Euh, Kishan ? Dépêche-toi.

Je pointai ma lampe de poche vers le haut. Je ne pus voir quoi que ce soit, mais j'étais certaine que l'air se déplaçait. On aurait dit que des volées d'oiseaux entraient en collision dans l'obscurité. Quelque chose frôla mon bras et s'envola brusquement en claquant des ailes. Si c'était un oiseau, il était gros.

— Kishan !

— J'y suis presque.

Je pouvais l'entendre glisser sur son ventre. Il était presque arrivé.

Quelque chose ou plusieurs choses claquèrent à nouveau dans ma direction. *Ce sont peut-être des papillons de nuit géants.* Je fermai ma lumière pour dissuader les créatures qui voletaient de s'approcher et j'écoutai alors que Kishan me rejoignait.

J'aperçus d'abord le sac à dos, puis sa tête. Au-dessus de ma tête, quelque chose de large me fit sursauter en battant frénétiquement des ailes. Des griffes me pincèrent et s'enroulèrent autour de mes épaules en s'y accrochant. Je me mis à hurler. Elles me serrèrent et, avec un violent battement d'ailes et un fort cri, la créature me souleva dans les airs.

Kishan se tortilla pour sortir du trou et il attrapa ma jambe, mais la créature était forte et m'éloigna brusquement. J'entendis Kishan crier : « Kelsey ! »

Je criai à mon tour, ma voix retentissant sur les murs. J'étais très haut, beaucoup plus haut que Kishan, mais je pouvais encore vaguement le distinguer plus bas. La créature fut bientôt entourée par plusieurs de ses semblables, et je fus enveloppée dans une masse de corps chauds qui hurlaient, voltigeaient et frémissaient. Parfois je sentais de la fourrure qui frottait ma peau, parfois c'était une membrane caoutchouteuse, et de temps en temps, des serres qui grattaient.

La créature ralentit, plana, puis lâcha prise. Avant que je puisse hurler, j'atterris avec un bruit sourd sur les fesses. Je pris la lampe de poche que j'avais d'une certaine manière réussi à conserver durant l'envol soudain. Effrayée de voir où je me trouvais, mais déterminée à le découvrir, j'appuyai sur l'interrupteur et je levai les yeux.

Au début, je ne compris pas ce que j'étais en train de regarder. Tout ce que je pouvais voir, c'étaient des masses de corps bruns et noirs. Puis, je me rendis compte que c'étaient des *chauves-souris*. Des chauves-souris *géantes*. J'étais debout sur une corniche avec une chute d'une trentaine de mètres. Rapidement, je plaçai mon dos contre le mur.

Kishan hurla mon nom et tenta de se déplacer dans ma direction.

— Ça va ! criai-je. Elles ne m'ont pas fait de mal ! Je suis ici, sur une corniche !

— Attends, Kells ! J'arrive !

Les chauves-souris se tenaient la tête en bas et observaient les progrès de Kishan avec leurs grands yeux noirs clignotants. La masse des corps était constamment en mouvement. Certaines marchaient comme des araignées sur les autres pour obtenir une meilleure position suspendue. D'autres se balançaient d'avant en arrière. Certaines mangeaient, et d'autres dormaient.

Elles étaient bruyantes. Elles jacassaient en émettant des clics, des clacs et des smacks en même temps qu'elles demeuraient accrochées et nous regardaient.

Kishan progressa pendant un certain temps, mais il resta coincé et dut faire marche arrière. Il tenta à plusieurs reprises de monter jusqu'à l'endroit où je me trouvais, mais ses plans étaient toujours déjoués. Après le sixième essai, il se tint près du trou et cria vers moi.

— C'est impossible, Kells. Je suis incapable de monter là-haut!

Je venais d'ouvrir la bouche pour lui répondre quand une chauve-souris géante commença à parler.

— Iiiiiiiiil pense que c'est impossiiiiiible, dit-elle en cliquant et claquant. C'est possiiiiiiible, tiiiiigre.

Je parlai à la chauve-souris.

— Vous savez que c'est un tigre?

— Nous le voyyyyyons. Nous l'entendons. Son espriiiiiit est diiiiviiiisé.

— Son esprit est divisé? Que voulez-vous dire?

— Je veux diiiiire qu'iiiiil endure la douleur. S'iiiiil guériiiiit sa piiiiiqûre… iiiiil te sauve.

— S'il guérit sa piqûre, il me sauve? Comment peut-il faire cela?

— Iiiiiiil est comme nous. Iiiiil est moitié homme et moitiiiiiié tigre. Nous sommes moitiiiiié oiseaux et moitiiiiié mammiiiifères. Les moitiiiiiés doivent se réuniiiir. Il doit étreiiiindre le tiiiiigre.

— Comment ses deux moitiés peuvent-elles se réunir?

— Iiiiiil doit l'appprendre par luiiiiii-même.

Je m'apprêtais à poser une autre question quand plusieurs des chauves-souris se laissèrent tomber dans les airs et volèrent à différents endroits dans la caverne maintenant pleine de vie. Des claquements rythmiques – je me rendis compte qu'il s'agissait de leurs sonars – envahirent l'air et rebondirent contre les murs. Je pouvais sentir les vibrations sur ma peau. Bientôt, de petites pierres encastrées dans les murs commencèrent à briller. Plus les chauves-souris faisaient du bruit, plus l'éclairage devenait brillant. Quand les chauves-souris s'arrêtèrent, la caverne était bien éclairée.

– Les lumiiiiiières s'éttteiiiiindront quand son temps sera termiiiiiiné. Iiiiiiil doit se serviiiiiir de son homme et de son tiiiiiigre. Diiiiis-luiiiiii.

– D'accord.

Je criai vers le bas à Kishan.

– Les chauves-souris disent que tu dois te servir de tes deux moitiés pour pouvoir me rejoindre avant que la caverne s'assombrisse de nouveau. Elles disent que tu dois étreindre le tigre en toi.

Maintenant que les lumières étaient allumées, les dangers de la distance qu'il devait parcourir pour venir jusqu'à moi devinrent évidents. Une série de formations semblables à des stalagmites, mais avec des sommets plats, s'élevaient à travers la caverne. Elles étaient trop éloignées pour qu'un être humain saute de l'une à l'autre, mais un tigre pouvait y arriver.

Kishan me regarda, lança le chakram dans l'air, se changea en tigre noir, et sauta. Il allait vite. Je retins mon souffle et je le regardai qui sautait rapidement d'une formation à l'autre sans même s'arrêter pour se tenir en équilibre. Horrifiée, je haletai, sachant que chaque bond pouvait causer sa mort. Lorsqu'il atteignit la dernière, il la dépassa légèrement et saisit le bois pétrifié avec ses griffes, se tordant la queue pour reprendre son équilibre.

Il reprit sa forme humaine, saisit le chakram et le lança à nouveau. La surface sur laquelle il se tenait était minuscule, à peine assez large pour ses pieds. Il n'y avait aucune corniche sur laquelle sauter à partir de là. Il n'y avait rien qui fut assez proche, même pour un tigre. Il regarda autour de lui pendant un moment, réfléchissant à son prochain coup. Les chauves-souris clignèrent des yeux et, perchées la tête en bas, le regardaient fixement, observant ce qui se passait, les yeux écarquillés. La lumière commençait à diminuer. Plus il ferait sombre, plus ce serait dangereux.

Je savais que Kishan pouvait voir mieux que moi dans le noir, mais la situation était toujours dangereuse. Il prit une décision, s'accroupit, se changea en tigre noir et sauta dans les airs. Il n'y avait rien sur quoi il pouvait atterrir.

— Kishan ! Non ! criai-je.

Il se changea en homme dans les airs et se laissa tomber. Je me penchai sur le ventre pour regarder par-dessus le bord de ma petite corniche, et je recommençai à respirer quand je le vis se balancer, accroché à une longue vigne. Il grimpait lentement, une main après l'autre, mais il était encore trop loin. Il saisit à nouveau le chakram, tint la dangereuse arme entre ses dents, et se balança d'avant en arrière jusqu'à ce qu'il puisse attraper un morceau de bois en saillie sur le côté de l'arbre. Il grimpa plus haut et se reposa une minute sur un minuscule affleurement. Après avoir évalué sa situation, il attrapa une nouvelle vigne, sauta et se balança de nouveau.

Kishan fit une série d'acrobaties compliquées. À au moins trois reprises, j'observai le changement de l'homme au tigre, puis du tigre à l'homme. À un moment donné, il lança son chakram, qui se mit à tournoyer dans la caverne, trancha une vigne, et revint vers une patte de tigre qui devint soudainement une main et l'attrapa. Tenant à nouveau le chakram dans sa bouche, il se balança au-dessous de moi, de l'autre côté de la caverne et poussa contre le côté pour se diriger vers moi. Il attrapa la vigne qu'il avait coupée pour compléter le balancement. Alors qu'il arrivait à toute vitesse vers moi, je vis que la vigne n'était pas suffisamment longue, et je me rendis compte qu'il lui manquait au moins trois mètres pour atteindre la corniche.

Je voulais fermer mes yeux, mais je sentais qu'il fallait que je regarde, puisque Kishan avait risqué sa vie pour me rejoindre. Kishan se balança en arrière et poussa de nouveau contre le mur. Cette fois-ci, lorsque ses pieds touchèrent le mur, il attrapa la vigne dans ses dents, se transforma rapidement de nouveau en tigre noir, et poussa fort avec ses puissantes pattes arrière. Il reprit sa forme d'homme, s'envola aussi haut que la vigne pouvait l'emmener, puis lâcha prise. Il se tordit dans les airs et se changea en tigre. Son corps noir rayé s'étendit jusqu'au rebord de la corniche où je me trouvais. En même temps que ses griffes creusaient dans le bois près de mes pieds et qu'il demeurait suspendu dans les airs, le chakram s'enfonça dans le bois à quelques centimètres de ma main. Les griffes de tigre devinrent des mains.

— Kishan!

J'attrapai le dos de sa chemise et je tirai aussi fort que je le pouvais. Il roula sur la saillie et demeura là, haletant, pendant plusieurs minutes. La lumière avait encore diminué.

— Vous voyyyyyyez. Il a réussiiiiii.

Ses bras tremblaient, et j'essuyai mes larmes.

— Oui. Il a réussi, dis-je doucement.

Quand Kishan se redressa, je l'attrapai dans une étreinte féroce et je l'embrassai sur la joue. Il me tint contre lui pendant une minute avant de me laisser aller, à contrecœur. Il écarta les cheveux de mes yeux.

— Je suis désolé. Je n'ai pu apporter le sac à dos, dit-il.

— Ce n'est pas grave. Il était impossible que tu l'apportes avec tout ce que tu avais à faire.

— Nous iiiiirons le chercher.

— Dommage qu'elles n'aient pas pu aussi te monter ici, murmurai-je d'un ton sarcastique.

— Nous devviiiiiions le tester. Il a réusiiiiii.

L'une des chauves-souris descendit en volant et récupéra le sac à dos. Elle laissa tomber le sac entre mes mains.

— Merci.

Je touchai le bras de Kishan.

— Est-ce que ça va ?

— Je vais bien.

Il sourit.

— En fait, je pourrais me faire convaincre de le refaire pour un vrai baiser.

Je donnai un léger coup de poing sur son bras.

— Je crois que celui sur la joue était suffisant.

Il grogna d'un air évasif.

— Où allons-nous à partir d'ici ?

L'une des chauves-souris se mit à parler.

— Nous vous emmènerons.

Deux des chauves-souris tombèrent du plafond et firent une chute de plusieurs mètres avant d'ouvrir brusquement leurs ailes. Elles les firent battre fort, gagnèrent de l'altitude et planèrent au-dessus de nous. Puis, elles descendirent lentement vers nous. Des pattes griffues agrippèrent mes épaules et les serrèrent.

J'entendis l'avertissement « Ne bougez pas », et je décidai que c'était un bon conseil à suivre.

En battant frénétiquement des ailes, les chauves-souris décollèrent, nous transportant toujours plus haut à l'intérieur de l'arbre. Ce n'était pas un trajet amusant, mais je dus reconnaître que cela nous épargnerait des heures d'escalade. J'avais cru que nous effectuerions un vol rectiligne à la verticale, mais les chauves-souris tournèrent plutôt en rond, montant lentement et régulièrement.

Finalement, je remarquai que notre environnement était de plus en plus clair. Je distinguai une ouverture, une crevasse qui permettait à des taches de lumière ensoleillée orangée de se déplacer sur les murs. Je sentis une brise fraîche sur ma peau et une odeur d'arbre vivant et frais au lieu de l'odeur moisie et pourrie de champignon, d'ammoniaque et d'agrumes brûlés. Nos compagnons ailés volèrent à travers l'ouverture et, en battant très fort des ailes, elles nous déposèrent soigneusement sur une branche. Ici, les branches étaient plus minces, mais elles étaient encore assez solides pour supporter notre poids.

Après nous avoir dit d'être vigilants, les chauves-souris s'envolèrent à nouveau à l'intérieur de l'arbre et nous laissèrent à nous-mêmes.

— Hé, Kells, lance-moi le sac à dos. Je veux revêtir d'autres vêtements et mettre des chaussures.

Je lui lançai le sac à dos et je me retournai pour qu'il puisse se changer.

– Ouais. Dommage que tes vêtements de fées ne soient plus là. Ils ont disparu dans l'éther du monde des tigres. C'était pratique de les avoir. Heureusement, M. Kadam a insisté pour que tu apportes quelques paires de chaussures, juste au cas.

– Euh, Kells ? Les vêtements de fées sont dans le sac.

– Quoi ?

Je me retournai pour trouver Kishan torse nu et je détournai les yeux.

– Comment est-ce arrivé ?

– Je ne sais pas. C'est la magie de fée, je suppose. Maintenant, tourne-toi, à moins que tu veuilles me regarder pendant que je me change.

Le visage rouge, je pivotai rapidement. Le soleil était en train de se coucher, et nous décidâmes de manger et de nous reposer. J'étais épuisée, mais je craignais de dormir sur une branche, même si elle avait le double de la largeur du matelas d'un très grand lit.

Je m'assis tout droit au milieu.

– J'ai peur de tomber.

– Tu es fatiguée. Tu as besoin de repos.

– Je ne serai pas capable de dormir.

– Je te tiendrai. Tu ne tomberas pas.

– Que fait-on si *tu* tombes ?

– Les félins ne tombent pas des arbres à moins de le vouloir. Viens ici.

Kishan posa son bras autour de moi et amortit ma tête sur son autre bras. Je m'endormis, même si je n'avais pas cru pouvoir y arriver.

Le lendemain matin, je bâillai, je frottai mes yeux endormis, et je m'aperçus que Kishan me regardait. Il avait un bras autour de ma taille et ma tête reposait toujours sur son autre bras.

— N'as-tu pas dormi ?

— J'ai fait de petits sommes.

— Depuis combien de temps es-tu réveillé ?

— Depuis une heure ou deux.

— Pourquoi ne m'as-tu pas réveillée ?

— Il fallait que tu te reposes.

— Oh. Eh bien, merci de t'être assuré que je ne tombe pas.

Il me regarda fixement pendant une minute.

— Kells ? Je veux dire quelque chose.

— Quoi ?

Je posai mon poing sous mon menton.

— Qu'est-ce que c'est ?

— Tu… tu es très importante pour moi.

— Tu es très important pour moi aussi.

— Non. Ce n'est pas ce que je veux dire. Je veux dire… Je *sens*… et j'ai des raisons de croire… que nous pourrions en venir à compter beaucoup l'un pour l'autre.

— Tu comptes pour moi maintenant.

— C'est vrai, mais je ne parle pas de l'amitié.

— Kishan…

— N'y a-t-il aucune possibilité, pas même la moindre chance que tu puisses un jour te permettre de m'aimer ? Ne ressens-tu pas quelque chose pour moi ?

— Bien sûr que oui. Mais…

— Mais rien. Si Ren n'était pas dans le portrait, envisagerais-tu d'être avec moi ? Pourrais-je être quelqu'un envers qui tu pourrais un jour avoir des sentiments ? demanda Kishan.

Je posai ma main sur sa joue.

— Kishan, je m'intéresse déjà à toi. J'éprouve déjà des sentiments pour toi. Je t'aime déjà.

Il sourit et se pencha un peu plus près.

Des alarmes commencèrent à sonner dans ma tête, et je reculai brusquement et j'eus l'impression que j'allais tomber. J'attrapai son bras et je m'y accrochai désespérément.

Il me stabilisa et examina mon visage. Il avait certainement remarqué mon expression de panique, et il avait probablement compris que ce n'était pas parce que j'étais en train de perdre l'équilibre. Il réfréna ses émotions et se pencha vers l'arrière.

— Je ne te laisserais jamais tomber, Kells.

Je ne maîtrisais pas la situation, et le mieux que je trouvai à dire fut :

— Je sais que tu ne me laisserais jamais tomber.

Il me laissa partir et il se leva pour préparer notre petit déjeuner.

L'escalier était plus étroit maintenant, et il s'enroulait autour de l'extérieur de l'arbre. Le tronc était aussi beaucoup plus petit. À cette hauteur, il ne nous fallait qu'une trentaine de minutes pour en faire le tour. Après quelques heures de marche terrifiantes dans un escalier qui rétrécissait de plus en plus, nous tombâmes sur une corde épaisse qui pendait à partir de ce qui ressemblait à une cabane dans les arbres.

Je voulais continuer à monter l'escalier, mais Kishan voulait grimper avec la corde. Il convint de monter l'escalier avec moi pendant une demi-heure et, à moins de trouver quelque chose, nous reviendrions à la corde. De toute manière, la discussion se montra stérile puisque, à peine cinq minutes plus tard, l'escalier se transforma en simples bosses noueuses sur le côté du tronc d'arbre, après quoi il disparut complètement.

— Je ne pense pas avoir les bras suffisamment forts pour monter si haut, dis-je alors que nous avions commencé à revenir à la corde.

— Ne t'inquiète pas. J'ai assez de force dans les bras pour nous deux.

— Qu'as-tu en tête exactement ?

— Tu vas voir.

Quand nous revînmes à la corde, Kishan prit le sac à dos et le posa sur ses épaules. Puis il me fit signe d'approcher.

— Quoi ?

Il désigna le sol devant lui.

— Qu'est-ce que tu vas me faire faire ?

— Tu vas passer tes bras autour de mon cou et tourner tes poignets dans la boucle supérieure du sac à dos.

— D'accord, mais n'essaie pas de t'amuser. Je suis très chatouilleuse.

Il leva mes bras en boucle autour de son cou et il me prit dans ses bras, approchant son visage très près du mien. Il leva un sourcil.

— Si jamais j'essaie de faire quelque chose, je peux te le promettre, ce ne sera pas pour te faire rire.

Je me mis à rire nerveusement, mais son visage était intense, grave.

– Allez, on y va !

Je sentis ses muscles se tendre alors qu'il se préparait à sauter, mais il me regarda à nouveau. Son regard dériva sur mes lèvres, et il baissa la tête pour me donner un doux baiser chaud sur le côté de la bouche.

– *Kishan.*

– Désolé. Je ne pouvais résister. Tu étais prise au piège et, pour une fois, tu ne pouvais pas te détourner de moi. Par ailleurs, tu donnes envie de t'embrasser. Tu devrais te compter chanceuse que je me sois autant retenu.

– Ouais, vraiment !

Sur ces mots, il sauta en l'air dans un mouvement brusque et je laissai échapper un cri. Calmement, il commença à grimper à la corde. Il nous tirait, une main au-dessus de l'autre, marchant sur des branches quand il le pouvait, posant parfois une main sur la corde et une autre sur une branche afin de garder son équilibre. Kishan prenait toujours soin de ne pas me blesser. À part le rebond, les centaines sinon les milliers de mètres dans les airs et les bonds entre les branches à vous faire tourner l'estomac, je me sentais plutôt à l'aise. En fait, je me sentais un peu trop à l'aise d'être pressée contre lui.

Apparemment, les hommes-Tarzan sont ma faiblesse.

Lorsque nous atteignîmes la porte de la cabane dans les arbres, Kishan grimpa un peu plus haut sur la corde et s'immobilisa pendant que je me dégageais avec soin. Puis, il donna un coup de pied, se balança et atterrit de façon théâtrale. Il était évident qu'il s'amusait.

— Cesse de te donner en spectacle, pour l'amour du ciel. Ne te rends-tu pas compte de la distance à laquelle nous sommes et du fait que tu pourrais tomber et risquer une mort horrible à tout moment ? À voir ta façon d'agir, on dirait que c'est une aventure extraordinaire et amusante.

— Je n'ai aucune idée de la hauteur à laquelle nous nous trouvons. Et je ne m'en inquiète pas. Mais, oui. Je m'amuse. J'aime être un homme tout le temps. Et j'aime être avec toi.

Il mit ses mains autour de ma taille et me tira plus près de lui.

— Humm.

Je me dégageai aussi vite que possible.

Je ne pouvais lui en vouloir d'aimer être un homme continuellement, mais je ne savais pas quoi dire sur le fait qu'il aimait être avec moi, alors je demeurai silencieuse. Nous nous assîmes sur le plancher de bois et nous parcourûmes les notes de M. de Kadam. Nous les lûmes deux fois, mais il ne se passait toujours rien dans la cabane dans les arbres. Ce devait être la maison des oiseaux, mais je n'en voyais aucun. Peut-être étions-nous au mauvais endroit. Je commençai à devenir nerveuse.

— Bonjour ? Y a-t-il quelqu'un ici ? retentit ma voix.

J'eus droit à un battement et un croassement rauque comme toute réponse. Dans un coin élevé de la cabane, nous aperçûmes un nid dissimulé. Deux corbeaux noirs regardaient par-dessus le rebord, nous surveillant. Ils s'interpellaient l'un l'autre avec un bruit sourd, un cliquetis qui venait du plus profond de leur gorge.

Les oiseaux quittèrent leur perchoir et firent le tour de la cabane, effectuant des acrobaties dans les airs. Ils firent des culbutes et volèrent même à l'envers. Chaque mouvement les rapprochait de nous. Kishan détacha son chakram et le souleva comme un couteau.

Je posai ma main sur la sienne et hochai légèrement la tête.

— Attendons de voir ce qu'ils font.

— Que voulez-vous de nous ? demandai-je.

Les oiseaux atterrirent à quelques mètres de nous. L'un tourna la tête et me regarda avec un de ses yeux noirs. Une langue noire sortait par la fente de son bec alors que l'oiseau se rapprochait.

J'entendis une voix rude et irritante qui disait : « Voulez-vous de nous ? »

— Me comprenez-vous ?

Les deux oiseaux balancèrent la tête de haut en bas, s'arrêtant parfois pour se lisser les plumes.

— Que devons-nous faire ici ? Qui êtes-vous ?

Les oiseaux sautillèrent un peu plus près. L'un dit : « Hughhn », et j'aurais juré que l'autre avait dit : « Muunann ».

Je m'émerveillai, incrédule.

— Vous êtes Hugin et Munin ?

Les têtes noires sautèrent de nouveau de haut en bas. Ils sautillèrent un peu plus près.

— Avez-vous volé mon bracelet ?

— Et l'amulette ? ajouta Kishan.

Les têtes se balancèrent.

— Eh bien, nous voulons les ravoir. Vous pouvez conserver les gâteaux au miel. De toute façon, vous les avez probablement déjà mangés.

Les oiseaux poussèrent des cris rauques, claquèrent très fort leur bec et battirent des ailes vers nous. Des plumes ébouriffées se gonflèrent, ce qui fit que les oiseaux paraissaient beaucoup plus gros qu'ils ne l'étaient.

Je croisai mes bras sur ma poitrine.

— Vous ne voulez pas les redonner, hein ? Nous verrons bien.

Hésitants, les oiseaux s'approchèrent en dansant, et l'un d'eux sauta sur mon genou. Kishan s'inquiéta immédiatement.

Je lui touchai le bras.

— S'ils sont Hugin et Munin, ils chuchotent des pensées et des souvenirs dans les oreilles d'Odin. Ils peuvent vouloir s'asseoir sur nos épaules et nous parler.

Il apparut que j'avais raison, car dès que j'inclinai ma tête sur le côté, un des oiseaux battit des ailes et s'installa sur mon épaule. Il colla son bec sur mon oreille et j'attendis pour l'entendre parler. Au lieu de cela, j'eus une curieuse sensation de traction. L'oiseau tira doucement sur quelque chose dans mon oreille, mais je ne ressentis aucune douleur.

— Que fais-tu ?

— Je frappe des pensées.

— Quoi ?

— Je frappe des pensées.

Je sentis une autre poussée légère, un claquement, puis Hugin s'éloigna en sautillant avec une mèche transparente qui ressemblait à une toile et qui pendait de son bec.

Je couvris mon oreille de ma main.

— Qu'as-tu fait ? As-tu volé une partie de mon cerveau ? Est-ce que j'ai des lésions cérébrales ?

— Je frappe des pensées !

— Qu'est-ce que ça veut dire ?

Alors que l'oiseau faisait claquer son bec, le fil qui y était accroché se dissipa lentement. Bouche bée, je restai assise, le fixant, horrifiée, et me demandant ce qu'il m'avait fait. Avait-il volé un souvenir ? Je me creusai le cerveau, essayant de me souvenir de tout ce qui était important. Je cherchai pour voir s'il n'y avait pas un trou, un certain vide. Si l'oiseau avait volé un souvenir, je n'avais aucune idée de ce que ça pouvait être.

Kishan toucha ma main.

— Est-ce que ça va ? Comment te sens-tu ?

— Je me sens bien. C'est juste que... Je ne pus terminer ma phrase car quelque chose changeait dans mon esprit. Il se passait quelque chose. Quelque chose traînait à la surface de mon cerveau comme une raclette sur une vitre savonneuse. Je pouvais sentir une couche de confusion, de désordre mental et de saleté, à défaut d'un meilleur terme pour l'expliquer, se détacher comme une peau morte après un coup de soleil. C'était comme si les craintes aléatoires, les soucis et les pensées lugubres avaient obstrué les pores de ma conscience.

Pendant un moment, je pus parfaitement voir tout ce qu'il me fallait faire. Je savais que nous avions presque atteint notre objectif. Je savais que des protecteurs féroces garderaient l'écharpe, et je savais ce que l'écharpe pouvait accomplir. À ce moment, je compris comment nous l'utiliserions pour sauver Ren.

Munin sauta d'un côté et de l'autre devant Kishan, attendant son tour.

— C'est bon, Kishan ! Vas-y. Laisse-le se poser sur ton épaule. Il ne te blessera pas. Crois-moi.

Il me regarda comme s'il doutait de mes paroles, mais il pencha tout de même sa tête de côté. Je regardai avec fascination alors que Munin battait des ailes et atterrissait sur l'épaule de Kishan. Il garda ses ailes ouvertes, les faisant battre paresseusement de haut en bas alors qu'il travaillait dans l'oreille de Kishan.

Je parlai à Hugin.

— Munin est-il en train de faire la même chose à Kishan ?

L'oiseau secoua sa tête et déplaça son poids d'un pied à l'autre. Il commença à lisser ses plumes.

— Eh bien, quelle est la différence ? Que lui fera-t-il ?

— Attends un peu.

— Attends un peu ?

L'oiseau hocha la tête.

Munin sauta sur le sol en tenant dans son bec un brin vaporeux noir de la taille d'un ver de terre. Il ouvrit son bec et l'avala.

— Euh… cela avait l'air différent. Kishan ? Qu'est-il arrivé ? Est-ce que ça va ?

— Je vais bien, répondit-il tranquillement. Il… il m'a montré.

— Il t'a montré quoi ?

— Il m'a montré mes souvenirs… en détail. J'ai vu tout ce qui s'est passé. J'ai revu Yesubaï et moi. J'ai vu mes parents, Kadam, Dhiren… tout le monde. Mais avec une différence importante.

Je pris sa main dans la mienne.

– Qu'est-ce que c'est ? Quelle est la différence ?

– Ce fil noir que tu as vu… c'est difficile à expliquer, mais c'est comme si l'oiseau avait enlevé une paire de lunettes de soleil noires de mes yeux. J'ai tout vu comme c'était vraiment, tout ce qui est vraiment arrivé. Ce n'était plus simplement ma perception. On aurait dit que j'observais de l'extérieur.

– Le souvenir est-il différent maintenant ?

– Ce n'est pas différent… c'est plus clair. J'ai pu voir que Yesubaï était une gentille fille qui avait des sentiments pour moi, mais on l'avait encouragée à m'attirer. Elle ne m'aimait pas avec les mêmes sentiments que j'éprouvais pour elle. Elle avait peur de son père. Elle lui obéissait complètement, mais elle était aussi désespérée de le quitter. À la fin, c'est son père qui l'a tuée. Il l'a projetée violemment, et c'est ce qui lui a brisé le cou. Comment avais-je pu ne pas voir sa peur, son angoisse ?

Il frotta sa mâchoire.

– Elle le cachait bien. Il a profité de mes sentiments pour elle. J'aurais dû voir ce qu'il était, mais j'étais aveugle et entiché. Comment ai-je pu ne pas voir ces choses avant ?

– L'amour nous fait parfois faire des choses folles.

– Et toi, qu'en penses-tu ? Qu'as-tu vu ?

– C'est comme si mon cerveau avait été nettoyé par un aspirateur.

– Que veut dire « aspirateur » ?

— Un aspirateur sert à aspirer les saletés. Mes pensées sont claires, comme tes souvenirs sont clairs. En fait, je sais maintenant comment obtenir l'écharpe et ce qui vient après. Mais nous devons d'abord nous occuper des priorités.

Je sautai sur mes pieds et soulevai le nid attaché au coin de la cabane dans les arbres. Les deux oiseaux sautèrent de haut en bas, poussant des cris irrités. Ils volèrent au-dessus de moi et battirent des ailes dans mon visage.

— Je suis désolée, mais vous n'avez vous-mêmes qu'à blâmer, vous savez. C'est vous qui avez défriché mon esprit. En outre, ces choses nous appartiennent. Nous en avons besoin.

Je pris l'appareil photo, mon bracelet et l'amulette dans le nid. Kishan m'aida à fixer le bracelet et la chaîne de l'amulette, et il rangea l'appareil photo dans le sac. Les oiseaux me regardèrent d'un air boudeur.

— Peut-être pouvons-nous vous donner autre chose à la place pour compenser la perte de ces trésors, dis-je.

Kishan sortit du sac un hameçon, un bâton lumineux et une boussole, et il les déposa dans le nid. Après avoir replacé le nid, les oiseaux s'envolèrent pour inspecter leurs nouveaux trésors.

— Merci à vous deux ! Allez, Kishan. Suis-moi.

21

L'écharpe de la tisserande divine

Après avoir récupéré nos trésors, je me dirigeai vers une simple corde accrochée au plafond de bois. Lorsque je la tirai, j'entendis un cliquetis au-dessus de la cabane dans les arbres, et un panneau s'ouvrit. Une échelle en descendit et heurta le sol de bois.

— La prochaine partie sera plus difficile, expliquai-je à Kishan. Cette échelle mène à des branches extérieures que nous devons escalader jusqu'à ce que nous atteignions le sommet, où il y a un nid d'oiseau géant. L'écharpe sera là, mais il y aura aussi les oiseaux de fer.

— Les oiseaux de fer ?

— Oui, et nous devrons nous battre contre eux pour obtenir l'écharpe. Attends une seconde.

Je fouillai dans les documents de M. Kadam et je découvris ce que je cherchais.

— Ici. C'est ce contre quoi nous devons nous battre.

L'image de l'oiseau mythologique du lac Stymphale était assez effrayante sans la description que M. Kadam avait incluse.

— Terribles oiseaux mangeurs de chair, lut Kishan, avec des becs de fer, des griffes de bronze et des excréments toxiques. En général, ils vivent en grandes colonies.

— Formidable, n'est-ce pas ?

— Reste près de moi, Kells. Nous ne sommes pas assurés que tu puisses guérir ici.

— D'ailleurs, ce n'est pas non plus garanti que tu guérisses toi aussi, dis-je en souriant, mais j'essaierai de ne pas te laisser seul trop longtemps.

— Amusant. Après toi.

Nous grimpâmes les échelons et nous nous retrouvâmes devant un groupe de branches particulièrement serrées les unes contre les autres ; elles me rappelaient un mur d'escalade miniature pour enfant. La montée était assez facile tant que je ne pensais pas à la possibilité de tomber. Kishan insista pour que je monte en premier afin qu'il puisse m'attraper si je glissais. Mon pied glissa sur du bois humide, et Kishan attrapa ma chaussure avec sa main et me repoussa vers le haut.

Après avoir escaladé les branches pendant un moment, nous nous reposâmes, le dos contre le tronc. Kishan était sur une branche plus basse, et moi sur une branche plus haute. Il me lança une gourde de limonade sans sucre, que j'acceptai avec reconnaissance. Alors que je prenais de longues gorgées, je remarquai que la branche sur laquelle j'étais assise était endommagée.

— Kishan, viens jeter un coup d'œil ici.

Une épaisse pâte gluante de ton chartreuse avait éclaboussé le bout de ma branche et en avait apparemment grugé la moitié.

— Je pense que nous sommes en train de regarder les excréments toxiques, remarquai-je avec ironie.

Kishan se plissa le nez.

— Et cet échantillon n'est pas récent, dit-il, peut-être vieux de deux semaines. L'odeur est désagréable. Elle est forte et amère.

Il cligna des yeux et il se les frotta.

— Ça me brûle les narines.

— Je pense que nous devrons faire attention aux bombes toxiques, n'est-ce pas ?

Maintenant qu'il avait capté l'odeur des oiseaux, nous pouvions suivre son flair jusqu'au nid. Il fallut une heure d'escalade, mais nous finîmes par apercevoir un nid géant reposant sur un trio de branches d'arbres.

— Wow, il est énorme ! Plus gros que celui de Big Bird.

— Qui est Big Bird ?

— Une marionnette géante en forme d'oiseau dans une émission télévisée pour enfants. Tu crois qu'un des oiseaux se trouve à proximité ?

— Je n'entends rien, mais l'odeur est partout.

— Hé, comme j'ai de la chance d'avoir un museau de tigre à proximité. Je ne sens vraiment rien.

— Apprécie ta bonne fortune. Je pense que je ne pourrai jamais m'enlever cette odeur de la tête.

— Ce n'est que justice que tu doives combattre des oiseaux à l'odeur désagréable. Souviens-toi, Ren a dû se battre contre des kappas et des singes immortels.

Kishan grogna et continua à avancer vers le nid géant. D'anciens excréments blanchissaient la surface des branches de l'arbre, les affaiblissant. Si nous nous approchions trop près de l'une d'elle, la surface de la branche s'émiettait en poudre blanche et, parfois, se rompait complètement.

Nous nous approchâmes en rampant, nous fiant à l'odorat de Kishan pour nous avertir de l'approche des oiseaux. Le nid était de la taille d'une grande piscine et confectionné avec des branches d'arbres morts de l'épaisseur de mon bras, toutes tissées ensemble pour former une sorte de corbeille de Pâques géante. Nous escaladâmes par-dessus le bord du nid et tombâmes à l'intérieur.

Au milieu, il y avait cinq œufs géants. Chacun aurait rempli un jacuzzi. Brillants et de la couleur du bronze, ils reflétaient la lumière du soleil dans nos yeux. Kishan donna une petite tape sur l'un d'eux, et nous entendîmes un écho métallique creux.

Je fis le tour de l'œuf, et j'eus le souffle coupé. Les œufs étaient déposés sur un tissu diaphane, le plus beau que j'aie vu de toute ma vie. L'écharpe de la tisserande divine! Les couleurs se modifiaient et tourbillonnaient en motifs géométriques sur la surface de l'écharpe. Un kaléidoscope bleu pâle se transformait en rose et en jaune qui se tordait en vert tendre et en or, puis qui était parcouru de tourbillons noir bleuté. C'était fascinant.

Kishan scruta le ciel et m'assura que la voie était libre, puis il s'accroupit à côté de moi pour examiner l'écharpe.

— Il nous faudra retirer les œufs un par un en les faisant rouler, Kells. Ils sont lourds.

— Très bien. Commençons par celui-ci.

Nous saisîmes un œuf brillant et le fîmes rouler avec précaution sur le côté du nid, puis nous revînmes pour chercher le second. Nous trouvâmes une plume près du deuxième œuf. Normalement, les plumes d'oiseau étaient légères, creuses et flexibles. Celle-ci était plus longue que mon bras, lourde et métallique. Kishan avait de la difficulté à la déplacer, et son contour était tranchant comme la lame d'un rasoir.

— Euh, ce n'est pas de bon augure.

Kishan était d'accord.

— Oui. Nous ferions mieux de nous dépêcher.

Nous étions en train de faire rouler le troisième œuf lorsque nous entendîmes un cri strident.

Au loin, un oiseau revenait vers le nid. Il ne semblait pas heureux. Je plaçai ma main au-dessus de mes yeux pour mieux voir. Au premier abord, il semblait petit, mais mon opinion sur sa taille changea rapidement à mesure qu'il approchait de nous à toute vitesse. De puissantes ailes maintenaient la créature dans les airs alors qu'elle volait sur les courants ascendants.

Boum ! Le soleil frappa le corps métallique de l'oiseau géant et se refléta dans mes yeux. Boum ! Il était maintenant beaucoup plus proche et semblait avoir doublé de volume. Il lança un cri rauque de lamentation. Un autre cri plus bas répondit alors qu'un second oiseau rejoignait le premier. Boum !

L'arbre bougea de haut en bas alors que quelque chose atterrit sur une branche à proximité. Un oiseau poussa des cris vers nous et commença à se frayer un chemin vers le nid. Comme d'habitude, Kishan se plaça devant moi, et nous reculâmes rapidement, gardant le tronc derrière nous.

Boum ! Boum ! Boum ! Un oiseau vola au-dessus de nous. C'était plus un monstre qu'un oiseau. Je le vis clairement alors qu'il descendait en piqué au-dessus de nous. Sa tête était inclinée et son regard était fixé sur nous. J'estimai son envergure à environ 12 mètres, soit environ la moitié de celle de l'avion de M. Kadam. Je tendis mon arc, préparai une flèche, et frissonnai alors que son hurlement vibrait dans mes membres. Ma main se mit à trembler, et je laissai aller la flèche. Je ratai mon coup.

Le corps de la créature ressemblait à celui d'un aigle géant. Des rangées de plumes métalliques se chevauchant couvraient le torse de l'oiseau et s'élargissaient le long de ses longes et larges ailes. Ses plumes avaient environ la taille d'une planche de surf. Les extrémités des ailes étaient effilées et largement séparées. L'oiseau de fer battait des ailes et étalait les plumes de sa queue pour mieux ralentir et se fondre à nouveau dans le ciel.

Il se déplaçait comme un rapace. De puissantes pattes musclées avec des serres acérées comme un rasoir se tendirent pour nous attraper à son second passage. Kishan me poussa, la face contre le fond du nid, et l'oiseau nous manqua, mais par quelques centimètres à peine. Sa tête ressemblait à celle d'une mouette avec un gros bec crochu assez long; mais un crochet supplémentaire reposait sur la mandibule supérieure de son bec, le rendant comparable à une épée à deux tranchants.

Lorsqu'un autre oiseau s'approcha, il tenta de nous mordre, et j'entendis un cisaillement métallique alors que les arêtes vives de son bec s'emboîtaient comme une paire de ciseaux géants.

Un autre arriva très près de nous, et je l'atteignis avec un éclair. L'énergie frappa l'oiseau à la poitrine et rebondit, roussissant le nid à quelques centimètres de l'endroit où se tenait Kishan.

— Attention, Kells!

Cela augurait mal.

— Mes éclairs rebondissent ! criai-je.

— Laisse-moi essayer !

Il lança le chakram, qui se précipita dans les airs dans un grand arc devant l'oiseau.

— Kishan ! Comment peux-tu manquer quelque chose d'aussi gros ?

— Attends !

Alors que le chakram terminait son arc et revenait vers Kishan il frappa l'oiseau et trancha une aile métallique en la traversant, faisant un bruit terrible, comme une perceuse sur de la tôle. L'oiseau poussa un cri et tomba de milliers de mètres sur le sol en dessous, arrachant des branches d'arbres sur son passage. L'arbre trembla violemment alors que l'oiseau s'écrasait.

Trois autres oiseaux tournèrent en rond au-dessus de nous et essayèrent de nous attraper à l'aide de leurs serres, ou bien avec leurs becs aiguisés comme des couteaux. J'encochai une autre flèche et je visai celui qui était le plus près de moi. La flèche frappa l'oiseau en pleine poitrine, mais cela ne le rendit que plus furieux.

Kishan se cacha entre des œufs alors qu'un oiseau essayait de faire du kebab avec lui en se servant d'une de ses serres.

— Vise le cou ou les yeux, Kelsey !

Je tirai une autre flèche dans son cou et une troisième dans son œil. L'oiseau s'envola, puis tomba, tournant comme un avion dont on a perdu la maîtrise avant de s'écraser au sol. Ils étaient maintenant vraiment fâchés.

D'autres oiseaux arrivèrent. Ils semblaient intelligents et débrouillards. L'un d'eux tenta de mordre Kishan, le faisant reculer jusqu'au bord du nid. Alors qu'il était occupé là-bas, un second oiseau tendit la patte et le saisit avec ses serres.

— Kishan!

Je levai la main et visai l'œil de l'oiseau. Cette fois-ci, l'éclair fut efficace. L'oiseau de fer poussa un cri et lâcha Kishan, le laissant tomber avec un bruit sourd dans le nid. Je fis la même chose pour l'autre oiseau, et il décolla, appelant frénétiquement ses compagnons.

Je courus vers Kishan.

— Ça va?

Sa chemise était déchirée et ensanglantée. Les serres de l'oiseau avaient labouré les deux côtés de sa poitrine, et il saignait abondamment.

Il haleta.

— Ce n'est pas grave. Ça fait mal. On dirait que de chauds couteaux sont pressés contre ma peau, mais c'est en train de guérir. Ne les laisse pas t'approcher.

La peau autour des coupures était boursouflée et avait une vilaine teinte rouge.

— On dirait que leurs serres sont aussi recouvertes d'acide, dis-je avec compassion.

Lorsque je lui touchai la peau, il prit une grande respiration.

— Ça ira.

Il se figea.

— Écoute. Ils sont en train de communiquer entre eux. Ils reviennent. Prépare-toi à combattre.

Kishan se leva pour les distraire, pendant que je prenais position derrière deux autres œufs.

— Tout bien considéré, je préférerais les singes, cria Kishan.

Je frissonnai.

— Tu sais quoi ? Nous louerons *King Kong* et *Les oiseaux*. Alors tu pourras décider.

— Es-tu en train de me demander de sortir avec toi ? hurla-t-il alors qu'il s'éloignait en courant d'un oiseau qui descendait en piqué. Parce que si c'est le cas, je serai encore plus motivé pour m'en sortir vivant.

— Si ça fonctionne !

— Tope là !

Il courut à travers le nid, sauta du bord, et se renversa dans les airs, atterrissant sur une branche d'arbre qui dépassait. Il lança le chakram, qui s'envola vers le ciel. Le soleil se refléta sur le disque d'or alors qu'il tournait autour de l'arbre et passait entre une douzaine d'oiseaux qui volaient autour du sommet.

Ils se mirent à voler dans tous les sens, puis ils se regroupèrent. Je pouvais presque les voir planifier leur prochaine attaque. Soudain, ils plongèrent tous vers nous. Hurlant et criant, la volée attaqua. J'avais déjà vu une colonie de mouettes adopter un comportement d'attaque. Elles s'étaient mises à harceler un homme qui, à la plage, tenait un sandwich, et elles lui avaient donné des coups de bec jusqu'à ce qu'il s'enfuie en courant. Elles s'étaient montrées violentes, déterminées et agressives, mais ces oiseaux-ci étaient cent fois pires.

Les oiseaux déchirèrent des branches d'arbre pour arriver à nous. Plus de la moitié d'entre eux plongèrent sur Kishan, qui sauta agilement de branche en branche jusqu'à ce qu'il soit avec moi derrière les œufs. Des battements d'ailes frénétiques autour du nid soufflaient de l'air dans toutes les directions. J'avais l'impression d'être prise dans un tourbillon.

Kishan lança son chakram, encore et encore, coupa la patte d'un oiseau et trancha le ventre d'un second avant que l'arme revienne entre ses mains. Je me débarrassai de deux oiseaux en leur envoyant des flèches à travers les yeux, et j'en aveuglai deux autres avec des éclairs.

— Peux-tu t'arranger pour qu'ils se tiennent loin de moi pendant une minute, Kells ?

— Je pense que oui ! Pourquoi ?

— Je vais déplacer les deux derniers œufs !

— Dépêche-toi !

Je fis un test : je préparai une autre flèche en lui infusant le pouvoir de l'éclair et je la laissai partir. Elle frappa l'oiseau dans les yeux et lui arracha la tête. Le torse calciné, fumant et sans tête, il atterrit en faisant un vacarme, la moitié dans le nid et l'autre moitié pendant sur le côté. Le nid craqua et pencha de façon précaire avant de se stabiliser. Je fus projetée dans les airs sous le coup de l'impact, comme si j'avais été sur un trampoline, et l'élan me balança par-dessus le bord du nid. Je tendis désespérément les bras pour attraper le bord dans ma chute.

Des branches rugueuses égratignèrent ma peau alors que je m'efforçais de ralentir mon élan. Réussissant finalement, je lançai mes bras par-dessus le rebord, mais je glissais toujours. Le sang coulait le long de mon bras. Grinçant des dents à cause de la douleur, j'enfonçai mes doigts et glissai mes pieds entre les branches pour y prendre pied. Je me déchirai plusieurs ongles et j'égratignai mes jambes et mes bras, mais c'était le prix à payer pour ne pas être précipitée vers une mort horrible. Du moins pour le moment.

Kishan avait mieux tenu le coup. Il se redressa rapidement et se dirigea vers moi.

— Tiens bon, Kells !

Kishan se coucha sur le ventre et me tendit la main. Il attrapa mes mains et tira fort jusqu'à ce que j'atterrisse sur lui.

— Est-ce que ça va ? demanda-t-il.

— Ouais. Ça va aller.

— Très bien.

Il sourit et venait tout juste d'enrouler ses bras autour de moi lorsqu'il aperçut quelque chose au-dessus de nous. Il posa une main derrière ma tête et l'autre autour de ma taille et roula à plusieurs reprises jusqu'à ce que nous heurtions l'arrière du nid. Nous nous retrouvâmes avec son corps étendu au-dessus du mien.

— Attention ! criai-je.

Deux des oiseaux étaient penchés vers nous et s'apprêtaient à nous casser en deux avec leurs becs métalliques. Je ramassai une branche cassée à proximité et je la fourrai dans l'œil de l'oiseau juste avant qu'il n'éviscère Kishan, puis je frappai l'autre avec un éclair.

— Merci.

Je souris, fière de ma réussite.

— N'importe quand.

Le nid se déplaça. L'oiseau mort qui pendait au bord du nid était trop lourd. L'oiseau était en train de tomber et amenait le nid avec lui. Kishan attrapa des branches des deux côtés de ma tête.

— Tiens bon ! cria-t-il.

J'enveloppai mes bras autour de son cou et je m'accrochai à lui alors que le nid s'inclinait à quelques mètres dans les airs et se cassait en deux. La moitié du nid tomba avec l'oiseau mort, et l'autre moitié — la moitié sur laquelle nous nous trouvions — était accrochée de façon précaire à deux branches presque brisées. Mon estomac se contracta alors que le nid et tout ce qui l'entourait, incluant les branches qui nous soutenaient, s'affaissèrent soudainement d'un mètre et se cognèrent avec un *bang* à vous secouer les os. Trois des œufs tombèrent du nid et se brisèrent sur les branches au-dessous. Nous tombâmes dans ce qui restait du nid avant de rouler et de nous immobiliser.

— Où est l'écharpe? criai-je.

— Là-bas!

L'écharpe avait été soufflée hors du nid et s'était drapée librement sur une branche fracturée un peu plus bas. Elle flottait dans la brise, et il était probable qu'elle serait bientôt emportée par le vent.

— Kells, dépêche-toi! Prends ma main. Je te descendrai plus bas pour que tu puisses atteindre l'écharpe.

— Es-tu certain?

— Je suis certain! Vas-y!

Il agrippa mon bras et me baissa. J'avais de la difficulté à croire qu'il avait la force de le faire, mais il passa son autre bras autour d'une branche et tint le poids de nos deux corps avec un seul bras. Ce n'était pas encore suffisant.

— Je vais devoir descendre plus bas! Peux-tu me tenir la jambe à la place?

— Oui. Reviens pour une minute.

Il grogna et me tira, me lançant dans les airs comme si j'étais un sac d'épicerie, et il m'attrapa par la taille alors que je commençais à tomber. J'eus le souffle coupé et je l'attrapai par le cou.

— Que dois-je faire ?

— *Premièrement...*

Il pencha la tête et m'embrassa très fort.

— Maintenant, enveloppe ta jambe gauche autour de ma taille.

Je lui lançai un coup d'œil.

— Fais-le !

Je me balançai d'avant en arrière pendant une minute, puis je réussis à accrocher ma jambe autour de sa taille. Ensuite, il lâcha ma taille et attrapa ma jambe. J'étais terrorisée, mais j'avais confiance en lui et je savais qu'il était suffisamment fort pour nous tenir tous les deux avec un seul bras. Comparé à ceci, me tenir sur les épaules de Ren à Kishkindhâ avait été un jeu d'enfant.

Je fis une grimace, me demandant quelles sortes de choses folles m'attendaient dans les deux prochaines tâches. Mentalement, je souhaitai que les branches qui supportaient le nid nous soutiennent un peu plus longtemps, juste assez pour que j'attrape l'écharpe. Mais en réalité, je m'attendais à les entendre craquer à tout moment, ce qui nous ferait chuter jusqu'à notre mort

Je lâchai le cou de Kishan et je tournai lentement mon corps à l'envers tout en tenant la ceinture de son pantalon, puis sa jambe, puis son pied.

— Pourquoi n'ont-ils pas choisi une fille du Cirque du Soleil pour exécuter ces tâches ? marmonnai-je pendant qu'il me faisait descendre. Être suspendue par les pieds à une branche cassée à des milliers de mètres dans les airs était beaucoup trop demander à une novice de wushu !

— Kells ?

— Quoi ?

— Tais-toi et prends l'écharpe.

— J'y travaille !

Je m'étirai plus et j'entendis gémir Kishan.

— Encore quelques centimètres.

Sa poigne glissa délibérément de mon mollet à ma cheville, me faisant pivoter au-dessus de l'abîme vert.

Effrayée, je criai le nom de Kishan et je fermai les yeux pendant une seconde, puis j'avalai ma salive et balançai mon corps en arrière vers l'écharpe. Le vent la fouetta, la soulevant de la branche. Elle tourbillonna dans l'air et passa en coup de vent devant moi. J'attrapai le bout à la dernière seconde et — la tête en bas, le sang battant dans ma tête, le bout de mes doigts saisissant désespérément l'écharpe, avec Kishan qui nous tenait à peine tous les deux — j'eus une vision.

La canopée verte qui se balançait vertigineusement d'avant en arrière devant mes yeux se délava jusqu'à devenir blanche, et j'entendis une voix.

— Kelsey. Mlle Kelsey ! Pouvez-vous m'entendre ?

— M. Kadam ? Oui, je vous entends !

J'aperçus la vague silhouette d'une tente derrière lui.

— Je peux voir votre tente !

— Et je peux vous voir vous et Kishan.

— Quoi ?

Je regardai derrière moi, et je vis une image floue de Kishan serrant la jambe de mon corps inerte à l'envers. L'écharpe se balançait dangereusement à partir d'un doigt crochu. Je l'entendis crier comme s'il se trouvait très loin.

— Kelsey ! Accroche-toi !

La vague silhouette d'une autre personne était en vue.

– Ne dites rien, m'ordonna M. Kadam. Ne le laissez pas vous pousser à parler. Contentez-vous de porter attention à chaque détail – n'importe quoi pourrait nous aider à trouver Ren.

– D'accord.

Le médaillon de M. Kadam était rouge éclatant. Je baissai les yeux vers le mien et je constatai qu'il était aussi rouge vif. Lorsque je regardai de nouveau derrière moi, l'image d'une autre personne se solidifia.

Lokesh. Il était vêtu d'un costume. Ses cheveux noirs étaient lissés par en arrière, et je remarquai qu'il portait plusieurs bagues. Son médaillon était aussi rougeoyant, et il était beaucoup plus gros que les nôtres.

Ses yeux trompeurs brillaient lorsqu'il souriait.

– Ah ! Je me demandais quand je vous reverrais.

Il parlait poliment, comme si nous nous retrouvions à une partie de thé un après-midi.

– Vous m'avez coûté beaucoup de temps et de ressources, ma chère.

Je le regardai sans rien dire. Je tressaillis alors qu'il m'évaluait d'une manière dérangeante.

Lokesh parla doucement, d'un ton menaçant.

– Nous n'avons pas le temps pour les subtilités du jeu auquel je préférerais m'adonner, je vais donc être franc. Je veux le médaillon que vous portez. Vous me l'apporterez. Si vous acceptez, je laisserai vivre votre tigre. Sinon…

Il sortit un couteau de sa poche et testa son tranchant sur son pouce.

– Je vous trouverai, et je vous trancherai la gorge…

Il fixa directement mes yeux pour conclure sa menace.

— …et je le prendrai de votre cou sanglant.

— Laissez la jeune femme tranquille, rétorqua M. Kadam. Je vous rencontrerai et je vous donnerai ce que vous voulez. En échange, vous libérerez le tigre.

Lokesh se tourna vers M. Kadam et sourit d'un air déplaisant.

— Je ne vous reconnais pas, *mon ami*. Je souhaiterais savoir comment vous avez obtenu l'amulette. Si vous souhaitez négocier, vous pouvez communiquer avec mon bureau d'affaires à Bombay.

— Et quel serait ce bureau, *mon ami* ?

— Trouvez le plus haut bâtiment à Bombay ; mon bureau est situé dans l'appartement du dernier étage.

M. Kadam hocha la tête alors que Lokesh continuait à lui donner des instructions. Pendant qu'ils parlaient, j'examinai la scène brumeuse qui était apparue derrière Lokesh. Je mémorisai autant de détails que j'en étais capable. Un homme était en train de lui parler, mais Lokesh ne lui prêtait aucunement attention.

Le serviteur derrière Lokesh avait des cheveux noirs qui étaient tirés vers l'avant en un petit chignon juste au-dessus du sommet de la naissance de ses cheveux. Sur toute la longueur de son front, il y avait une ligne de tatouages noirs qui ressemblaient aux mots sanskrits de la prophétie. Torse nu, l'homme portait plusieurs rangées de colliers de perles faits à la main. Ses oreilles étaient percées à plusieurs endroits par des anneaux dorés. Il soutenait un autre homme et le pointa.

Le second homme se tenait en retrait avec la tête baissée. Des cheveux noirs crasseux étaient collés à son visage. Ensanglanté et meurtri, il luttait contre les mains de l'homme qui le tenait. Le serviteur hurla et poussa brusquement l'homme vers l'avant jusqu'à ce qu'il chancelle et tombe à genoux. Alors, le serviteur le gifla au visage et tira ses épaules par en arrière. Lorsque le blessé leva les yeux, ses cheveux tombèrent sur le côté. J'aperçus ses yeux bleu cobalt perçants.

Envahie par l'émotion, je fis un pas en avant.

— *Ren* ! criai-je.

Il ne m'entendit pas. Sa tête s'inclina à nouveau vers sa poitrine. Je commençai à pleurer.

Mais quelqu'un m'avait entendue — Lokesh. Il plissa les yeux et se tourna pour voir ce que j'étais en train de regarder. Il tenta de parler à ses serviteurs, mais ils ne l'entendirent pas. Il se retourna vers moi et, pour la première fois, examina les images vaporeuses derrière mon épaule. Tout était déjà en train de s'estomper. Je ne pouvais pas dire si Lokesh avait reconnu Kishan ou non. Je me figeai et je souhaitai qu'il ne vît que moi.

Lokesh porta effectivement son attention sur moi. Il fit un geste vers Ren et, avec une fausse compassion, fit claquer sa langue.

— Comme ce doit être *terriblement* douloureux pour vous de le voir ainsi. Vous savez, entre vous et moi, il vous appelle lorsque je le torture. Malheureusement pour lui, il a été tout à fait silencieux par rapport à vos allées et venues.

Il se mit à rire.

— Il ne veut même pas me dire votre prénom, mais je le connais déjà. C'est Kelsey, n'est-ce pas ?

Lokesh observa soigneusement mon expression attendant que je lui livre un indice.

Il continua sa diatribe moqueuse.

— C'est devenu un point de friction entre nous. Le prince est si peu loquace qu'il ne confirmera même pas votre prénom. Je dois dire que je m'y attendais. Il a toujours été très têtu. D'autres larmes ? Quelle tristesse ! Il ne peut tenir éternellement le coup, vous savez. La douleur seule aurait déjà dû le tuer. Heureusement, son corps semble assez résistant.

Il me regarda du coin de ses yeux tandis qu'il nettoyait la saleté microscopique sous ses ongles.

— Je dois l'admettre, j'ai eu beaucoup de plaisir à le torturer. C'est le meilleur des deux mondes de le voir à la fois souffrir comme homme et comme animal. Et les limites exquises jusqu'auxquelles je peux aller sont inimaginables. Il guérit tellement vite que même moi, je n'ai pu tester ses limites. Mais je vous assure que je fais *vraiment tous* les efforts possibles.

Je mordis ma main tremblante pour étouffer un sanglot et je regardai M. Kadam. Il hocha discrètement la tête, m'indiquant de rester silencieuse.

Lokesh sourit méchamment.

— Peut-être que si vous voulez bien confirmer votre nom, je pourrais lui donner un bref… sursis ? Un simple hochement de tête suffirait. C'est Kelsey Hayes, n'est-ce pas ?

L'avertissement de M. Kadam traversa mes pensées. Il me fallut tout ce que j'avais de résolution, mais je gardai les yeux fixés sur Ren. Des larmes coulaient sur mon visage, mais je demeurai immobile sans même jeter un regard vers Lokesh.

Il se mit en colère.

— Certainement que si vous tenez à lui, vous lui épargnerez *un peu* de douleur, vous soulagerez son angoisse. Non ? Peut-être que je me suis trompé sur vos sentiments. Je suis relativement certain que je ne me trompe pas sur les siens. Il ne parlera pas du tout de vous sauf pour crier le nom de sa bien-aimée dans ses rêves. Peut-être n'êtes-vous pas celle qu'il appelle.

Sa voix commença à s'estomper.

— Ah, bien. Les deux frères n'ont pas toujours été chanceux en amour, n'est-ce pas ? Peut-être est-il temps de le sortir de sa misère. Il me semble que je lui ferais une faveur.

— Non ! criai-je, ne pouvant m'en empêcher.

Il haussa les sourcils et parla de nouveau, mais ses mots étaient trop bas pour que je pusse les entendre. Lorsqu'aucun d'entre nous ne put entendre l'autre, M. Kadam se retourna et me regarda. Lokesh nous observait et agitait les mains, mais je l'ignorai et je me concentrai sur M. Kadam alors qu'il s'estompait et qu'il devenait de plus en plus blanc. J'essuyai mes larmes alors qu'il me souriait avec bienveillance, puis il me fit un clin d'œil juste avant de disparaître.

Je clignai des yeux, et le blanc devint vert. Le sang battait dans ma tête.

— Kelsey ! *Kelsey* ! me cria Kishan. Cesse de rêver !

Heureusement, je tenais toujours l'écharpe.

— C'est bon ! Remonte-moi, Kishan !

— Kelsey ! Méfie-toi !

Un oiseau poussa un cri strident au-dessus de nous. Je me tordis pour regarder en haut, et je vis la gueule béante d'un oiseau noir métallique. Je pus profiter d'une perspective rapprochée de son bec, enduit de vert-de-gris, à double tranchant, comme des ciseaux. Je tirai un éclair dans son bec, et il décolla en hurlant, de la fumée sortant de sa bouche.

Avec un grognement puissant, Kishan me balança pour me remettre à l'endroit. Je lui saisis la taille et je m'y cramponnai de toutes mes forces. Il me lâcha, confiant que j'avais la force nécessaire pour m'accrocher à lui. J'enroulai mes bras autour de lui, j'attrapai mes poignets pour verrouiller mes bras à sa taille, et je serrai l'écharpe entre mes mains. Il se dressa par-dessus le bord du nid brisé et m'aida à y monter. Je vis que ses bras tremblaient de fatigue.

Kishan s'assit et inspecta mes membres.

— Kells, est-ce que ça va ? Qu'est-ce qui t'est arrivé ?

— Une autre vision, dis-je en respirant. Je t'en parlerai plus tard.

Nous nous accroupîmes alors qu'un oiseau poussait des cris à proximité. Je ramassai notre sac à dos et rangeai l'arc et le carquois, qui s'était magiquement rempli de flèches dorées. J'y rangeai aussi l'écharpe et le chakram.

— D'accord. Maintenant, qu'est-ce qu'on fait ? demanda-t-il.

— Maintenant, nous nous évadons. Allez, viens.

Nous descendîmes jusqu'à ce que nous ayons une couverture suffisante pour que les oiseaux ne puissent plus nous voir. On pouvait encore les entendre encerclant l'arbre et se lançant des cris les uns aux autres, mais plus nous descendions dans l'arbre, plus les bruits s'affaiblissaient. Bientôt, nous ne les entendîmes plus.

— Kells, arrête. Nous devons nous reposer pendant un certain temps.

– D'accord.

Le Fruit d'Or nous prépara quelque chose à manger et à boire rapidement, et Kishan insista pour voir si j'étais blessée. Il semblait bien aller. Ses coupures étaient déjà guéries mais, pour ma part, j'avais de mauvaises entailles sur les bras et sur les jambes. Plusieurs de mes ongles étaient déchirés et sanglants, et Kishan s'appliqua à retirer avec soin une longue écharde qui s'était logée sous l'un d'eux.

– Ça va faire mal. Les échardes et les piquants sont les pires ennemis du tigre.

– Vraiment ? Pourquoi dis-tu cela ?

–Nous nous frottons contre les arbres et les grattons pour marquer notre territoire et, parfois, nous nous contentons d'un léger repas de porcs-épics. Un tigre intelligent les attaque de front mais, parfois, le porc-épic se retourne ! J'ai déjà eu des aiguilles enfoncées dans mes pattes. C'est douloureux et ça s'infecte. Elles se cassent lorsque tu marches. Un tigre n'a aucun moyen de les retirer ; j'attendais donc de me transformer en homme pour le faire.

– Oh ! Je me demandais pourquoi Ren se frottait toujours contre les arbres dans la jungle. Les aiguilles ne finissent-elles pas par s'enlever toutes seules ?

– Non, en fait, elles se plient, se courbent et restent dans la peau. Elles ne se dissolvent pas non plus. Les échardes le peuvent, mais pas les aiguilles. Elles peuvent demeurer dans le corps d'un tigre toute sa vie. C'est ce qui fait que certains deviennent mangeurs d'hommes. Avec un tel handicap, ils sont incapables de chasser des proies rapides. J'ai même rencontré des tigres qui sont morts de faim parce qu'ils avaient été blessés par des porcs-épics.

— Eh bien, le bon sens suggérerait alors de ne pas manger de porcs-épics.

Kishan sourit.

— Mais ils sont délicieux.

— Beurk.

Je pris une grande respiration.

— Aïe !

— Je l'ai presque eue. Voilà. Elle est sortie maintenant.

— Merci.

Il nettoya la pire de mes éraflures avec des tampons imbibés d'alcool et posa des bandages là où il le pouvait.

— Je crois que tu guériras plus vite que la normale, mais pas aussi rapidement que moi. Nous devrions nous reposer.

— Nous nous reposerons quand nous serons descendus.

Il soupira et se frotta le front.

— Kells, il nous a fallu des jours pour monter ici. Il faudra des jours pour retourner en bas.

— Non, c'est faux. Je connais un raccourci. Quand les corbeaux ont nettoyé mon esprit, j'ai vu ce que l'écharpe pouvait faire. Il nous suffit de marcher sur une branche.

Je pouvais voir que Kishan se méfiait, mais il me suivit quand même. Nous nous frayâmes un chemin vers le bout d'une longue branche.

— Et maintenant ? demanda-t-il.

— Regarde.

Je tins l'écharpe sur les paumes de mes mains.

— Un parachute pour deux personnes, s'il vous plaît.

L'écharpe se tordit, se tendit et s'allongea, puis se replia sur elle-même à plusieurs reprises. Des quatre coins, des fils sortirent et s'étirèrent. Ils se tissèrent et se tordirent ensemble, formant des ceintures, des élévateurs et des cordes. Enfin, l'écharpe cessa de bouger. Elle s'était transformée en un grand sac à dos avec un harnais pour deux personnes.

Kishan le regarda, incrédule.

— Qu'as-tu fait, Kelsey ?

— Tu vas voir. Mets-le.

— Tu as dit parachute. Tu penses qu'on va sortir d'ici en parachute ?

— Oui.

— Je ne le crois pas.

— Ah, allez. Les tigres n'ont pas peur des hauteurs, n'est-ce pas ?

— Il n'est pas question de hauteurs. C'est le fait de se trouver très haut dans un arbre et de se précipiter dans le vide en se fiant à un tissu étrange auquel tu donnes maintenant le nom de parachute.

— Exact, et ça va fonctionner.

— *Kelsey.*

— Aie la foi, comme l'a dit le Maître Océan. L'écharpe peut aussi faire d'autres trucs impressionnants. Je te raconterai tout là-dessus en chemin. Kishan, *fais-moi confiance.*

— Je te fais confiance à *toi,* mais je ne fais pas confiance au bout de tissu.

— Eh bien, je vais sauter, alors tu viens avec moi ou pas ?

— Quelqu'un ne t'a-t-il jamais dit que tu es têtue ? Étais-tu aussi têtue avec Ren ?

— Ren a dû faire face à l'entêtement *et* au sarcasme, alors considère-toi comme chanceux.

— Ouais, mais au moins, il a reçu quelques baisers pour son effort.

— Toi aussi, tu as eu des baisers.

— Ils n'étaient pas volontaires.

— C'est vrai, tu les as volés.

— Des baisers volés, c'est mieux que pas de baisers du tout.

Je levai un sourcil.

— Est-ce que tu viens de commencer une dispute avec moi pour essayer de t'en tirer ?

— Non, je ne suis pas en train de me dégonfler. Très bien. Si tu insistes pour faire cela, alors, s'il te plaît, explique-moi comment cela fonctionne.

— Facile. Nous nous installons dans nos sangles, nous sautons, nous nous éloignons de l'arbre et nous tirons sur le câble d'ouverture du parachute. Du moins, j'espère que ça fonctionne de cette façon, marmonnai-je doucement.

— *Kelsey.*

— Ne t'inquiète pas. C'est ainsi que nous sommes censés descendre. Je sais que nous y arriverons.

— D'accord.

Il se sangla pendant que je mettais notre sac à dos ordinaire à l'avant, contre ma poitrine. Puis, je m'approchai de Kishan.

— Hum… tu es trop grand pour moi. Peut-être que je peux me tenir sur une branche plus haute.

Je regardai autour de moi pour trouver quelque chose sur quoi monter, mais Kishan enveloppa ses mains autour de ma taille et me souleva. Il me blottit contre sa poitrine pendant que je m'attachais avec l'autre partie du harnais de l'écharpe.

— Euh… merci. D'accord, maintenant, ce que tu dois faire, c'est de me porter, de courir et de sauter de la branche. Peux-tu y arriver ?

— Je suis certain de pouvoir y arriver, répondit-il sèchement. Prête ?

— Oui.

Il me serra tout près de lui.

— Un… deux… trois !

Kishan courut cinq pas et se lança dans le vide.

22

Sortie

Le vent hurlait tout autour de nous pendant que nous descendions en chute libre, tourbillonnant comme la maison de Dorothy dans la tornade. Kishan réussit à nous stabiliser pour que nous nous retrouvions face vers le bas. Il me saisit les poignets et tira nos bras en arc de cercle. Un instant à peine après nous être stabilisés, nous entendîmes un cri au-dessus de nous. Un oiseau de fer s'était lancé à notre poursuite.

Kishan leva mon bras gauche en l'air, et nous déviâmes considérablement vers la droite en accélérant. L'oiseau nous suivit. Kishan leva mon bras droit et nous nous balançâmes vers la gauche. L'oiseau se trouvait juste au-dessus de nous.

— Attention, Kells ! cria Kishan.

De nouveau, il fit descendre nos bras sur nos côtés, et il inclina nos têtes vers le bas. Nous fûmes propulsés vers l'avant comme une balle de fusil. L'oiseau plia ses ailes et plongea avec nous.

— Je vais nous renverser ! Essaie de le frapper avec un éclair ! Prête ?

Je fis signe que oui, et Kishan nous retourna dans les airs, le dos vers le sol. J'avais une vue extraordinaire du ventre de l'oiseau. Je tirai rapidement une succession d'éclairs et je réussis à irriter suffisamment l'animal pour nous en débarrasser. J'avais raté son œil, mais j'avais frappé l'extrémité de son bec. N'ayant pas aimé l'expérience, l'oiseau partit en battant des ailes, poussant des cris stridents de colère.

— Tiens bon !

Kishan nous renversa à nouveau et nous stabilisa une fois de plus. Il tira sur la poignée d'ouverture, et j'entendis le tissu qui ondulait alors qu'il était saisi par le vent. Avec un bruit sec, l'écharpe parachute s'ouvrit pour attraper l'air et notre descente fut ralentie. Kishan resserra alors ses bras autour de ma taille, puis il attrapa les poignées de pilotage et dirigea le parachute.

— Dirige-nous vers le passage entre les deux montagnes ! criai-je.

Un terrible hurlement au-dessus de nous indiqua que d'autres oiseaux nous avaient repérés. Trois d'entre eux commencèrent à tourner autour de nous, essayant de nous attraper avec leurs serres et leurs becs. Je tentai de me servir du pouvoir de mon éclair, mais à cette distance, il était trop difficile d'atteindre leurs yeux. J'ouvris plutôt le sac et récupérai mon arc.

Kishan s'inclina vers la gauche, et je tirai pour envoyer une flèche. Elle siffla juste au-dessus de la tête d'un oiseau. Ma deuxième flèche atteignit son cou ; imprégnée du pouvoir de la foudre, elle électrocuta l'oiseau. Il tomba au sol, blessé. Un autre oiseau nous frappa avec son aile, nous faisant tournoyer, mais je réussis à l'irriter suffisamment pour qu'il s'envole bientôt dans une autre direction.

Le troisième oiseau fut plus rusé. Il se plaça hors de mon champ de vision et demeura derrière nous, autant que possible. Lorsqu'il attaqua, il fit un large trou dans le parachute avec une serre. Le parachute s'effondra, ce qui nous fit tomber à nouveau en chute libre. Kishan essaya de nous guider, mais le vent malmenait sauvagement le parachute.

Soudain, le parachute commença à se réparer. Des fils se tissèrent à l'intérieur, à l'extérieur, au-dessus et à travers le tissu jusqu'à ce que l'écharpe semble n'avoir jamais été endommagée. Comme le parachute était à nouveau rempli d'air, Kishan tira sur les poignées pour nous orienter dans la bonne direction.

L'oiseau en colère revint vers nous et réussit à éviter mes flèches. Il hurla, et d'autres lui répondirent.

— Nous devons atterrir !

— Nous y sommes presque, Kells !

Au moins une douzaine d'oiseaux filaient vers nous comme des flèches. Nous serions chanceux si nous survivions assez longtemps pour toucher le sol. Les oiseaux nous encerclaient, hurlant, battant des ailes et faisant claquer leurs becs.

Nous étions presque arrivés. Si seulement nous pouvions tenir le coup pendant quelques secondes de plus ! Un oiseau arriva directement sur nous. Il était rapide, et nous ne le vîmes pas avant la dernière seconde. La créature ouvrit son bec pour nous couper en deux. Je pouvais presque entendre le craquement de mes os alors que j'imaginais l'oiseau de métal qui me coupait en deux.

Je tirai plusieurs autres flèches, mais aucune n'atteignit mon but. Le vent nous renversa soudainement et, de ma nouvelle position, je ne pouvais rien faire. Kishan manœuvra le parachute, le pilotant dans une dangereuse descente en piqué et un virage en crochet. Je fermai les yeux et je sentis un coup alors que nos pieds touchaient la terre ferme.

Kishan fit quelques pas, puis me poussa à plat sur la pelouse. Il s'allongea sur moi, en même temps qu'il nous décrochait frénétiquement du gréement.

— Garde la tête baissée, Kells !

L'oiseau était directement sur nous. Il attrapa un morceau de parachute avec son bec et tira, le déchirant en deux. Je tressaillis en entendant l'horrible déchirure du tissu spécial. Frustré, l'oiseau laissa tomber le parachute et tourna en rond pour trouver un autre moyen de nous atteindre sous le couvert des arbres. Kishan se libéra, fouilla dans le sac à dos pour trouver le chakram et le lança pendant que je m'accroupissais et que je réunissais les plis du parachute.

— S'il te plaît, tisse-toi de nouveau.

Il ne se passa rien. Kishan lança à nouveau le chakram.

— J'ai besoin d'aide, Kells !

Je tirai quelques flèches et du coin de l'œil, je vis que le tissu se mettait à bouger. Il commença à se tisser à nouveau ensemble, d'abord lentement, puis de plus en plus rapidement. Il rétrécit et reprit sa taille originale.

— Retiens-les encore une minute, Kishan. Je sais ce qu'il faut faire !

— Rassemblez les vents, dis-je en ramassant le tissu.

Les motifs se déplacèrent, les couleurs se modifièrent et l'écharpe grandit. Se tournant en haut et par-dessus elle, l'écharpe se gonfla et s'étira pour créer un large sac qui se déploya dans la brise. Une forte rafale frappa mon visage et s'élança dans le sac. Lorsque sa force diminua, un autre vent, provenant de l'arrière, tourbillonna autour de mon corps et commença aussi à remplir le sac. Bientôt, des vents de toutes les directions me rouaient de coups. Je me sentais secouée par le tourbillon et je pouvais à peine maîtriser le sac rempli de vents puissants.

Enfin, les rafales cessèrent au point où je ne ressentis même plus un brin de vent, mais le sac regimbait violemment. Kishan était entouré de 10 oiseaux, réussissant à peine à les tenir à distance à l'aide du chakram.

— Kishan ! Passe derrière moi !

Il lança son bras vers l'arrière et, avec une forte poussée, libéra le chakram. Alors que le chakram filait à travers les airs, Kishan courut vers moi, saisit l'autre côté du sac et attrapa le chakram qui dévalait vers nous, juste avant qu'il ne m'arrache la tête.

Je haussai un sourcil alors qu'il souriait.

— Bon, tu es prêt ? criai-je. Un, deux, trois !

Nous ouvrîmes le sac et déchaînâmes tous les vents du Shangri-la en direction des oiseaux. Trois des oiseaux furent projetés contre la montagne tandis que les autres tourbillonnèrent vers l'arbre-monde, essayant désespérément d'échapper au tumulte.

Lorsque les vents moururent, le sac vide flotta légèrement entre nous et Kishan me regarda.

— Kelsey. Comment as-tu…

Sa voix s'estompa.

— Écharpe, s'il vous plaît.

Le sac se déplaça et se tordit, maintenant d'une couleur douce bleu et or, puis il rétrécit pour redevenir une écharpe.

Je l'enroulai autour de mon cou et je poussai l'extrémité par-dessus mon épaule.

— La réponse, c'est que je ne sais pas. Quand Hugin et Munin ont purifié nos esprits, je me suis souvenue de récits et de mythes que j'avais déjà appris, de choses que la tisserande divine nous avait racontées, ainsi que d'autres sur lesquelles M. Kadam avait spéculé. Il m'avait raconté une histoire d'un dieu japonais appelé Fujin qui maîtrisait les vents et qui avait un sac pour les transporter. Je savais aussi que ce tissu était spécial, tout comme le Fruit d'Or.

Peut-être que tout était dans mon cerveau tout ce temps, ou peut-être qu'Hugin l'a inséré dans mes pensées en murmurant. Je ne suis pas certaine. Ce que je sais, c'est que l'écharpe peut faire autre chose, quelque chose qui va nous aider à sauver Ren, mais nous devons sortir d'ici avant le retour des oiseaux. Je te le montrerai alors.

— D'accord, mais d'abord, il y a quelque chose que je dois faire.

— Qu'est-ce que c'est ?

— Ceci.

Il m'attira contre son corps et me donna un baiser. Un vrai baiser. Sa bouche se déplaçait avec passion contre la mienne. Le baiser était rapide, turbulent et sauvage. Il me tenait fermement, une main tenant tendrement ma tête tandis que l'autre tenait solidement ma taille. Il m'embrassa violemment, avec un tel abandon que je ne pouvais pas plus y mettre un terme que j'aurais pu arrêter une avalanche.

Quand vous êtes pris dans une avalanche, vous avez deux choix : vous tenir là et essayer de la bloquer, ou vous pouvez lâcher prise, rouler avec elle et espérer que vous en sortirez vivant à la base. Donc, je roulai avec le baiser de

Kishan. Enfin, il leva la tête, me fit pivoter et laissa échapper un cri de jubilation de victoire qui retentit dans les collines environnantes.

Lorsqu'il finit par me déposer, je dus reprendre mon souffle.

— Pourquoi as-tu fait cela ? dis-je en haletant.

— Je suis tout simplement heureux d'être en vie !

— D'accord, très bien. Mais la prochaine fois, garde tes lèvres pour toi.

Il sourit.

— Ne te fâche pas, Kells.

— Je ne suis pas fâchée. Je suis… Je ne suis pas certaine de ce que je pense. Cela s'est passé trop vite pour que je puisse même réagir.

Il sourit.

— Je te promets que la prochaine fois, j'irai moins vite.

— Quelle prochaine fois ?

Il fronça légèrement les sourcils.

— Tu n'as pas besoin d'en faire tout un plat. C'est juste une réaction naturelle d'avoir échappé de peu à la mort. Comme lorsque les soldats reviennent de la guerre et attrapent une fille pour l'embrasser dès qu'ils descendent du bateau.

— Oui, peut-être, rétorquai-je ironiquement, mais la différence, c'est que *cette* jeune fille était sur le bateau *avec toi*. N'hésite pas à prendre n'importe quelle fille dont tu as envie quand nous serons de retour sur la terre ferme, marin, mais à *cette* fille, ne touche pas.

Il croisa les bras sur sa poitrine.

— *Vraiment* ? Si tu veux le savoir, j'avais plutôt l'impression que tes mains se plaisaient bien à me toucher.

— Si j'avais les mains sur toi, balbutiai-je, outragée, c'est qu'elles étaient là pour te repousser !

— N'importe quoi pour avoir la conscience tranquille à la fin de la journée. Tu ne veux tout simplement pas admettre que tu as aimé ça.

— Humm, laisse-moi voir. Tu as raison, Casanova. Effectivement, j'ai aimé cela. Quand ça s'est *terminé*.

Il hocha la tête.

— Tu es têtue. Pas étonnant que Ren ait eu autant de problèmes.

— Comment oses-tu mentionner ton frère ?

— Quand vas-tu faire face aux faits, Kells ? Tu m'aimes bien.

— Eh bien, je ne t'aime pas beaucoup en ce moment ! Pouvons-nous nous diriger de nouveau vers la porte de l'esprit et laisser tomber cette conversation ?

— Oui. Mais nous allons poursuivre cette discussion plus tard.

— Peut-être, quand il gèlera à Shangri-la.

Il prit le sac à dos et sourit.

— Je peux attendre. Après toi, *bilauta*.

— Bandit du baiser, murmurai-je.

Il sourit malicieusement et haussa un sourcil.

Nous marchâmes pendant plusieurs heures. Kishan essaya continuellement de me parler, mais je refusai obstinément de reconnaître son existence.

Le problème avec ce qui s'était produit entre nous était... qu'il n'avait pas tort. J'avais maintenant passé plus de temps avec lui qu'avec Ren, et nous avions vécu sous le même toit pendant des mois. Nous avions traversé Shangri-la à pied et étions demeurés ensemble nuit et jour pendant des semaines.

Un contact quotidien comme celui-là créait une certaine proximité, une certaine... intimité entre deux personnes. Il était plus disposé à le reconnaître que moi. Il n'était pas surprenant que Kishan, qui avait déjà admis qu'il éprouvait des sentiments à mon endroit, commençât à se sentir à l'aise de les exprimer. Un fait demeurait : cela ne me dérangeait pas autant que ça aurait dû le faire. Me faire embrasser par Kishan, ce n'était pas comme me faire embrasser par Artie, ou Jason, ou même Li.

Quand j'avais embrassé Li, je me maîtrisais. Ce n'était pas comme les baisers de Ren non plus. Ren était une cascade fantastique de la jungle — étincelante et scintillante dans la lumière du soleil. Un paradis exotique à découvrir. Kishan était différent. Kishan était une rivière déchaînée, des eaux vives de classe six — rapide, imprévisible et aux limites de la navigabilité même pour les plus habiles amateurs de sensations fortes. Les frères étaient tous les deux magnifiques, fascinants et puissants, mais il était dangereux d'embrasser Kishan.

Pas dangereux comme dans le cas des hommes-sirènes ; avec eux, je me sentais tout simplement mal à l'aise. Si j'étais honnête avec moi-même, quand j'embrassais Kishan, je ne me sentais pas mal. En fait, je me sentais bien, c'était comme embrasser une version plus sauvage et plus intense de Ren. Avec Kishan, on aurait dit que j'avais littéralement attrapé un tigre par la queue et qu'il était prêt à se tourner contre moi pour m'emmener. Ce n'était pas une notion tout à fait désagréable, et c'était la partie qui me dérangeait.

De toute évidence, j'ai été séparée de mon petit ami trop longtemps. J'essayai de justifier mes sentiments. *Kishan est le second meilleur choix, et c'est simplement parce que mon tigre me manque. Je suis certaine qu'il n'y a rien de plus dans tout cela.* Je laissai ces pensées me réconforter pendant que nous marchions.

Comme Ren, Kishan avait un talent fantastique pour se servir de son charme dans le but de se sortir de situations difficiles. En peu de temps, il m'avait complètement fait oublier que j'étais en colère contre lui.

Alors que le crépuscule se transformait en nuit tombante, nous décidâmes d'ériger le campement pour la nuit. J'étais épuisée.

— Tu prends le sac de couchage, Kells.

— Pas besoin. Regarde bien.

Je pris l'écharpe de mon cou.

— Une grande tente, dis-je, un sac de couchage, deux oreillers moelleux et des vêtements de rechange pour chacun de nous, s'il vous plaît.

L'écharpe commença à bouger ; des fils se tissèrent à l'intérieur et à l'extérieur. Ils se torsadèrent pour créer d'épais cordons qui jaillirent dans plusieurs directions et s'enroulèrent autour de branches solides dans les arbres voisins. Une fois que les cordons furent attachés et sécurisés, l'écharpe créa un toit, des murs et un sol pour la tente. La tente fut suspendue à deux cordes tressées jointes au sommet de l'arbre au-dessus. Au lieu d'une fermeture à glissière, les volets ouverts furent attachés ensemble.

Je baissai la tête à l'intérieur.

— Allez, Kishan.

Il me suivit dans la tente spacieuse, et nous vîmes que les fils colorés continuaient de tisser un épais sac de couchage et deux oreillers moelleux. Quand ce fut terminé, j'obtins un sac de couchage vert et deux très grands oreillers. Sur le dessus, il y avait un ensemble de vêtements pour chacun de nous. Kishan étendit le vieux sac de couchage à côté de moi pendant que je gonflais un oreiller en le tapant.

— Comment choisit-elle la couleur ? demanda-t-il.

— Je crois que cela dépend de son humeur, ou peut-être de ce qu'on lui demande. La tente, le sac de couchage, les oreillers, tout est comme il se doit. De toute façon, l'écharpe change elle-même de couleur. Je l'ai remarqué pendant que je marchais.

Kishan partit se changer dans la jungle pendant que je mettais des vêtements frais et que j'accrochais mes vêtements de fées sur une branche à l'extérieur. À son retour, j'étais blottie au fond de mon sac de couchage sur le côté pour éviter la conversation.

Il entra dans son sac de couchage, et je pouvais sentir ses yeux dorés qui regardaient mon dos pendant plusieurs moments tendus.

— Eh bien, Kells, bonne nuit, finit-il par dire après avoir grogné.

— Bonne nuit, Kishan.

J'étais épuisée et je m'endormis rapidement, dérivant directement dans un nouveau rêve.

Je rêvai de Ren et de Lokesh, la même scène que dans ma dernière vision. Ren était assis dans un coin au fond d'une cage dans une pièce sombre. Ses cheveux étaient sales et emmêlés, et je faillis ne pas me rendre compte que c'était lui jusqu'à ce qu'il ouvre les yeux et me regarde. J'aurais reconnu ces yeux bleus n'importe où.

Ses yeux brillaient de façon constante dans l'obscurité comme des saphirs brillants. Je me glissai jusqu'à lui, les laissant me guider. Je les regardais comme un marin désespéré regarde un phare par une nuit d'orage.

Lorsque j'arrivai à la cage, Ren cligna des yeux comme s'il me voyait pour la première fois. Sa voix se brisa comme celle d'un homme assoiffé.

— Kells ?

J'enroulai mes doigts autour des barres, souhaitant être assez forte pour les briser.

— Oui. C'est moi.

— Je ne peux pas te voir.

Pendant une horrible minute, je craignis que Lokesh l'eût rendu aveugle. Je m'agenouillai devant la cage.

— Est-ce mieux ?

— Oui.

Ren se glissa un peu plus près et enroula ses mains autour de la mienne. Les nuages se séparèrent et la lune se mit à briller à travers une petite fenêtre, projetant sa douce lueur sur son visage.

J'ouvris la bouche en état de choc et des larmes remplirent mes yeux.

— Oh, Ren ! Que t'a-t-il fait ?

Le visage de Ren était gonflé et violet. Du sang coulait sur les côtés de sa bouche, et une entaille profonde balafrait son front jusqu'à sa joue. Je tendis un doigt et je touchai doucement sa tempe.

— Il n'a pas obtenu l'information qu'il voulait de toi, et il a décidé de retourner sa colère contre moi.

— Je suis tellement… tellement… désolée.

Mes larmes éclaboussèrent sa main.

— *Priyatama,* ne pleure pas.

Il pressa sa main sur ma joue. Je me tournai et embrassai sa paume.

— Je ne peux pas supporter de te voir comme ça. Nous sommes en route pour te chercher. S'il te plaît, s'il te plaît, tiens bon encore un peu.

Il baissa les yeux comme s'il avait honte.

— Je ne pense pas que je puisse y arriver.

— Ne dis pas ça ! Ne dis jamais ça ! J'arrive. Je sais ce qu'il faut faire. Je sais ce qu'il faut faire pour te sauver. Tu dois rester en vie. Peu importe comment tu y arrives ! Promets-le-moi !

Ren soupira douloureusement.

— Il est trop près, Kells. Chaque seconde où je suis entre les mains de Lokesh, les risques augmentent pour toi. Il est obsédé par toi. À chaque moment d'éveil, il essaie d'arracher des informations de mon esprit à ton sujet. Il ne s'arrêtera pas. Il ne va pas abandonner. Il est… il va me briser. Bientôt. Si ce n'était que de la torture physique, je pense que je pourrais le supporter, mais il se sert de magie noire. Il me trompe. Il me fait halluciner. Et je suis tellement… fatigué.

— Alors, dis-le-lui. Dis-lui ce qu'il veut savoir, et peut-être qu'il te laissera tranquille.

— Je ne pourrai jamais le lui dire, *prema.*

Je me mis à sangloter.

— Ren. Je ne peux pas te perdre.

— Je suis toujours avec toi. Mes pensées sont avec toi.

Il prit une mèche de mes cheveux et la porta à ses lèvres. Il inspira profondément.

— *Tout le temps.*

— Ne te décourage pas ! Pas quand nous sommes si près du but !

Il bougea les yeux.

— Il y a une option que je pourrais envisager.

— Qu'est-ce que c'est ? Quelle option ?

— Durgâ — il s'arrêta — m'a offert sa protection, mais elle demande un lourd tribut. Ça n'en vaut pas la peine.

— N'importe quoi pour ta vie ! Accepte ! N'hésite pas. Tu peux faire confiance à Durgâ. Fais-le ! Quel qu'en soit le prix, ce n'est pas important, pourvu que tu survives.

— Mais, Kelsey.

— Chut.

Je pressai légèrement le bout de mon doigt contre ses lèvres gonflées.

— Fais ce que tu dois faire pour survivre. D'accord ?

Il laissa échapper un souffle irrégulier et me regarda avec des yeux lumineux, désespérés.

— Tu dois partir. Il peut revenir n'importe quand.

— Je ne veux pas te quitter.

— Et je ne veux pas que tu t'en ailles. Mais tu dois le faire.

Résignée, je me retournai pour partir.

— Attends, Kelsey. Avant que tu partes… veux-tu m'embrasser ?

Je posai ma main à travers les barreaux et je touchai légèrement son visage.

– Je ne veux pas te causer plus de douleur.

– Ce n'est pas grave. *S'il te plaît.* Embrasse-moi avant de partir.

Il s'agenouilla en face de moi, haletant alors qu'il mettait du poids sur son genou, puis il posa doucement ses mains tremblantes à travers les barreaux et m'attira plus près. Ses mains glissèrent pour prendre mes joues entre ses mains, et nos lèvres se croisèrent à travers les barreaux de sa cage. Son baiser était doux, chaud et trop bref. Je goûtai le sel de mes larmes. Lorsqu'il recula, il me fit un doux sourire oblique à travers ses lèvres gercées. Il fit la grimace alors qu'il retirait ses mains. C'est alors que je remarquai que plusieurs de ses doigts étaient cassés.

Je recommençai à pleurer. Ren essuya une larme de ma joue avec son pouce et me récita un poème de Richard Lovelace.

Lorsque l'amour, déployant ses ailes libres,
Vient planer à l'intérieur des murs
Et que ma divine Althée vient chuchoter à la grille ;
Quand je me couche, emmêlé dans ses cheveux,
Et que je m'enchaîne à son regard,
Les oiseaux exubérants qui volent dans les airs
Ne connaissent pas une telle liberté.
Les murs de pierre ne sont pas la prison,
Et les barreaux ne sont pas la cage ;
Pour les esprits innocents et tranquilles,

C'est un ermitage ;
Si mon amour est libre
Et si mon âme l'est aussi,
Seuls les anges qui volent au-dessus de nos têtes
Peuvent savourer une telle liberté.

Il appuya son front contre les barreaux.

— La seule chose que je ne pourrais pas supporter, c'est qu'il te fasse du mal. Je ne le permettrai pas. Je ne le laisserai pas te trouver, Kelsey. Peu importe le prix.

— Qu'est-ce que tu veux dire ?

Il sourit.

— Rien, ma douce. Ne t'inquiète pas.

Il revint contre la paroi de la cage pour reposer son corps brisé.

— Il est temps de t'en aller, *iadala*.

Je me levai pour partir, mais je m'arrêtai à la porte lorsqu'il cria : « Kelsey ? »

Je me retournai.

— Peu importe ce qui se passe, s'il te plaît, rappelle-toi que je t'aime, *hridaya patni*. Promets-moi que tu t'en souviendras.

— Je m'en souviendrai. Je te le promets. *Mujhe tumse pyarhai*, Ren.

— Va maintenant.

Il fit un léger sourire, puis ses yeux se transformèrent. Le bleu pâlit et ils devinrent gris, ternes et sans vie. Peut-être était-ce un effet de lumière, mais on aurait presque dit que Ren était mort. Je fis un pas hésitant en arrière.

— Ren ?

— S'il te plaît, dit-il de sa voix douce, pars, Kelsey. Tout va bien se passer.

— Ren ?

— *Au revoir, mon amour.*

— Ren !

Il se passait quelque chose et ce n'était pas bon. Je sentis comme un déclic. Je respirai avec difficulté. Quelque chose allait très mal. La connexion que je ressentais entre nous était presque tangible, comme une attache métallique. Plus nous étions devenus proches, plus la connexion était devenue forte. Elle m'enracinait et me reliait à lui comme une ligne téléphonique, mais on aurait dit que le câble avait été coupé.

Je sentis la brisure, et des extrémités tranchantes et dentelées envahirent mon cœur comme des couteaux chauds dans du beurre. Je hurlai et je me débattis. Pour la première fois depuis que j'avais posé les yeux sur mon tigre blanc, j'étais seule.

Kishan me sortit de la brume de mon rêve.

— Kelsey ! Kelsey ! Réveille-toi !

J'ouvris les yeux et je commençai à pleurer des larmes fraîches qui coulaient sur mes joues et suivaient les anciennes traînées laissées par les larmes de mon rêve. J'enroulai mes bras autour du cou de Kishan et je sanglotai. Il me prit sur ses genoux, me serra contre lui et me caressa le dos pendant que je pleurais pour son frère, inconsolable.

Je dus finir par m'endormir, car je me réveillai empêtrée dans mon sac de couchage avec les bras de Kishan autour de moi. Mon poing était pressé contre ma joue et mes yeux étaient enflés et croûteux.

— Kelsey ? chuchota Kishan.

— Je suis réveillée, marmonnai-je.

— Est-ce que ça va ?

Ma main se leva involontairement vers le puits vide et à vif que je sentais dans ma poitrine, et une larme coula du coin de mon œil. J'enfouis la tête dans l'oreiller et je pris de profondes respirations pour me calmer.

— Non, dis-je sourdement. Il est… *parti*. Il s'est passé quelque chose. Je crois… je crois que Ren est peut-être *mort*.

— Qu'est-il arrivé ? Pourquoi penses-tu cela ?

Je lui expliquai mon rêve et je tentai de décrire mon lien brisé avec Ren.

— Kelsey, il est possible que ce ne soit qu'un rêve, un rêve très dérangeant, mais un rêve quand même. Il est fréquent d'avoir des rêves violents quand on vient de subir un traumatisme comme notre combat avec les oiseaux.

— Peut-être. Mais je n'ai pas rêvé d'oiseaux.

— Malgré tout, on ne peut en être certains. Rappelle-toi que Durgâ a dit qu'elle allait le protéger.

— Je me souviens. Mais c'était tellement *réel*.

— Il n'y a aucun moyen d'en être certain.

— Peut-être qu'il y en a un.

— À quoi penses-tu ?

— Je crois que nous devrions à nouveau rendre visite aux Sylvains. Peut-être que nous pourrions dormir dans le bosquet des rêves et que je pourrais voir l'avenir. Je pourrais voir si on peut le sauver ou non.

— Penses-tu que ça va fonctionner ?

– Les Sylvains ont dit que s'ils devaient résoudre un problème désespérant, c'est à cet endroit qu'ils allaient chercher des réponses. S'il te plaît, Kishan. Essayons.

Kishan me regarda un instant et essuya une larme de ma joue avec son pouce.

– D'accord, Kells. Allons trouver Faunus.

– Kishan, encore une chose. Que veut dire *hridaya patni* ?

– Où as-tu entendu ça ? demanda-t-il doucement.

– Dans mon rêve. C'est ce que Ren m'a dit avant que nous nous séparions.

Kishan se leva et marcha en dehors de la tente. Je le suivis et je le découvris regardant fixement au loin. Son bras était appuyé contre une branche d'arbre.

– C'est un surnom affectueux que mon père donnait à notre mère, dit-il sans se retourner. Cela signifie… épouse de mon cœur.

Il fallut une longue journée de randonnée pour atteindre à nouveau le village des Sylvains. Ils étaient ravis de nous voir et avaient envie de faire une fête. Je n'avais pas le cœur à célébrer. Lorsque je demandai si nous pouvions dormir à nouveau dans le bosquet des rêves, Faunus m'assura que tout était à notre disposition. Les nymphes des arbres m'apportèrent un petit souper et me laissèrent seule dans l'une de leurs maisonnettes jusqu'à la tombée de la nuit. Kishan comprit lui aussi que je voulais être seule, et il mangea avec les Sylvains.

Le soir venu, Kishan vint me trouver et emmena un visiteur.

– Je veux que tu rencontres quelqu'un, Kells.

Il tenait la main d'un petit bambin sylvain aux cheveux argentés.

— Qui est-ce ?

— Peux-tu dire ton nom à la jolie dame ?

— Rock, répondit le garçon.

— Ton nom est Rock ? demandai-je.

Le doux visage du bébé me sourit.

— En fait, dit Kishan, il s'appelle Tarak.

— Tarak ?

J'eus le souffle coupé.

— C'est impossible, on dirait qu'il a presque deux ans !

Kishan haussa les épaules.

— Apparemment, les Sylvains grandissent très rapidement.

— Stupéfiant ! Tarak, viens ici et laisse-moi te regarder.

Je tendis les bras, et Kishan l'encouragea à s'avancer. Tarak fit quelques pas maladroits vers moi avant de tomber sur mes genoux.

— Tu es un grand garçon maintenant ! Et tellement beau aussi. Veux-tu jouer ? Regarde.

Je pris l'écharpe de mon cou, et nous regardâmes le kaléidoscope de couleurs bouger et se modifier. Quand le bébé y toucha, une minuscule empreinte rose apparut sur la toile avant de disparaître dans un tourbillon de jaune.

— Animaux en peluche, s'il vous plaît.

Le tissu remua, se sépara et se transforma en animaux en peluche de toutes sortes. Kishan s'assit près de moi, et nous jouâmes avec Tarak et les animaux en peluche. En jouant avec le jeune enfant sylvain, l'aiguillon dans mon cœur s'adoucit.

Lorsque Kishan prit le tigre en peluche et enseigna à Tarak la bonne façon de rugir, il leva les yeux vers moi. Nos yeux se croisèrent, et il cligna de l'œil. J'attrapai sa main et je la serrai.

— Merci, articulai-je silencieusement.

Kishan m'embrassa les doigts et sourit.

— Tante Kelsey a besoin de dormir un peu. Il est temps de te ramener à ta famille, petit homme.

Il ramassa Tarak et le plaça sur ses épaules.

— Je reviens tout de suite, dit-il calmement.

Je rassemblai les animaux en peluche et je dis à l'écharpe que nous n'avions plus besoin d'eux. Des fils commencèrent à tourner dans les airs et se tissèrent, retrouvant leur forme. Juste avant que ce soit terminé, Kishan revint.

Il s'accroupit, prit mon menton dans ses mains et inclina mon visage pour l'examiner.

— Kelsey, tu es épuisée. Les Sylvains t'ont préparé un bain. Va te faire tremper un peu avant d'aller dormir. Je te retrouve au bosquet, d'accord ?

Je hochai la tête, et je permis aux trois mêmes femmes sylvaines de me ramener à la zone de baignade. Elles étaient silencieuses cette fois, me laissant à mes pensées pendant qu'elles savonnaient doucement mes cheveux et qu'elles frottaient ma peau avec une lotion parfumée. Elles me vêtirent d'une robe de soie filée, puis une fée aux ailes orange me guida vers le bosquet des rêves. Kishan y était déjà et avait pris la liberté de créer un hamac avec l'écharpe divine.

Je me moquai gentiment.

— À ce que je vois, tu n'as pas envie de partager à nouveau la suite nuptiale.

Son dos était tourné vers moi alors qu'il testait un nœud du hamac.

— J'ai simplement pensé que ce serait préférable…

Il se retourna et me lança un regard torride et viril. Ses yeux dorés s'agrandirent et il continua à s'occuper des nœuds. Il se racla la gorge.

— C'est certainement mieux pour toi de dormir toute seule cette fois-ci, Kells. Je serai à l'aise de ce côté.

Je frissonnai et essayai de prétendre que le regard de Kishan n'avait eu aucun effet sur moi.

— Fais comme tu veux.

Kishan entra dans son hamac et se coucha sur le dos, les mains derrière la tête. Pendant que je repoussais les draps, il me regarda.

— Tu es vraiment… magnifique, soit dit en passant, l'entendis-je murmurer.

Je me tournai vers lui, je levai un bras et je passai ma main sur la robe de fées en soie bleue à manches longues. Je savais que mes cheveux pendaient dans mon dos en vagues souples et que ma peau pâle brillait grâce au lavage vigoureux et aux lotions scintillantes des Sylvaines. J'avais peut-être une belle apparence, mais je me sentais vide comme un œuf de Pâques en plastique : coloré et même minutieusement décoré à l'extérieur, mais vide au centre. J'étais vidée jusqu'au plus profond de moi-même.

— Merci, dis-je machinalement alors que je montais dans le lit moelleux.

Je restai éveillée pendant un bon moment à regarder les étoiles. Je sentis que Kishan me fixait alors que je posais une main sous ma joue, et je finis par dériver vers le sommeil.

Je ne rêvai de rien. Ni de Ren, ni de moi, ni de Kishan, ni de M. Kadam… Je rêvai de vide. Mon esprit était envahi par une grande obscurité, un néant, un espace sans forme, sans profondeur, sans richesse et sans *bonheur.* Je me réveillai avant Kishan. Sans Ren, ma vie ne signifiait rien. Elle était vide, creuse et sans valeur. C'est ce qu'essayait de me dire le bosquet des rêves. Un trop gros morceau de moi avait disparu.

Quand mes parents étaient décédés, on aurait dit que deux grands arbres avaient été déracinés. Ren était entré dans ma vie et avait rempli le paysage vide de mon cœur. Mon cœur avait guéri, et la terre sèche avait été remplacée par de l'herbe douce, de charmants arbres de santal, du jasmin grimpant et des roses. Et au centre de tout cela, il y avait un endroit magnifique où je pouvais m'asseoir et sentir la chaleur, la paix et l'amour. Maintenant, la fontaine était tarie, les lys déracinés, les arbres renversés ; il n'y avait tout simplement pas suffisamment de terre pour faire pousser quoi que ce soit d'autre. J'étais dénudée, désolée – un désert incapable de supporter la vie.

Une douce brise agita mes cheveux et souffla des mèches sur mon visage. Je ne pris pas la peine de les écarter. Je n'entendis pas Kishan se lever. Je sentis simplement le bout de ses doigts effleurer mon visage alors qu'il enlevait les mèches de ma joue et les cachait derrière une oreille.

– Kelsey ?

Je ne répondis pas. Mes yeux impassibles fixaient le ciel de l'aube qui pointait son nez.

– Kells ?

Il glissa ses mains sous mon corps et me souleva, puis il s'assit sur le lit et me serra contre sa poitrine.

— Kelsey, s'il te plaît, dis quelque chose. Parle-moi. Je ne peux pas supporter de te voir comme ça.

Il me berça pendant un certain temps. Je pouvais l'entendre et je lui répondais dans mon esprit, mais je me sentais détachée de mon environnement, de mon corps.

Je sentis une goutte de pluie qui frappa ma joue et le choc me réveilla, me ramenant à la surface. Je levai la main et j'enlevai la goutte en l'effleurant.

— Est-ce qu'il pleut ? Je ne croyais pas qu'il pleuvait ici.

Il ne répondit pas. Une autre goutte éclaboussa mon front.

— Kishan ?

Je le regardai et je me rendis compte que ce n'étaient pas des gouttes de pluie, mais des larmes.

Ses yeux dorés étaient remplis de larmes.

Perplexe, je levai une main vers sa joue.

— Kishan ? Pourquoi pleures-tu ?

Il fit un faible sourire.

— Je pensais que tu étais perdue, Kells.

— Oh.

— Dis-moi. Qu'est-ce que tu as vu pour être emmenée si loin de moi ? As-tu vu Ren ?

— Non. Je n'ai rien vu. Mes rêves étaient remplis d'obscurité froide. Je crois que cela signifie qu'il est mort.

— Non, je ne le crois pas, Kells. J'ai vu Ren dans mes rêves.

La vie revint de nouveau dans mes membres.

— *Tu l'as vu ? Tu es sûr ?*

— Oui. En fait, nous nous querellions sur un bateau.

— Es-tu certain que ce n'est pas un rêve du passé ?

— J'en suis certain. Nous étions sur un yacht moderne. En fait, c'était le yacht qui nous appartient.

Je me redressai.

— Es-tu absolument sûr à cent pour cent que cela se passait dans le futur ?

— J'en suis certain.

Je le serrai dans mes bras et j'embrassai ses joues et son front. Je ponctuai chaque baiser de « Merci ! Merci ! Merci ! ».

— Attends, Kells. L'idée, c'est que dans le rêve, nous étions en train de discuter de…

Je me mis à rire, j'attrapai sa chemise et le secouai légèrement, emplie d'un enivrant soulagement. *Il est vivant !*

— Ce dont vous discutiez ne m'intéresse pas. Vous passez votre temps à vous quereller.

— Mais je pense que je devrais te dire…

Je sautai de ses genoux et je me déplaçai rapidement, rassemblant nos choses.

— Tu me le diras plus tard. Nous n'avons pas le temps d'en discuter. Allons-y. Qu'est-ce que nous attendons ? Il nous faut secourir un tigre. Allez. Allez.

Je m'élançai avec une énergie folle. Une détermination fiévreuse et désespérée envahit mon esprit. Chaque minute que nous perdions signifiait plus de douleur pour celui que j'aimais. Le rêve que j'avais fait de Ren avait été réel. Je n'aurais pas pu inventer de nouveaux mots en hindi par moi-même, surtout des mots tendres que son père employait pour sa mère. C'est comme si, en quelque sorte, j'avais été avec lui. Je l'avais touché, je l'avais embrassé. Quelque chose avait rompu notre connexion, mais il était toujours vivant !

Il était possible de le sauver. En fait, il serait sauvé ! Kishan avait vu le futur !

Les Sylvains avaient préparé un somptueux petit déjeuner, mais nous l'apportâmes pour le consommer en chemin, nous nous précipitâmes pour faire nos adieux, et nous nous dirigeâmes vers les portes de l'esprit. Il fallut deux jours de marche rapide pour nous rendre à la porte en suivant les indications que les Sylvains nous avaient fournies. Kishan parla très peu pendant le voyage, et la pensée de retrouver Ren m'absorbait trop pour que je comprisse la raison de son silence.

Après avoir atteint la porte, je demandai à l'écharpe divine de créer de nouveaux vêtements d'hiver pour nous, et après nous être changés, j'appelai mon pouvoir de l'éclair et je posai ma main dans la dépression sculptée sur le côté de la porte. Ma peau se mit à luire, devenant translucide et rose alors que la porte brillait et s'ouvrait. Nous nous regardâmes tous les deux, et je me sentis soudainement triste – comme si nous étions en train de nous faire nos adieux. Kishan retira son gant et appuya sa paume chaude sur ma joue en même temps qu'il examinait sobrement mon visage. Je souris et je le serrai dans mes bras.

J'avais voulu que ce soit bref, mais il enroula ses bras autour de moi et me serra très fort. Je me défis de son étreinte sans grâce, je remis mon gant et, par une journée ensoleillée, je franchis la porte sur le mont Everest. Mes bottes d'hiver crissèrent dans la neige étincelante pendant que Kishan me suivait et se changeait en tigre noir.

23

Retour à la maison

Après avoir traversé la porte, je me retournai pour regarder la terre de Shangri-la, qui disparaissait dans un tourbillon de couleurs. La lumière rouge qui vibrait dans l'empreinte de main s'estompa, et la porte de l'esprit revint à sa forme initiale – deux grands poteaux de bois avec de longues chaînes de drapeaux de prière flottant au vent.

À plusieurs reprises, je clignai des yeux et je les frottai légèrement. Il y avait quelque chose qui collait à mes cils. Je décollai soigneusement un film vert transparent, qui avait glissé de chaque œil comme une paire de lentilles de contact.

Kishan semblait être coincé dans sa forme de tigre, et il le serait probablement pendant un certain temps, tout comme Ren l'avait été après Kishkindhâ. Il cligna des yeux vers moi, et je pus voir le film vert qui s'arrachait d'un œil.

– Ne bouge pas. Je dois t'enlever ce truc, sinon il te dérangera tout le long du chemin.

J'enlevai le film d'un œil, puis de l'autre. J'y mis beaucoup de temps, mais j'étais fière d'avoir réussi. Le Maître Océan avait dit que lorsque nous quitterions Shangri-la, les écailles tomberaient de nos yeux et que nous pourrions à nouveau voir le monde réel. Je ne m'étais pas attendue à ce que ses paroles fussent aussi littérales.

J'ajustai le sac à dos sur mes épaules et je commençai la descente vertigineuse du retour au camp de M. Kadam. Le soleil brillait, mais il faisait encore froid. Je sentais la même énergie qui me consumait et qui me poussait vers l'avant. Je ne voulais pas m'arrêter pour me reposer, même si Kishan le voulait manifestement. Je l'encourageai à continuer et je ne m'arrêtai que lorsqu'il fit trop sombre pour voir le paysage.

Depuis que Hugin m'avait aidée à « décoincer » mes pensées, mon esprit était devenu limpide, clair. J'élaborai et conçus un plan. Je savais comment sauver Ren. La seule chose que j'ignorais, c'était où le trouver. J'espérais que M. Kadam aurait quelques connaissances sur la culture ou la localisation des personnes que nous avions aperçues dans la vision.

Les caractéristiques physiques que j'avais notées ne suffiraient peut-être pas pour qu'il puisse poursuivre ses recherches, mais c'était tout ce dont nous disposions. Si quelqu'un pouvait découvrir où il nous fallait commencer à chercher, c'était bien M. Kadam. Je souhaitais également que le temps se fût arrêté, ou du moins qu'il eût ralenti lorsque nous étions dans Shangri-la. J'étais certaine que Ren était constamment tourmenté pendant qu'il était avec Lokesh. Il était insupportable de penser qu'il avait mal, sans compter les nombreux jours que nous avions passés dans le monde au-delà de la porte de l'esprit.

Ce soir-là, je demeurai éveillée dans notre tente pendant un long moment, pensant à ma stratégie et l'analysant à partir de tous les angles possibles. Je ne voulais pas permettre à Lokesh de prendre quelqu'un d'autre. Il n'y aurait aucun échange pour Ren. Nous le sauverions, et nous reviendrons tous à la maison.

Le lendemain matin, Kishan se réveilla et reprit sa forme d'homme. Je lui fis rapidement confectionner des vêtements d'hiver, et il s'habilla dans la tente pendant que je nous faisais préparer un petit déjeuner. Très vite, il se joignit à moi, vêtu de ses habits neufs : une chemise rouille ajustée sous un veston imperméable noir, avec des pantalons noirs aux chevilles élastiques, des gants isolants chauds, des chaussettes de laine épaisse et des bottes de neige. J'évaluai son apparence et me félicitai d'avoir fait un bon travail.

Nous découvrîmes que la récupération de l'écharpe avait accordé six autres heures de liberté à Kishan en tant qu'homme. Nous étions maintenant à mi-chemin de notre quête. Les tigres pouvaient maintenant prendre une forme humaine pendant douze heures chaque jour.

Même si j'étais pressée, Kishan me rappela qu'il faudrait au moins deux journées complètes pour descendre la montagne. Lorsque nous érigeâmes le campement la seconde nuit, je décidai qu'il était temps de lui parler de mon plan de sauvetage et de lui montrer ce que l'écharpe pourrait faire d'autre.

Après nous être installés dans notre tente, gracieuseté de l'écharpe, je défis la fermeture à glissière de mon sac de couchage et je l'étendis sur le sol. J'invitai Kishan à s'asseoir devant moi avant que je prenne l'écharpe.

— Bon. L'écharpe peut accomplir plusieurs choses. Elle peut devenir ou créer tout ce qui est fait de tissu ou de fibres naturelles. Elle n'a pas à absorber ce qu'elle crée ensuite. Elle peut le faire, mais elle peut aussi créer des choses de façon permanente. Ceci dit, ces créations perdent la magie du tissu. L'écharpe peut aussi prendre une forme pour rassembler les vents, comme dans l'histoire du dieu japonais Fujin. La troisième chose que l'écharpe peut faire, c'est… modifier l'apparence.

— Modifier l'apparence ? Que veux-tu dire ?

— Euh, comment dire ? As-tu déjà vu un magicien sortir un lapin d'un chapeau ou changer un oiseau en une plume ?

— Nous avions parfois des magiciens qui venaient à la cour. L'un d'eux a changé une souris en chien.

— Oui ! C'est un peu la même chose. C'est une illusion. Comme un truc qu'on ferait avec de la lumière et des miroirs.

— Comment ça fonctionne ?

— Tu te souviens que la tisserande divine a dit qu'il y avait du pouvoir dans le tissage ? Il ne crée pas seulement les vêtements d'une personne, mais il peut aussi t'y faire ressembler. La clé, c'est qu'il faut que tu sois précis et que tu captes exactement dans ton esprit ce à quoi tu veux ressembler. Regarde et dis-moi si ça fonctionne. Déguisement, s'il vous plaît, dis-je — Nilima.

L'écharpe se transforma en une longue pièce de tissu noir brillant avec des couleurs qui tourbillonnaient rapidement à travers toute la pièce. L'étoffe se mit à luire comme si elle était ornée de paillettes de bijoux qui apparurent rapidement avant de disparaître. La lumière réfléchit et se déplaça autour de la tente tandis que des milliers de prismes lançaient des arcs-en-ciel dans chaque direction.

J'enveloppai mon corps avec le tissu et le recouvris en entier, y compris mes cheveux et mon visage. Ma peau devint chaude et pétillante. Les couleurs tourbillonnantes étaient irisées et éclairait le petit espace sombre dans lequel j'étais assise, enveloppée dans la couverture chaude qu'était devenue l'écharpe. On aurait dit que j'étais en train de regarder un spectacle de lumières lasers privé. Lorsque la lueur diminua, j'enlevai la couverture et je regardai Kishan.

— Eh bien ?

Sa bouche s'ouvrit sous la surprise.

— *Kells* ?

— Ouais.

— Tu… même ta voix ressemble à celle de Nilima. Tu es aussi habillée comme elle.

Je baissai les yeux et je découvris que je portais une robe de soie bleu poudre qui s'arrêtait à mes genoux. Mes jambes étaient nues.

— Je viens de m'en rendre compte. Je gèle !

Kishan enveloppa son manteau autour de moi, puis il prit ma main et l'examina.

— Ta peau ressemble à la sienne. Tu as même ses longs ongles peints. Incroyable !

Je grelottai.

— D'accord, démonstration réussie. Je suis vraiment en train de geler.

J'enroulai le tissu autour de moi à nouveau.

— De retour à moi, s'il vous plaît, dis-je.

Les couleurs se mirent à tourbillonner de nouveau et, après une longue minute, j'enlevai le tissu pour constater que j'avais repris mon apparence.

— Maintenant, Kishan, c'est toi qui essaies. Je n'avais pas de miroir. Je veux voir à quel point c'est précis.

— D'accord.

Il prit l'écharpe.

— Déguisement, dit-il – M. Kadam.

Il l'enroula autour de son corps tout entier. Lorsqu'il enleva le tissu une minute plus tard, je me retrouvai assise en face de M. Kadam. Il était exactement comme je l'avais vu la dernière fois. Je tendis le doigt et je touchai sa barbe courte.

— Wow ! Tu lui ressembles vraiment !

Je touchai l'ourlet de son pantalon.

— Les pantalons ont vraiment l'air vrais. C'est une réplique parfaite !

Il se toucha le visage et passa une main dans ses cheveux coupés ras.

— Attends une minute ! lui dis-je. Tu as même son amulette ! Te semble-t-elle réelle ?

Il toucha l'amulette et sentit la chaîne.

— Elle semble réelle, mais elle ne l'est pas.

— Que veux-tu dire ?

— J'ai porté une amulette pendant la plus grande partie de ma vie, et quand je t'ai donné la mienne pour que tu la portes, je pouvais sentir son absence. Celle-ci ne me semble pas réelle. Je ne sens pas sa puissance. En outre, elle est plus légère et la surface est légèrement différente.

— Humm, c'est intéressant. Je ne sais toujours pas si je peux vraiment sentir son pouvoir.

Je tendis la main et je touchai l'amulette autour de son cou, puis je la comparai à la mienne.

— Je crois que celle que tu portes est faite d'une sorte de tissu.

— Vraiment ?

Il la frotta entre ses doigts.

— Tu as raison. La surface est légèrement décalée. Tu ne peux vraiment pas sentir le pouvoir de l'amulette ?

— Non.

— Eh bien, si tu l'avais portée pendant autant d'années comme je l'ai fait, tu le sentirais.

— Peut-être que c'est quelque chose que vous seuls pouvez sentir en tant que tigres parce que vous y êtes si étroitement associés.

— Peut-être. Nous le demanderons à M. Kadam.

Kishan se transforma pour redevenir lui-même.

— Alors, quel est ton plan, exactement, Kells ?

— Eh bien, je ne connais pas encore tous les détails, mais je pensais que nous pourrions nous faire passer pour des gardes de Lokesh et nous faufiler à l'endroit où ils détiennent Ren.

— Alors, tu n'as pas l'intention de faire un échange ? Une amulette contre Ren ?

— Pas si nous pouvons l'éviter. Je voudrais que ce soit un dernier recours. Le gros problème, avec le plan, c'est que j'ignore où Ren est détenu. Je t'ai dit que j'ai vu Ren dans la vision, mais j'ai aussi vu une personne et j'espère vraiment que M. Kadam pourra l'identifier.

— L'identifier comment ?

— Ses cheveux et ses tatouages étaient uniques. Je n'en avais jamais vu comme ceux-là auparavant.

— C'est peu probable, Kells. Même si nous identifions l'endroit d'où vient le serviteur, ça ne veut pas nécessairement dire que c'est là que Lokesh détient Ren.

— Je sais, mais c'est tout ce que nous avons pour le moment.

— D'accord, donc nous avons un *comment*. Tout ce qui nous manque, c'est un *où*.

— Exactement.

Le lendemain, nous quittâmes la limite des neiges éternelles et nous continuâmes à descendre rapidement la pente. Kishan avait dormi sous sa forme de tigre, alors il marcha avec moi sous sa forme humaine pendant la plus grande partie de la journée, ce qui nous donna l'occasion de parler. Il me confia que le fait d'être obligé de revenir dans sa forme de tigre l'étouffait. Tout comme Ren, maintenant qu'il avait eu un avant-goût de la vie d'un être humain, il y aspirait désespérément.

Je tentai de lui rappeler que 12 heures, c'était beaucoup mieux que 6. Il pouvait maintenant dormir comme tigre et passer la plus grande partie de son temps à être un homme, mais il continuait de s'en plaindre.

— Kishan ? demandai-je, lors d'un moment de silence dans la conversation.

Il grogna alors qu'il glissait en descendant sur un peu de gravier.

— Ouais ?

— Je veux que tu me dises tout ce que tu sais à propos de Lokesh. Où l'as-tu rencontré ? Qui est-il ? Parle-moi de sa famille, de sa femme, de ses antécédents. Tous ces trucs.

— D'accord. Pour commencer, il ne provient pas d'une lignée royale.

— Que veux-tu dire ? Je croyais que c'était un roi.

— Il l'était, mais il n'a pas commencé de cette façon. La première fois que je l'ai rencontré, il était conseiller du roi. Il a rapidement accédé à un poste d'autorité. Quand le roi est mort subitement et sans laisser de descendance, Lokesh a joué le rôle du roi.

— Ah, il y a probablement une histoire intéressante ici. J'aimerais beaucoup entendre le récit de son ascension au pouvoir. Est-ce que tout le monde l'a accepté comme nouveau roi ? N'y a-t-il pas eu de protestations ?

— S'il y en a eu, il a rapidement étouffé tous les mécontents et s'est bâti une puissante armée. Ce royaume avait toujours été très pacifique, et nous n'avions jamais eu de problèmes avec eux jusqu'à ce que Lokesh prenne le pouvoir. Même alors, il était toujours très prudent en ce qui avait trait à ma famille.

Des accrochages mineurs ont commencé à éclater entre nos armées, mais il affirmait toujours ne pas en avoir eu connaissance. Nous croyons maintenant qu'il était en train de recueillir des renseignements, parce que les escarmouches avaient toujours lieu dans des zones militaires stratégiques. Il les rejetait comme des malentendus mineurs et il nous assurait qu'il allait réprimander les survivants.

— Les survivants ? Que veux-tu dire ?

— Les escarmouches entraînaient souvent la mort de ses soldats. Il s'en servait comme des outils jetables. Il ordonnait leur obéissance ultime, et ils la lui donnaient.

— Et personne dans ta famille n'a jamais rien soupçonné ?

— Si quelqu'un l'a soupçonné, c'était M. Kadam. Il était à la tête de l'armée à l'époque, et il sentait qu'il y avait beaucoup plus derrière ces escarmouches que de simples soldats qui ne comprenaient pas leurs ordres. Mais personne d'autre ne soupçonnait Lokesh. Il était très charmant quand il venait nous rendre visite. Il avait toujours une attitude humble en présence de mon père mais, tout ce temps, il planifiait froidement notre perte.

— Quelles étaient les faiblesses de Lokesh ?

— Je pense qu'il en sait plus sur mes faiblesses que moi sur les siennes. J'imagine qu'il maltraitait Yesubaï. D'après ses dires, sa femme était morte longtemps avant que nous le rencontrions. Yesubaï n'a jamais parlé de sa mère, et je n'ai jamais pensé à lui poser de questions. Pour autant que je sache, il n'a pas de famille ni de postérité, à moins qu'il ait pris une autre femme au cours des années. Il était assoiffé de pouvoir. Ce pourrait être une faiblesse.

— Avait-il une folle envie d'argent ? Pourrions-nous lui proposer d'acheter la liberté de Ren ?

— Non. Il se sert de l'argent seulement comme un moyen d'obtenir plus de pouvoir. Il se fout des bijoux ou de l'or. Il pourrait présenter une attitude contraire à cela, mais je ne lui ferais pas confiance. C'est un homme ambitieux, Kelsey.

— Que savons-nous sur les autres morceaux de l'amulette ? Connaissons-nous leur provenance ?

— La seule chose que je sais à propos de l'amulette, c'est ce que mes parents nous ont raconté. Ils ont dit que les morceaux de l'amulette ont été portés par cinq chefs de guerre et qu'ils ont été transmis au fil des siècles. La famille de ma mère a obtenu une seule pièce, et la famille de mon père en avait une autre. C'est pourquoi Ren et moi en possédions chacun une. Celle que tu portes appartenait à ma mère, et M. Kadam porte celle de mon père. Je n'ai aucune idée de la façon dont Lokesh a acquis les trois autres pièces. Je n'avais jamais entendu parler d'autres morceaux d'amulette avant que Lokesh en parle. Ren et moi portions nos pièces sous nos vêtements, comme un héritage soigneusement protégé.

— Peut-être que Lokesh a trouvé une liste des familles à qui elles avaient été confiées ? méditai-je.

— Peut-être. Mais je n'ai jamais entendu parler d'une telle liste.

— Tes parents savaient-ils que leurs amulettes avaient du pouvoir ?

— Non. Pas avant que nous soyons changés en tigres.

— Aucun de tes ancêtres n'a vécu longtemps comme M. Kadam ?

— Non, des deux côtés, notre famille avait été prolifique. Il y avait toujours un jeune roi à qui transmettre l'amulette, et la tradition voulait que le garçon reçoive l'amulette à 18 ans. Nos ancêtres avaient des vies plus longues que la normale, mais la durée de vie était alors beaucoup plus courte qu'elle ne l'est aujourd'hui.

— Malheureusement, aucune de ces informations ne nous donne une idée des faiblesses de Lokesh.

— Peut-être que oui.

— Comment ça ? demandai-je.

— Il désire le pouvoir par-dessus tout. Il recherche à tout prix les morceaux d'amulette ; c'est sa faiblesse.

— Que veux-tu dire ?

— Nous avons vu que l'écharpe pouvait en créer une réplique lorsque j'ai pris la forme de M. Kadam. S'il prend la réplique, il croira qu'il a gagné.

— Mais nous ne savons pas si la réplique peut être enlevée à la personne qui la porte ou non. Même si elle pouvait l'être, nous ne savons pas combien de temps elle durerait.

Kishan haussa les épaules.

— Nous allons le tester à notre retour.

— C'est une bonne idée.

Je trébuchai sur un rocher et Kishan m'attrapa. Il me tint juste pendant un moment, sourit et enleva les cheveux de mon visage.

— Nous y sommes presque. Peux-tu continuer, ou as-tu besoin de repos ? demanda-t-il attentivement.

— Je peux continuer.

Il me lâcha et enleva le sac à dos de mes épaules.

— Kishan, je veux te remercier pour tout ce que tu as fait à Shangri-la. Je n'aurais pas réussi sans toi.

Il jeta le sac à dos sur une de ses épaules et demeura immobile, m'examinant pendant une minute.

— Tu ne croyais pas que j'allais te laisser seule, n'est-ce pas ?

— Non, mais je suis reconnaissante de t'avoir eu avec moi.

— De la reconnaissance, c'est tout ce que j'obtiendrai, n'est-ce pas ?

— Qu'espérais-tu d'autre ?

— De l'adoration, du dévouement, de l'affection et de l'engouement de ta part, ou alors tout simplement que tu me trouves irrésistible.

— Désolée, Don Juan. Tu devras vivre avec ma gratitude éternelle.

Il sourit d'un air théâtral.

— Je suppose que c'est un bon début. Que dirais-tu de considérer que nous sommes quittes ? Je ne t'ai jamais vraiment remerciée de m'avoir convaincu de revenir à la maison. J'y ai… découvert beaucoup de choses que j'aime.

Je lui souris.

— D'accord.

Il passa son bras autour de mes épaules et nous continuâmes notre route.

— Je me demande si nous rencontrerons à nouveau ce vieil ours.

— Si c'est le cas, je devrais être en mesure de le tenir à l'écart maintenant. Je n'ai pas pensé à utiliser mon pouvoir quand nous sommes tombés sur lui la première fois. Apparemment, je ne suis pas une vraie guerrière.

— Tu as très bien combattu les oiseaux.

Il sourit.

— J'irais au combat avec toi n'importe quand. Laisse-moi te parler du jour où j'avais laissé mon épée à la maison.

Il m'embrassa sur le front, se souvenant de temps meilleurs.

Au crépuscule, nous aperçûmes un petit feu au loin au pied de la montagne. Kishan m'assura qu'il s'agissait du camp de M. Kadam. Il dit qu'il pouvait le sentir à travers la brise. Il me tint la main pendant le dernier tiers de kilomètre, car il assura qu'il pouvait voir mieux que moi dans la pénombre — mais je soupçonnai que ce n'était pas la seule raison. Lorsque nous nous approchâmes, je pus vaguement distinguer l'ombre de M. Kadam à l'intérieur de la tente.

Je m'approchai de la tente.

— Toc, toc, toc. Y a-t-il de la place ici pour deux étrangers errants ?

L'ombre bougea, et la fermeture à glissière de la tente descendit vers le bas.

— Mlle Kelsey ? Kishan ?

M. Kadam sortit et m'attrapa pour m'enlacer. Puis il se retourna et donna une tape dans le dos de Kishan.

— Vous devez être gelés ! Venez. Je vais préparer du thé chaud. Donnez-moi juste le temps d'aller chercher une bouilloire.

— M. Kadam, vous n'avez pas à le faire. Nous avons le Fruit d'Or, vous vous souvenez ?

— Ah, oui, j'avais oublié.

— Et nous avons aussi quelque chose d'autre.

Je pris l'écharpe améthyste autour de mon cou, et elle devint turquoise.

— Des coussins souples, s'il vous plaît, et pouvez-vous agrandir la tente ? demandai-je.

Les fils turquoise se transformèrent immédiatement et se tendirent. Plusieurs d'entre eux commencèrent à tisser de grands coussins de différentes couleurs et une autre pièce se détacha et commença à se tisser en s'attachant à l'extrémité de la tente. Après quelques instants, nous pûmes nous asseoir confortablement sur de gros coussins dans une tente qui avait doublé de volume. Fasciné, M. Kadam regarda tranquillement les fils affairés.

J'eus un peu de difficulté à enlever mon manteau, mais Kishan m'aida et frotta mon bras. Je repoussai sa main, mais il se contenta de sourire en s'appuyant contre les coussins.

— Est-ce qu'elle fonctionne comme le Fruit d'Or ? demanda M. Kadam. Peut-elle créer des choses qui sont tissées ?

— Oui, en quelque sorte, répondis-je en regardant Kishan avec un air menaçant.

— « Les masses de l'Inde seront cérémonieusement vêtues », marmonna M. Kadam.

— Euh, je suppose que nous pourrions vêtir le peuple indien avec ce truc.

Bizarre que je n'y aie pas pensé avant.

— Attendez une minute, la prophétie ne parle-t-elle pas aussi de « déguisement de chef » ?

M. Kadam fouilla dans ses papiers et sortit une copie de la prophétie.

— Oui, ici il est écrit : « Des discussions sur les débâcles et les déguisements du chef peuvent éloigner ceux qui vous poursuivraient ». Est-ce ce à quoi vous vous référez ?

Je me mis à rire.

— Ouais, alors c'est logique. Vous voyez, l'écharpe divine a plusieurs autres usages. Autres que la confection de vêtements et le tissage d'objets, je veux dire. Elle peut aussi rassembler les vents comme le sac du dieu Fujin.

— Comme pour le sac de vents qu'Ulysse a reçu d'Éole ? Le sac de cuir d'Ulysse attaché avec un cordon argenté ?

— Oui, mais ce n'est pas du cuir. Par contre, le cordon argenté pourrait fonctionner.

— Peut-être a-t-elle été envoyée par l'un des dieux du vent. Vâyou ? Striborg ? Njörd ? Pazuzu ?

— N'oubliez pas Borée et Zéphyr.

— Pourriez-vous parler notre langue, s'il vous plaît ? interrompit Kishan.

M. Kadam se mit à rire.

— Désolé. Je me suis laissé emporter pendant une minute.

— Veux-tu le lui montrer maintenant, Kishan ? demandai-je.

— Bien sûr.

M. Kadam se pencha en avant.

— Me montrer quoi, Mlle Kelsey ?

— Vous allez voir. Il vous suffit de regarder.

Kishan prit l'écharpe divine.

— Déguisement, marmonna-t-il, et il la fit tourner autour de son corps.

Elle s'allongea et devint noire avec des couleurs tourbillonnantes.

— Je veux voir si cela va fonctionner sans que je prononce un nom à voix haute comme avec le Fruit d'Or, dit-il.

— Oui. C'est une bonne idée, répondis-je.

Lorsque Kishan enleva l'écharpe de son visage, je n'étais pas préparée à voir ce que je vis. C'était Ren. Il avait pris la forme de Ren. Il dut voir mon visage en détresse.

— Je suis désolé. Je ne voulais pas choquer M. Kadam en lui montrant son propre visage.

— Ça va. Mais s'il te plaît, change-toi rapidement.

Il le fit et M. Kadam resta assis là, abasourdi. Je ne pouvais plus parler. Voir Ren assis là — même en sachant que c'était vraiment Kishan — avait été extrêmement difficile. Je dus refouler toutes les émotions qui faisaient surface.

Kishan prit rapidement la relève.

– Avec l'écharpe, expliqua-t-il, on peut prendre la forme d'autres personnes. Kelsey s'est changée pour ressembler à Nilima, et moi je suis devenu vous. Nous devons tester ses capacités et essayer différentes formes pour comprendre les limites de déguisement de l'écharpe.

– Tout simplement… incroyable ! bafouilla M. Kadam. Euh, Kishan, est-ce que je peux ?

– Bien sûr.

Il lança l'écharpe à M. Kadam. Les couleurs de l'étoffe changèrent dès que ses doigts touchèrent le tissu, d'abord en brun moutarde, puis en vert olive.

Je le taquinai.

– Je pense qu'elle vous aime, M. Kadam.

– Oui, bien… imaginez les possibilités. Toutes ces personnes que le Fruit d'Or et cette glorieuse étoffe pourraient aider. Tant de gens souffrent de ne pas avoir de nourriture et des vêtements chauds, et pas seulement en Inde. Ce sont vraiment des présents divins.

Je le laissai examiner l'écharpe pendant que je demandais au Fruit d'Or de préparer du thé à la camomille accompagné de crème et de sucre. Kishan n'était pas particulièrement friand de thé, donc il se fit plutôt préparer du chocolat chaud à la cannelle avec de la crème fouettée.

– Combien de temps avons-nous été partis ?

– Un peu plus d'une semaine.

Je fis un rapide calcul dans mon esprit pour savoir combien de jours nous étions restés sur la montagne.

– Très bien. Notre temps à Shangri-la n'a pas compté.

– Combien de temps êtes-vous restés à Shangri-la, Mlle Kelsey ?

— Je ne sais pas exactement, mais je crois que nous y sommes restés environ deux semaines. Est-ce bien cela ?

Je regardai Kishan. Il hocha la tête en silence et but une gorgée de cacao.

— M. Kadam, dans combien de temps pouvons-nous nous remettre en route ?

— Nous pouvons partir à l'aube.

— Je veux rentrer à la maison dès que possible. Nous devons nous préparer pour sauver Ren.

— Nous pouvons nous rendre de l'autre côté de la frontière et entrer en Inde par la province du Sikkim. Ce sera beaucoup plus rapide que de repasser à travers l'Himalaya.

— Combien de temps cela prendra-t-il ?

— Cela dépend de la vitesse à laquelle nous franchirons la frontière. S'il nous ne rencontrons pas de problèmes, peut-être quelques jours.

— D'accord. Nous avons tellement de choses à vous raconter.

M. Kadam sirotait son thé et me regardait pensivement.

— Mlle Kelsey, vous n'avez pas bien dormi. Vous avez les yeux fatigués.

Lui et Kishan se regardèrent pendant un moment, puis il but une gorgée de thé.

— Je pense que nous devrions vous laisser dormir. Nous avons un long chemin à parcourir, et nous pourrons discuter de beaucoup de choses en route.

— Je suis d'accord, intervint Kishan. Les derniers jours ont été difficiles pour toi. Repose-toi, *bilauta*.

Je terminai mon thé.

— Je suppose que je suis en infériorité numérique. Très bien. Alors, allons tous dormir un peu, et nous pourrons partir encore plus tôt dans la matinée.

Je me servis de l'écharpe pour confectionner un autre sac de couchage et des oreillers pour nous tous. Je m'endormis au son paisible des voix de M. Kadam et Kishan, qui parlaient doucement dans leur langue maternelle.

Le lendemain, nous commençâmes notre voyage de retour. Nous passâmes aux douanes, puis nous parcourûmes environ la moitié du chemin vers la maison avant de nous arrêter à un hôtel à Gaya. Nous nous relayâmes pour conduire et faire la sieste à l'arrière. Kishan prit le volant à son tour, mais M. Kadam le garda à l'œil, gardant toujours en tête l'accident de Kishan avec la jeep en Inde.

Pendant le trajet, nous racontâmes tout de notre voyage à M. Kadam. Je commençai par le mont Everest et l'ours. Kishan expliqua qu'il m'avait transportée à travers la porte de l'esprit et que nous avions fait de la randonnée à travers le paradis.

M. Kadam fut fasciné par les Sylvains et nous posa des dizaines de questions. Pendant que je conduisais, il prit beaucoup de notes. Il voulait tenir un registre détaillé de notre voyage, et il écouta attentivement et écrivit de nombreuses pages dans sa calligraphie au style raffiné. Il demanda beaucoup de précisions sur les tests des quatre maisons et sur les oiseaux de fer, gardiens de l'écharpe, hochant la tête comme s'il s'était attendu à ce que telle ou telle chose se produise.

À l'hôtel, nous nous assîmes autour d'une petite table et nous lui montrâmes les photographies que Kishan avait prises de l'arche de Noé, de l'arbre-monde, des Sylvains et des quatre maisons. Ce compte-rendu visuel nous permit de nous souvenir de plusieurs autres détails, et M. Kadam sortit son cahier de notes à nouveau et se mit à griffonner.

— Qu'est-ce que c'est ? demanda Kishan en me montrant l'appareil photo.

Je le tournai et le retournai, et je me mis à rire.

— C'est l'un des yeux de Hugin. Tu vois ? Il y a le nid.

Kishan regarda d'autres photographies.

— Pourquoi n'avais-tu pas apporté un appareil photo à Kishkindhâ ?

Je haussai les épaules.

— Je ne voulais pas la charger de trop d'objets lourds, expliqua M. Kadam. Elle avait besoin d'eau et de nourriture.

Kishan grogna.

— Je prendrai certainement une copie de celle-ci, *apsaras rajkumari*.

Il me tendit l'appareil photo. C'était une photographie de moi vêtue de la robe de soie féerique avec des fées « pinces à cheveux ». J'avais l'air d'une princesse, avec ma peau luisante et mes yeux brillants. Mes cheveux étaient coiffés en vagues souples dans mon dos, et je pouvais distinguer une petite fée rose jetant un coup d'œil par-dessus une mèche de cheveux pour voir mon visage.

M. Kadam regarda par-dessus mon épaule.

— Vous êtes très agréable à regarder, Mlle Kelsey.

Kishan se mit à rire.

— Vous auriez dû la voir en personne. *Très agréable à regarder* est un euphémisme.

M. Kadam rit et alla chercher son sac dans la voiture.

Kishan posa une hanche contre la table. Il réunit ses mains, leva un genou, et me regarda avec une expression sérieuse.

— En fait, je dirais que je n'ai *jamais* rien vu de plus magnifique.

Je déplaçai mes pieds nerveusement.

— Eh bien, c'est toujours surprenant quand quelqu'un se fait faire une beauté. La métamorphose féerique ferait fureur dans les salons de beauté.

Il prit doucement mon coude et me fit tourner vers lui.

— Ce n'est pas le maquillage qui t'a rendue belle. Tu es toujours belle. Le maquillage n'a fait qu'accentuer ce qui est déjà là.

Il souleva mon menton avec son doigt et me regarda dans les yeux.

— Tu es une belle femme, Kelsey.

Il posa ses mains chaudes sur mes bras nus et les frotta doucement. Il m'attira plus près, et ses yeux se précipitèrent vers ma bouche. Il approcha ses lèvres à quelques centimètres des miennes. J'appuyai délibérément mes mains contre sa poitrine et je le grondai.

— Kishan.

— J'aime la façon dont tu prononces mon nom.

— S'il te plaît, laisse-moi.

Il leva la tête et soupira.

— Ren… est un homme qui a beaucoup, *beaucoup* de chance.

Il me laissa partir à contrecœur, puis il s'approcha de la fenêtre.

Je m'occupai à rassembler des articles de toilette et des pyjamas. Kishan me regarda en silence pendant une minute et se frotta la joue.

— Je pense que j'ai besoin d'une cure de jouvence, moi aussi. Une douche chaude m'appelle.

— Oui. Moi aussi, répondis-je, toujours nerveuse. Une douche chaude sera paradisiaque.

Il leva un sourcil.

— Veux-tu passer en premier ?

— Non, vas-y.

Ses yeux brillaient en me regardant.

— Ce serait encore plus céleste si tu me disais que tu voulais conserver l'eau.

Choquée, j'ouvris la bouche.

— *Kishan* !

Il me fit un clin d'œil.

— Je ne le pensais pas. On ne peut reprocher à un homme d'essayer.

Le retour de M. Kadam m'épargna la peine de répondre.

Dès le deuxième jour, M. Kadam et moi comparâmes nos notes sur la vision de Lokesh. Il avait aussi remarqué le serviteur tatoué qui aidait Lokesh, et il croyait que son apparence était suffisamment distincte pour pouvoir trouver la trace de ses origines. M. Kadam avait aussi planifié de faire discrètement enquête au sujet du bureau de Lokesh à Bombay.

L'air était si humide et étouffant à l'extérieur que nous aurions probablement pu remplir nos bouteilles d'eau rien qu'en les suspendant par la fenêtre. Nous passâmes devant des temples avec des coupoles dorées et des gens affairés à travailler dans leurs champs, nous roulâmes au-dessus de rivières en crue et à travers des routes inondées, mais tout ce à quoi je pouvais penser, c'était Ren. En fait, la seule chose qui interrompait mes pensées à propos de Ren, c'était Kishan.

Quelque chose avait changé entre nous à Shangri-la, et je ne savais pas trop quoi faire. Toutes ces semaines passées avec Kishan n'avaient pas aidé. Il dépassait le simple flirt et il commençait à me faire de sérieuses avances. J'avais espéré qu'il perdrait tout intérêt.

Au départ, je croyais que plus il apprendrait à me connaître, moins il m'aimerait, mais je semblais avoir l'effet inverse sur lui. Effectivement, je l'aimais, mais pas avec les mêmes sentiments qu'il éprouvait pour moi. J'avais appris à compter sur lui et à lui faire confiance. Il était devenu un bon ami, mais j'étais amoureuse de son frère. Si j'avais connu Kishan avant Ren, les choses auraient pu être différentes. Mais ce n'était pas le cas.

Ces pensées continuaient de me harceler pendant que nous roulions. *Est-ce simplement un coup de chance d'avoir rencontré Ren en premier et d'être tombée amoureuse de lui ? Que serait-il arrivé si Kishan m'avait suivie en Amérique, et non Ren ? Aurais-je fait un choix différent ?*

La vérité, c'était que je l'ignorais. Kishan était un homme très séduisant, à la fois à l'extérieur et à l'intérieur. Il y avait quelque chose chez lui, quelque chose qui faisait qu'une fille aurait voulu enrouler ses bras autour de lui et le garder pour toujours. Il était seul. Il cherchait un foyer, quelqu'un qui l'aimerait, tout comme Ren. Il avait besoin que quelqu'un l'accueille pour permettre au tigre errant et perdu de se reposer. Je pouvais facilement imaginer que cette personne était moi. Je pouvais facilement me voir tomber amoureuse de lui et être heureuse avec lui.

Mais alors, je songeais à Ren, qui possédait toutes les qualités que j'adorais chez Kishan. Ren avait aussi besoin de quelqu'un pour l'aimer et calmer le tigre agité en lui. Mais Ren me convenait beaucoup mieux, comme s'il était fait tout spécialement pour moi. Il était tout ce que je pouvais désirer en plus d'être enveloppé dans un emballage magnifique.

Ren et moi avions tellement de choses en commun. J'aimais la façon dont il me donnait de petits surnoms, et sa manière de chanter pour moi et de jouer de la guitare. J'aimais son enthousiasme lorsqu'il lisait Shakespeare et sa façon de regarder des films et d'encourager les bons gars. Et j'aimais aussi le fait qu'il n'aurait jamais triché, même pour gagner la fille qu'il aimait.

Si je n'avais jamais rencontré Ren, si Kishan avait été celui qui s'était trouvé dans la cage au cirque, j'aurais aussi pu être heureuse avec lui. Mais comme Ren m'aimait et qu'il voulait être avec moi, je ne pourrais jamais me convaincre de regarder dans la direction de Kishan. Ren remplissait mon univers, même en son absence.

Pour Ren, il n'y avait pas de nuances de gris. Il était le félin blanc, et Kishan était le félin noir, littéralement. Le problème, c'était que je ne voyais tout simplement pas Kishan de la même façon dont Ren le voyait. Kishan était aussi un héros. Ils avaient tous les deux été blessés. Tous les deux avaient souffert. Et Kishan méritait vraiment une fin heureuse, tout autant que Ren.

Derrière le volant, Kishan jetait un coup d'œil dans le rétroviseur de temps en temps pour me regarder.

— À quoi penses-tu ? dit-il alors que j'étais en train de me mordre la lèvre, perdue dans mes pensées.

Je rougis.

— Je pense seulement à sauver Ren, dis-je.

Puis, je me tournai délibérément sur mon siège, et je fis une sieste.

Lorsque la voiture finit par entrer dans l'allée, Kishan me secoua gentiment pour me réveiller.

— Nous sommes à la maison, *bilauta*.

24

Confessions

J'étais tellement heureuse d'être de retour à la maison que j'aurais pu pleurer. Kishan transporta nos sacs à l'intérieur et disparut rapidement. M. Kadam s'excusa aussi, devant effectuer des vérifications auprès de certains de ses contacts. Restée seule, je décidai de prendre une longue douche chaude et de faire un peu de lessive.

Vêtue d'un pyjama et de pantoufles, j'entrai à pas feutrés dans la salle de lavage et je mis mon linge à laver. Je ne savais pas quoi faire avec les vêtements de fées. Je décidai de les accrocher sur la véranda toute la nuit, simplement pour voir s'il y avait des fées dans le monde réel, puis j'entrai dans la maison pour voir ce que tout le monde était en train de faire.

M. Kadam était au téléphone dans la bibliothèque. Je n'entendis que la moitié de la conversation. Il me jeta un coup d'œil et tira une chaise pour que je puisse m'asseoir à côté de lui.

– Oui. Bien sûr. Contactez-moi dès que possible. C'est exact. Envoyez-en autant que nécessaire. Nous communiquerons avec vous très rapidement.

Il raccrocha le téléphone et se tourna vers moi.

– Qui était-ce ? demandai-je en jouant avec mes cheveux mouillés.

– Un homme à mon service qui a plusieurs talents remarquables, dont celui d'infiltrer les grandes entreprises.

– Que va-t-il faire pour nous ?

– Il commencera à enquêter sur les gens qui travaillent dans le bureau de l'appartement du dernier étage du plus haut bâtiment de Bombay.

– Vous n'envisagez pas d'y aller vous-même, n'est-ce pas ? Lokesh pourrait vous capturer vous aussi !

– Non, Lokesh nous en a appris plus sur lui-même qu'il n'a appris sur nous. Avez-vous remarqué son habit ?

– Son habit ? Pour moi, il ressemblait à un habit ordinaire.

– Non. Ses habits sont fabriqués sur mesure en Inde. Seulement deux entreprises dans tout le pays se spécialisent dans la fabrication de costumes aussi chers. J'y ai envoyé de mes hommes pour qu'ils obtiennent une adresse.

Je hochai la tête et je souris.

– M. Kadam, vous a-t-on déjà dit que vous étiez très observateur ?

Il sourit.

– Peut-être une ou deux fois.

– Eh bien, je suis très heureuse que vous soyez de notre côté. Je suis impressionnée ! Je n'ai même pas *pensé* à regarder ses vêtements. Qu'en est-il du serviteur ?

– J'ai quelques idées sur son lieu d'origine. En me basant sur les perles, les cheveux et le tatouage, je devrais pouvoir avoir des réponses plus précises dès demain. Pourquoi ne prenez-vous pas une collation avant d'aller dormir ?

– J'ai fait une longue sieste dans la voiture, mais une collation me conviendrait. Voulez-vous vous joindre à moi ?

– Je crois bien que oui.

Je me levai rapidement.

– Oh ! J'ai presque oublié ! Je vous ai rapporté quelque chose !

Je trouvai mon sac à dos au pied de l'escalier et j'allai chercher des verres et deux petites assiettes dans la cuisine. Je posai une assiette et un verre en face de M. Kadam, puis je défis la fermeture à glissière du sac à dos.

– Je ne sais pas si la pâtisserie est encore comestible, mais le nectar devrait l'être.

Il se pencha en avant, curieux.

J'ouvris les appétissants emballages des Sylvains, et je déposai plusieurs mets délicats dans son assiette. Malheureusement, le petit paquet de biscuits dentelés saupoudrés de sucre était devenu un paquet de miettes, mais les autres aliments semblaient encore aussi frais et succulents qu'ils l'avaient été à Shangri-la.

M. Kadam évalua les minuscules entrées sous plusieurs angles, émerveillé par le sens artistique impliqué, puis, avec soin, il goûta une galette de champignons et une petite tarte aux framboises pendant que j'expliquais que les Sylvains étaient végétariens et qu'ils aimaient les plats sucrés. Je fis sauter le bouchon d'une grande gourde et je versai du nectar sucré et doré dans son verre. Kishan entra et tira une chaise à côté de moi.

— *Hé* ! Pourquoi n'étais-je pas invité pour le thé à la sylvaine ?

Il sourit.

Je glissai mon assiette vers Kishan et j'allai chercher un autre verre. Nous rîmes et nous appréciâmes une pause paisible pendant que nous savourions des rouleaux à la citrouille avec du beurre de noix et des petites tartes aux pommes, au fromage et aux oignons. Nous bûmes le nectar jusqu'à la dernière goutte, et nous fûmes ravis de voir que le Fruit d'Or pouvait en produire d'autre.

La seule chose qui aurait pu améliorer ce moment aurait été de le partager avec Ren. Je me promis d'écrire le nom de chaque délicieux plat que nous avions mangé à Shangri-la pour que je puisse les déguster à nouveau, avec l'aide du Fruit d'Or, en compagnie de Ren.

Nous restâmes éveillés jusqu'à tard dans la nuit. Kishan se changea en tigre et se coucha à mes pieds pendant que M. Kadam et moi lisions des livres sur les tribus rurales en Inde. À environ 3 h du matin, je tournai une page dans le cinquième livre que j'avais pris et je découvris la photographie d'une femme avec un tatouage traversant son front.

— M. Kadam, venez voir.

Il se leva de son bureau et s'assit sur le fauteuil de cuir en face de moi. Je lui remis le livre pour qu'il puisse examiner la photographie de la femme.

— Oui. C'est l'un des groupes auxquels je pensais. On les appelle les Baiga.

— Que savez-vous d'eux ? D'où viennent-ils ?

— C'est une tribu nomade indigène qui évite les associations extérieures à sa communauté. Ils chassent et cueillent des aliments, préférant ne pas cultiver le sol. Ils croient que l'agriculture nuit à Mère Terre. Je connais deux groupes : un qui se trouve à Madhya Pradesh, au centre de l'Inde, et un autre qui se trouve au Jharkhand, à l'est du pays. Je crois que j'ai un livre qui donne plus de détails sur leur culture.

Il fouilla plusieurs étagères jusqu'à ce qu'il trouve le texte qu'il cherchait, puis il s'assit à côté de moi et ouvrit le livre.

— C'est au sujet des Adivasis. Il devrait y avoir ici d'autres informations sur les tribus baiga

Je me penchai pour gratter l'oreille de Kishan.

— Qui sont les Adivasis ?

— C'est un terme associé à toutes les tribus indigènes mises ensemble, mais il ne fait pas de distinction entre elles. Il existe plusieurs cultures sous la rubrique Adivasis. Ici, nous avons les Irulas, les Oraon, les Santals et — il tourna une autre page — les Baiga.

Il trouva la section qu'il cherchait et fit glisser son doigt vers le bas de la page en lisant les grandes lignes à voix haute.

— *Ils pratiquent la culture bewar. L'agriculture sur brûlis. Célèbres pour leurs tatouages. Dépendent de la jungle pour se nourrir. Emploient des médicaments anciens et de la magie. Artisanat du bambou.* Aha ! Voici ce que nous recherchons, Mlle Kelsey. *Les hommes baiga laissent pousser leurs cheveux et les portent en un chignon ou jura.* L'homme qui était en train de tenir Ren correspond à cette description. Pourtant, ce qui me semble déroutant, c'est qu'il est presque impossible qu'un Baiga quitte sa tribu pour servir quelqu'un comme Lokesh.

— Même s'il le paie grassement ?

— Ça n'aurait pas d'importance. Leur mode de vie est centré autour de leur tribu. Il n'y aurait aucune raison pour lui de quitter son peuple. Ce n'est pas dans leurs normes culturelles. Ce sont des gens simples et directs. Il est peu probable que quelqu'un qui vient du peuple baiga joigne les rangs de Lokesh. Quand même, cela demande un éclaircissement. Je commencerai demain mon étude des tribus baiga. Pour l'instant, il est temps de nous reposer, Mlle Kelsey. J'insiste. Il est très tard, et nous avons tous les deux besoin d'avoir l'esprit frais.

Je hochai la tête et je replaçai les livres que j'avais pris dans sa bibliothèque. Il m'examina pendant un moment, puis il me serra l'épaule.

— Ne vous inquiétez pas. Tout finira par s'arranger. Je le sens. Nous avons fait de grands progrès. Khalil Gibran a dit : « Plus la tristesse évide l'intérieur de votre être, plus vous pouvez contenir de la joie. » Je sais que vous avez vécu de grandes douleurs, mais je crois aussi qu'il y aura de grandes joies dans votre vie, Mlle Kelsey.

Je lui souris.

— Je vous remercie.

Je l'embrassai et murmurai contre sa chemise.

— Je ne sais pas ce que je ferais sans vous. Allez dormir un peu, vous aussi.

Nous nous souhaitâmes mutuellement de passer une bonne nuit, et M. Kadam disparut dans sa chambre alors que je montais les escaliers. Kishan me suivit à pas feutrés et entra dans ma chambre. Il se dirigea vers la porte de verre et resta là à attendre que je le laisse sortir sur la véranda. Je lui ouvris la porte, et je me mis à genoux à côté de lui en lui tapotant le dos.

— Merci de me tenir compagnie.

Il sauta sur la causeuse berceuse et s'endormit rapidement. Je montai dans le lit et j'embrassai très fort mon tigre blanc en peluche, dans l'espoir de combler l'espace vide dans ma poitrine avec des pensées de Ren.

Je me réveillai vers 11 h. M. Kadam était encore au téléphone et il raccrocha dès que je m'assis en face de lui.

— Je pense que nous avons eu un coup de chance, Mlle Kelsey. Dans mon enquête sur les Baiga, je n'ai rien trouvé hors de l'ordinaire en ce qui concerne la tribu située dans le Madhya Pradesh. Mais la tribu dans l'est de l'Inde semble absente.

— Que voulez-vous dire par absente?

— Il existe, en général, des villages de petite taille à proximité des tribus baiga qui font des affaires avec eux de temps en temps. Ces rencontres concernent souvent des controverses sur la déforestation ou divers petits litiges. Cette tribu semble avoir déménagé récemment, et on ne l'a pas retrouvée. Ils sont nomades et ont l'habitude de se déplacer mais, dans ce cas, il s'agit de la plus longue période où ils n'ont pas eu de contact avec les gens du pays.

» Les Baiga sont limités par la loi et ne peuvent désormais se déplacer aussi librement que par le passé. Je ferai d'autres recherches aujourd'hui. J'ai certaines relations qui peuvent prendre des photos satellites de la zone et découvrir où se trouve actuellement la tribu.

» Si cela demande une plus grande attention, je vous informerai, vous et Kishan. Vous deux avez vécu une véritable épreuve ces dernières semaines, alors je veux que vous vous reposiez. Il n'y a rien que vous puissiez faire jusqu'à ce que j'aie d'autres données. Allez nager, regardez un film, ou bien allez manger au restaurant. Vous méritez une pause, tous les deux.

— Êtes-vous certain qu'il n'y a rien que je puisse faire ? Je ne peux pas vraiment me détendre quand je sais que Ren est en train de souffrir.

— Vous inquiéter à son sujet ne le fera pas moins souffrir. Lui aussi aurait voulu que vous vous reposiez, Mlle Kelsey. N'oubliez pas qu'il m'est arrivé souvent de diriger des soldats dans la bataille, et s'il y a une chose que j'ai apprise, c'est que toutes les troupes endurcies à la guerre ont besoin de repos et de détente, vous y compris. Prendre le temps de se détendre est très important pour le bien-être mental de tous les soldats. Sortez d'ici. Je ne veux pas vous voir, vous ou Kishan, avant ce soir.

Je lui souris et je le saluai.

— Oui, mon général. Je transmettrai vos instructions à Kishan.

Il me salua de nouveau.

— Veillez-y.

Je ris et je partis à la recherche de Kishan.

Je le trouvai dans le dojo en train de s'entraîner aux arts martiaux. Je m'assis sur la première marche et je le regardai pendant quelques minutes. Il exécutait un ensemble complexe de sauts aériens et de rebondissements qui lui auraient été impossibles s'il n'avait pas eu la force d'un tigre. Soudain, il atterrit à moins d'un mètre de moi et me fit face avec un sourire espiègle.

— Tu sais, si toi et Ren participiez aux Jeux olympiques, vous pourriez gagner plusieurs médailles d'or. Gymnastique, athlétisme, lutte, tout ce que tu veux. Vous pourriez tous les deux obtenir des millions de dollars en commandites.

— Je n'ai pas besoin de millions de dollars.

— Tu aurais beaucoup de belles filles à tes pieds.

Il se mit à rire.

— Je n'ai besoin que d'une seule jolie fille à mes pieds, et elle n'est pas intéressée. Maintenant, qu'est-ce qui t'emmène ici ? Veux-tu t'entraîner ?

— Non. Je me demandais si ça te tenterait d'aller nager. M. Kadam nous ordonne de nous détendre, aujourd'hui.

Il attrapa une serviette et se frotta le visage et la tête.

— Une baignade, hein ? Ça pourrait me rafraîchir.

Il jeta un coup d'œil par-dessus sa serviette.

— Sauf si tu as l'intention de porter un bikini.

Je grognai.

— Je ne suis pas du genre bikini.

Il soupira de façon théâtrale.

— C'est dommage. Bon, je te rencontre à la piscine.

Je montai à l'étage et j'enfilai mon maillot rouge une-pièce, puis je mis une robe de chambre et je sortis sur la véranda.

Kishan avait mis une paire de shorts de surf et il était en train d'installer un filet de volley-ball aquatique. Je venais de lancer ma robe sur une chaise longue et j'étais en train de tester l'eau avec mon pied lorsque je sentis quelque chose de froid dans mon dos.

— Oh la la ! Que fais-tu ?

— Ne bouge pas. Tu as besoin d'écran solaire. Ta peau est tellement blanche que tu vas brûler.

Il enduit efficacement mon dos et mon cou avec de la lotion, et il commençait à en appliquer sur mes bras quand je l'arrêtai.

— Je peux m'en occuper à partir d'ici, merci, dis-je en tendant la main pour prendre la bouteille.

Je pressai la bouteille pour obtenir une goutte de lotion de la taille d'un 25 sous que je frottai sur mes bras et sur mes jambes. Elle sentait la noix de coco.

Kishan sourit, jeta un coup d'œil sur mes jambes, et il me fit un clin d'œil.

— Prends ton temps.

Le temps qu'il aille chercher le ballon et quelques serviettes du casier de rangement, j'avais terminé.

— Une partie de volley-ball, ça te tente ? demanda-t-il.

— Tu vas me battre.

— Je me tiendrai dans la partie profonde. Ça va me ralentir.

— D'accord. Je suppose que nous pouvons essayer.

Il s'approcha d'un pas.

— Attends une seconde.

— Quoi ?

Il sourit malicieusement.

— Tu as oublié un endroit.

— Où ?

— Juste ici.

Il appliqua une goutte géante de crème solaire sur mon nez et se mit à rire.

Je lui donnai un coup de poing et je lui souris.

— Espèce de fauteur de trouble!

Je levai la main pour mieux répandre la crème.

— Allez, dit-il. Laisse-moi le faire.

Je laissai tomber mes mains sur mes côtés pendant que ses doigts effleuraient mon nez et mes joues. Au premier abord, le contact était amical mais, alors, son humeur changea. Il s'approcha un peu plus près. Ses yeux dorés examinaient mon visage. Je respirai profondément et je me mis à courir.

Je fis quelques pas et sautai comme une boule à canon dans la partie profonde de la piscine, éclaboussant Kishan, de même que tout ce qui se trouvait à proximité.

Il se mit à rire et plongea après moi. Je hurlai et nageai sous l'eau vers l'autre côté du filet. Lorsque je sortis ma tête hors de l'eau, je ne le vis pas. Une main attrapa ma cheville et me tira sous l'eau. Après que j'eus refait surface, toussant et enlevant les cheveux de mes yeux, Kishan remonta à côté de moi, renversa ses cheveux par en arrière avec un hochement de tête et se mit à rire alors que j'essayais de le pousser.

Bien sûr, il ne bougea pas, alors je l'éclaboussai plutôt avec de l'eau, ce qui se transforma bientôt en un combat aquatique. Il devint rapidement douloureusement évident que j'étais en train de perdre. Ses bras ne semblaient jamais se lasser, et quand je vis que ses vagues noyaient mes pauvres éclaboussures, je demandai un temps d'arrêt.

Heureusement, il arrêta le bombardement et, utilisant ses bras, il se releva et sortit de la piscine pour attraper le ballon de volley-ball. Nous commençâmes à jouer, et je fus ravie de voir que j'avais enfin trouvé un jeu où je semblais avoir un avantage.

Après que j'eus fait un smash pour la troisième fois, remportant un autre point, Kishan demanda :

— Où as-tu appris à jouer ? Tu es très bonne !

— C'est la première fois que je joue dans l'eau, mais, à l'école secondaire, je me débrouillais bien au volley-ball standard. J'ai failli me joindre à l'équipe, mais c'était l'année où mes parents sont morts. L'année suivante, je n'étais plus aussi intéressée, mais c'est encore mon jeu préféré. Je performais bien au basket-ball aussi, mais je n'étais pas assez grande pour jouer à un niveau compétitif. Faisiez-vous du sport ensemble, Ren et toi ?

— Nous n'avions pas vraiment de temps pour le sport. Nous avions des compétitions de tir à l'arc, de lutte, et parfois certains jeux, comme le Parchisi, mais pas de sports d'équipe.

— Pourtant, tu peux voir que je gagne à peine contre toi, même si tu te trouves dans la partie profonde et que tu n'as jamais joué auparavant.

Kishan attrapa le ballon dans les airs et retomba dans l'eau. Lorsqu'il refit surface, il était juste devant moi, de l'autre côté du filet. Il le souleva et nagea dessous. Mes pieds touchaient à peine le fond de la piscine, ne laissant que mon visage hors de l'eau. Nos têtes étaient environ au même niveau. Il y avait un bon mètre entre nous, et je plissai les yeux, me demandant ce qu'il allait faire. Il me regarda un instant et sourit malicieusement. Je me préparai pour un autre combat aquatique et je levai les bras en position éclaboussures.

En un instant, Kishan arriva près de moi. Il enroula ses bras autour de ma taille, m'attira près de lui, et sourit d'un air malicieux.

— Que puis-je dire ? dit-il. Je suis très compétitif.

Puis il m'embrassa.

Je figeai sur place. Nos lèvres étaient humides à cause de l'eau. Le goût de chlore était fort et, dans un premier temps, il ne bougea pas, donc j'aurais pu être en train d'embrasser les carreaux froids sur le côté de la piscine que ça n'aurait fait aucune différence. C'est alors qu'il me serra la taille, glissa ses mains pour caresser mon dos nu et pencha la tête.

Tout d'un coup, le non-baiser propre, humide, chloré se transforma en un baiser très réel d'un homme très puissant qui n'était vraiment pas *Ren*. Les lèvres de Kishan se réchauffèrent et bougèrent contre les miennes d'une manière agréable, assez agréable pour que j'oublie que je ne voulais pas l'embrasser et pour que j'ignore que je sentais que je lui répondais tout de même. Mes mains cessèrent de pousser contre lui, et j'agrippai ses bras solides. Sa peau était douce et chaude à cause du soleil.

Il réagit avec enthousiasme et passa un bras autour de ma taille, m'écrasant contre sa poitrine, tandis que son autre main glissait pour saisir l'arrière de ma tête. Pendant le plus bref des moments, j'acceptai de me délecter de son étreinte. Alors, je me souvins ; et plutôt que de me rendre heureuse ou de me conduire vers la félicité, comme un baiser devrait le faire, celui-ci me rendit triste.

J'interrompis le baiser et je me détachai légèrement de lui. Kishan garda son bras autour de ma taille et posa un doigt sous mon menton, inclinant mon visage pour que je le regarde. Il examina attentivement mon expression pendant un moment, et mes yeux se remplirent de larmes. Une larme roula sur ma joue et tomba sur sa main.

Il me fit un faible sourire.

— Pas exactement la réaction que j'espérais.

Il se résigna à me laisser partir alors que je m'éloignais en nageant pour m'asseoir sur une marche de la piscine.

— Je n'ai jamais prétendu être une experte de baisers, si c'est ce que tu veux dire.

— Je ne parlais pas du baiser.

— Alors de quoi parlais-tu ?

Il ne dit rien.

J'étendis mes doigts et je posai ma main sur la surface de l'eau, la laissant chatouiller ma paume.

— T'ai-je déjà donné une raison d'espérer plus ? lui demandai-je doucement sans le regarder.

Il soupira et balaya ses cheveux en arrière avec regret.

— Non, mais…

— Mais quoi ?

Je levai les yeux. Grosse erreur.

Kishan paraissait vulnérable. Il était rempli d'une sorte de désespoir et d'espoir en même temps, voulant croire, mais n'osant pas. Il semblait en colère, frustré et insatisfait. Ses yeux dorés étaient désespérés, remplis de nostalgie, mais ils brillaient également avec détermination.

— Mais… je ne peux m'empêcher de penser qu'il y a peut-être une raison pour laquelle Ren a été enlevé. Peut-être le destin est-il intervenu ! Peut-être que tout ce temps, tu étais censée être avec moi.

— La *seule* raison pour laquelle Ren a été enlevé, lui répondis-je d'un ton mordant, c'est parce qu'*il* s'est lui-même porté volontaire pour nous sauver la vie. Est-ce ainsi que tu le remercies ?

Je regardai l'aiguillon de mes paroles le blesser. C'était facile de blâmer Kishan, mais ce qui m'inquiétait le plus, c'était ma réaction envers lui. Je me sentais incroyablement coupable d'avoir permis au baiser de se produire. Mon accusation me concernait beaucoup plus que lui. Et parce que j'avais vraiment aimé l'embrasser, je me sentais encore plus mal.

Il se mit à nager sur le côté et posa son dos contre le mur de la piscine.

— Tu crois que ça ne me dérange pas, n'est-ce pas ? Tu crois que je ne ressens rien pour mon frère. Mais c'est faux. Malgré tout ce qui s'est passé, j'aurais voulu être celui qui s'est fait enlever. Tu aurais eu Ren. Ren t'aurait eue. Et j'aurais obtenu ce que je méritais.

— *Kishan* !

— Je suis sérieux. Crois-tu qu'un jour se passe sans que je me *déteste* pour ce que j'ai fait ? Pour ce que je *ressens* ?

Je tressaillis.

— Tu crois que je voulais tomber amoureux de toi ? Je suis resté loin de vous deux ! Je lui ai donné la chance d'être avec toi ! Mais il y a une autre partie de moi qui se demande : Que ce serait-il passé si… ? Et si tu n'étais pas censée être avec Ren ? Qu'arriverait-il si tu étais censée être la réponse à mes prières, et non aux siennes ?

Il me regarda à partir de l'autre côté de la piscine. Même de loin, je pouvais voir qu'il avait mal.

— Kishan, je…

— Et avant même de dire quoi que ce soit, je tiens à t'avertir que je ne veux pas de ta sympathie. Ce serait préférable de ne rien dire plutôt que d'essayer de m'expliquer que tu n'as pas aimé cela ou que tu ne ressens que de l'amitié pour moi.

— Ce n'est pas ce que j'allais dire.

— Bien. Alors es-tu en train d'admettre que tu as *effectivement* aimé cela ? Que nous avons des affinités ? Que tu es attirée par moi ?

— As-tu besoin que je l'admette ?

Il croisa les bras sur sa poitrine.

— Oui. Je crois que j'en ai besoin.

Je levai les mains en l'air.

— Très bien ! Je l'admets. J'ai aimé t'embrasser. Nous avons des affinités. Oui ! Je suis attirée par toi. C'était agréable. En fait, c'était *tellement* agréable que pendant près de cinq secondes, j'ai complètement oublié Ren. Es-tu heureux, maintenant ?

— Oui.

— Eh bien, moi, je ne le suis pas.

— Je le vois bien.

Il m'évalua de l'autre côté de la piscine.

— Alors, tout ce que j'ai eu, c'est cinq secondes.

— Honnêtement, ça ressemblait beaucoup plus à 30.

Il grogna.

Ses bras étaient toujours croisés sur sa poitrine et il affichait une sorte de sourire très masculin.

Je soupirai avec tristesse.

— Kishan, je…

— Te souviens-tu quand nous avons échappé à la maison des sirènes à Shangri-la ?

— Oui.

— Tu as dit que tu t'étais échappée parce que tu pensais à Ren, c'est ça ?

Je hochai la tête.

— Moi, je me suis échappé parce que je pensais à toi. Tu remplissais mes pensées, et le charme des sirènes a disparu. Ne crois-tu pas que cela signifie quelque chose ? Est-ce que ça ne voulait pas dire que *nous* étions faits pour être ensemble ? La vérité, Kells, c'est que je pense à toi depuis très longtemps. Depuis que je t'ai rencontrée, je n'ai jamais pu te sortir de mon esprit.

Une larme tomba sur ma joue.

— Je suis désolée pour tout ce qui s'est passé. Je suis désolée pour tout ce que tu as vécu. Et je suis particulièrement désolé pour toute la souffrance que je te cause. Je ne sais pas quoi dire, Kishan. Tu es un homme merveilleux. *Trop* merveilleux. Si la situation était différente, je serais probablement encore là-bas en train de t'embrasser.

Je posai ma tête entre mes mains, et il plongea sous l'eau et nagea vers moi. Je l'entendis sortir de l'eau et je levai les yeux vers son visage. L'eau dégoulinait de son torse bronzé. C'était vraiment un homme superbe. N'importe quelle fille aurait de la chance d'avoir un gars comme lui dans sa vie.

Il tendit la main.

— Alors, reviens et embrasse-moi.

Je hochai la tête.

— Je ne… je ne peux pas, soupirai-je tristement. Écoute, tout ce que je sais, c'est que je l'aime. Et être avec toi, aussi attirant que tu puisses être, ce n'est pas quelque chose que je puisse faire. Je ne peux pas me détourner de lui. S'il te plaît, ne me le demande pas.

Je sortis de la piscine et j'enroulai une serviette autour de mon corps. J'entendis un éclaboussement et je le sentis près de moi pendant qu'il se séchait lui aussi.

Kishan se tourna vers moi pour me faire face, voulant que je le regarde dans les yeux.

— Tu dois savoir que ce n'est pas une sorte de compétition avec lui. Je n'ai pas d'intentions cachées. Ce n'est pas un béguin.

Il passa ses pouces sur mes joues et prit les côtés de mon visage avec ses mains.

— Je t'aime, Kelsey.

Il fit un pas de plus.

Je posai ma main sur sa poitrine chaude.

— Si tu m'aimes *vraiment*, alors ne m'embrasse plus.

Je tins bon et j'attendis sa réponse. Ce n'était pas facile. J'avais envie de courir, de m'échapper et d'aller dans ma chambre, mais il fallait que nous réglions ce problème.

Il se tenait là, respirant profondément. Il baissa les yeux, et je pouvais voir des éclairs d'émotion traverser son visage. Ensuite, il leva les yeux à nouveau pour rencontrer les miens et acquiesça.

— Je ne te promets pas de ne plus t'embrasser, mais je te promets de ne plus t'embrasser à moins d'être certain que c'est fini entre toi et Ren.

J'étais sur le point de protester, mais il continua.

— Je ne suis pas le genre d'homme qui refoule ses sentiments, Kells. Je ne vais pas m'asseoir dans ma chambre pour dépérir et écrire des poèmes d'amour. Je ne suis pas un rêveur. Je suis un guerrier. Je suis un homme d'action, et je devrai me servir de toutes mes forces pour ne pas me battre pour ton amour. Quand quelque chose doit être fait, je le fais. Quand je ressens quelque chose, j'agis en fonction de mes sentiments. Je ne vois pas pourquoi Ren mérite d'obtenir la fille de ses rêves, et moi pas. Il ne me semble pas juste que cela me soit arrivé à deux reprises.

Je posai ma main sur son bras.

— Tu as raison. Ce n'est pas juste. Ce n'est pas juste que tu aies dû m'accompagner jour et nuit pendant les dernières semaines. Ce n'est pas juste de te demander de mettre tes sentiments de côté. Ce n'est pas juste de te demander d'être mon ami alors que tu te sens ainsi. Mais, le fait est que j'ai besoin de toi. J'ai besoin de ton aide. J'ai besoin de ton soutien. Et, j'ai surtout besoin de ton amitié. Je n'aurais pas survécu à Shangri-la sans toi. Je ne pense pas que je puisse sauver Ren sans toi non plus. Ce n'est pas juste de te le demander, mais je te le demande. *S'il te plaît.* J'ai besoin que tu me laisses aller.

Il jeta un coup d'œil vers la maison, rumina pendant un moment, puis me regarda. Il toucha mes cheveux mouillés.

— Très bien, me dit-il d'un air mécontent. Je ferai marche arrière, mais je ne le fais pas pour lui, et certainement pas pour moi. Je le fais pour toi. Tu dois t'en souvenir.

Je hochai la tête et je le regardai en silence pendant qu'il marchait vers la véranda. Mes genoux faiblirent et je m'assis durement sur une chaise près de la piscine.

Je passai le reste de la journée dans ma chambre à étudier des textes sur les Baiga. Je continuai à relire les mêmes passages. Je me sentais divisée, déchirée. J'étais confuse. Je me sentais comme si quelqu'un m'avait demandé de choisir quel parent devait vivre et lequel devait mourir. Quel que soit mon choix, je me sentirais responsable de la mort de l'autre. Il ne s'agissait pas de choisir le bonheur, il s'agissait de choisir la souffrance. Lequel devrais-je faire souffrir ?

Je ne voulais faire souffrir *aucun d'eux*. Mon bonheur était sans importance. Cette situation n'avait rien à voir avec ma rupture avec Li ou Jason. Ren avait besoin de moi, il m'aimait, mais Kishan m'aimait, lui aussi. Il n'existait pas de choix facile, de réponses qui les apaiseraient tous les deux. Je mis les livres de côté, puis je pris l'un des poèmes de Ren et un dictionnaire hindi-anglais. C'était l'un des poèmes qu'il avait écrits après que j'eus quitté l'Inde. Il me fallut beaucoup de temps pour le traduire, mais ça en valut le coup.

Suis-je vivant ?

Je peux respirer
Je peux sentir
Je peux goûter

Mais l'air ne remplit pas mes poumons
Toutes les textures sont grossières
Tous les goûts sont voilés

Suis-je vivant ?

Je peux voir
Je peux entendre
Je peux sentir

Mais l'univers est noir et blanc
Les voix sont grêles et frêles
Ce que je ressens est source de confusion et hors de propos

Quand tu es avec moi
L'air se précipite dans mes poumons
Me remplit de lumière
Et de bonheur

Je suis vivant !

Le monde est rempli de couleurs et de sons
Les saveurs émoustillent mon palais
Tout est doux et parfumé
Je sens la chaleur de ta présence

Je sais qui je suis et ce que je veux

Je te veux

Ren

Une larme géante tomba avec un floc sur le papier. Je le déplaçai rapidement de la portée des larmes. En dépit des paroles sincères de Kishan et de la confusion à propos de ma relation avec lui, il y avait une chose que je ne pouvais nier. J'aimais Ren. De tout mon cœur. En vérité, si Ren avait été ici, avec moi, ce n'aurait pas été un problème.

Quand il était avec moi, je savais *aussi* qui j'étais et ce que je voulais. Même sans le lien très fort, je sentais mon cœur se gonfler de ses paroles. Je pouvais l'imaginer en train de les prononcer, assis à son bureau en train de les écrire.

Si j'avais besoin d'une réponse, elle était là, dans mon cœur. Quand je pensais à Kishan, je sentais à la fois la confusion et l'affection, en plus d'une bonne dose de culpabilité. Avec Ren, je me sentais libre et légère. Libre et désespérément heureuse. J'adorais Kishan, mais j'étais amoureuse de Ren. La façon dont les choses s'étaient passées n'était pas pertinente. Elles s'étaient simplement produites.

Comme l'avait dit Kishan, j'avais passé plus de temps avec lui qu'avec Ren. Il n'était pas surprenant que nous fussions devenus plus proches. Mais Ren tenait mon cœur entre ses mains. Mon cœur ne battait que parce qu'il le chérissait.

J'étais déterminée à être gentille avec Kishan. Je savais très bien ce qu'était un chagrin d'amour. M. Kadam avait raison de dire que Kishan avait aussi besoin de moi. Je devais être ferme avec lui et lui faire savoir qu'il était mon ami, que je pouvais être tout ce dont il avait besoin que je sois, à l'exception d'une petite amie.

Je me sentais mieux. La lecture du poème de Ren avait remis mes pieds sur terre. Les sentiments qu'il exprimait, je les ressentais aussi. Je glissai le poème dans mon journal et je descendis pour souper avec Kishan et M. Kadam.

Kishan leva un sourcil quand je lui souris. Il se retourna vers son repas et, en l'ignorant, je pris ma fourchette.

— Le poisson a l'air délicieux, M. Kadam. Je vous remercie.

Il fit un signe de la main, humblement, et se pencha en avant.

— Je suis heureux que vous soyez ici, Mlle Kelsey. Il y a du nouveau.

Sauver Ren

Ma bouche s'assécha alors que j'avalais le poisson. Je me mis à tousser, et Kishan glissa un verre d'eau dans ma direction. Je bus le liquide froid et je me raclai la gorge.

— Du nouveau ? demandai-je nerveusement.

— Nous avons trouvé la tribu baiga, et il y a quelque chose qui cloche. La tribu est située dans une zone de la jungle qui se trouve loin des autres villages. C'est la première fois depuis une centaine d'années qu'ils s'éloignent autant. Ils ont violé la loi en parcourant une telle distance. Mais ce qui est encore plus étrange, c'est que les images satellites indiquent la présence de technologie à proximité.

— Quel type de technologie ?

— De gros véhicules sont garés près de la colonie, et les Baiga n'utilisent pas de voitures. Une structure importante a aussi été repérée près du village. Elle est beaucoup plus grande que tout ce que les Baiga ont traditionnellement construit. Je crois qu'il s'agit d'un camp militaire.

Il repoussa son assiette.

— Il y a aussi des gardes armés qui surveillent la forêt. On dirait qu'ils sont en train de défendre les Baiga contre une attaque.

— Mais qui attaquerait les Baiga à partir de la jungle? demandai-je.

— Qui, en effet? répondit M. Kadam. Il ne se produit pas d'escarmouches entre les Baiga et tout autre groupe. Les Baiga n'ont pas de guerriers et n'ont aucune possession qui pourrait représenter une valeur pour le monde extérieur. Il n'y a aucune raison pour eux de craindre d'être attaqués, à moins qu'ils ne s'attendent à une attaque sous la forme d'un…

Il jeta un coup d'œil vers Kishan.

— Tigre.

Kishan grogna.

— On dirait que vous avez trouvé quelque chose, en effet.

— Mais pourquoi les Baiga? demandai-je. Pourquoi ne pas garder Ren en ville ou dans un camp militaire régulier?

M. Kadam sortit quelques papiers.

— Je crois le savoir. J'ai fait un appel à un de mes amis, qui est professeur d'histoire ancienne à l'Université de Bangalore. Nous avons eu plus d'une bonne discussion sur les royaumes de l'Inde ancienne. Il est toujours fasciné par mon… point de vue. Il a étudié les Baiga de façon détaillée et m'a communiqué quelques faits intéressants. Tout d'abord, ils ont extrêmement peur des mauvais esprits et des sorcières. Ils croient que tout événement fâcheux — une maladie, la perte d'une récolte, un décès — est causé par des esprits maléfiques.

Ils croient en la magie et honorent par-dessus tout leur *gunia,* ou sorcier guérisseur. Si Lokesh leur a fait une démonstration de ses pouvoirs, il est probable que ces gens feront tout ce qu'il demande. Ils se considèrent comme les tuteurs ou les gardiens des forêts. Il est possible que Lokesh les ait persuadés de se déplacer en les convainquant que la forêt était en danger et qu'il y a placé des gardes pour la protéger. L'autre chose qu'il a mentionnée et que j'ai trouvée des plus intéressantes, c'est qu'on raconte que les *gunia* des Baiga sont reconnus pour être en mesure de maîtriser les tigres.

J'eus un hoquet de surprise.

— *Quoi*? Comment est-ce possible?

— Je ne suis pas tout à fait certain, mais ils peuvent en quelque sorte protéger leurs villages contre les attaques de tigres. Peut-être Lokesh a-t-il trouvé une certaine vérité dans le mythe.

— Vous croyez qu'ils se servent de magie pour garder Ren à cet endroit?

— Je ne sais pas, mais il semble qu'il vaudrait la peine de procéder à une investigation, ou plutôt à une infiltration.

— Alors, qu'est-ce qu'on attend? Allons-y!

— J'ai besoin d'un peu de temps pour établir un plan, Mlle Kelsey. Notre objectif, c'est que tout le monde sorte de là vivant. En parlant de cela, je crois que je devrais vous confier à tous les deux que mes informateurs ont disparu.

Les hommes que j'ai envoyés enquêter sur le bureau de l'appartement du dernier étage du plus haut bâtiment de Bombay sont introuvables. Ils ne m'ont pas contacté, et je crains le pire.

— Voulez-vous dire qu'ils sont morts ?

— Ce ne sont pas des hommes qui se laissent prendre vivants, répondit-il calmement. Je ne permettrai pas que d'autres meurent pour cette cause. À partir de maintenant, nous travaillerons seuls.

Il regarda Kishan.

— Nous sommes à nouveau en guerre contre Lokesh, mais à une autre époque.

Kishan serra les poings.

— Cette fois, nous ne fuirons pas la queue entre les jambes.

— En effet.

— C'est très bien pour vous deux, dis-je en m'éclaircissant la gorge, mais je ne suis pas une guerrière. Comment est-il possible de gagner, surtout quand nous ne sommes que trois contre tous ses hommes ?

Kishan posa sa main sur la mienne.

— Tu es une aussi bonne guerrière que tous ceux avec lesquels je me suis battu, Kells. Beaucoup plus courageuse, même, que beaucoup de ceux que j'ai connus. M. Kadam était reconnu pour avoir proposé des stratégies de combat alors que nous étions en infériorité numérique et grâce auxquelles nous avons facilement remporté la victoire.

— S'il y a une chose que j'ai apprise pendant toutes ces années, Mlle Kelsey, c'est qu'une planification minutieuse permet presque toujours de créer un résultat positif.

— Et n'oubliez pas, intervint Kishan, nous avons de nombreuses armes à notre disposition.

— Mais Lokesh aussi.

M. Kadam me tapota la main.

— Nous en avons *plus*.

Il sortit une photographie satellite et un stylo rouge, et il commença à encercler les points d'intérêt. Ensuite, il me tendit un morceau de papier et un stylo.

— Allons-nous commencer ?

Nous fîmes d'abord une liste de nos actifs pour ensuite faire un remue-méninges sur la façon dont nous allions les employer. Certaines de ces idées étaient loufoques, et d'autres avaient du mérite. Je notai toutes nos propositions, ne sachant pas ce qui pourrait être utile dans le cas présent.

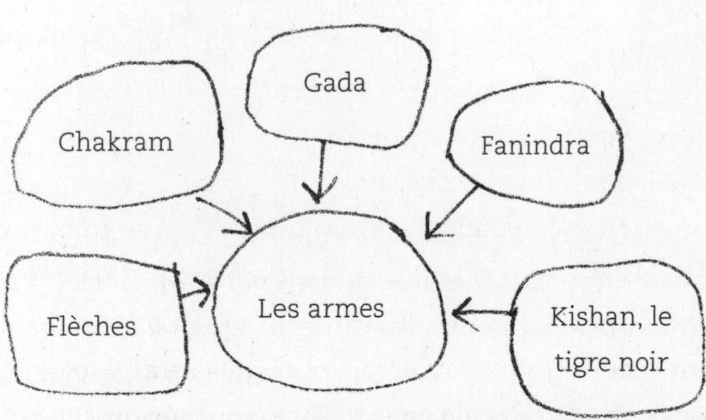

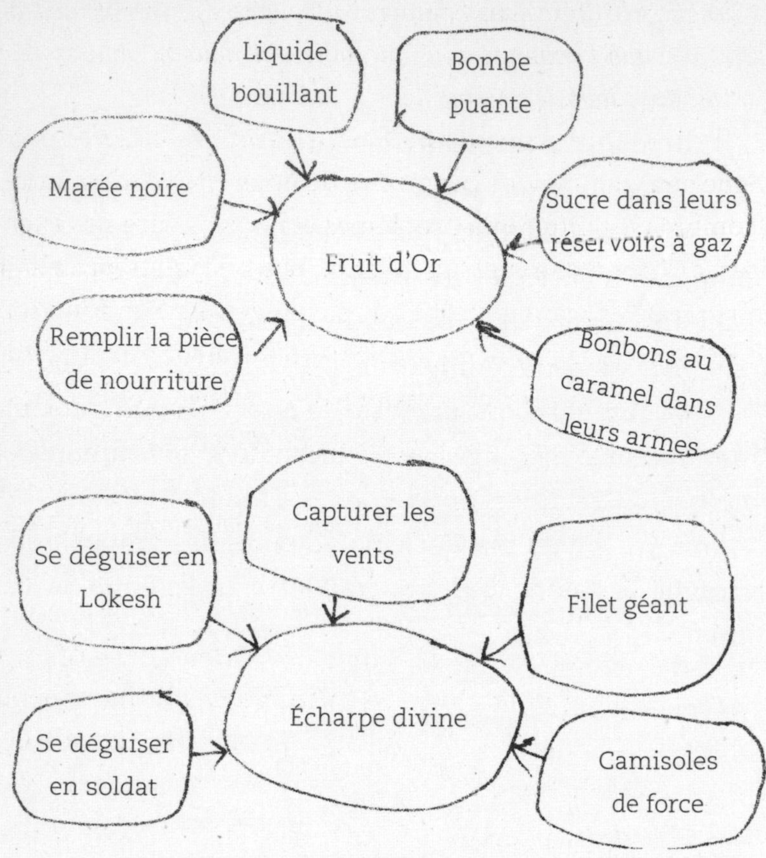

M. Kadam dessina une étoile sur la carte à l'endroit où il croyait qu'il était possible de trouver Ren. Il avait l'impression que les plans les plus simples étaient les plus faciles à suivre, et notre plan était assez simple : Se faufiler. Trouver Ren. Sortir. Malgré cela, M. Kadam s'assura d'analyser le plan de plusieurs points de vue différents.

Il nous préparait à toute éventualité. Il posa des dizaines de questions du genre *Que faire si. Que faire si Kishan ne peut pas pénétrer dans l'enceinte parce qu'il est un tigre ? Que faire s'il y a des pièges à tigre dans la jungle ? Que faire s'il y a plus de soldats que nous l'avions cru ? Que faire s'il nous est impossible d'entrer dans la jungle ? Que faire si Ren n'est pas là ?*

Il dressa un plan distinct pour résoudre chaque problème et toujours nous permettre de nous en sortir. Ensuite, il combina les différents problèmes et nous fit faire des exercices, à Kishan et à moi, au sujet de nos rôles. Il nous fallait nous rappeler comment nos rôles changeraient en fonction de la nature des problèmes qui surviendraient. J'avais l'impression d'être en train de mémoriser toutes les issues possibles dans un livre du type *Choisissez votre propre aventure.*

M. Kadam organisa également des répétitions. Nous dûmes tester les limites du Fruit d'Or et de l'écharpe divine, ainsi que plusieurs mouvements complexes en utilisant nos armes. Nous nous entraînâmes pendant la plus grande partie de la journée en faisant des combats au corps à corps et en pratiquant plusieurs techniques simultanément. Lorsqu'il nous laissa partir la première journée, j'étais épuisée. Chaque muscle de mon corps me faisait souffrir, mon cerveau était fatigué, et j'étais couverte de sirop d'érable et de coton pelucheux – un test où la combinaison du fruit et de l'écharpe avait mal tourné.

Après avoir dit bonne nuit, je gravis péniblement l'escalier, j'enlevai Fanindra de mon bras et l'installai sur l'oreiller. M. Kadam avait un plan pour elle, mais elle n'avait pas bougé quand il le lui avait expliqué.

Nous ignorions si elle ferait quelque chose ou pas mais, de toute façon, j'allais l'emmener. Elle m'avait sauvé la vie suffisamment de fois pour mériter de se retrouver dans l'action, à défaut d'autre chose. J'observai ses anneaux dorés se déplacer et se tourner jusqu'à ce qu'elle s'installe en position circulaire, avec sa tête qui reposait sur l'anneau du sommet. Ses yeux d'émeraude brillèrent un moment, puis ils s'assombrirent.

Quelque chose s'agita à l'extérieur de la fenêtre. Mes vêtements de fées ! Apparemment, il n'y avait pas de fées ici. Les vêtements semblaient encore assez solides, mais ils avaient maintenant tout simplement besoin d'un lavage dans la machine à laver. Je les lançai dans mon panier à linge sale et j'entrai dans la douche chaude. Alors que mes muscles endoloris se détendaient, je laissai mes pensées s'attarder sur des choses insignifiantes, comme savoir si je devais laver les vêtements de fées dans l'eau froide ou l'eau chaude. La douche me calma au point que je faillis m'endormir debout.

M. Kadam nous fit faire des exercices pendant une semaine avant de dire que nous étions prêts à chercher le village des Baiga.

* * *

Nous nous tenions tous les trois à la base d'un grand arbre dans la jungle obscure. Nous nous passâmes mutuellement l'écharpe divine et adoptâmes l'apparence qui avait été assignée à chacun de nous.

— Vous savez quoi faire, murmura M. Kadam juste avant de se changer. Bonne chance.

J'enveloppai l'écharpe divine autour de son cou, et je l'attachai.

— Ne vous laissez pas prendre au piège, murmurai-je.

Il se glissa tranquillement vers la jungle.

Kishan me serra brièvement et partit aussi. Il marchait calmement. Bientôt, je me retrouvai seule dans la jungle. Je tendis mon arc et je glissai Fanindra sur mon bras pendant que j'attendais le signal.

Un fort rugissement retentit dans la jungle, suivi par les cris de plusieurs hommes. C'était le signal que j'attendais. Je me frayai un chemin parmi les arbres vers le campement, qui se trouvait à moins d'un demi-kilomètre de distance. M'approchant, je sortis le Fruit d'Or et lui murmurai des directives. Ma mission consistait à éliminer les deux tours de guet aux limites du campement, de même que les projecteurs.

D'abord, les projecteurs. Je scrutai la zone et je reconnus les différents bâtiments. Nous avions étudié les images satellites jusqu'à ce que nous ayons mémorisé le plan. Les cases des Baiga étaient disposées en demi-cercle près de la lisière de la forêt. Elles étaient situées derrière les bunkers militaires et un assortiment de M-ATV. M. Kadam avait dit que *M* était pour MRAP, ou véhicule tout terrain renforcé contre les mines et protégé contre les embuscades, ce qui voulait dire qu'ils seraient terriblement difficiles à détruire.

Les cases étaient fabriquées avec des herbes tressées, et elles étaient assez vastes pour accueillir une ou plusieurs familles. Je ne voulais pas les frapper. Elles partiraient facilement en flammes.

Le centre de commandement avait quatre compartiments, chacun ayant environ la longueur d'un semi-remorque, mais étant deux fois plus haut. Ils étaient attachés deux par deux et avaient été fabriqués avec une sorte d'alliage. Ils semblaient solides. Il y avait deux tours, une de chaque côté du campement. Au sommet de chaque tour, trois gardes surveillaient la zone pendant que deux hommes montaient la garde en bas. Près de la tour sud, je vis un grand poteau muni d'une grande antenne parabolique au sommet. Je comptai quatre projecteurs, sans compter les deux qui étaient fixés aux tours de guet.

Il fallait que je trouve le générateur, mais je ne le voyais pas. *Peut-être est-il dissimulé dans une des cases Baiga* ? Je décidai qu'il me suffisait d'éliminer les projecteurs, un à la fois. Je levai la main et je visai. La chaleur envahit mon bras jusqu'à ce que ma main luise en rouge dans l'obscurité. L'énergie que je projetai forma un long éclair blanc. Le premier, puis les trois autres projecteurs éclatèrent et explosèrent lorsqu'ils furent frappés par mon pouvoir de l'éclair.

Quelqu'un entra dans l'un des véhicules et en alluma les lumières. Les VTT firent des ratés et ne réussirent pas à démarrer. L'essence avait probablement toute été absorbée par le gâteau éponge que j'avais fait apparaître à l'aide du Fruit d'Or à l'intérieur des réservoirs. Mais l'électricité fonctionnait toujours, et les puissants phares projecteurs scrutèrent les arbres pour me trouver. J'augmentai l'intensité de mon pouvoir au maximum en visant les véhicules, car je savais qu'ils seraient difficiles à détruire, et j'envoyai une grande impulsion d'énergie à travers ma paume.

L'éclair frappa la voiture avec un bruit assourdissant, et le VTT monta en flèche à environ 10 mètres dans les airs. Il explosa dans une boule de feu et alla écraser un autre véhicule en atterrissant sur le dessus avec un crissement de métal tordu. Je tirai sur un autre et le fis exploser et, cette fois-ci, le véhicule se mit à rouler sur lui-même. Il se renversa à trois reprises et atterrit sur le côté contre un arbre énorme. Il ne me fallut que quelques secondes de plus pour éteindre les autres projecteurs.

Ensuite, il fallait que j'élimine les deux tours. Comparées aux autres bâtiments, les tours étaient simplement fabriquées. Quatre supports de bois, d'un niveau plus élevé que le poste de commande, étaient chapeautés par une structure en forme de boîte à l'intérieur de laquelle se trouvaient trois hommes armés et un projecteur. La seule façon d'y monter, c'était à l'aide d'une échelle simple en bois, probablement confectionnée par les Baiga.

Les soldats avaient maintenant repéré ma position. Ils pointaient leurs lampes de poche dans ma direction, me cherchant. Je lâchai quelques flèches dorées, et j'entendis un grognement et un bruit sourd alors qu'un corps tombait sur le sol. Il fallait que je me déplace. J'entendis un claquement alors que des fléchettes volaient à travers les buissons où je me cachais. *Ils ont probablement reçu l'ordre de nous prendre vivants.*

Je me mis à courir dans l'obscurité. Les yeux de Fanindra brillèrent doucement, me procurant juste assez de lumière pour que je puisse arriver à ma prochaine destination. Accroupie derrière un buisson, j'invoquai à nouveau mon pouvoir de l'éclair et je visai la tour la plus proche. Elle explosa violemment en éclairant la zone. Des gens effrayés couraient dans tous les sens.

Je me dirigeai vers l'autre tour, courant ouvertement au milieu de la foule. Je me cachai entre deux bâtiments alors qu'un groupe de soldats couraient devant, et j'en neutralisai quelques autres par-derrière. M. Kadam était en train de crier aux gens, les rassemblant et leur demandant leur aide dans le combat. Ses envolées lyriques me firent sourire un court instant. Je plantai le *gada* à un endroit où il le trouverait et j'avançai.

Retournons à nos affaires. J'entrai furtivement dans l'ombre d'un bâtiment et je visai l'autre tour. Il fallait aussi que je détruise le satellite. J'encochai une flèche, l'infusai avec le pouvoir de l'éclair, et je la tirai. Elle alla se planter dans le satellite en faisant un son vide, puis elle pétilla et craquela avec de l'électricité avant que le tout explose. Les soldats de la deuxième tour avaient maintenant compris que j'étais leur cible. Je rampai derrière des boîtes alors qu'ils tournaient leurs armes sur moi. J'entendis le bruit des fléchettes qui allèrent se planter dans le sol à l'endroit où je me trouvais.

J'avais tellement peur que mon cœur se mit à battre la chamade. S'ils m'atteignaient avec l'une de ces fléchettes, je serais mise hors combat. Je ne serais pas en mesure d'aider Kishan ou de trouver Ren. Entendant les cris des hommes à ma recherche, je rassemblai mon courage et j'encochai une autre flèche. La flèche d'or scintilla dans le clair de lune et chatoya alors que j'y infusai le pouvoir de l'éclair. Cette fois-ci, j'étais trop près de ma cible, et lorsque l'explosion secoua le complexe, elle me souleva dans les airs, et je me cognai la tête contre le palier du bâtiment. Des morceaux de bois lourds se mirent à pleuvoir, et plusieurs fragments enflammés me frappèrent alors que je me levais. Délicatement, je touchai l'arrière de mon crâne. Je saignais.

Un soldat bondit pour m'attaquer. Nous roulâmes tous les deux sur le sol. Je lui donnai un coup de poing dans le ventre et je me relevai. Lorsqu'il commença lui aussi à se relever, je lui sautai sur le dos comme Ren me l'avait enseigné, et je tentai de l'étouffer. Il ne lutta qu'un court moment avant de se tourner et de me frapper contre un rocher. Je reçus un coup brutal à la tête, et je sentis un filet humide de sang tomber goutte à goutte de ma tempe à ma joue.

Je restai immobile contre le rocher, haletante, épuisée, étourdie et ensanglantée. Le soldat se leva, sourit et étendit ses mains pour m'étrangler. Je levai la main, plissai mes yeux vers son visage noirci de suie, et lui tirai dans la poitrine avec un éclair. Il fut soulevé quelques mètres dans les airs, frappa le centre de commandement et s'effondra sur le sol en position assise, la tête penchée lourdement sur sa poitrine.

Il me fallait maintenant trouver Ren. Je courus en chancelant entre des cases et, lorsqu'un autre soldat se mit à courir après moi, je me réfugiai sur le côté, tombai, puis roulai. Lorsqu'il tira une fléchette tranquillisante, je me levai sur un genou et je le neutralisai au moyen d'un éclair rapide. La porte du bâtiment principal était gardée par deux soldats debout en état d'alerte de combat. Lorsque je m'approchai, ils se dirent quelques mots dans une autre langue. Je hochai brièvement la tête, et l'un d'eux utilisa sa clé pour me laisser entrer. Cette fois-ci, je m'en étais sortie facilement. J'étais un visage familier, et ils ne m'avaient pas vue en action.

Je me faufilai entre eux et je me glissai discrètement à l'intérieur. Malheureusement, la porte se referma derrière moi et se verrouilla automatiquement. J'ignorai le problème, croyant qu'il me suffirait lancer un éclair pour sortir quand je le voudrais. La tête me martelait à la tempe, mais sinon, on pouvait dire que j'avais eu de la chance. Il y avait plusieurs mauvaises coupures et égratignures sur mes membres, une bosse importante sur ma tête, et je me sentais meurtrie partout sur mon corps, mais ma vie n'était pas en danger. Je souhaitai que M. Kadam ou Kishan se portent aussi bien.

L'intérieur du centre de commandement était sombre. Je me trouvais dans une zone d'entreposage remplie de boîtes et de fournitures. Je me glissai à travers une autre section et découvris la caserne des soldats. Il y eut un certain malaise lorsque je tournai un coin et que je tombai sur la personne que j'étais en train d'imiter. Son expression étonnée se modifia rapidement alors que je le frappais. Un bref éclat de lumière éclaira la pièce, et l'individu s'effondra sur le sol.

Même si le bâtiment était peu meublé, je trébuchai sur des boîtes dans l'obscurité pendant que je vérifiais chaque pièce. Finalement, les yeux de Fanindra se mirent à briller pour que je puisse mieux distinguer mon environnement. Son système de vision nocturne éclairait la zone et me permettait de tout distinguer assez nettement. J'entendis Lokesh et Kishan dans une autre pièce. La situation de ce côté était en train de s'aggraver. Le temps pressait. D'après nos exercices, j'aurais déjà dû avoir retrouvé Ren.

Si j'avais détruit la génératrice, j'aurais sauvé du temps, mais j'avais dû éliminer les projecteurs l'un après l'autre et combattre plus de soldats que prévu. Il fallait modifier le plan. Il fallait d'abord que j'arrive à Kishan. Heureusement, M. Kadam nous avait préparés à cette éventualité. À contrecœur, je délaissai ma recherche de Ren et j'allai plutôt chercher Kishan.

Je me frayai un chemin vers la partie arrière du centre de commandement et je grimpai sur plusieurs boîtes jusqu'à ce que je sois perchée très haut. C'était une grande salle, presque aussi vaste qu'un entrepôt. Des étagères métalliques contenaient des armes et des fournitures de tout genre. Des piles de corps de soldats indiquaient que Kishan avait réussi à mettre les gardes de Lokesh hors d'état de nuire, mais Lokesh l'avait acculé dans son bureau privé.

Ce bureau était luxueux en comparaison aux bureaux militaires. Une moquette épaisse recouvrait le sol. Un somptueux secrétaire était installé dans le coin et, sur un mur, plusieurs écrans de télévision montraient la confusion qui sévissait à l'intérieur du complexe. Un mur était rempli de matériel électronique et de gadgets. On aurait dit l'intérieur d'un sous-marin. Le mur était couvert de commutateurs et de moniteurs. Plusieurs diodes rouges clignotaient silencieusement, et j'imaginai qu'il s'agissait d'alarmes quelconques.

Trois luminaires suspendus bourdonnaient au-dessus, clignotant à l'occasion, comme si le complexe était en train de perdre son alimentation électrique. Une vitrine près du bureau contenait plusieurs armes brillantes, quelques-unes pour les guerres de chaque période de l'histoire. Kishan jouait bien son rôle. J'encochai une flèche et j'attendis qu'il recule pour avoir un bon angle de tir. Hautain et trop confiant, Lokesh continuait à essayer d'intimider Kishan pour lui faire faire ce qu'il voulait.

Lokesh ne portait pas d'armure comme ses soldats. Il était vêtu d'un costume noir avec une chemise de soie bleue. Il paraissait plus jeune que M. Kadam, et ses cheveux grisonnants aux tempes étaient habilement coiffés et ramenés en arrière pour lui donner l'air d'un patron de la mafia moderne. Je remarquai encore une fois qu'il portait des bagues à chaque doigt et qu'il jouait avec elles en les tournant nonchalamment lorsqu'il parlait. Une remarque désobligeante attira mon attention.

— Je peux vous réduire en miettes avec un simple mot, mais j'aime bien regarder les gens souffrir. Et vous avoir ici est un régal que j'ai attendu très longtemps. Je ne peux même imaginer ce que vous étiez en train d'essayer d'accomplir. Vous n'avez aucune chance de gagner. Mais je dois dire que je suis impressionné par la façon dont vous avez traité mes gardes spéciaux. Ils avaient été très bien entraînés.

Kishan sourit malicieusement alors qu'ils tournaient en cercle.

— Pas suffisamment, semble-t-il.

— Oui.

Lokesh émit un petit rire chaleureux.

— Peut-être que je pourrais vous convaincre de travailler pour moi. Vous êtes manifestement débrouillard, et je suis un homme qui récompense bien ceux qui me servent. Bien sûr, je dois aussi vous prévenir que je punis par la mort ceux qui me défient.

— Je ne cherche pas d'emploi actuellement, et quelque chose me dit que le taux de satisfaction de vos employés est plutôt faible.

Kishan se mit à courir vers Lokesh, fit une culbute dans les airs et lui envoya un coup de pied circulaire au visage.

Lokesh cracha du sang. Il sourit alors qu'une ligne pourpre coulait de sa bouche. L'essuyant délicatement avec un doigt, il frotta sa lèvre inférieure, il lécha le sang et se mit à rire. En fait, il semblait prendre plaisir à la douleur. Je frissonnai de dégoût.

— C'était une diversion plutôt agréable, mais j'en ai assez de ce badinage. Vous avez une amulette ; je détiens le pouvoir des trois autres. Vous me la remettez, et vous pouvez prendre le tigre et partir. Non pas que je vous laisserai aller loin, je tiens à le préciser, mais je vous donnerai une chance raisonnable de vous enfuir, en tout cas. Cela rendra la chasse d'autant plus agréable.

— Je crois que je partirai avec le tigre *et* l'amulette. Et pendant que j'y suis, je crois que je vous tuerai et prendrai aussi la vôtre.

Lokesh ricana comme un fou.

— Vous allez me donner ce que je veux. En fait, vous regretterez bientôt d'avoir levé le nez sur mon offre généreuse. Dans quelques instants, vous m'offrirez tout ce que je veux simplement pour arrêter la douleur.

— Si vous voulez tant l'amulette, alors pourquoi ne pas venir ici et essayer de la prendre ? Voyons si vous pouvez vous battre aussi bien que vous menacez. Ou peut-être laissez-vous tout simplement les combats à d'autres personnes, maintenant, *vieil homme.*

Lokesh cessa de sourire et il leva les mains. De l'électricité se mit à briller entre ses doigts.

Kishan bondit à nouveau vers Lokesh, mais il fut arrêté par une barrière invisible. Lokesh commença à marmonner des enchantements, ouvrit ses paumes et leva les bras. Des objets mal fixés dans la pièce s'élevèrent dans les airs et commencèrent à virevolter en formant un tourbillon, se déplaçant de plus en plus rapidement. Lokesh rapprocha lentement ses mains, et le tourbillon s'avança de plus en plus près de Kishan. Les objets se mirent à tourbillonner autour de lui et commencèrent à le frapper. Une paire de ciseaux lui fit une entaille au front qui commença immédiatement à guérir.

Lokesh le vit guérir et fixa l'amulette avec avidité.

— Donnez-la-moi ! C'est mon destin de réunir toutes les pièces !

Kishan commença à saisir les plus gros objets et les écrasa entre ses paumes.

— Pourquoi ne pas essayer de la prendre sur mon cadavre ? cria-t-il.

Lokesh se mit à rire — un terrible son de pur délice.

— Comme vous le voulez.

Il frappa dans ses mains et les frotta. Le sol commença à trembler. Les boîtes où j'étais assise bougèrent dangereusement. Kishan était tombé par terre et se faisait bombarder par une pluie d'objets, y compris des articles meurtriers comme des agrafeuses, des ciseaux, des stylos, ainsi que de plus grands objets, comme des tiroirs mobiles, des livres et des écrans d'ordinateur.

Je tremblais de peur. Je craignais cet homme plus que tout ce à quoi j'avais fait face. J'aurais préféré me faire pourchasser par une horde de kappas plutôt que de regarder cet homme dans les yeux. Le mal émanait de lui en vagues. Son côté sombre m'étouffait. Même s'il n'était pas encore conscient de ma présence, j'avais l'impression que des doigts brumeux et noirs se frayaient un chemin vers moi, cherchant à étouffer la vie dans mon corps.

Je levai une main tremblante et je tirai un coup d'éclair, le ratant de quelques centimètres. Il était si concentré sur Kishan qu'il ne vit même pas le rayon de lumière passer derrière son corps. En fait, il remarqua son impact sur sa vitrine d'armes, et il supposa probablement que c'était causé par son tremblement de terre. Le verre explosa vers l'extérieur, et les morceaux de verre rejoignirent le tourbillon et commencèrent à couper Kishan. Ils furent bientôt rejoints par un barrage meurtrier d'armes. Lokesh se mit à rire en voyant Kishan se faire déchirer par du verre tranchant et guérir aussitôt. Un grand morceau alla se planter dans le bras de Kishan. Il l'arracha. Le sang ruissela sur son bras et rejoignit le miasme virevoltant du tourbillon.

J'étais morte de peur. Mes mains tremblaient. *Je peux le faire ! Je dois reprendre mes esprits !* Je levai la flèche et je visai le cœur de Lokesh.

Pendant ce temps, j'entendais des gens crier à l'extérieur. Je supposai qu'il s'agissait des villageois et que les choses allaient comme prévu. Sinon, Kishan et moi aurions alors bientôt des ennuis. Une énorme détonation retentit et je souris, soulagée. Je savais que c'était M. Kadam. Rien ne pouvait marteler comme le *gada*. Le bâtiment fut secoué jusqu'à ses fondations. Le temps était un élément essentiel. S'ils étaient en train d'attaquer le bâtiment, cela signifiait que les soldats avaient tous été rassemblés et pris en charge. M. Kadam était vraiment efficace, ou alors Lokesh avait suffisamment maltraité ces pauvres gens pour qu'ils soient prêts à se rebeller contre lui.

Je tirai ma flèche directement vers le cœur de Lokesh, mais il se tourna quand il entendit les coups du *gada*, et elle s'enfonça plutôt profondément dans son épaule. Le tourbillon entourant Kishan s'interrompit aussitôt, et tous les objets tombèrent au sol dans une douche perfide. Un lourd coffre-fort de métal atterrit sur le pied Kishan, et il grogna en repoussant l'objet volumineux. J'étais certaine qu'il avait le pied cassé.

Lokesh pivota sur lui même, enragé, et il me découvrit. L'électricité jaillit de ses doigts, et son souffle gela l'air, envoyant une rafale glacée jusqu'à moi. Je me figeai et je ressentis le sang qui se congelait et s'épaississait dans mon corps. Je haletai, plus terrifiée que je ne l'avais été de toute ma vie.

— Vous!

La chair de poule envahit ma peau. Crachant des ordres de châtiment dans ce qu'il croyait être ma langue, il arracha la flèche ensanglantée de son épaule et commença à chantonner. La flèche revint soudainement vers moi. Dans un geste inconscient de préservation, mon feu intérieur me réchauffa suffisamment pour que je puisse bouger. Mes mains se précipitèrent pour couvrir mon visage, mais la flèche s'arrêta en plein vol à quelques centimètres de mon nez. Je tendis la main et elle tomba lentement dans ma paume. Frustré, Lokesh frappa dans ses mains et les frotta violemment. La boîte sur laquelle je me trouvais se mit à vaciller et je tombai sur le plancher, me cognant sur plusieurs angles aigus en chemin. Je gémis et je repoussai les boîtes couvrant mon corps. Ma cheville était nettement tordue sous une boîte, et mon épaule était sérieusement blessée.

Kishan sortit son chakram, qu'il avait dissimulé dans sa chemise, et le lança vers les luminaires au plafond. La salle sombra dans l'obscurité en même temps que j'entendais le vrombissement métallique du mouvement de l'arme à travers la pièce. Il lança le chakram à plusieurs reprises, mais il ne put atteindre Lokesh, car des vents soudains se mirent à tourbillonner dans la pièce, forçant le disque à changer de direction. Je rampai difficilement vers une nouvelle cachette. Kishan attrapa le chakram et rampa vers Lokesh. Les deux hommes tombèrent sur le plancher, luttant puissamment. Lokesh cria des ordres à ses soldats ; sa voix était forte et intensifiée, comme si elle était emportée par le vent à l'extérieur du camp. C'était comme s'il parlait dans un microphone, mais tous ses soldats étaient maintenant maîtrisés. Personne ne vint à son secours. Les deux hommes roulèrent vers moi. Lokesh marmonna quelques mots, et un coussin d'air créa une bulle entre les hommes. Il poussa Kishan vers l'arrière jusqu'à ce qu'il puisse à nouveau se mettre debout.

Je me remis sur mes pieds et levai la main. Mon bras tout entier tremblait alors que j'essayais de rassembler mon courage. Le feu ne vint pas. Mon ventre était froid, comme si le feu à l'intérieur avait été éteint. Lokesh agita instantanément la tête dès qu'il vit mon geste. Il se moqua de mon effort pathétique et commença à nouveau à marmonner. Une larme coula sur ma joue et se figea.

Kishan profita de la distraction de Lokesh et lui saisit le bras, le plaquant dans son dos. En un instant, il réussit à presser le chakram contre la gorge de Lokesh. La lame luisante glissa dans la chair tendre de son cou, et des filets de sang coulèrent le long de la lame et sur sa chemise de soie bleue.

— Voulez-vous que je le tue ? dit Lokesh en grognant et en marmonnant doucement. Je peux le tuer en un instant. Je peux geler son sang pour que son cœur cesse de battre.

Kishan me regarda et s'arrêta. Il aurait pu décapiter Lokesh en un coup sec, mais il s'arrêta, et je vis l'émotion sur son visage. Il se retenait à cause de moi. Lokesh ricana d'une voix rauque, le souffle court à cause de ses efforts. Un bruit sourd et profond se fit entendre, et les murs tremblèrent alors que M. Kadam et les villageois continuaient à frapper sur le bâtiment pour essayer de le faire tomber de ses fondations.

— Si vous ne me lâchez pas, menaça à nouveau Lokesh, je vais le tuer. Choisissez maintenant !

Une lueur de colère brûlait dans ses yeux, un feu ardent qui ne pourrait jamais être étouffé.

Kishan le laissa partir. Je gémis intérieurement, incapable de bouger. Nous avions presque gagné. Maintenant, nous étions à la merci d'un monstre.

Lokesh se remit à marmonner rapidement, et Kishan se retrouva dans la même position que moi. Lokesh se redressa et dépoussiéra cérémonieusement les revers de son veston. Il pressa un mouchoir blanc propre sur sa gorge ensanglantée, puis il se mit à rire, s'approchant de Kishan et lui caressant tendrement la joue.

— Voilà qui est mieux. Il est toujours préférable de collaborer, n'est-ce pas ? Voyez-vous comment il est stupide et inutile de vous en prendre à moi ? Peut-être vous avais-je légèrement sous-estimé. Vous m'avez probablement fait vivre le meilleur combat que j'aie connu depuis plusieurs siècles. J'ai hâte d'entreprendre le défi de vous briser l'esprit.

De l'intérieur de sa veste, il tira un très vieux couteau à l'apparence redoutable et l'agita presque amoureusement devant le visage de Kishan. Il se rapprocha et en fit traîner le bord émoussé sur la joue de Kishan.

— Cette lame est la même que j'ai utilisée il y a tant d'années sur votre prince. Voyez comment je l'ai gardée en bon état pendant toutes ces années ! Vous pourriez me traiter de vieil idiot sentimental, je suppose. J'espérais secrètement pouvoir m'en servir de nouveau et terminer ce que j'avais commencé il y a plusieurs années. N'est-il pas approprié que je puisse aussi l'utiliser sur vous ? Peut-être que cette arme a été préservée dans ce seul but.

» Maintenant, par où dois-je commencer ? Une belle cicatrice pourrait rendre votre visage un peu moins intéressant, n'est-ce pas ? Bien sûr, je vais d'abord devoir enlever l'amulette. J'ai vu comment elle vous guérit. J'ai attendu si longtemps pour obtenir cette pièce. Vous ne pouvez pas imaginer à quel point j'ai rêvé de sentir son pouvoir. Il est triste de savoir que vous ne serez pas là pour apprécier ce qu'elle fait pour moi.

Il fit brièvement la moue.

– Dommage que je n'aie pas le temps de m'adonner à une séance de chirurgie expérimentale. J'aimerais tellement vous donner quelques leçons de discipline. La seule chose qui pourrait me donner plus de plaisir que de faire passer mon couteau sur votre peau serait de vous défigurer en face de votre prince. Pourtant, il appréciera mon ouvrage malgré tout.

J'avais peur. Si je n'avais pas déjà été figée, j'aurais été figée par la peur de toute façon. Mon degré de préparation importait peu. Il était difficile de lutter contre quelqu'un de vraiment maléfique. Les oiseaux, les singes et les kappas accomplissaient tout simplement leur travail. Ils protégeaient les présents magiques, et je pouvais accepter cela. Mais le fait d'être devant Lokesh et de devoir le regarder placer ce couteau contre la gorge de Kishan était horrible.

Je fis la sourde oreille lorsqu'il commença à parler de démembrer Kishan morceau par morceau. C'était écœurant. Si j'avais pu vomir, je l'aurais fait. Je ne pouvais pas imaginer que quelqu'un puisse être aussi cruel. J'aurais souhaité pouvoir me boucher les oreilles. Mon pauvre Ren avait été torturé par ce démon psychotique pendant des mois. À cette seule pensée, mon cœur se brisa.

Lokesh avait la personnalité fourbe de l'Empereur Palpatine mêlée à la cruauté sadique d'Hannibal Lecter. Il voulait le pouvoir à tout prix, comme Lord Voldemort, et il faisait preuve de la brutalité féroce de Ming l'impitoyable qui, tout comme lui, avait tué sa propre fille. Je tremblais de terreur. Je ne pouvais le regarder faire du mal à Kishan. Je ne pouvais pas le supporter.

Il agrippa le menton de Kishan, et il était sur le point de couper son visage lorsque je compris que, même si j'étais incapable de bouger, le Fruit d'Or était toujours à ma disposition. Je souhaitai la première chose qui traversa mon esprit. Je souhaitai obtenir des casse-gueules, et des casse-gueules je reçus. Une tempête de casse-gueules. Ils brisèrent des écrans et l'une des fenêtres de verre. Le bruit qu'ils firent secoua mes tympans alors qu'ils tombaient dans le centre de commandement. On aurait dit des milliers de billes qui tombaient dans un lac de verre, et les casse-gueules fracassaient et brisaient tout autour de nous. Kishan et moi chancelâmes et tombâmes alors que nous étions bombardés par une grêle de bonbons durs et ronds. Mon sac à dos protégea mon cou, qui autrement se serait brisé. J'étais certaine que Kishan était blessé de nouveau. Heureusement, il guérirait rapidement. Je me dis que je serais reconnaissante même si seulement l'un de nous arrivait à s'en sortir vivant.

Bientôt, chaque centimètre du sol fut recouvert d'une couche d'environ 30 centimètres de bonbons colorés. Plusieurs d'entre eux se déversèrent dans les deux sections de raccordement. Lokesh fut martelé et frappé assez durement pour qu'il perde l'équilibre et tombe. Il cracha plusieurs jurons dans sa langue alors qu'il tentait de reprendre pied et de savoir d'où venait la tempête. Puis, il se rendit compte que le couteau avait disparu et il commença à passer les bonbons au peigne fin pour le trouver. À ce moment-là, Kishan et moi étions presque enterrés.

À l'instant même, le bâtiment trembla de nouveau et un segment de mur s'écrasa dans la section à côté de nous. Lokesh se remit sur ses pieds après avoir trouvé son couteau, saisit l'amulette autour du cou de Kishan, et tira jusqu'à ce que la chaîne se casse, laissant derrière une marque rouge.

Il se pencha sur lui un court instant et toucha le visage de Kishan avec le couteau.

— Nous nous reverrons, dit-il avec un horrible sourire, bientôt.

Il traîna le couteau de la joue de Kishan jusqu'à sa gorge, laissant une traînée de sang qui laisserait une terrible cicatrice, mais qui ne le tuerait pas. Puis, le visage empreint de douleur, Lokesh se dégagea brusquement. Il pataugea dans les casse-gueules et appuya sur un bouton dissimulé dans le mur. Un panneau s'ouvrit. Il se glissa à l'intérieur et disparut.

Quelques villageois accompagnèrent M. Kadam dans le bureau, et ils se hâtèrent de nous aider à nous relever. Kishan était déjà en train de guérir, mais sa chemise était tachée de sang. L'entaille avait été profonde. J'entendis le rugissement d'un moteur et un bruit incroyable alors qu'un véhicule s'extirpait de sous le bâtiment et filait sur la route de terre menant hors du village. J'aurais pu me servir du

Fruit d'Or pour arrêter son moteur, mais je choisis de ne pas le faire.

J'avais honte, mais je ne voulais pas lui faire face à nouveau. Je *voulais* qu'il s'échappe. Je ne voulais plus jamais le revoir. Je demeurai là, figée, me réprimandant pour ma lâcheté. J'avais été faible. Si j'avais pu bouger, j'aurais gémi dans le coin de la pièce en me cachant. Lokesh était trop puissant. Il nous était impossible de gagner contre lui.

Nous ne pouvions qu'espérer pouvoir l'éviter. Je savais que je décevrais Kishan et M. Kadam. Quelle sorte de guerrière étais-je donc ? Des oiseaux de fer géants ? Pas de problème. Des kappas ? J'avais Fanindra et Ren. Des singes ? Quelques morsures et quelques contusions ne me tueraient pas. Mais Lokesh ? J'avais fait demi-tour et j'étais partie en courant devant l'ennemi. J'aurais voulu comprendre pourquoi je réagissais de cette façon. C'était un monstre. C'était *tout*. Une raison de plus pour me battre. Mais ce monstre avait un visage humain. En quelque sorte, cela me semblait pire que tout.

Après quelques instants, le sort que Lokesh avait utilisé sur moi et Kishan s'estompa. Nous nous frottâmes pour réveiller nos membres engourdis. Lorsque Kishan eut suffisamment repris des forces, il se fraya un chemin à travers les casse-gueules pour m'aider. M. Kadam donna des instructions aux villageois pendant que Kishan me soutenait à cause de mon entorse à la cheville et m'aidait à chercher Ren. Fanindra décida de se réveiller et de participer à la recherche. Elle bougea et son corps grossit.

Je baissai mon bras pour qu'elle puisse glisser sur le sol, et elle se faufila entre des caisses d'armes et des sacs de provisions. Elle s'arrêta et goûta à l'air à proximité d'une section qui semblait être une impasse. Elle se glissa en douceur sous certaines boîtes, et Kishan inspecta les environs de plus près. Il découvrit qu'il s'agissait d'une fausse façade et il enleva les boîtes du chemin. Il trouva une porte verrouillée. Nous arrivâmes juste à temps pour apercevoir la queue d'or de Fanindra qui disparaissait en dessous. Kishan se démena pour l'ouvrir. Je finis par me servir de mon pouvoir de l'éclair pour faire sauter la serrure. Il me fallut plusieurs secondes pour retrouver la capacité de l'utiliser à nouveau. Penser à Ren qui était toujours en train de souffrir fut ce qui me permit finalement de me remettre de mon gel interne.

La porte s'ouvrit, et les narines de Kishan s'élargirent. À l'intérieur, l'odeur humide et douce du sang et de la sueur humaine imprégnait tout. Je savais où je me trouvais. J'y étais déjà allée auparavant. C'était la pièce où Lokesh avait torturé Ren. Des outils épouvantables étaient accrochés aux murs et étaient disposés sur les tables d'opération rutilantes. Je me figeai, horrifiée, alors que je voyais tous les instruments et que j'imaginais la souffrance et la douleur que Lokesh avait causées à l'homme que j'aimais.

Des outils modernes de chirurgie étaient répartis sur des plateaux de service, alors que des articles plus anciens étaient suspendus à des crochets dans les coins de la salle. Je ne pus m'en empêcher. Je tendis la main et je touchai les extrémités effilochées d'un fouet, après quoi je frottai le manche d'une mailloche et je me mis à trembler alors que je l'imaginais en train de briser les os de Ren. Divers couteaux de différentes longueurs et de différentes tailles formaient une rangée.

Je vis du bois, des vis, des clous, des pinces, des pics à glace, des sangles de cuir, une muselière de fer, une perceuse moderne, des colliers cloutés, un étau qui aurait pu écraser un membre placé à l'intérieur, et même un chalumeau. Je touchai brièvement les objets en passant et je pleurai amèrement. D'une certaine manière, la seule chose que je pouvais faire pour ressentir de l'empathie, c'était de toucher et d'essayer de comprendre ce que cette expérience avait dû représenter pour lui.

Kishan me prit doucement le bras.

— Ne les regarde pas, Kelsey. Regarde-moi, baisse les yeux, ou regarde le plancher. Tu ne dois pas faire cela. Il vaudrait mieux que tu attendes dehors.

— Non. Il faut que je sois là pour lui. Il le faut.

— D'accord.

La cage de Ren se trouvait dans le coin opposé, et je ne pus que distinguer une forme brisée à l'intérieur et un serpent luisant enroulé tout près. Après avoir récupéré Fanindra et l'avoir remerciée, je reculai et je fis sauter la serrure, puis je m'approchai et j'ouvris la porte.

— Ren ? appelai-je doucement.

Il ne répondit pas.

— Ren ? Es-tu… *réveillé* ?

La forme bougea légèrement, et un visage pâle et blême se tourna vers moi. Ses yeux bleus se plissèrent. Il regarda Kishan. Il écarquilla les yeux, et il se déplaça près de l'ouverture. Kishan lui fit signe et tendit la main pour l'aider.

Avec précaution, il tendit une main tremblante pour saisir le barreau sur le bord de la cage. Ses doigts avaient été récemment brisés et étaient ensanglantés. Mes yeux se remplirent de larmes et ma vision se brouilla, alors que je reculais pour lui faire de la place. Kishan s'avança pour l'aider. Quand il se leva enfin, j'ouvris la bouche. Il avait été battu récemment. Je m'y attendais, mais il était déjà en train de guérir de ses blessures.

Je fus choquée de voir à quel point il avait maigri. Lokesh l'avait affamé. Il était probablement déshydraté. Son corps robuste était mince, plus mince que ce que j'avais imaginé. Ses yeux bleus lumineux étaient encerclés de creux sombres. Ses pommettes étaient pointues et prononcées, et ses cheveux noirs soyeux étaient humides et pendaient, sans vie. Il fit un pas de plus vers moi.

– Ren ? dis-je en lui tendant la main.

Il plissa les yeux vers moi, serra les poings, et il se balança avec un sursaut d'énergie que je ne croyais pas qu'il eût. Je ressentis une vive douleur à la mâchoire, et puis plus rien, tandis que mon corps s'effondrait sur le sol.

26

Baiga

Je sentis du mouvement et je me réveillai pour me retrouver les yeux fixés sur une canopée vert foncé. Kishan me transportait à travers la jungle. Il avait repris son apparence normale, et je dus admettre que j'en fus soulagée. Cela m'aurait rendue mal à l'aise de le regarder fixement dans son déguisement.

– Kishan ? Où allons-nous ?

– Chut. Détends-toi. Nous suivons les Baiga plus profondément dans la jungle. Nous devons nous éloigner le plus possible du campement.

– Combien de temps ai-je été inconsciente ?

– Environ trois heures. Comment te sens-tu ?

Je touchai légèrement ma mâchoire.

– Comme si un ours m'avait frappée. Est-il… ça va ?

– Il est sonné. Les Baiga sont en train de le transporter sur un brancard de fortune.

– Mais il est sain et sauf ?

– Suffisamment.

Il se mit à parler doucement dans une autre langue à M. Kadam, qui s'approcha pour examiner mon visage et souleva une gourde pour la porter à mes lèvres. Je bus lentement, avalant douloureusement alors que je bougeais ma mâchoire aussi peu que possible.

— Peux-tu me déposer, Kishan ? Je pense que je peux marcher.

— D'accord. Appuie-toi sur moi, si c'est nécessaire.

Il abaissa soigneusement mes jambes sur le sol et me stabilisa alors que je me balançais, essayant de retrouver mon équilibre. Je boitai pendant un certain temps sur ma cheville tordue, mais Kishan se mit à grogner et vint me prendre à nouveau. Je m'installai à nouveau contre sa poitrine et je sentis que tout mon corps était endolori. Des ecchymoses recouvraient mes bras, et j'avais du mal à bouger ma mâchoire.

Nous faisions partie d'une longue procession qui se déplaçait dans la jungle. Les Baiga avançaient tranquillement entre les arbres. Je ne pouvais même pas entendre le bruit de leurs pas. Des dizaines de personnes passèrent et hochèrent la tête en signe de respect alors qu'ils marchaient autour de nous. Alors qu'ils avançaient en silence, comme des fantômes, à travers la jungle sombre, même les femmes et les enfants ne faisaient aucun bruit, pas même un murmure.

Quatre grands hommes transportaient une civière avec une forme affalée sur le dessus. Lorsqu'elle passa, je tendis le cou pour l'entrevoir. Kishan emboîta le pas derrière eux pour que je puisse voir la forme inerte de Ren. Il ajusta facilement sa prise et me serra un peu plus fort contre sa poitrine avec une expression indéchiffrable sur le visage.

Nous marchâmes ainsi pendant une autre heure. Ren dormit tout ce temps. Quand nous arrivâmes dans une clairière, un vieux Baiga s'approcha de M. Kadam et se prosterna humblement devant lui. M. Kadam se tourna vers nous et dit que les Baiga camperaient pour la nuit. Nous fûmes invités à leur fête de célébration.

Je me demandai s'il ne valait pas mieux pour nous de continuer à avancer et de nous diriger vers notre point de rendez-vous, mais je décidai de suivre l'exemple de M. de Kadam. C'était *lui* le stratège militaire, et s'il pensait que c'était sûr, ce l'était probablement. En fait, il était rafraîchissant, pour une fois, de laisser quelqu'un d'autre être en charge. Je pensai aussi qu'il n'y aurait pas de mal à laisser Ren dormir un peu plus avant de voyager plus loin.

Nous observâmes les Baiga pendant qu'ils installaient le campement. Ils étaient extrêmement efficaces, mais la plupart de leurs fournitures leur manquaient. M. Kadam eut pitié d'eux et se servit de l'écharpe divine afin de créer des installations de repos pour chaque famille. Mon attention se tourna vers Ren. Les hommes le transportèrent dans une tente juste au moment où M. Kadam m'appelait.

Voyant que j'étais déchirée, Kishan me dit qu'il irait jeter un œil à Ren, me déposa soigneusement près de M. Kadam, puis se dirigea vers la tente. Il me dit que, de toute façon, il serait préférable que je reste avec M. Kadam, mais il ne m'expliqua pas pourquoi.

Après son départ, M. Kadam me demanda si je voulais utiliser le Fruit d'Or pour organiser un banquet pour les Baiga. Ils avaient besoin de nourriture. De plus, plusieurs d'entre eux étaient affamés. Lokesh les avait forcés à demeurer dans le camp et à utiliser leur magie pour que

Ren demeure enfermé en toute sécurité. Ils n'avaient pas pu aller chasser pendant une longue période. Il me donna des instructions, et il se servit ensuite de l'écharpe divine pour confectionner un grand tapis épais pour que la tribu entière puisse s'y asseoir.

Je sortis le Fruit d'Or de mon sac et je commençai à créer des plats selon ses instructions. Du riz à la vapeur parfumé aux champignons, de la mangue hachée mélangée avec d'autres fruits de la région — dont j'espérai avoir prononcé les noms correctement —, du poisson et des légumes grillés, le tout accompagné d'une salade sauvage. Pour faire bonne mesure, j'ajoutai un gâteau sablé aux fraises géantes accompagné de crème fraîche et de garniture bavaroise, comme nous en avions eu à Shangri-la. M. Kadam leva un sourcil, mais ne dit rien.

Il invita les Baiga à s'asseoir et à prendre part à la fête. Kishan revint bientôt et s'assit à côté de moi. Il me dit que les Baiga prenaient bien soin de Ren. Alors que chacun avait pris sa place, j'essayai de m'excuser pour aller rejoindre Ren. Comme j'avais de la difficulté à me tenir debout, Kishan enveloppa fermement sa main autour de mon bras en me murmurant que je devrais rester près de M. Kadam, après quoi il souligna à nouveau que Ren allait bien. Il semblait sérieux, alors je restai. M. Kadam commença à parler dans leur langue. J'attendis patiemment qu'il termine, et je continuai à regarder la tente, espérant apercevoir Ren.

Lorsque M. Kadam eut terminé, deux femmes baiga firent le tour du cercle, lavant les mains de chaque personne avec de l'eau parfumée à la fleur d'oranger. Quand elles eurent lavé les mains de chaque personne, on passa d'énormes bols de nourriture. Il n'y avait pas d'assiettes ou d'ustensiles. Le Fruit d'Or aurait pu les créer, mais M. Kadam voulait fêter à la mode des Baiga. Nous prenions quelques bouchées, nous mangions, puis nous passions le plat à la personne suivante. Je n'avais pas très faim, mais Kishan refusait de prendre le bol avant que j'aie au moins pris une bouchée de chaque plat.

Lorsque la nourriture eut fait un tour complet, on repassa les plats. Ce processus se poursuivit jusqu'à ce qu'il n'y ait plus de nourriture. J'utilisai ma gourde pour me nettoyer les mains et j'essayai d'être patiente, alors que les Baiga passaient au prochain rituel. Lorsque je murmurai à Kishan que le temps pressait, il me répondit que nous avions amplement de temps et qu'il faudrait un bon moment à Ren pour se rétablir.

Les Baiga commencèrent à célébrer pour de bon. On apporta des instruments de musique. Ils commencèrent à chanter et à danser. Deux femmes s'approchèrent de moi avec des bols remplis d'un liquide noir et me parlèrent.

— Elles se demandent si vous voulez un tatouage pour commémorer la victoire de votre époux sur l'homme maléfique, traduisit M. Kadam.

— À qui pensent-elles que je suis mariée ?

M. Kadam rougit.

— Elles croient que vous êtes *ma* femme.

— Ne pensent-elles pas que je suis un peu jeune pour vous ?

— C'est une pratique courante pour les très jeunes femmes d'épouser des hommes plus âgés, les hommes les plus sages de la tribu. Elles vous ont vue utiliser le Fruit d'Or, et elles croient que vous êtes une déesse, ma partenaire.

— Je vois. Eh bien, remerciez-les pour moi, mais je me souviendrai de cette victoire par moi-même. Juste par curiosité, qui est Kishan à leurs yeux ?

— Elles croient qu'il est notre fils et que nous sommes ici pour sauver notre autre fils.

— Elles pensent que j'ai deux fils adultes ?

— Les déesses peuvent demeurer jeunes et belles.

— J'aimerais que ce soit vrai.

— Montrez-leur votre main, Mlle Kelsey.

— Ma main ?

— Celle où il y a le dessin au henné. Faites-la briller pour qu'elles puissent voir les marques.

Je levai la main et j'invoquai mon pouvoir de l'éclair. Ma main brilla, éclairée de l'intérieur. La peau devint translucide, et le dessin au henné fit surface — rouge sur fond blanc.

M. Kadam parla un court moment aux deux femmes et, heureusement, elles s'inclinèrent et me laissèrent seule.

— Que leur avez-vous dit ?

— Je leur ai dit que je vous avais déjà offert un tatouage de feu pour commémorer l'événement. Ce peuple croit qu'en tatouant leurs femmes, elles deviennent plus belles. Elles n'auraient pas compris si je leur avais dit que je ne voulais pas que votre peau soit tatouée. Tous les hommes baiga souhaitent avoir une épouse avec un tatouage élaboré.

Les Baiga dansèrent et célébrèrent. L'un des hommes était un avaleur de feu. Je regardai sa performance, impressionnée par son talent, mais j'étais souffrante et épuisée. Je m'appuyai sur Kishan, qui posa son bras autour de moi pour me soutenir. Je dus dormir pendant un certain temps, car lorsque je me réveillai, l'avaleur de feu avait terminé.

Tout le monde vit qu'il y avait du mouvement près des tentes. Je devins immédiatement alerte. Ren sortit, accompagné d'hommes baiga de chaque côté. Ils avaient lavé ses blessures et l'avaient revêtu de l'une de leurs jupes enveloppantes en lin, le laissant torse nu.

Ren boitait, mais il paraissait beaucoup mieux. Ses cheveux avaient été lavés et étaient lissés vers l'arrière. Ses blessures étaient encore sérieuses, mais il y avait une amélioration notable. Son regard embrassa son environnement et s'arrêta sur nous trois. Rapidement, ses yeux passèrent de M. Kadam à moi et se fixèrent sur Kishan. Un sourire en coin éclaira son visage et il se dirigea vers lui, et Kishan se leva pour le saluer et lui offrir son soutien. Mon cœur se mit à battre sauvagement. Ren embrassa son frère et lui tapota faiblement le dos.

— Merci de m'avoir sauvé et de m'avoir envoyé de la nourriture. Je n'ai pas encore pu manger beaucoup, mais je me sens… mieux, en tout cas.

Il prit place à côté de Kishan et il se mit à parler dans sa langue maternelle. Je tentai d'établir un contact visuel, mais il ne semblait pas vouloir me parler.

— Veux-tu manger ? dis-je enfin en me raclant la gorge.

Ses yeux me fixèrent brièvement.

— Pas maintenant, je vous remercie, dit-il poliment et il se retourna vers Kishan.

M. Kadam me tapota la main au moment où le *gunia* des Baiga s'approchait. Il s'agenouilla devant M. Kadam et parla rapidement, après quoi il se leva et frappa dans ses mains. Un Baiga s'avança devant Ren et s'inclina. C'était le même homme que j'avais vu dans ma vision de l'écharpe, celui qui avait blessé Ren. Ren plissa les yeux vers l'homme, qui baissa rapidement les yeux, prononça quelques mots et tira un couteau de sa chemise. M. Kadam traduisit ses paroles.

— *Veuillez me pardonner, noble personne. Je me suis battu contre le démon aussi longtemps que j'ai pu, mais il a blessé ma famille. Mon épouse et mes enfants sont maintenant décédés. Il ne me reste plus rien. À moins que vous ne rétablissiez mon honneur, je quitterai la tribu et je mourrai seul dans les régions sauvages.*

Levant une main, l'homme déroula lentement son jura. De longs cheveux noirs tombèrent du haut de sa tête et s'empilèrent sur ses genoux. Après deux autres mots, il leva le couteau et, à travers les attaches, il coupa sa longue et magnifique queue de cheval. Il ramassa les cheveux tondus avec révérence, baissa la tête vers le sol et, les mains ouvertes, il les offrit à Ren.

Ren regarda l'homme pendant un long moment, hocha la tête et tendit ses mains, les paumes vers le haut, pour accepter les cheveux coupés. Il prononça quelques mots que M. Kadam traduisit pour moi.

— *J'accepte votre offrande. Nous avons tous souffert aux mains du démon. Nous le punirons de ses crimes, y compris l'acte inexcusable de vous priver de votre famille. Je vous pardonne vos gestes contre moi. Je vous renvoie votre honneur. Allez avec votre tribu et trouvez la paix.*

L'homme déposa les cheveux dans les mains de Ren et recula. Ensuite, le *gunia* nous emmena deux belles filles baiga. Elles s'agenouillèrent devant Ren et Kishan et posèrent leurs mains délicates sur leurs genoux tout en continuant à regarder vers le sol d'un air modeste.

Les femmes avaient de beaux cheveux noirs luisants et des traits délicats. Leur taille mince était accentuée par d'étroites ceintures fabriquées avec des pierres polies. Elles avaient des formes bien arrondies comme je n'en aurais jamais. Toutes les deux portaient des tatouages délicats sur leurs bras et sur leurs jambes, qui disparaissaient sous l'ourlet de leurs jupes minces ; je me demandai quelle portion de leur corps était tatouée. Je pouvais comprendre pourquoi l'on considérait que le tatouage était attrayant. On n'en voyait pas de ce genre en Amérique. Il ne s'agissait pas d'aigles géants ou de « J'aime maman » à l'intérieur d'un cœur.

C'était un tatouage très fin. Des tourbillons, des boucles, des fioritures, des anneaux, des fleurs, des feuilles et des papillons traînaient jusqu'à leurs branches comme la fine bordure d'un cadre de tableau ou la volute d'un livre de l'époque médiévale. Les tatouages mettaient en évidence les caractéristiques de la belle femme et accentuaient ses formes, en faisant une créature exquise d'un autre monde. Le *gunia* se mit à parler, pointant d'abord une fille, puis la seconde.

Ren se leva maladroitement et fit un large sourire. Je le fixai avidement. Je savais que c'était mon déguisement qui avait empêché Ren de me reconnaître au premier abord. Maintenant, tout ce que je voulais, c'était d'envelopper mes bras autour de lui et de le sortir d'ici. Malheureusement, nous avions tous un rôle à jouer. Tout en conservant un air digne, il s'avança en boitant vers les deux filles, puis il prit la main d'une jeune fille, l'embrassa, et lui sourit. Je levai les sourcils, confuse. Elle leva les yeux vers lui et lui sourit timidement. Kishan semblait choqué, et M. Kadam était plutôt sombre.

— Qu'est-ce que c'est ? murmurai-je. Que se passe-t-il ?

— Attendez un instant, Mlle Kelsey.

Kishan se leva et parla doucement à Ren. Ren croisa les bras sur sa poitrine et fit un signe vers les deux femmes. Kishan commença à discuter calmement avec son frère. Il me regarda, puis regarda M. Kadam, comme s'il demandait de l'aide. Ren semblait plus confus qu'en colère. Il dit quelque chose qui ressemblait à une question. En réponse, Kishan fit de grands gestes catégoriques et pointa le *gunia*. Ren se mit à rire, toucha les cheveux de la fille, les frotta entre ses doigts, et lui dit quelque chose qui la fit rire.

— Ces jeunes filles ont-elles aussi l'intention de se couper les cheveux ? demandai-je.

M. Kadam fronça les sourcils.

— Non. Je ne le crois pas.

Kishan salua le *gunia* et les deux femmes, dit quelques mots, puis tourna le dos à Ren et s'assit près de moi. Ren sourit à la jeune fille, haussa les épaules, et se rassit près de Kishan.

— M. Kadam. Qu'est-ce qui vient tout juste d'arriver ?

Il se racla la gorge.

— Ah, oui… il semblerait que les Baiga voudraient offrir à nos deux fils d'appartenir à la tribu de façon permanente.

— On leur demande de se joindre au club des Baiga ? Bien, alors qu'ils s'y joignent. Où est le mal ?

— C'est que la façon de s'y joindre, c'est d'épouser deux femmes Baiga. Ces deux sœurs se sont offertes à nos deux fils.

— Oh.

Je fronçai un sourcil, perplexe.

— Alors de quoi est-ce que Kishan et Ren discutent ?

— Ils discutaient vivement pour savoir… s'ils devraient accepter ou non.

— Hum, hum. Alors pourquoi Ren touchait-il les cheveux de cette femme ?

— Je… ne pourrais pas vraiment le dire.

M. Kadam se détourna, ne voulant manifestement pas continuer la conversation.

Je réfléchis à ce que je venais de voir, puis je donnai un coup de coude à Kishan.

— Kishan, si tu veux une femme Baiga, c'est bon. Je veux dire, si cela peut te faire plaisir, alors vas-y, murmurai-je. Elles sont toutes les deux très jolies.

Il grogna tranquillement vers moi.

— Je ne veux pas d'une femme Baiga, Kells. Je t'expliquerai tout plus tard.

Maintenant, j'étais *encore plus* confuse et légèrement jalouse, mais j'écartai cette idée, me rappelant que les différentes cultures interprétaient les gestes de différentes manières. Je décidai de ne plus y penser et de regarder les festivités. Lorsque la célébration se termina, ma tête endormie était appuyée sur l'épaule de M. Kadam.

Kishan me secoua pour me réveiller.

— Kells ? Allez. Il est temps d'y aller.

Il m'aida à me mettre debout et glissa mon sac à dos sur ses épaules avant de donner des instructions à Ren. Ren semblait heureux d'obéir à Kishan. M. Kadam fit ses adieux aux Baiga, qui s'installèrent tous pour la nuit alors que nous nous dirigions vers notre lieu de rendez-vous.

M. Kadam activa un gadget militaire sophistiqué. Il s'agissait d'une montre avec un écran vidéo de la taille d'un jeu de cartes qui téléchargeait des images satellites à mesure que nous marchions. Elle montrait notre longitude et notre latitude actuelles, et elle indiquait le nombre de kilomètres qu'il nous restait à parcourir avant d'atteindre notre destination.

Ren reprit sa forme de tigre. Kishan lui dit que cela allait l'aider à guérir plus rapidement. Il trottinait derrière nous. J'essayai de marcher, mais ma cheville enflée avait la taille d'un pamplemousse. M. Kadam l'avait enveloppée d'une bande adhésive élastique avant que nous mangions, m'avait donné de l'ibuprofène pour réduire l'enflure et m'avait conseillé de garder mon pied en hauteur, mais j'avais besoin de glace. Elle palpitait encore. Comme j'étais têtue, Kishan me permit de marcher pendant un petit moment, mais il insista pour que je prenne son bras comme soutien. Ren passa près de moi, mais quand je tendis une main pour lui toucher la tête, il grogna doucement vers moi. Kishan se plaça rapidement entre nous.

— Kishan ? Qu'est-ce qui ne va pas avec lui ?

— Il n'est… pas lui-même, Kells.

— On dirait qu'il ne me connaît pas.

Kishan essaya de me réconforter.

— Probablement qu'il réagit avec toi comme le ferait tout animal blessé. C'est une question de protection. C'est tout à fait naturel.

— Mais quand vous avez été blessés tous les deux dans la jungle avant, j'ai pris soin de vous. Aucun de vous n'a essayé de me faire du mal ou de m'attaquer. Vous avez toujours su qui j'étais.

— Nous ne savons pas encore ce que lui a fait Lokesh. Je suis certain qu'il s'en sortira dès que ses blessures guériront. Pour l'instant, je veux que tu restes toujours près de moi ou de M. Kadam. Un tigre blessé est une créature très dangereuse.

— Bien, acceptai-je à contrecœur. Je ne veux pas le faire souffrir plus qu'il n'a déjà souffert.

Après m'avoir vue me livrer à quelques minutes lentes et douloureuses de marche, Kishan me reprit dans ses bras. Quand je protestai en lui disant que je le fatiguerais, il se moqua et dit qu'il pouvait me porter pendant des jours et qu'il ne se lasserait pas. Je dormis dans ses bras tandis que nous progressions à travers la jungle. Lorsque nous nous arrêtâmes, il me déposa doucement. Je vacillai, et le bras de Kishan autour de mes épaules fut la seule chose qui me maintint en position verticale.

— M. Kadam ? Quel est cet endroit ?

— Il s'agit d'un réservoir artificiel appelé le barrage Maithan. Notre transport devrait arriver bientôt.

Presque immédiatement, nous entendîmes le vrombissement des hélices d'un petit avion qui passait au-dessus de nous en se dirigeant vers le lac. Nous nous précipitâmes vers la berge rocailleuse et nous regardâmes l'avion atterrir sur l'eau lisse, éclairée par la lune. M. Kadam agita une lumière néon et pataugea dans le lac sombre. Kishan me guida en chemin, mais j'hésitai, me yeux rivés sur le tigre blanc.

— Ne t'inquiète pas, Kells. Il peut nager.

Il attendit que j'y aille d'abord. L'eau était froide et faisait du bien à ma cheville. Alors que l'avion dérivait près de la berge, je m'enfonçai jusqu'à mon cou et je commençai à nager. M. Kadam se tenait déjà sur le ski aquatique de l'avion et tenait la porte. Il se pencha et attrapa ma main, m'aidant à monter. Nilima me sourit depuis le siège du pilote et m'indiqua de m'asseoir à côté d'elle.

M'excusant brièvement de l'avoir mouillée, je m'installai tandis que Kishan montait à bord, puis je regardai le tigre blanc nager. Lorsque Ren s'approcha de l'avion, il se changea à nouveau en homme et se hissa à bord, se balançant dans le siège près de Kishan à l'arrière. M. Kadam ferma bien la porte, puis il boucla sa ceinture à mes côtés.

— Tenez-vous bien tout le monde, dit Nilima.

Un brusque élan nous poussa vers l'avant alors que les hélices tournaient bruyamment. Nous accélérâmes, nous rebondîmes sur l'eau à quelques reprises, puis nous nous élevâmes dans le ciel nocturne. Ren avait repris sa forme de tigre. Il avait fermé les yeux et reposait sa tête sur les genoux de Kishan. Je fis un petit sourire à Kishan. Il me rendit tranquillement mon regard et regarda par la fenêtre.

M. Kadam nous couvrit tous les deux avec une couverture. Je posai ma tête sur son épaule mouillée, et je m'endormis au son bourdonnement de notre hydravion.

27

Histoires de guerre

Je me réveillai au moment où l'avion rebondissait sur l'eau d'un petit lac appartenant, semblait-il, à Ren et à Kishan, et qui était adjacent à leur propriété. Nilima coupa les moteurs, et Kishan sauta sur le quai et attacha les cordages pour sécuriser l'avion. La jeep était garée à proximité.

Mes vêtements étaient maintenant à moitié secs et très inconfortables. M. Kadam m'offrit la possibilité de me changer, disant qu'il pouvait créer de nouveaux vêtements en se servant de l'écharpe divine, mais je refusai lorsqu'il mentionna que nous n'étions qu'à 10 minutes de la maison.

M. Kadam conduisait, tandis que les garçons étaient assis à l'arrière et Nilima serrée contre moi sur le siège avant. Ren était encore un tigre et ne semblait heureux que lorsque Kishan était à proximité. À notre arrivée à la maison, M. Kadam me suggéra d'aller prendre une douche chaude et de dormir, mais c'était l'aube, et même si j'étais épuisée, je voulais parler avec Ren.

La seule chose qui me convainquit de le laisser tranquille fut la pression que M. Kadam et Kishan exerçaient sur moi. Ren avait encore besoin de temps pour guérir, et pour l'instant, il était préférable qu'il soit un tigre, raisonnèrent-ils. J'acceptai de prendre une douche, mais je leur dis que j'allais redescendre immédiatement pour voir comment il allait. Kishan me transporta dans ma chambre, m'aida à enlever mes chaussures et retira la bande élastique adhésive, après quoi il me laissa dans la salle de bains, fermant tranquillement la porte derrière lui.

Mes mains tremblaient. Je boitillai jusqu'à la douche et j'ouvris le jet d'eau chaude. *Il est ici ! Il est en sécurité ! Nous avons gagné. Nous avons battu Lokesh et nous n'avons perdu personne.* Je me sentais nerveuse. Alors que j'entrais sous l'eau chaude, je me demandai ce que je devais d'abord dire à Ren. J'avais tant de choses à lui raconter. Mon corps était endolori. J'avais une sensation de brûlure à l'épaule. Elle avait été éraflée par une lourde boîte et je vis que ma peau avait des tons de violet. En fait, la plus grande partie de mon corps devenait violet.

Je tentai de prendre une douche rapide, mais chacun de mes mouvements était douloureux. Je n'étais pas faite pour ce genre d'aventures. Rouler et trébucher dans la boue ne me convenaient pas. Je songeai que j'aurais dû ressentir de la douleur dans Kishkindhâ et Shangri-la. J'avais été sérieusement meurtrie après le combat avec les oiseaux. Là-bas, j'avais guéri. Rapidement. Sauf pour la morsure du kappa, j'avais guéri dans ces lieux magiques.

Ren semblait sur la voie de la guérison, mais je savais que ses blessures n'étaient pas seulement physiques. Il avait tellement souffert. J'ignorais comment il avait pu survivre, mais je lui étais extrêmement reconnaissante de l'avoir fait. Je devrais remercier Durgâ de l'avoir aidé. *Elle a vraiment rempli sa promesse. Elle s'est assurée que mon tigre soit sain et sauf.*

Après avoir fermé l'eau, je sortis de la douche, et lentement, je revêtis un vieux pyjama de flanelle. J'aurais voulu me dépêcher, mais même brosser mes cheveux me faisait mal. Je les tressai à la hâte et, aussi rapide qu'un escargot, je clopinai dans ma chambre vers ma porte. Je trouvai Kishan de l'autre côté, m'attendant patiemment le dos appuyé contre le mur, les yeux fermés.

Il avait pris une douche et s'était aussi changé. Sans un mot, il me porta et me descendit dans la salle des paons. Il m'installa dans le fauteuil de cuir à côté de M. Kadam et prit un siège devant moi, près de Nilima. Ren était toujours sous sa forme de tigre, et il était couché aux pieds de Nilima pendant qu'elle et M. Kadam conversaient à voix basse.

M. Kadam me caressa le bras.

— Il n'a pas encore changé de forme. Peut-être est-il resté sous sa forme humaine pendant trop longtemps.

— Ça va. Ce n'est pas grave. La chose importante, c'est qu'il soit ici, maintenant.

Je jetai un coup d'œil à mon tigre blanc. À mon arrivée dans la pièce, il m'avait regardée un court instant, puis il avait reposé sa tête entre ses pattes et fermé les yeux. Je ne pus m'empêcher de me sentir déçue qu'il ne soit pas assis à mes côtés. Le simple fait de toucher sa fourrure m'aurait rassurée mais, ensuite, je me fis des reproches. *Je devrais plutôt m'inquiéter pour lui que pour moi. Je ne suis pas celle qui s'est fait torturer pendant des mois. Le moins que je puisse faire, c'est de ne pas faire pression sur lui.*

Nilima voulait savoir tout ce qui s'était passé, et M. Kadam estima que ce serait une bonne idée que nous partagions tous nos histoires pour que nous puissions connaître les différentes parties de notre aventure. Nilima accepta de préparer la nourriture et me demanda de l'aider. Kishan voulut rester avec Ren, qui semblait dormir. Il dit que pour le moment, il était préférable de ne pas réveiller le tigre endormi.

Il me transporta à la cuisine et me déposa sur un tabouret avant de retourner dans l'autre pièce. Nilima sortit les ingrédients pour préparer des omelettes et du pain doré, et elle me confia la tâche de râper le fromage et de couper les oignons et les poivrons verts. Nous travaillâmes en silence pendant un moment, mais je remarquai qu'elle me regardait.

— Je vais bien, Nilima, vraiment. Vous n'avez pas à vous inquiéter pour moi. Je ne suis pas aussi fragile que Kishan le croit.

— Oh, ce n'est pas cela. Je ne pense pas du tout que vous soyez fragile. En fait, je crois que vous êtes une personne très courageuse.

— Alors pourquoi me regardez-vous si attentivement ?

— Vous êtes… spéciale, Mlle Kelsey.

Je me mis à rire.

— Que voulez-vous dire ?

— Vous êtes vraiment le centre. Vous êtes celle qui unit cette famille. Grand-père était dans un tel… désespoir avant votre arrivée. Vous l'avez sauvé.

— Je crois que c'est plutôt M. Kadam qui a l'habitude de me sauver.

— Non. Nous sommes devenus une famille lorsque vous avez commencé à faire partie de nos vies. Même s'il y a du danger, il n'a jamais été aussi comblé ou aussi heureux que lorsque vous êtes là. Il vous adore. Ils vous aiment tous.

— Et vous, Nilima ? dis-je, mal à l'aise. Est-ce cette folle vie que vous voulez pour vous-même ? N'avez-vous jamais souhaité une vie libre d'espionnage et d'intrigues ?

Elle sourit pendant qu'elle beurrait la poêle à frire et y déposait quatre morceaux de pain doré.

— Grand-père a besoin de moi. Comment puis-je l'abandonner ? Je ne peux pas le laisser seul et sans compagnon. J'ai ma famille aussi, bien sûr. Mes parents se demandent pourquoi je ne suis pas encore mariée et pourquoi je suis tellement concentrée sur ma carrière. Je leur dis que je suis heureuse de servir. Ils ne comprennent pas vraiment, mais ils l'acceptent. Ils peuvent vivre confortablement grâce à l'aide de grand-père.

— Savent-ils qu'ils sont parents avec lui ?

— Non, je le leur ai caché. Il lui a fallu beaucoup de temps pour me confier son secret. Je ne le partagerais pas sans son accord.

Elle brouilla les œufs, ajouta de la crème et commença à préparer la première omelette. Le fait d'être dans la cuisine avec une autre femme tout en cuisinant avait quelque chose de rassurant et de chaleureux.

— Maintenant que vous êtes ici, je crois qu'il pourra enfin se reposer. Il pourra mettre de côté ses inquiétudes et son grand sentiment de responsabilité envers les princes. Je suis très fière d'avoir un ancêtre aussi altruiste et désintéressé, et c'est avec humilité que je me rends compte de la chance que j'ai de le connaître.

— C'est une personne très noble. Je n'ai jamais connu mes grands-pères. Moi aussi, j'aurais été fière qu'il soit le mien.

Nous continuâmes à préparer notre repas en silence. Je demandai du nectar de miel des fleurs au Fruit d'Or et je coupai des tranches de melon. Nilima finit de préparer les assiettes, les disposa sur un large plateau et les transporta dans la salle aux paons. Kishan vint me chercher, et M. Kadam nous rejoignit quelques instants plus tard. Le tigre blanc leva la tête et renifla.

Je déposai une assiette géante remplie d'œufs sur le sol devant lui. Il commença immédiatement à lécher l'assiette, poussant les œufs d'un côté et de l'autre jusqu'à ce qu'il puisse les faire entrer dans sa gueule. Je tentai ma chance et je lui tapotai la tête, le grattant derrière les oreilles. Cette fois-ci, il ne grogna pas et il se pencha pour chercher mon contact. Mais je dus toucher un point sensible car, soudainement, sa poitrine gronda doucement.

Je tentai de le rassurer.

— Ça va, Ren. Je voulais juste te dire bonjour et te donner ton petit déjeuner. Je suis désolée si je t'ai blessé.

Kishan se pencha en avant.

— Kells, *s'il te plaît*. Recule.

— Ça ira. Il ne me fera pas de mal.

Mon tigre blanc se leva et se rapprocha de Kishan. Je me sentis blessée. Je ne pouvais m'empêcher de me sentir trahie, comme si un animal de compagnie de la famille s'était tourné contre moi et m'avait mordu la main. Je savais que c'était irrationnel, mais ses gestes me blessaient. Il posa une patte de chaque côté de l'assiette et me fixa jusqu'à ce que je baisse les yeux, puis il retourna à son petit déjeuner.

M. Kadam me tapota la main.

— Peut-être devrions-nous profiter de notre repas et partager avec Nilima ce qui s'est passé, dit-il. Je suis certain que Ren aimerait aussi être au courant.

Je hochai la tête et je commençai à pousser ma nourriture dans mon assiette dans un mouvement de va-et-vient. Je n'avais plus très faim.

Kishan prit la parole.

— Nous sommes descendus en parachute dans une clairière à quelques kilomètres du campement des Baiga et nous avons marché pour nous en approcher. Un vieux pilote qui a travaillé pour M. Kadam à la Flying Tiger Airlines a accepté de nous déposer. Il nous a emmenés dans l'un de ces vieux avions des troupes de la Seconde Guerre mondiale qu'il garde en bon état.

Nilima hocha la tête, prenant une gorgée de son nectar.

Kishan se frotta la mâchoire.

— Le gars devait avoir au moins 90 ans. Au début, je doutais que ce vieil homme fût encore capable de piloter, mais il a très certainement démontré son habileté. La descente s'est faite en douceur et sans effort, malgré le fait que Kelsey a failli ne pas sauter.

— Ce n'était pas la même chose que pendant la période de formation, dis-je pour intervenir et me défendre.

— Tu as sauté à trois reprises pendant les répétitions, sans oublier le saut à Shangri-la, et tu as toujours été parfaite.

— C'était différent. À ce moment-là, il faisait jour, et je n'avais pas à… *conduire*.

— Pendant les essais, expliqua-t-il, nous sautions en tandem.

Il se tourna vers moi.

— Tu sais que tout ce que tu avais à faire, c'était de demander. Je voulais sauter *avec* toi, mais tu t'es obstinée à dire qu'il te fallait le faire par toi-même.

— Bien, si tu n'avais pas été aussi… *touche-à-tout* durant les répétitions en tandem…

— Et si tu n'avais pas été si paranoïaque quand je te touchais…

— Tout se serait bien passé !

Nous avions crié en même temps.

Paniquée, ma voix craqua alors que je foudroyais Kishan du regard.

— Pouvons-nous continuer, s'il te plaît ?

Kishan plissa les yeux et me lança un regard qui indiquait qu'il poursuivrait cette discussion avec moi plus tard.

— Comme je le disais, Kelsey a failli ne pas sauter à temps. Kadam est parti le premier, puis j'ai dû forcer Kelsey à sortir avant que nous manquions notre fenêtre de saut.

— Me forcer, c'est à peu près juste. Tu m'as traînée derrière toi.

Il me regarda ostensiblement.

— Tu ne m'as pas laissé d'autre choix.

En fait, il m'avait donné un autre choix. Le choix de tout laisser tomber, d'oublier Ren et de plutôt m'enfuir avec lui. C'était soit cela ou sauter d'un avion par moi-même.

Je n'étais pas certaine s'il était sérieux ou s'il voulait seulement essayer de m'obliger à sauter. J'avais ouvert la bouche pour lui faire la leçon sur le maintien d'une distance appropriée quand, frustré, il avait grogné, avait pris ma main et avait sauté par la trappe en m'entraînant derrière lui.

— Après être arrivés à la clairière, continua-t-il, nous avons endossé nos déguisements et nous nous sommes séparés. J'ai pris la forme de Kelsey et je portais une réplique de son amulette.

— Je me suis déguisée en serviteur Baiga, ajoutai-je. En passant, c'était très inconfortable de t'observer être moi, Kishan.

— C'était tout aussi inconfortable d'être toi. Mon travail consistait à chercher Lokesh et à l'occuper ; je me suis donc caché derrière un bâtiment jusqu'à ce que j'entende le signal : un rugissement de tigre.

— C'était moi, interrompit M. Kadam. Je me suis déguisé en tigre et j'ai couru dans la jungle pour faire sauter quelques pièges et pour repousser quelques soldats.

— Exact, dit Kishan. Kelsey a commencé à faire exploser des trucs, ce qui a repoussé les traînards, alors je n'ai rencontré pratiquement aucune résistance pour entrer dans le campement. Trouver Lokesh a été une tout autre histoire. J'ai dû éliminer plusieurs de ses gardes d'élite avec le chakram, et j'ai détruit les lumières avant même qu'ils ne me remarquent. Ensuite, j'ai utilisé mon apparence à mon avantage.

— Comment exactement as-tu utilisé *mon* apparence à ton avantage ? demandai-je, d'un air soupçonneux.

Kishan fit un large sourire.

— Je me suis comporté comme une femme. Je suis entré en trébuchant dans la pièce, j'ai fait semblant d'avoir peur et d'être en état de choc, et j'ai demandé à tous les gros hommes forts de me protéger, disant qu'il y avait un fou qui essayait de me tuer avec un disque d'or. Tu sais, j'ai battu des cils et j'ai flirté. Des trucs de femmes.

Je croisai les bras et je regardai Kishan fixement.

— Hum hum. Continue, s'il te plaît.

Kishan soupira et passa une main dans ses cheveux.

— Et avant que tu ne te froisses, ce qui est ta réaction standard envers moi, arrête tout simplement, parce que je sais ce que tu penses.

Je croisai les bras sur ma poitrine.

— Oh, vraiment ? Et qu'est-ce que je pense ?

— Tu penses que je suis en train de stéréotyper les femmes, et toi en particulier.

Il leva les mains en signe d'exaspération.

— Tu n'es pas comme cela, Kells. J'essayais simplement de jouer avec la main qu'on m'avait donnée et d'employer tous mes atouts !

— C'est très bien lorsque tu utilises tes propres atouts, mais pas quand tu te sers des miens !

— Très bien ! La prochaine fois, je me déguiserai en Nilima !

— Hé ! dit Nilima. Personne n'utilisera mes atouts non plus.

— Peut-être pourrions-nous continuer l'histoire ? interrompit M. Kadam.

Kishan lança un regard meurtrier et commença à marmonner à propos des femmes faisant partie d'une opération militaire et dit que la prochaine fois, il irait seul.

— J'ai entendu. Sans moi, Lokesh t'aurait taillé en pièces, dis-je avec un petit sourire suffisant.

— Effectivement, dit M. Kadam. Chaque personne était essentielle à notre réussite. Je continuerai avec ma partie, et tu pourras terminer plus tard, Kishan.

Il se rassit et croisa les bras sur sa poitrine.

— Parfait.

M. Kadam commença par raconter à Nilima comment il était libérateur d'être un tigre.

— Le pouvoir du tigre est au-delà de tout ce que j'avais imaginé. Nous n'avions pas la certitude que l'écharpe divine puisse fonctionner avec autre chose que des déguisements humains, de sorte que nous avons fait des tests de transformation en animal. Il a semblé que nous pouvions adopter la forme de Kishan et celle de Ren, mais pas celles d'autres animaux. Lorsque nous sommes arrivés, j'ai adopté la forme de tigre noir de Kishan, puis Mlle Kelsey a enveloppé l'écharpe divine autour de mon cou juste avant que nous nous séparions.

J'ai couru à travers la jungle et j'ai découvert plusieurs pièges appâtés. J'en ai fait sauter deux, ce qui a déclenché des alarmes, et j'ai bientôt entendu les pas de soldats qui me chassaient. On a tiré des coups de feu, mais j'étais plus rapide qu'eux. À un moment, certains d'entre eux ont cru qu'ils m'avaient coincé. Ils étaient sur le point de tirer sur moi lorsque j'ai repris ma forme humaine. Ils ont été abasourdis, ce qui m'a donné un moment pour déclencher le piège. J'ai tiré sur une corde attachée à un cuissot de viande, et les soldats ont été soulevés dans les airs dans un grand filet. Je les ai laissés pendre à la cime des arbres et j'ai couru vers le camp pour la deuxième phase de mon plan.

Au moment où je suis arrivé au camp, Mlle Kelsey avait déjà détruit une des deux tours de guet. Les villageois couraient dans tous les sens et craignaient pour la sécurité de leurs familles. Je me suis tenu derrière un arbre et j'ai changé à nouveau d'apparence.

Nilima se pencha en avant.

— Qu'êtes-vous devenu cette fois ?

— J'ai pris la forme d'un dieu baiga local nommé Dulha Dao, qui d'après eux aide à prévenir la maladie et les accidents. J'ai rassemblé les gens et je leur ai dit que j'étais là pour les aider à vaincre l'étranger. Ils ont été plus qu'heureux de m'aider à démolir la *maison du diable.* Mlle Kelsey avait laissé le *gada* dans un endroit discret pour que je puisse m'en servir. Normalement, il était lourd pour moi, mais quand je l'ai brandi sous ma forme de Dulha Dao, il était léger dans ma main. Avec l'aide des villageois, j'ai abattu le mur, et les gens m'ont aidé à neutraliser les hommes de Lokesh.

— À quoi ressembliez-vous ? demanda Nilima.

Il rougit, alors je l'interrompis.

— Oh, M. Kadam déguisé en Dulha Dao paraissait vraiment bien. Il ressemblait aux hommes de la tribu, sauf qu'il était plus grand avec une plus large ossature, et il était également plus beau. Ses cheveux étaient longs et épais, et une partie de cette chevelure était enveloppée dans un jura au sommet de sa tête, avec l'autre partie qui retombait sur son dos.

» Il était musclé, et son torse — plutôt agréable à regarder — et son visage étaient couverts de tatouages. Il était torse nu et portait de lourds colliers de perles et une jupe enveloppante. Il avait les pieds nus. Il paraissait très terrifiant, mais dans le bon sens, surtout, j'imagine, quand il brandissait le *gada.*

Quand j'eus terminé ma description, tout le monde me regardait fixement et Nilima se mit à rire.

— *Quoi ?* demandai-je, embarrassée. D'accord. Donc, apparemment, je trouve les Indiens costauds attirants. Où est le problème ?

Kishan fronçait les sourcils, M. Kadam semblait… heureux, et Nilima rigolait.

– Rien du tout, Mlle Kelsey. Je suis certaine que j'aurais pensé la même chose, dit-elle.

M. Kadam se racla la gorge.

– Oui… bien… quoi qu'il en soit, j'apprécie vraiment la description flatteuse. Cela fait un bon moment qu'une femme m'a trouvé… costaud.

Je commençai à rire, et Nilima se joignit bientôt à moi.

– Êtes-vous prêts à continuer ? demanda M. Kadam.

– Oui, dit le groupe à l'unisson.

– Comme je le disais, les gens se sont ralliés à moi, et nous avons ligoté tous les gardes. Ensuite, nous nous sommes déplacés vers le centre de commandement. Les portes avaient été solidement fortifiées et verrouillées. Il était plus facile pour moi de faire un trou dans le mur que de percer ces portes. Nous avons fouillé les hommes pour trouver une clé, mais nous n'en avons trouvé aucune. J'ai finalement fait irruption dans le complexe pour trouver Kelsey et Kishan allongés à plat ventre sur le sol, et on ne voyait Lokesh nulle part. La salle était remplie de… bonbons.

– Des casse-gueules, ajoutai-je.

– Comment est-ce arrivé ?

– Il fallait que je fasse quelque chose, et le Fruit d'Or était la seule arme à laquelle je pouvais accéder, alors j'ai demandé une grêle de casse-gueules.

– C'était très intelligent. Nous ne l'avions jamais pratiqué. Ça semble avoir bien fonctionné.

— Ça n'aurait pas fonctionné longtemps. Lokesh, semble-t-il, s'adapte rapidement. La seule chose qui l'a fait partir, c'est vous. Vous et les Baiga nous avez sauvés.

— Alors, Lokesh avait le pouvoir de vous congeler ?

— Oui.

— Avez-vous remarqué d'autres de ses pouvoirs ?

— Oui.

— Bien. Nous en discuterons plus tard.

— D'accord. J'écrirai tout ce qui s'est passé pendant que c'est frais dans mon esprit.

— Très bien. Pour continuer, après que Kishan et Kelsey eurent trouvé Ren, les Baiga ont voulu s'éloigner le plus rapidement possible du campement. Ils ont chargé tout ce qu'ils pouvaient transporter et se sont enfuis dans la jungle les uns à la suite des autres. Nous les avons accompagnés, en partie parce que je me sentais responsable de les emmener le plus loin possible de Lokesh, mais aussi parce que de toute manière, nous devions aller dans cette direction. Juste avant notre départ, Ren a saisi un couteau et s'est percé le bras.

— Pourquoi a-t-il fait cela ? demandai-je en me penchant vers l'avant.

— Il a retiré un dispositif que Lokesh y avait inséré pour lui permettre de suivre ses allées et venues.

Je regardai mon tigre blanc avec sympathie. Ses yeux étaient fermés, mais ses oreilles bougeaient rapidement d'arrière en avant. Il nous écoutait.

— Nous avons continué notre voyage avec les Baiga, nous avons partagé un festin avec eux, et nous sommes partis après que je vous eus envoyé un signal, Nilima.

— Vous avez très bien joué votre rôle de dieu, le taquinai-je.

— Oui. Eh bien, il semble qu'ils croyaient que tous les quatre, nous étions des dieux. Si j'avais vu ce qu'ils avaient vu, moi aussi j'aurais cru que nous étions des dieux.

— S'est-on vraiment servi de magie pour détenir Ren à cet endroit ? demandai-je.

— Quand je leur en ai parlé, le *gunia* a affirmé qu'il avait *effectivement* un pouvoir sur les tigres et qu'il s'était servi de sa magie pour garder Ren à cet endroit. Il peut créer une sorte de barrière autour du campement pour protéger son village contre les attaques des tigres. Mais il m'a ensuite dit qu'une semaine plut tôt, le charme avait été inversé pour plutôt *attirer* les tigres vers le village. Il semble que les soldats ont été en proie à des attaques de tigres toute la semaine.

— Ah, c'est pour cette raison que Kishan a pu entrer ?

— Apparemment.

— Est-ce que cela veut dire que Ren aurait pu sortir ?

— Peut-être, mais Lokesh semble posséder ses propres pouvoirs. Je présume que l'utilisation des Baiga pour contenir Ren était une sorte de plan B, au cas où Lokesh aurait été trop distrait pour neutraliser Ren lui-même.

— Il est horrible, dis-je doucement. Ren était sa récompense ultime, son trophée. Celui qu'il attendait et qu'il avait pourchassé pendant des siècles.

— Je crois qu'il ne s'intéresse plus autant à Ren, intervint Kishan. Maintenant, il poursuit quelqu'un d'autre.

M. Kadam secoua la tête discrètement.

— Qui ? demandai-je.

Il demeura silencieux.

— C'est moi, n'est-ce pas ? demandai-je, faiblement.

Kishan finit par parler, s'adressant à M. Kadam.

— Il vaut mieux qu'elle soit au courant pour qu'elle puisse se préparer.

Il se tourna vers moi.

— Oui. Il est déterminé à s'en prendre à toi, Kells.

— Pourquoi ? Je veux dire, pourquoi veut-il s'en prendre à *moi* ?

— Parce qu'il sait à quel point tu es importante pour nous. Et parce que tu l'as battu.

— Ce n'était pas moi. C'était toi.

— Oui. Mais il ne le sait pas.

Je gémis doucement et je n'écoutai qu'à moitié quand Kishan commença à décrire notre combat contre Lokesh. Je ne fis des commentaires que lorsque Kishan oubliait quelque chose.

Ren était maintenant en train de nous observer, et il écoutait attentivement notre conversation. Je déposai mon assiette pleine de nourriture sur le sol, espérant qu'elle pourrait l'intéresser. Il me regarda d'un air curieux, puis il se leva et s'approcha un peu plus près.

Il mangea les œufs, mais il poussa les morceaux de pain doré d'un côté et de l'autre. Prudemment, je pris ma fourchette pour ramasser une tranche épaisse. Il me regarda à nouveau. Il la retira délicatement de la fourchette et l'avala d'un trait. Je répétai l'opération avec l'autre tranche. Après avoir complètement léché l'assiette, il se retourna et se coucha de nouveau près de Kishan, et il commença à lécher le sirop collant sur ses pattes.

Kishan s'était tu et, lorsque je levai les yeux, je vis qu'il me regardait. Ses yeux étaient plissés dans les coins, avec un soupçon de tristesse. Je détournai les yeux. Il fronça les sourcils et se remit à parler. Lorsqu'il arriva à la partie où Lokesh avait menacé de me tuer et d'arrêter mon cœur, je l'interrompis pour clarifier.

— Lokesh ne parlait pas de moi.

— Oui, Kells. Il devait savoir qui tu étais. Il a dit : « Je le tuerai, j'arrêterai son cœur. »

— Oui, mais pourquoi *toi,* déguisé en *Kelsey,* te préoccupais-tu de *moi,* déguisée en serviteur baiga ? Il a dit *le* tuer, et non pas *la* tuer. Il a simplement pensé que je le trahissais.

— Mais c'est parce que Lokesh a menacé de te tuer que j'ai arrêté.

— C'est peut-être pour cette raison que tu l'as laissé partir, mais il n'était pas en train de me menacer.

— Alors *qui* menaçait-il ?

Je baissai les yeux vers le tigre blanc et je me sentis rougir.

— Oh, dit-il faiblement. Il *le* menaçait. J'aurais aimé avoir compris cela à ce moment-là.

— Oui, il menaçait Ren. Il savait que je ne lui ferais rien qui risquait de lui faire du mal.

— Évidemment. Bien sûr que non.

— Qu'est-ce que ça veut dire ? Et qu'est-ce que tu veux dire quand tu dis que tu aurais aimé avoir compris cela à ce moment-là ? Veux-tu dire que tu n'aurais pas arrêté ?

— Non. Oui. Peut-être. Je ne sais pas ce que j'aurais fait. Je ne peux pas dire quelle aurait été ma réaction.

Le sujet de notre discussion avait fait lever les oreilles du tigre, qui me regarda.

— Eh bien, je suis heureuse que tu aies mal compris. Autrement, peut-être que Ren ne serait pas ici en ce moment.

Kishan soupira.

— *Kelsey.*

— *Non* ! Il est bon de savoir que tu aurais été prêt à le sacrifier !

M. Kadam se déplaça dans son fauteuil.

— La décision n'aurait pas été facile pour lui, Mlle Kelsey. J'ai formé les deux garçons à comprendre que, même si chaque individu a une grande importance, il arrive parfois qu'un sacrifice soit nécessaire pour le bien de tous. S'il avait eu l'occasion de débarrasser le monde de Lokesh, sa première réaction aurait été de mettre fin à la vie du tyran. Le fait qu'il l'ait épargné montre la profondeur de l'émotion qu'il ressentait à ce moment-là. Ne changez pas l'idée que vous avez de lui.

Kishan se pencha en avant, pressa ses doigts ensemble et fixa le sol.

— Je sais l'importance qu'il a pour toi. Je suis certain que j'aurais pris la même décision si j'avais su que Lokesh parlait de Ren et non de toi.

— En es-tu certain ?

Il leva les yeux vers moi, et plusieurs pensées silencieuses passèrent entre nous. Il savait ce que j'étais en train de demander. Ma question voulait dire plus que ce que M. Kadam et Nilima pouvaient comprendre. J'étais en train de demander à Kishan s'il aurait sciemment laissé mourir son frère pour obtenir la vie qu'il voulait avoir. Il aurait été facile pour lui d'intervenir et de prendre les chaussures de

Ren si Ren n'avait plus été là. J'étais en train de lui demander s'il était cet homme-là.

Kishan m'examina d'un air pensif pendant quelques secondes.

— Je te promets, Kelsey, dit-il avec une sincérité absolue, que je le protégerai avec ma vie jusqu'à la fin de mes jours.

Ses yeux dorés brillèrent et percèrent les miens. Il le pensait, et je me rendis soudainement compte qu'il avait changé. Ce n'était plus le même homme que j'avais rencontré dans la forêt un an plus tôt. Il avait perdu son attitude cynique, maussade et dolente. C'était un homme qui se battait pour sa famille dans un but bien précis. Il ne referait jamais la même erreur qu'il avait commise avec Yesubaï. Le regardant dans les yeux, je savais que peu importe ce qui se passerait dans notre avenir, je pourrais compter sur lui pour quoi que ce soit.

Pour la première fois depuis que je l'avais rencontré, je voyais la cape d'un prince sur ses épaules. Il y avait là un homme qui se serait sacrifié pour les autres. Il y avait là un homme qui ferait son devoir. Il y avait là un homme qui reconnaissait ses faiblesses et qui travaillait pour les surmonter. Il y avait là un homme qui me disait que je pouvais en choisir un autre, qu'il veillerait sur nous et qu'il nous protégerait, même si cela lui brisait le cœur.

— Je... suis désolée d'avoir douté de toi, balbutiai-je. S'il te plaît, pardonne-moi.

Il sourit d'un air triste.

— Il n'y a rien à pardonner, *bilauta*.

— Dois-je reprendre l'histoire à partir de là ? demandai-je doucement.

— Pourquoi pas ? répondit-il.

La première chose que je racontai à Nilima fut la façon dont j'avais utilisé le Fruit d'Or pour obstruer les réservoirs d'essence avec du gâteau éponge et pour boucher les fusils avec de la cire d'abeille. Le problème, c'est que cela avait fonctionné seulement sur les armes et sur les voitures que j'avais pu voir. C'est pour cette raison que Lokesh avait pu s'échapper dans sa voiture, et que les hommes que je n'avais pas vus disposaient toujours d'armes en état de fonctionnement.

Je décrivis la pluie de casse-gueules, la façon dont Lokesh s'était enfui et la façon dont Fanindra nous avait conduits à Ren. Ensuite, je lui parlai du moment où je m'étais rencontrée. Je lui dis que je m'étais déguisée en l'un des serviteurs baiga qui aidaient Lokesh, et que c'était sans doute la raison pour laquelle Ren m'avait frappée à la mâchoire. Je lui racontai comment le serviteur avait été forcé de travailler avec Lokesh et comment il s'était rasé les cheveux en signe de contrition pour les offrir à Ren tout en le suppliant de lui pardonner.

Je décrivis avec beaucoup de détails la fête des Baiga, et je parlai à Nilima des deux femmes offertes comme épouses à mes *fils*.

Elle leva les yeux et me témoigna de la sympathie tout en sirotant son nectar. Je lui parlai du fait que Kishan voulait apparemment l'une des sœurs comme épouse, mais que Ren s'était querellé avec lui.

Kishan fronça les sourcils.

— Je t'ai dit que ce n'était pas ce qui s'était passé.

— Alors que s'est-il passé ?

Du coin de l'œil, je surpris M. Kadam à hocher discrètement la tête, et je me tournai rapidement vers lui.

– Et *maintenant* ? Qu'est-ce que vous ne me dites pas, tous les deux ?

M. Kadam tenta rapidement de me rassurer.

– Rien, Mlle Kelsey. C'est juste que – mal à l'aise, il s'arrêta – nous considérions qu'il était très impoli de notre part de rejeter les femmes, et les garçons étaient en train de montrer leur réticence à les laisser aller pour apaiser les chefs de la tribu.

– Oh.

M. Kadam et Kishan se regardèrent droit dans les yeux. Kishan se détourna avec une expression de dégoût, d'ennui et d'impatience. Je jetai un coup d'œil vers Nilima, qui semblait confuse. Elle regardait M. Kadam avec beaucoup d'attention.

– Il se passe quelque chose ici dont je ne suis pas au courant, et je suis vraiment trop fatiguée pour comprendre de quoi il s'agit. En fait, les deux femmes ne me dérangent pas vraiment. C'est fini et bien fini. Ren est de retour, et c'est vraiment tout ce qui compte.

Nilima se racla la gorge et se leva. Elle ramassa les plats et était en train d'apporter le plateau à la cuisine pour laver le tout, lorsque Ren décida de reprendre sa forme humaine. Tout le monde dans la pièce se figea sur place. Il nous regarda tous à tour de rôle, puis il sourit à Nilima.

– Puis-je vous aider ? demanda-t-il.

Elle s'arrêta et sourit, hochant légèrement la tête. Nous le regardâmes tous avec impatience, attendant qu'il nous parle, mais il garda le silence et alla plutôt aider Nilima à tout apporter dans la cuisine. Nous l'entendîmes lui demander si elle aimerait qu'il l'aide à faire la vaisselle. Elle répondit qu'elle s'en occuperait et indiqua que les autres, en faisant référence à nous, aimeraient sans doute parler un peu avec lui. Il entra en hésitant dans la pièce et évalua les expressions sur nos visages.

Il s'assit à côté de Kishan.

— Pourquoi ai-je l'impression de me retrouver devant l'Inquisition espagnole ?

— Nous voulons simplement nous assurer que vous allez bien, dit M. Kadam.

— Je vais assez bien.

Ses paroles demeurèrent suspendues dans l'air, et j'imaginai le reste de sa phrase : *pour un homme qui s'est fait torturer pendant des mois.*

— Ren ? m'aventurai-je. Je suis tellement… *désolée*. Nous n'aurions pas dû te laisser là bas. Si j'avais été consciente de mon pouvoir de l'éclair, j'aurais pu te sauver. C'était ma faute.

Ren plissa les yeux et m'examina.

— Tu n'as rien à voir là-dedans, Kells, contredit Kishan. Il t'a poussée vers moi. C'était sa décision. Il voulait que tu sois en sécurité.

Il hocha la tête à Ren.

— Dis-le-lui.

Ren regarda son frère comme si ce qu'il disait n'avait pas de sens.

— Je n'ai pas tout à fait les mêmes souvenirs, mais si tu le dis.

Il fit traîner ses mots et me regarda curieusement, mais pas de la bonne manière. On aurait dit que j'étais une nouvelle créature étrange qu'il avait trouvée dans la jungle et qu'il n'était pas certain s'il devait me manger ou me frapper avec ses griffes. Alors qu'il m'examinait ouvertement, il plissa le nez comme s'il sentait quelque chose de désagréable, puis il s'adressa à M. Kadam.

— Merci de m'avoir sauvé. J'aurais dû savoir que vous finiriez par concevoir un plan pour me libérer.

— En fait, c'est Mlle Kelsey qui a eu l'idée de me faire passer pour une divinité. Sans l'écharpe divine qu'elle et Kishan ont récupérée, nous n'aurions pas du tout été en mesure de vous sauver. Je ne savais vraiment pas où vous trouver. C'est seulement grâce à la vision et en voyant l'homme baiga que nous sommes venus à comprendre où Lokesh vous emprisonnait. Et c'est seulement avec les armes que Durgâ nous a offertes que nous avons pu maîtriser les gardes.

Ren hocha la tête et me sourit.

— Il semble que j'ai une dette envers vous. Je vous remercie pour vos efforts.

Quelque chose n'allait pas. Il ne semblait pas être le Ren que je connaissais. Son attitude envers moi était froide, distante. Kishan ne regardait pas Ren.

Nous étions tous assis en silence. La tension entre nous était palpable. J'enviai soudain Nilima d'être dans la cuisine. Personne ne voulait faire face à la vérité, et ce qui n'aidait pas, c'était de voir les trois hommes qui me regardaient fixement avec une expression qui trahissait les nombreuses questions et préoccupations qui remplissaient leurs esprits. D'abord, il me fallait parler à Ren. Une fois que tout irait bien à nouveau, je parlerais à Kishan.

Je haussai les sourcils de manière significative vers M. Kadam, et il finit par comprendre mon message tacite. Il se racla la gorge.

— Kishan, annonça-t-il, pourriez-vous m'aider à déplacer quelque chose dans ma chambre ? C'est beaucoup trop lourd pour que je le déplace seul.

— Ça ne me dérange pas de vous aider, dit Ren en se levant. Kishan peut rester.

M. Kadam sourit.

— Veuillez vous asseoir et vous reposer un peu plus longtemps. Kishan et moi pouvons nous en occuper, et je crois que Mlle Kelsey aimerait avoir un peu de temps pour vous parler seul à seul.

— Je ne crois vraiment pas que c'est sécuritaire de… commença Kishan.

Je verrouillai mes yeux sur ceux de Ren.

— C'est bon, Kishan. Il ne me fera pas de mal.

Kishan regarda Ren, qui hocha la tête.

— Je ne lui ferai pas de mal.

— Euh, Kishan ? Pourrais-tu ?

Il soupira et, sachant ce que je demandais, il vint me chercher avec précaution, et m'installa sur le canapé près de Ren.

— Je serai à proximité, dit-il avant de partir. Si tu as besoin de moi, tu n'as qu'à crier.

Il se tourna vers Ren et menaça.

— Ne lui fais aucun mal. Je serai là en train d'écouter.

— Tu n'écouteras pas, dis-je.

— Je vais écouter.

Je fronçai les sourcils. Kishan me lança un regard par-dessus son épaule, mais je l'ignorai. J'étais enfin seule avec Ren. J'avais tant de choses à lui dire ; je ne savais pas comment agir. Ses yeux bleu cobalt m'examinaient comme si j'étais un oiseau étrange qui s'était tout à coup perché sur son bras. Je cherchai son beau visage et je finis par parler.

— Si tu n'es pas trop fatigué, je voudrais te parler pendant une minute.

Il haussa les épaules.

— Si vous le voulez.

Je poussai ma jambe avec précaution sur le coussin pour que je puisse lui faire face.

— Tu… Tu m'as tellement manqué.

Il leva un sourcil.

— J'ai tellement de choses à te dire que je ne sais même pas par où commencer. Je sais que tu es fatigué et que tu as sans doute encore mal, alors je serai brève. Je voulais te dire que je sais que tu as besoin de temps pour guérir et que je comprends que tu puisse avoir besoin de temps seul. Mais je serai là quand tu auras besoin de moi.

»Je peux être une bonne infirmière, même si tu veux être grincheux. Je t'apporterai de la soupe au poulet et des biscuits aux pépites de chocolat et au beurre d'arachide. Je te lirai Shakespeare, ou des poèmes, ou tout ce que tu souhaites. Nous pourrions commencer par le livre de Monte-Cristo et partir de là.

Je mis sa main dans les miennes.

— S'il te plaît, dis-moi de quoi tu as besoin. Je m'assurerai que tu l'obtiennes.

Il enleva doucement sa main.

— C'est très gentil à vous.

— Ce n'est pas du tout une question de gentillesse.

Je m'approchai un peu plus et je posai mes mains sur les côtés de son visage.

Il respira très fort quand je lui dis : « Tu es mon chez-moi. Je t'aime. »

Je ne voulais pas le pousser si vite, mais j'avais besoin de lui. Nous avions été séparés pendant si longtemps et, enfin, il était là et je pouvais le toucher. Je me penchai en avant et je l'embrassai. Il se raidit de surprise. Mes lèvres s'accrochèrent aux siennes, et je sentis des larmes couler sur mes joues. J'enveloppai mes bras autour de son cou et je me glissai plus près de lui jusqu'à ce que je sois presque assise sur ses genoux.

Un de ses bras était étiré sur le sofa derrière nous, et son autre main reposait sur sa cuisse. Il semblait distant. Il ne me tint pas dans ses bras ni ne me remit mon baiser. J'embrassai sa joue et j'enfouis mon visage dans son cou, humant sa chaude odeur de bois de santal.

Après un moment, je me reculai et je laissai tomber maladroitement mes bras sur mes genoux. La surprise ne quitta pas son visage. Il toucha ses lèvres et sourit.

— C'est vraiment le genre d'accueil qu'un homme aime recevoir à son retour à la maison.

Je me mis à rire, heureuse à en délirer de le voir de retour. Je mis de côté mes doutes et mes inquiétudes, sachant qu'il avait tout simplement besoin d'un peu de temps pour se sentir comme une personne normale avant de pouvoir vivre à nouveau une relation. Il grogna de douleur, et je m'éloignai rapidement pour lui laisser plus de place. Après que je me fus déplacée, il sembla beaucoup plus à l'aise.

— Puis-je vous poser une question ? demanda-t-il.

Je pris sa main dans la mienne et j'embrassai sa paume. Il observa mes gestes, intrigué, puis il retira sa main.

– Bien sûr que tu le peux, répondis-je.

Il tendit la main, tira légèrement sur ma tresse et tordit le ruban dans ses doigts.

– Qui êtes-vous ?

Le pire des anniversaires

Avec un petit rire minable résultant du choc nerveux, je le réprimandai.

— Ce n'est pas drôle, Ren. Que veux-tu dire ?

— J'ai bien aimé vos déclarations de dévotion éternelle, mais je pense que vous vous êtes peut-être cogné la tête en vous battant contre Lokesh. Je crois qu'il est possible que vous me confondiez avec quelqu'un d'autre.

— Te confondre avec quelqu'un d'autre ? Non, je ne le pense pas. Tu es Ren, n'est-ce pas ?

— Oui. Mon nom est Ren.

— Exact. *Ren*. Le gars dont je suis follement amoureuse.

— Comment pouvez-vous exprimer de l'amour pour moi quand je n'ai jamais posé les yeux sur vous avant ?

Je lui touchai le front.

— Fais-tu de la fièvre ? Y a-t-il quelque chose qui ne va pas ? T'es-tu fait frapper à la tête ?

Je sondai son crâne avec mes doigts, à la recherche d'une bosse. Il retira doucement mes mains de sa tête.

— Je vais bien, euh… Kelsey, c'est ça ? Il n'y a rien qui cloche dans mon cerveau, et je ne fais pas de fièvre.

— Alors pourquoi ne te souviens-tu pas de moi ?

— Peut-être parce que je ne vous ai jamais rencontrée auparavant.

Non. Non. Non. Non. Non. Non ! C'est impossible !

— Nous nous connaissons depuis presque un an. Tu es mon… petit ami. Lokesh a dû faire quelque chose ! M. Kadam ! Kishan ! criai-je.

Kishan entra en courant dans la pièce. Il repoussa Ren et nous sépara tous les deux avec son corps. Il me prit et me déposa dans le fauteuil en face de Ren.

— Qu'y a-t-il, Kells ? T'a-t-il fait du mal ?

— Non, non. Rien de tout cela. Il ne me *reconnaît* pas ! Il ne se souvient pas de moi !

Kishan détourna les yeux, l'air coupable.

— Tu le *savais* ! Tu étais au courant et tu me l'as *caché* ?

M. Kadam entra dans la chambre.

— Nous étions tous les deux au courant.

— *Quoi* ? Pourquoi ne me l'avez-vous pas dit ?

— Nous ne voulions pas vous alarmer, expliqua M. Kadam. Nous avons cru que ce n'était peut-être qu'un problème temporaire qui se résoudrait quand il serait guéri.

Je serrai le bras de Kishan.

— Alors les femmes baiga…

— Il voulait les prendre pour épouses, expliqua Kishan.

— Bien sûr. Tout s'éclaire.

M. Kadam s'assit près de Ren.

— Vous ne pouvez toujours pas vous souvenir d'elle ?

Ren haussa les épaules.

— Je n'ai jamais vu cette jeune femme jusqu'à ce qu'elle ou, je suppose, Kishan se tienne en dehors de ma cage et me sauve.

— C'est vrai ! Une cage. Je t'ai rencontré dans une cage. Tu te souviens ? Tu étais au cirque. Tu étais un tigre qui donnait des spectacles, et j'ai dessiné ton portrait et je te faisais la lecture. J'ai aidé à te libérer.

— Je me souviens d'avoir été au cirque, mais vous n'avez jamais été là. Je me souviens que je me suis libéré seul.

— Non. *Tu ne pouvais pas.* Si tu pouvais te libérer toi-même, alors pourquoi ne pas l'avoir fait plusieurs siècles plus tôt ?

Il fronça ses beaux sourcils.

— Je ne sais pas. Tout ce dont je me souviens, c'est d'être sorti de la cage, d'avoir appelé Kadam et, qu'ensuite, il est venu me chercher pour me ramener en Inde.

— Vous souvenez-vous d'être allé voir Phet dans la jungle ? interrompit M. Kadam. De vous être disputé avec moi au sujet d'y emmener Mlle Kelsey ?

— Je me souviens de m'être querellé avec vous, mais pas à son sujet. Je voulais aller voir Phet. Vous ne vouliez pas que je perde mon temps, mais je sentais qu'il n'y avait pas d'autre moyen.

— Qu'en est-il de Kishkindhâ ? J'étais avec toi là-bas aussi, dis-je, bouleversée et émotive.

— Je me souviens d'y être allé seul.

— Comment est-ce possible ? demandai-je. Tu te souviens de M. Kadam ? De Kishan ? De Nilima ?

— Oui.

— Alors, c'est seulement moi ?

— Il semblerait que oui.

— Qu'en est-il de la danse de la Saint-Valentin, du combat contre Li, des biscuits aux pépites de chocolat et au beurre d'arachide, des films, du maïs soufflé, de l'Oregon, des cours à l'université, de Tillamook ? Est-ce que tout cela a tout simplement... disparu ?

— Pas exactement. Je me souviens de m'être battu contre Li, d'avoir mangé des biscuits, de Tillamook, des films et de l'Oregon, mais je ne me rappelle pas de vous.

— Alors, tu es tout simplement allé en Oregon sans raison ?

— Non. J'allais à l'université.

— Et que faisais-tu pendant tes temps libres ? Avec qui étais-tu ?

Il fronça les sourcils comme s'il se concentrait.

— Personne, dans un premier temps, puis j'ai été avec Kishan.

— Te souviens-tu de t'être battu contre Kishan ?

— Oui.

— Pourquoi vous battiez-vous ?

— Je ne peux me souvenir. Oh, attendez ! Des biscuits. Nous nous sommes battus pour des biscuits.

Des larmes remplirent mes yeux.

— C'est une cruelle plaisanterie. Comment cela a-t-il pu se produire ?

M. Kadam se leva et me caressa le dos.

— Je ne suis pas certain. Peut-être que ce n'est qu'une perte de mémoire temporaire.

— Je ne pense pas, reniflai-je avec colère. C'est trop précis. Ce n'est que de moi dont il ne se souvient pas. C'est Lokesh qui a fait cela.

— Je soupçonne que vous avez raison, mais ne perdons pas tout espoir. Donnons-lui suffisamment de temps pour se remettre de ses blessures avant de trop nous inquiéter. Il a besoin de se reposer, et nous essaierons de l'exposer à des choses qui vont stimuler sa mémoire. Pendant ce temps, je prendrai contact avec Phet et je verrai s'il pourrait avoir un remède de fines herbes pour l'aider.

Ren leva une main.

— Avant que vous me soumettiez tous à des tests, à des herbes et à des voyages dans le passé, j'aimerais juste avoir un peu de temps pour moi.

Sur ce, il quitta la pièce. D'autres larmes me vinrent aux yeux.

— Je pense que moi aussi, j'aimerais passer un peu de temps seule, balbutiai-je ; et je partis en clopinant.

Lorsque j'arrivai enfin devant l'escalier, je m'arrêtai. Je saisis la rampe dure, ma vision brouillée par les larmes. Je sentis une main sur mon épaule, et je me retournai pour enfouir mon visage mouillé dans la poitrine de Kishan en sanglotant. Je savais qu'il était injuste d'aller chercher du réconfort chez Kishan alors que je pleurais à cause de son frère, mais je ne pouvais m'en empêcher.

Il passa son bras sous mes genoux et me porta. Me tenant tendrement tout près de lui, il me transporta en haut des escaliers. Il me déposa sur mon lit, se rendit dans la salle de bains et revint avec une boîte de mouchoirs de papier, qu'il déposa sur la table de chevet. Il murmura quelques mots en hindi, lissa les cheveux de mon visage vers l'arrière, déposa un baiser sur mon front et me laissa seule.

Tard dans l'après-midi, Nilima vint me voir.

J'étais assise dans ma chambre sur la chaise blanche, serrant contre moi mon tigre de peluche. J'avais passé la matinée à pleurer et à dormir. Elle me serra dans ses bras et s'assit sur le canapé.

— Il ne me reconnaît pas, murmurai-je.

— Vous devez lui laisser du temps. Tenez, je vous ai apporté une collation.

— Je n'ai pas faim.

— Vous n'avez pas pris votre petit déjeuner non plus.

Je la regardai avec des yeux larmoyants.

— Je ne pense pas être capable de manger.

— Très bien.

Elle se leva, alla dans ma salle de bains et revint avec ma brosse à cheveux.

— Tout ira bien, Mlle Kelsey. Il est de retour, et il se souviendra de vous.

Elle défit ma tresse et, avec de longs mouvements fluides, elle commença à brosser mes cheveux. Cela me réconfortait et me rappelait ma mère.

— Vous pensez vraiment qu'il finira par se souvenir de moi ?

— Oui. Même s'il ne retrouve pas sa mémoire, il finira par tomber amoureux de vous encore une fois. Ma mère a un dicton : *un puits profond ne tarit jamais*. Ses sentiments pour vous sont trop profonds pour disparaître complètement, même en saison sèche.

Je ris tout en pleurant.

— J'aimerais rencontrer votre mère, un jour.

— Peut-être la rencontrerez-vous.

Elle me laissa ensuite seule et, me sentant mieux, je me dirigeai lentement vers l'étage du bas.

Kishan faisait les cent pas dans la cuisine. Il s'arrêta en me voyant et me regarda entrer en clopinant. J'enveloppai les assiettes de nourriture non consommée que Nilima m'avait apportées et je les déposai dans le réfrigérateur.

— Ta cheville semble aller mieux, dit-il après un bref examen.

— M. Kadam m'a procuré de la glace et m'a conseillé de la garder élevée toute la matinée.

— Est-ce que ça va ? demanda-t-il.

— Ouais. Ça ira. Ce ne sont pas les retrouvailles que j'avais espérées, mais c'est mieux que de l'avoir trouvé mort.

— Je t'aiderai. Nous pourrons travailler ensemble avec lui.

Cela avait dû le tuer de dire cela, mais je savais qu'il était sincère. Il voulait que je sois heureuse, et si m'aider à retrouver Ren me faisait plaisir, il le ferait.

— Merci, je t'en suis reconnaissante.

Je fis un pas de plus et je faillis tomber. Il m'attrapa et me prit dans ses bras avec hésitation. Il s'attendait à ce que je le repousse comme d'habitude, mais je posai mes bras autour de lui et je l'étreignis.

Il enroula ses bras autour de moi, soupira et m'embrassa sur le front juste au moment où Ren entrait dans la cuisine. Je me raidis alors qu'il nous regardait, m'attendant à ce qu'il réagisse en voyant Kishan me toucher, mais il ne tint pas du tout compte de nous, saisit une bouteille d'eau et repartit sans dire un mot.

Kishan souleva mon menton avec son doigt.

— Ça va lui revenir, Kells.

— Oui.

— Veux-tu regarder un film ?

— Ça me semble être une bonne idée.

— D'accord. Mais quelque chose avec de l'action. Pas tes trucs de musique.

Je me mis à rire.

— De l'action, hein ? Quelque chose me dit que tu aimerais *Indiana Jones*.

Il passa un bras autour de ma taille et m'aida à marcher jusqu'à la salle de cinéma maison.

Je ne revis pas Ren jusqu'à tard dans la soirée. Il était assis sur la véranda, regardant fixement la lune. Je m'arrêtai, me demandant s'il voulait être seul ; puis je décidai que si c'était le cas, il pouvait toujours me demander de partir.

Lorsque j'ouvris la porte et sortis à l'extérieur, il pencha la tête, mais il ne bougea pas.

— Je te dérange ? demandai-je.

— Non. Voulez-vous vous asseoir ?

— D'accord.

Il se leva et m'aida à m'asseoir en face de lui. J'examinai son visage. Ses meurtrissures avaient presque complètement disparu. Ses cheveux étaient propres et avaient été coupés. Il était vêtu de vêtements griffés décontractés. J'eus le souffle coupé quand je vis ses pieds. Ils étaient encore violets et gonflés, ce qui signifiait qu'ils avaient été terriblement blessés.

— Qu'a-t-on fait à tes pieds ?

Ses yeux suivirent mon regard et il haussa les épaules.

— Il les a cassés à plusieurs reprises jusqu'à ce qu'ils ne soient plus que des sacs de haricots gonflés.

— Oh, dis-je, avec inquiétude. Puis-je voir tes mains ?

Il tendit les mains, et je les pris doucement dans la mienne, les examinant avec soin. Sa peau dorée était sans tache et ses doigts étaient longs et droits. Les ongles qui avaient été arrachés et ensanglantés plus tôt avaient maintenant repoussé et étaient en bonne santé. Je tournai ses mains et regardai ses paumes. Sauf pour une entaille à l'intérieur de son bras se terminant à son poignet, elles semblaient en bon état. Une personne normale qui aurait eu les mains brisées à autant d'endroits en aurait probablement perdu l'usage. À tout le moins, les jointures réparées auraient été enflées et raides.

— De quoi s'agit-il ? demandai-je en touchant légèrement l'entaille.

— Il s'agit d'une expérience où il a essayé de drainer tout le sang de mon corps pour voir si je survivrais. La bonne nouvelle, c'est que j'ai survécu. Par contre, il a plutôt été dérangé de voir ses vêtements tout ensanglantés.

Il retira brusquement ses mains des miennes et posa ses deux bras le long de l'arrière de la causeuse.

— Ren, je…

Il leva une main.

— Vous n'avez pas besoin de vous excuser auprès de moi, Kelsey. Ce n'est pas de votre faute. M. Kadam m'a expliqué toute l'affaire.

— Il l'a fait ? Qu'est-ce qu'il a dit ?

— Il m'a dit que Lokesh était effectivement à votre poursuite, qu'il voulait l'amulette de Kishan que vous portez maintenant, et que si je n'étais pas resté derrière pour combattre, il nous aurait enlevés tous les trois.

— Je vois.

Il se pencha en avant.

— Je suis content qu'il m'ait pris au lieu de vous. Vous auriez été tuée d'une manière horrible. Personne ne mérite de mourir ainsi. Il valait mieux que Kishan ou moi soyons capturés.

— Oui, tu étais très chevaleresque.

Il haussa les épaules et regarda les lumières de la piscine.

— Ren, qu'est-ce qu'il… t'a fait?

Il se tourna vers moi et baissa les yeux vers ma cheville enflée.

— Puis-je?

Je fis signe que oui.

Il souleva doucement ma jambe et la posa sur ses genoux. Il toucha légèrement les ecchymoses violettes et posa un coussin sous ma jambe.

— Je suis désolé que vous ayez été blessée. Il est regrettable que vous ne guérissiez pas aussi rapidement que nous.

— Tu évites ma question.

— Il y a des choses dans ce monde dont on ne doit pas parler. Il est déjà assez difficile qu'une personne doive les connaître.

— Mais ça aide de parler.

— Quand je me sentirai prêt, j'en parlerai à Kishan ou à Kadam. Ils sont endurcis au combat. Ils ont déjà vu plusieurs choses terribles.

— Je suis aussi aguerrie.

Il se mit à rire.

— Vous? Non, vous êtes beaucoup trop fragile pour entendre ce que j'ai vécu.

Je croisai les bras.

— Je ne suis pas si fragile.

— Je suis désolé. Je vous ai offensée. *Fragile* n'est pas le bon mot. Vous êtes trop... pure, trop innocente pour entendre parler de ces choses. Je ne vais pas contaminer votre esprit avec des pensées concernant ce qu'a fait Lokesh.

— Mais ça pourrait aider.

— Vous avez déjà assez sacrifié pour moi.

— Mais tout ce que tu as vécu, c'était pour me protéger.

— Je ne m'en souviens pas, mais si je pouvais m'en souvenir, je suis sûr que je refuserais tout de même de vous en parler.

— Probablement. Tu peux être assez têtu.

— Oui. Certaines choses ne changent jamais.

— Te sens-tu assez bien pour essayer de retrouver quelques souvenirs ?

— On peut essayer. Par quoi voulez-vous commencer ?

— Pourquoi ne pas commencer par le commencement ?

Il hocha la tête, et je lui racontai que je l'avais vu pour la première fois au cirque et que j'avais travaillé avec lui. Je lui racontai comment il s'était échappé de sa cage et qu'il avait dormi sur la paille, et que je m'étais reproché de n'avoir pas verrouillé la porte. Je lui parlai du poème sur le chat et du portrait que j'avais dessiné de lui dans mon journal. Étrangement, il se souvenait du poème sur le chat. Il fut même en mesure de me le réciter.

Lorsque j'eus terminé, une heure s'était écoulée. Il avait écouté attentivement en hochant la tête. Il semblait surtout intéressé par mon journal.

— Puis-je le lire ? demanda-t-il.

Je remuai inconfortablement.

— Je crois que ça pourrait aider. Il y a quelques-uns de tes poèmes dans ce journal, et c'est un bon compte-rendu de presque tout ce que nous avons fait. Cela pourrait déclencher quelque chose chez toi. Prépare-toi seulement à beaucoup d'émotions féminines.

Il leva un sourcil.

— Nous n'avons pas exactement eu un départ romantique. D'abord, je t'ai rejeté, puis j'ai changé d'avis, et alors je t'ai rejeté à nouveau. Ce n'était pas la meilleure des décisions, mais je croyais que je savais ce que je faisais à l'époque.

Il sourit.

— Les voies de l'amour sont parsemées d'embûches.

— Quand as-tu lu *Songe d'une nuit d'été* ?

— Je ne l'ai pas lu. J'ai étudié un livre de célèbres citations de Shakespeare à l'école.

— Tu ne m'en as jamais parlé, dis-je.

— Ah, enfin quelque chose que je sais et que vous ne savez pas.

Il soupira.

— Cette situation est très confuse pour moi. Je m'excuse si je vous ai blessée. Ce n'était pas mon intention. M. Kadam m'a dit que vos parents sont morts. Est-ce vrai ?

Je fis signe que oui

— Imaginez que vous êtes incapable de vous souvenir de vos vrais parents. Vous entendez des histoires sur cet homme et sur cette femme, mais ils sont des étrangers pour vous. Ils avaient des souvenirs de vous en train de faire des choses dont vous ne pouvez vous souvenir, et ils avaient des attentes à votre sujet. Ils avaient des rêves pour votre avenir, des rêves différents de ceux que vous avez pour vous-même.

— Ce serait très difficile. Je pourrais même douter de ce qu'on me raconte.

— Exactement. Surtout si vous aviez été mentalement et physiquement torturée pendant plusieurs mois.

— Je comprends.

Je me levai, mon cœur se brisant à nouveau. Ren toucha ma main alors que je passais devant lui.

— Je ne veux pas vous faire du mal. Je pourrais imaginer des choses bien pires que d'avoir une douce petite amie dont je ne me souviens pas. J'ai simplement besoin de temps pour me faire une idée à ce sujet.

— Ren ? Penses-tu ? Je veux dire, est-ce possible ? Pourrais-tu apprendre à… m'aimer à nouveau ?

Il me regarda un moment d'un air pensif.

— Je vais essayer, dit-il.

Je hochai la tête sans rien dire. Il laissa tomber ma main et j'allai m'enfermer dans ma chambre.

Il va essayer.

Une semaine passa avec peu ou pas d'amélioration. Malgré les efforts de Kishan, de M. Kadam et de Nilima, Ren n'avait aucun souvenir de moi. Il commençait à perdre patience avec tout le monde, sauf avec Nilima, à qui il aimait rendre visite. Je pensai qu'elle l'embarrassait beaucoup moins à ce sujet. Elle ne me connaissait pas aussi bien que les autres, et elle parlait de choses dont tous les deux se souvenaient.

Je lui préparai tous les plats qu'il avait aimés quand nous étions en Oregon, y compris mes biscuits aux pépites de chocolat et au beurre d'arachide. La première fois qu'il en mangea, il sembla beaucoup les aimer, mais lorsque je lui expliquai la signification des biscuits, il fut moins enthousiaste. Il ne voulait pas que je sois déçue en voyant qu'aucun souvenir n'était ravivé lorsqu'il les mangeait. Kishan profita de sa réticence et dévora chaque fournée de biscuits que je préparais. Un soir, je descendis pour souper et je vis que tout le monde était assis dans la salle à manger et me regardait fixement. La pièce avait été décorée avec des banderoles pêche et ivoire. Un gros gâteau avait été déposé au centre d'une table joliment décorée.

— Bon anniversaire, Mlle Kelsey ! s'écria M. Kadam.

— Mon anniversaire ? J'avais complètement oublié !

— Quel âge as-tu maintenant, Kells ? demanda Kishan.

— Humm… 19 ans.

— Eh bien, c'est encore un bébé. Hein, Ren ?

Ren hocha la tête et sourit poliment.

Kishan m'attrapa pour me serrer dans ses bras.

— Là. Assieds-toi pendant que je vais chercher tes présents.

Kishan m'aida à m'asseoir et alla chercher les cadeaux. M. Kadam s'était servi du Fruit d'Or pour me faire préparer mon repas préféré : un cheeseburger, des frites et un lait malté au chocolat. Tous les autres avaient aussi choisi leurs mets préférés, et nous rîmes tous en notant les choix de nos voisins. C'était la première fois que je riais depuis un bon moment.

Lorsque le repas fut terminé, Kishan annonça que c'était le moment de me donner mes cadeaux. J'ouvris d'abord le présent de Nilima. Elle m'avait offert une bouteille de parfum français très cher que je fis circuler autour de la table.

Kishan le sentit et grogna.

— Son parfum naturel est beaucoup mieux.

Lorsque la bouteille arriva à Ren, il sourit à Nilima.

— Moi, je l'aime, dit-il.

Le sourire facile glissa de mon visage.

Le présent suivant était de M. Kadam. Il poussa une enveloppe sur la table. Il me fit un clin d'œil alors que je glissais mon doigt sous le bord pour l'ouvrir. À l'intérieur, il y avait une photographie d'une voiture.

Je la soulevai.

— Qu'est-ce que c'est ?

— C'est une nouvelle voiture.

— Je n'ai pas besoin d'une nouvelle voiture. J'ai la Boxster à la maison.

Il hocha la tête avec tristesse.

— Elle n'est plus là. Je l'ai vendue, de même que la maison, à l'aide d'un organisme. Lokesh les avait repérées, et il aurait pu remonter jusqu'à nous par cette trace, alors j'ai brouillé nos pistes.

J'agitai la photo pour la montrer autour de moi et je souris.

— Et quel type de voiture avez-vous décidé qu'il me fallait en ce moment ?

— Ce n'est pas grand-chose. Un petit quelque chose qui vous permettra de vous déplacer d'un endroit à l'autre.

— Comment l'appelle-t-on ?

— C'est une McLaren SLR 722 Roadster.

— De quelle taille est-elle ?

— C'est un cabriolet.

— Est-ce qu'un tigre peut y entrer ?

— Non, il n'y a que deux places, mais les garçons sont maintenant des hommes la moitié de la journée.

— Vaut-elle plus de 30 000 dollars ?

Il se tortilla et tenta de se dérober.

— Oui, mais...

— Combien de plus ?

— Beaucoup plus.

— *Combien* de plus ?

— Environ 400 000 dollars de plus.

Je fus bouche bée.

— M. Kadam !

— Mlle Kelsey, je sais que c'est exagéré, mais quand vous la conduirez, vous verrez qu'elle vaut chaque centime.

Je croisai mes mains sur ma poitrine.

— Je ne vais pas la conduire.

Il paraissait vexé.

— Cette voiture est faite pour être conduite.

— Alors vous la conduirez. Moi, je prendrai la jeep.

Il sembla tenté.

— Si cela peut vous apaiser, peut-être pouvons-nous la partager.

Kishan frappa dans ses mains.

— J'ai très hâte.

M. Kadam remua un doigt vers lui.

— Oh, non ! Pas *vous*. Nous vous trouverons une jolie berline. *Usagée*.

— Je suis un bon chauffeur ! protesta Kishan.

— Vous avez besoin de plus de formation.

Je les arrêtai en riant.

— D'accord. Lorsque la voiture arrivera, nous en reparlerons.

— La voiture est déjà là, Mlle Kelsey. Pendant que nous parlons, elle se trouve dans le garage. Peut-être pourrons-nous aller la voir plus tard.

Ses yeux brillaient d'excitation.

— D'accord, juste vous et moi. Merci pour mon merveilleux présent extravagant et exagéré.

Il hocha joyeusement la tête.

— D'accord.

Je souris.

— Je suis prête pour mon prochain présent.

— C'est le mien, dit Kishan.

Il me tendit une grande boîte blanche entourée d'un ruban de velours bleu. Je l'ouvris, j'écartai le tissu délicat et je touchai la soyeuse étoffe bleue.

— Oh, Kishan ! C'est vraiment charmant.

— Je l'ai fait fabriquer spécialement pour ressembler à la robe que tu portais dans le bosquet des rêves. Évidemment, l'écharpe n'a pu reproduire les vraies fleurs tissées à travers le tissu, mais elle a brodé des fleurs à la place.

De délicates centaurées bleues avec des tiges et des feuilles vertes souples étaient brodées tout autour du bord et sur le côté de la robe jusqu'à la taille, puis elles montaient de l'autre côté vers l'épaule. Des fées ailées mauves et orange étaient perchées coquettement sur les feuilles.

— Je te remercie ! Je l'adore !

Je le serrai dans mes bras et lui fis un baiser sur la joue. Ses yeux dorés brillèrent de plaisir.

— Merci à tous !

— Euh, il y a toujours mon cadeau. Il n'est certainement pas aussi intéressant que ceux des autres.

Ren poussa vers moi un cadeau enveloppé à la hâte et rata mon timide sourire lorsqu'il se mit à fixer ses mains.

Le paquet contenait quelque chose de mou et de doux.

— Qu'est-ce que c'est ? Laisse-moi deviner. Un nouveau chapeau et des gants de cachemire ? Non, je n'aurai pas besoin de cela en Inde. Ah, je sais ! Une écharpe de soie ?

— Ouvrez-le, dit Nilima, pour que nous puissions voir.

Je déchirai l'emballage et je clignai des yeux à quelques reprises.

M. Kadam se pencha en avant.

— Qu'est-ce que c'est, Mlle Kelsey ?

Une larme se glissa sur ma joue. Je l'écartai rapidement avec le dos de ma main et je souris.

— C'est une très belle paire de chaussettes.

Je me tournai vers Ren.

— Je te remercie. Tu devais savoir que j'avais besoin d'une nouvelle paire.

Ren hocha la tête et poussa un peu de nourriture non consommée d'un côté à l'autre de son assiette. Nilima sentit que quelque chose n'allait pas, et elle me serra le bras.

— Qui est prêt pour le gâteau ? dit-elle.

Je souris joyeusement pour essayer de détendre l'atmosphère. Nilima coupa le gâteau alors que M. Kadam ajoutait des boules géantes de glace. Je les remerciai et pris une bouchée de mon gâteau.

— C'est un gâteau aux pêches ! C'est la première fois que j'en mange. Qui l'a fait ? Le Fruit d'Or ?

M. Kadam était occupé à préparer la prochaine boule de crème glacée.

— En fait, c'est Nilima et moi qui l'avons préparé.

— La crème glacée est aussi aux pêches et à la crème.

M. Kadam se mit à rire.

— Oui. En fait, elle vient de ce bar laitier que vous aimez. Tillamook, je crois.

Je pris une autre bouchée de gâteau.

— Je savais que je reconnaissais ce goût. C'est ma marque de crème glacée préférée. Je vous remercie d'avoir pensé à moi.

M. Kadam s'assit pour déguster son morceau de gâteau.

— Oh, eh bien, ce n'était pas mon idée. C'est quelque chose qui était planifié depuis long…

Ses paroles se perdirent lorsqu'il prit conscience de son erreur. Mal à l'aise, il se mit à tousser.

— Eh bien, balbutia-t-il, il suffit de dire que ce n'était pas mon idée.

— *Oh.*

Il continua maladroitement à essayer de m'empêcher d'imaginer que l'ancien Ren avait prévu plusieurs mois à l'avance une fête d'anniversaire aux pêches et à la crème. Il commença à m'expliquer qu'en Chine, la pêche était un symbole de longévité et de chance.

Je cessai de l'écouter. Un morceau de gâteau se coinça soudainement dans ma gorge. Je bus un peu d'eau pour l'avaler.

Ren poussait la glace à la pêche dans son assiette.

— Nous reste-t-il un peu de cette glace au chocolat et au beurre d'arachide ? Je ne suis pas un grand amateur de pêches et de crème.

Je levai la tête et je le regardai avec stupeur et déception. J'entendis M. Kadam lui dire qu'il y en avait dans le congélateur. Ren écarta son dessert à la pêche et sortit de la pièce. Je restai assise, immobile. Ma fourchette était presque rendue à ma bouche lorsque je m'arrêtai.

J'attendis. Bientôt, je sentis une vague de douleur déferler en moi. Au milieu de ce qui aurait dû être le paradis, entourée par les gens que j'adorais pour célébrer mon anniversaire, je me retrouvais dans mon propre enfer intime. Mes yeux se remplirent de larmes. Je m'excusai, je me levai et je me détournai rapidement. Kishan aussi se leva, perplexe.

Essayant en vain d'insuffler de l'enthousiasme à ma voix, je demandai à M. Kadam si nous pourrions faire un tour en voiture le lendemain.

— Bien sûr, dit-il doucement.

Alors que je montais à l'étage, j'entendis Kishan qui menaçait Ren.

— Qu'as-tu fait ? demanda-t-il d'un ton soupçonneux.

J'entendis Ren qui répondait doucement.

— Je ne sais pas.

ÉPILOGUE

Délaissée

Le lendemain, je décidai d'essayer de faire contre mauvaise fortune bon cœur. Ce n'était pas la faute de Ren. Il ne savait pas ce qu'il avait fait, ni pourquoi cela me faisait aussi mal. Il ne se souvenait pas des chaussettes, de mon odeur, ou du fait qu'il avait choisi la crème glacée aux pêches au lieu de celle au chocolat et au beurre d'arachide. *Ce n'est que de la stupide crème glacée ! Quelle importance ?*

Personne ne se souvenait de ces choses. Personne. Sauf moi. J'allai faire un tour dans la nouvelle décapotable sophistiquée avec M. Kadam, et j'essayai d'être heureuse de le voir passer en revue les caractéristiques de la voiture. J'agissais machinalement mais, à l'intérieur, j'étais engourdie. J'étais désespérée. J'avais l'impression d'interagir avec la doublure de Ren. Il ressemblait à mon Ren et il pouvait même parler comme lui, mais il lui manquait une étincelle. Quelque chose n'allait pas.

J'avais prévu une séance d'entraînement avec Kishan à notre arrivée à la maison. Je me changeai donc et je passai à travers la buanderie pour descendre l'escalier vers le dojo. Je m'arrêtai quand j'entendis les voix de deux personnes qui se disputaient. Je n'avais pas l'intention d'écouter aux portes, mais j'entendis mon nom et je ne pus partir.

— Tu lui fais du mal, disait Kishan.

— Tu crois que je ne le sais pas ? Je ne veux pas lui faire de mal, mais je ne vais pas me contraindre à ressentir quelque chose que je ne ressens pas.

— Tu ne peux pas au moins essayer ?

— C'est ce que j'ai fait.

— Je t'ai vu accorder plus d'attention à la crème glacée qu'à elle.

Ren laissa échapper un soupir exaspéré.

— Écoute, il y a quelque chose de… rebutant chez elle.

— Qu'est-ce que tu veux dire ?

— Je ne peux pas vraiment le décrire. C'est simplement que quand je suis près d'elle… j'ai hâte de partir. Je me sens soulagé quand elle n'est pas là.

— Comment peux-tu parler ainsi ? Tu l'aimais ! Tu étais plus passionné par elle que tu ne l'as jamais été par n'importe quoi d'autre dans ta vie !

Ren se mit à parler doucement.

— J'ai de la difficulté à imaginer que j'ai éprouvé ces sentiments pour elle. Elle est gentille et mignonne, mais elle est un peu jeune. Dommage que je n'aie pas été amoureux de Nilima.

Kishan réagit avec indignation.

— *Nilima* ! Elle est comme une sœur pour nous ! C'est la première fois que tu exprimes des sentiments pour elle !

— C'est plus facile d'être en sa compagnie, répondit tranquillement Ren. Elle ne me regarde pas avec de grands yeux bruns blessés.

Les deux frères demeurèrent silencieux pendant une minute. Je me mordis profondément les lèvres et un goût de sang envahit ma bouche, mais la douleur ne m'affecta pas.

Kishan se mit à parler avec intensité.

— Kelsey est tout ce qu'un homme peut désirer. Elle est parfaite pour toi. Elle aime la poésie et elle est heureuse de rester assise indéfiniment à t'entendre chanter et jouer de la guitare. Elle a attendu des mois pour que tu viennes la voir, et elle a risqué sa vie à plusieurs reprises pour sauver ta miteuse peau galeuse. Elle est douce, aimante, chaleureuse, belle et elle te rendrait infiniment heureux.

Il y eut une pause. Puis, j'entendis Ren lui répondre sur un ton incrédule.

— Tu l'aimes.

Kishan ne répondit pas immédiatement, puis il dit doucement, si doucement que je l'entendis à peine :

— Aucun homme sensé ne pourrait ne pas l'aimer, ce qui prouve que tu n'as pas tous tes esprits.

— Peut-être que je lui étais reconnaissant, dit pensivement Ren, et que je lui ai permis de croire que je l'aimais mais, maintenant, ce n'est pas ce que je ressens pour elle.

— Crois-moi. Ce n'est pas de la *reconnaissance* que tu ressentais pour elle. Tu as langui pour elle pendant des mois. Tu as percé le tapis à force de marcher de long en large. Tu lui as écrit des milliers de poèmes d'amour décrivant sa beauté et ton malheur quand elle est partie. Si tu ne me crois pas, va dans ta chambre et lis-les toi-même.

— Je les ai lus.

— Alors, quel est ton problème ? Je ne t'avais jamais vu plus heureux dans ta misérable vie que lorsque tu étais avec elle. Tu l'adorais, et c'était réel.

— Je ne sais pas ! Peut-être que c'est d'avoir été torturé à maintes reprises. Peut-être que Lokesh a planté quelque chose dans mon cerveau qui a ruiné pour toujours dans mon esprit tout ce qui la concerne. Quand j'entends son nom ou sa voix, je grince des dents. Je m'attends à ressentir de la douleur. Je ne veux pas cela. Ce n'est pas juste pour nous deux. Elle ne mérite pas qu'on lui mente. Même si je pouvais apprendre à l'aimer, la torture serait toujours là, dans le fond de mon esprit. Chaque fois que je la regarde, je vois Lokesh me questionner, toujours me questionner, me blesser à cause d'une fille que je ne connais pas. J'en suis incapable, Kishan.

— Alors… tu ne la mérites pas.

Il y eut une longue pause.

— Non, je ne crois pas la mériter.

Je me mordis la main pour retenir un sanglot et je haletai. Ils m'entendirent.

— Kells ? dit Kishan.

Je courus dans l'escalier.

— Kells ! Attends !

J'entendis Kishan qui me suivait et je montai l'escalier en courant aussi vite que je le pouvais. Je savais que si je ne me hâtais pas, l'un d'eux me rattraperait. Claquant la porte de la buanderie derrière moi, je montai en courant l'autre volée de marches pour ensuite entrer dans ma salle de bains, et je verrouillai la porte. Je rampai dans la baignoire sèche et tirai mes genoux contre ma poitrine. Une série de coups martelèrent la porte — certains doux, certains insistants et forts, d'autres à peine audibles. Il semblait que tout le monde cognait à tour de rôle. Même Ren. Finalement, ils me laissèrent seule.

Je me cramponnai à mon cœur. La connexion entre nous avait disparu. Le beau bouquet de lys tigrés que je nourrissais et soignais depuis l'absence de Ren s'était flétri. Mon cœur était dévasté par une sécheresse impitoyable. Les uns après les autres, les doux pétales parfumés devenaient bruns et tombaient de la tige.

Aucune cajolerie, aucune taille, aucun arrosage ou coupe n'allait les sauver. C'était l'hiver. Les tiges étaient fanées. Les bourgeons étaient partis. De vieux pétales brisés s'étaient écrasés dans la poussière et avaient été soufflés par un vent chaud et fort. Il ne restait que quelques chicots bruns — un triste souvenir d'un arrangement floral dont la valeur avait été inestimable.

Tard dans la nuit, je sortis de ma chambre, j'enfilai des chaussures et j'attrapai les clés de ma nouvelle voiture. Je quittai tranquillement la maison et je me glissai sur le siège de cuir lisse. Roulant rapidement sur la route, le toit ouvert, je conduisis jusqu'à ce que je me retrouve à un point d'observation au sommet d'une colline surplombant la vaste vallée boisée en dessous. J'inclinai le siège et je m'étendis, regardant les étoiles et réfléchissant aux constellations.

Mon père m'avait parlé de l'étoile du Nord. Il m'avait dit que les marins pouvaient toujours compter sur elle, qu'elle ne déviait jamais. Elle était toujours là, toujours fiable. *Quel est son autre nom, déjà ? Ah, oui, l'étoile polaire.* Je cherchai la Grande Ourse, mais je fus incapable de la voir. Je me souvins que Papa avait dit qu'elle n'était visible que dans l'hémisphère Nord. Il avait expliqué qu'il n'y avait aucune étoile semblable à elle dans l'hémisphère Sud. C'était un phénomène céleste unique.

Un jour, Ren avait dit qu'il était aussi constant que l'étoile du Nord. Il avait été mon étoile polaire. Maintenant, je n'avais pas de centre, pas de guide. Je sentais le désespoir se faufiler à nouveau à travers moi. Alors, une petite voix au fond de moi, avec un esprit sarcastique semblable à celui de ma mère, me parla.

— *Ce n'est pas parce que tu ne peux pas voir l'étoile qu'elle n'est pas là. Peut-être s'est elle cachée pendant un moment, mais tu peux être assurée qu'elle luit encore brillamment quelque part.*

Peut-être qu'un jour je retrouverais cette étincelle. Peut-être que je gaspillerais ma vie à la chercher. J'étais à la dérive sur un océan de solitude. Un marin sans étoile à suivre. Pourrais-je être heureuse sans lui ? Je ne voulais même pas envisager cette possibilité.

J'avais subi une perte. Mes parents étaient partis. Ren avait… disparu. Mais j'étais toujours là. J'avais encore des choses à accomplir. J'avais un travail à faire. J'avais déjà vécu des épreuves auparavant et je pourrais le refaire, vaincre la douleur et passer à autre chose. Si je pouvais trouver l'amour avec quelqu'un en chemin, alors ainsi soit-il. Sinon, je ferais tout ce que je pourrais pour être heureuse par moi-même. J'avais déjà souffert quand Ren était parti, et je souffrais toujours, mais je survivrais.

Je raisonnai. *On ne peut nier que je l'aimais et que je l'aime encore, mais j'ai beaucoup d'autres raisons d'être heureuse. Le Maître Océan a dit que le but de la vie, c'est d'être heureux. La tisserande divine m'a suggéré de ne pas me décourager lorsque le modèle ne convenait pas. Elle m'a dit que je devais attendre, observer et être patiente et dévouée.*

Les fils de ma vie sont tous emmêlés et pêle-mêle. J'ignore si je pourrai les démêler un jour. En ce moment, le tissu de mon existence est plutôt laid. Tout ce que je peux faire, c'est m'accrocher, avoir la foi et croire qu'un jour, je reverrai la lumière de cette étoile brillante.

Un jour, j'ai dit à Ren que notre histoire n'était pas terminée.

Et elle ne l'est pas.

Pas encore.

Ne manquez pas
La saga du tigre

Tome 3

Le voyage du tigre

REMERCIEMENTS

Comme toujours, je tiens à remercier mon premier groupe de lecture. Ma famille – Kathy, Bill, Wendy, Jerry, Heidi, Linda, Shara, Tonnie, Megan, Jared et Suki. Et mes amis – Rachelle, Cindy, Josh, Nancy, Heidi Jo, Alyssa et Linda.

Je tiens à remercier chaleureusement ma rédactrice en chef/conseillère en Inde, Sudha Seshadri, qui est aussi devenue mon amie et qui, je le crois, aime mes tigres autant que moi.

Je serai éternellement reconnaissante à mon mari, qui a fidèlement lu chaque chapitre à haute voix à mesure que je les écrivais. Sans ses modifications concernant la ponctuation, personne d'autre n'aurait compris la matière. Il a toujours hâte de lire le prochain chapitre et admet même aimer les scènes de baisers. C'est mon plus grand admirateur et mon plus grand critique, et c'est ainsi que fonctionnent les meilleurs mariages.

Un merci tout spécial à mon frère, Jared, et à sa femme, Suki, qui ont patiemment décrit et même mimé tous les mouvements d'arts martiaux ; j'ai pu ainsi obtenir de meilleures scènes de combat.

Je tiens également à exprimer ma reconnaissance à Tsultrim Dorjee, adjoint au Bureau de Sa Sainteté le dalaï-lama, pour m'avoir permis d'utiliser des citations du dalaï-lama.

Merci à ma première équipe de rédacteurs en chef de Booksurge, Rhadamanthus et Gail Caton, pour leur travail acharné ; et un grand merci à tous les gens de Booksurge ; sans leurs services, mes tigres n'auraient peut-être jamais vu le jour sur des pages imprimées.

S'il vous plaît, envoyez de nombreuses pensées bienveillantes à mon agent, Alex, pour ses efforts à mon endroit. Son expertise a été grandement nécessaire et elle est très appréciée.

Merci à l'équipe des tigres à Sterling, en particulier Judi Powers, et une salve d'applaudissements à mes fabuleuses éditrices et amies Cindy Loh et Marie Hern, qui ont poussé ce livre au maximum de son potentiel.

Enfin, merci à tous mes admirateurs qui ont lu et relu sans relâche, obsédés au point où vos mères ont dû cacher les livres. Vous savez qui vous êtes. Vous êtes tous fous et merveilleux ! Merci pour tous vos courriels et toutes vos lettres de soutien et d'encouragement.

À PROPOS DE L'AUTEURE

Le premier roman de Colleen Houck, *La malédiction du tigre,* est un best-seller du *New York Times* et de *Publishers Weekly. La quête du tigre* est le deuxième tome de sa populaire série La saga du tigre. Colleen vit à Salem, en Oregon, avec son mari et un tigre blanc en peluche.

De la même série

Tome 1